제6판

서 비 스
마 케 팅

1

이 유 재

학현사 HAKHYUNSA

미국 브랜드 컨설팅 그룹 인터브랜드가 최근 발표한 글로벌 브랜드 가치 순위를 보면 애플, 구글, 아마존이 선두를 달리고 있다. 10여 년 전만 해도 애플과 구글이 30위권에 있었고, 아마존은 2014년 15위권 안에 들기 시작한 후발 주자라는 점을 감안하면 그 변화 속도는 놀랍다. 뿐만 아니라, 이 기업들의 브랜드 가치는 삼성, 도요타, 벤츠와 같은 제조기업의 3배 이상으로 전체 산업에서 서비스업이 차지하는 비중은 더욱 커지고 있다. 급성장하는 기업에게 발견할 수 있는 공통적인 특징은 첨단 정보통신기술(ICT)을 산업에 적용하고 서비스 혁신을 이끌어 시장에서 우위를 차지한다는 점이다.

ICT 혁신은 서비스 혁신과 밀접하게 맞닿아 있다. 과거 대량생산을 가능하게 한 제조기술이 농업경제에서 산업경제로 이행되는 산업혁명을 이끌었던 것처럼, 최근 ICT 발전은 산업경제에서 서비스 경제로 이행되는 서비스 혁명을 가속화시키고 있다. 서비스 경제란 서비스가 지닌 특징이 경제 전반으로 확장되는 것을 의미한다. ICT 발전에 따른 초연결과 융합은 가치를 공동 창출하는 고객의 역할을 극대화하고, 소유가치보다 사용가치의 중요성을 강조하면서, 제조와 서비스라는 기존의 양분화된 산업 구분을 빠르게 허문다. 서비스업과 제조업의 구분은 크게 의미가 없으며, 제조기업 역시 서비스를 중요한 요소로 관리할 필요가 있다. 즉, 서비스 영역이 확장되어 이제 모든 것이 서비스가 되는 '서비스 사회'로의 이동이 일어나고 있다.

이와 같이 ICT의 발전은 생산, 제조 시스템에 고객의 요구를 즉각적으로 결합하고 융합하여 서비스의 본질을 변혁시킨다. 사물인터넷으로 실시간 수집된 고객의 데이터는 클라우드를 통해 빅데이터로 축적 및 처리

되어 고객의 욕구와 필요를 충족시키는 데 활용된다. 고객과 기업이 유비쿼터스적으로 소통하면서 서비스 품질은 더욱 높아질 것이다. 따라서 모든 기업은 이러한 기술 발전이 이끄는 서비스 진화와 경제패러다임의 변화를 바탕으로 경영전략을 도출해야 한다.

서비스 마케팅 6판에서는 기술의 혁신이라는 렌즈를 통해 모든 내용을 다시 비추어 보고 다음과 같이 개편했다.

첫째, ICT가 이끄는 서비스 혁신을 이해하기 위해 새 챕터를 추가하였다.

둘째, 기술의 발전에 따라 기존의 서비스에 대한 논의가 어떻게 변화하거나 유지될 수 있는지 모든 챕터에서 다루고자 했다.

셋째, 각 챕터에 다양한 사례를 프롤로그와 인사이트로 삽입했다. 해당 챕터에서 논한 이론이 실제 현장에서 어떻게 실천되는지 그 생생한 사례를 다루면서 이론과 실무의 융합과 이해를 도모했다.

넷째, 사례와 관련한 동영상 링크를 첨부하여 문자보다 영상이 더 익숙한 독자들에게 가깝게 다가가고자 노력했다.

다섯째, 책을 2권으로 나눠서 독자들이 700여 페이지 가량의 무거운 책을 들고 다니는 수고를 줄이고자 했다.

개정과 함께 더욱 완성도 높은 책을 만들겠다는 일념으로 끊임없이 제기했던 까다로운 요구들을 너그럽고 성실하게 들어주신 학현사의 이영관 이사님과 심은경 실장님께 감사드린다. 마지막으로, 기술 변화와 함께 다가올 미래 서비스의 생생한 모습을 서비스 마케팅 6판 독자들에게 제시하고자 수개월간 활발히 논의하고 정리에 애써준 301호 씀회원들(권용주, 김샛별, 김현지, 박유경, 박지혜, 박현아, 이희경, 장지혜)에게 깊은 고마움을 전한다.

2019년 여름

이 유 재

명곡(名曲)의 정의는 두 가지다. "이름난 악곡 또는 뛰어나게 잘된 악곡". 즉, 수많은 사람들에게 사랑 받아 이름이 나거나, 아니면 소위 전문가 집단이라 불리는 이들에게 그 완성도를 인정받을 만큼 악곡이 잘 된 경우 그 노래를 명곡이라 부른다는 것이다. 많은 이들에게 사랑도 받고 동시에 좋은 음악으로 평가도 받을 수 있다면 더 바랄 것이 있겠는가. 그래서 오늘도 음악 하는 이들은 음악 그 자체를 연구하는 동시에 듣는 이들의 마음도 부단히 연구하고 있을 터이다.

60세가 넘은 조용필이 2013년 봄 발표한 앨범 〈Hello〉가 대성공을 거두었다. 아이돌 음악 일색이었던 대중가요 시장을 평정할 만한 위력의 비결로, 그가 자신의 틀을 깨고 젊은 옷을 과감히 입었기 때문이라는 평이 대다수이다. 그는 40년 전과 마찬가지로 여전히 음악을 통해 사랑과 이별을 말하고 있다. 다만 젊은 랩퍼들을 기용하고, 일렉트로닉 등 파격적인 음악기법을 기꺼이 수용한 노력들이 듣는 이들의 귀를 열었을 것이다.

책을 쓰고 강의를 하는 마음도 '조용필의 마음'과 다르지 않아야 할 것이다. 시대를 막론하고 변하지 않는 원리가 될 것(What to say)들은 충분히 담아내되, 읽는 이 듣는 이의 마음이 어디에 있는지 잘 헤아려 전달하는 방법(How to say)을 찾아내야 한다고 믿는다. 더구나 오늘날처럼 셀 수 없는 미디어를 통해 정보가 쏟아지는 세상에서라면, 아무리 좋은 내용도 듣는 이가 원하는 방식이 아니면 전달 자체가 아예 어렵다는 것이 정확한 표현인지도 모르겠다.

〈서비스마케팅〉 5판은 그러한 맥락에서 준비되었다. 책의 근간이 되는 원리들이 가장 잘 전달되도록 국내외의 최신 사례들을 찾아내었고, 서비스다양화 경향, 소셜미디어 등 미디어의 신경향들을 대거 반영하였다. 또한 독자 입장에서 가장 이해하기 쉬운 방식으로 전달하기 위해 시각화 작업에 심혈을 기울였음을 밝혀둔다.

이를 위해 까다로운 요청들에 일일이 응해주신 학현사 김사설 상무님과 편집부 이영관 부장님께 특별히 감사인사를 드린다. 또한 새로운 옷을 입기 위해 젊은 아이디어를 주고, 발로 뛰며 충실히 개정작업을 도와 준 김서영, 박유경, 이수현, 이신형 조교에게도 고마움을 전한다.

2013년 여름

이 유 재

영화 '사랑할 때 버려야 할 아까운 것들(Something's Gotta Give, 2003)'에서 주인공 잭 니콜슨은 평생을 바람둥이로 살아 온 노년의 백만장자다. 그는 진정한 사랑을 찾았을 때조차 자신과 오랜 연인이 될 수 없을 상대들을 놓치기가 아쉬워 선뜻 한 사람(다이안 키튼)에게 집중하지 못하고, 결국 그녀는 자신을 향한 사랑에 몰입한 키아누 리브스에게로 떠난다. 영화의 끝은 물론 그가 결국 한 사람에게 몰입하고 깊은 행복을 찾는다는, 해피 앤딩으로 막을 내린다.

오늘날과 같은 첨예한 경쟁 상황에서 기업, 정부, 학교, 개인... 수많은 서비스의 주체들이 '잭 니콜슨'의 길을 걷는다면 그 결과는 참담할 것이다. 자신(Company)이 누구인지, 무얼 원하는지 고민하지 않고, 사랑의 상대(Customer)에 대해 연구하지 않으며, 사랑의 경쟁자(Competitor)를 이길 만한 힘을 기르지 않고 진정한 사랑을 얻을 수 있겠는가. 세상에는 고객, 국민, 학생, 애인 등을 향해 손짓할 매력적인 또 다른 '키아누 리브스'들이 기다리고 있는데 말이다.

서비스 마케팅 4판은 바로 그 지점에서 출발한다. 서비스 마케팅 3판이 쉬운 언어로 전달하는 것에 힘을 모았다면, 4판은 성공적인 서비스 마케팅을 위한 전략적 시각을 제공하는 일에 관심을 기울였다. 그동안 서비스 마케팅 책을 아껴준 이들의 조언으로, 필자 또한 '사랑할 때 버려야 할 아까운 것들'을 비로소 버릴 수 있었다. 3판에서 버려야 할 내용들은 과감히 버리고, 되도록 반드시 필요한 내용들을 남기기 위해 힘썼다. 무얼 버려야 할지 알기 위해서는 전략적인 눈이 필요하다는 것도 몸소 체험하였음을 고백한다.

4판의 특징은 다음과 같다.

첫째, 새롭게 추가한 〈2부 상황 분석과 포지셔닝〉을 통해 서비스 마케팅의 출발이 되어야 할 전략적인 시각을 제시하였다.

둘째, 이어지는 〈3부 서비스 마케팅 믹스〉에서는 7P로 익히 알려진 상품, 프로세스, 사람, 물리적 증거, 가격, 촉진, 채널에 대한 개념을 설명하는 데 있어서 2부에서 언급한 전략적 사고의 기반에 근거해 새로운 접근법을 제안하고자 노력하였다.

셋째, 서비스 마케팅의 다양한 최신 사례들을 추가하였다. 그러나 책의 개념들을 가장 잘 설명한다고 판단되는 좋은 사례들은 유지하도록 했다.

이 책을 읽는 서비스 마케팅의 주인공, 잭 니콜슨들께서 부디 다이안 키튼과 하루 속히 사랑을 이루시길 바란다. 하여 곳곳에서 사랑의 해피앤딩을 만드는 일에 이 책의 네 번째가 작게라도 도움이 되기를 기대해 본다.

2008년 여름

이 유 재

아름다운 순간

-이해인

마주한 친구의 얼굴 사이로
빛나는 노을 사이로
해뜨는 아침 사이로

바람은
우리들 세계의
공간이란 공간은 모두 메꾸어
빈자리에서 빈자리로 날아다닌다

때로는 나뭇가지를 잡아 흔들며,
때로는 텅 빈 운동장을 돌며

바람은
끊임없이 자신의 존재를
우리에게 이야기한다

이 아름다운 바람을 볼 수 있으려면
오히려 눈을 감아야 함을
우리에게 끊임없이 속삭이고 있다

사람과 사람 사이에 '바람(Wind)'이 되고 싶은 '바람(Wish)'을 가져보는 때가 있다. 내가 바람이 되어 정체된 사람들 사이가 부드러워지고, 나로 인해 누군가가 세상을 더 아름답게 볼 수 있게 되고, 그의 삶이 더 풍요하고 견고해 질 수 있다면 그보다 더한 기쁨이 있겠는가.

서비스 정신은 이제 우리의 관계에서 매우 익숙한 대기의 흐름이 되어가고 있다. 기업과 고객, 정부와 국민, 교사와 학생, 직원과 직원, 혹은 고객과 고객 사이에 이르기까지 서비스를 올바로 인식하고 행하는 모든 이들에 의해 우리가 사는 세상이 참으로 풍성해졌다고 생각한다.

〈서비스 마케팅〉 2판이 전해야 할 심도 있는 말들을 한 데 모아 정리하는 데 심혈을 기울인 것이었다면, 3판은 책의 주인은 쓰는 이가 아니라 읽는 분들의 것임을 기억하며 쓴 것이라 하겠다.

그동안 각계에서 이 책을 아껴주시고 조언해 주신 분들께 감사한 마음을 전한다.

3판의 특징은 다음과 같다.

첫째, 2판 이후 5년의 세월을 담아내지 못하는 사례들을 최신의 것으로 대체했다. 그러나 책의 개념들을 가장 잘 설명한다고 판단되는 좋은 사례들은 유지하도록 하였다.

둘째, 개정에 있어 또 다른 기준은 읽는 분들을 위해 되도록 쉬운 언어로 풀어 쓰고자 했다.

셋째, 내용에 대한 성실함은 유지하되 선택과 집중을 통해 분량을 줄여 읽는 부담을 덜고자 했다.

넷째, 강의하시는 분들을 위해서는 강의안, 보조사례, 학습문제와 함께 추가적인 내용을 CD에 담아 드리고자 한다.

책이 쓰여지는 동안 원고의 정리 및 교정단계에서 수고해준 서울대학교 대학원의 김병규, 김수경, 차문경 조교에게 고마움을 전하며 이들의 앞날이 힘차고 선하기를 기원한다. 한 권의 책을 만들기 위해 정성을 아끼지 않으신 학현사의 류재식 사장과 직원 여러분께도 감사드린다. 그리고 세월이 갈수록 더 깊은 쉼을 주는 지혜로운 아내, 좋은 나무로 커 가며 아버지를 기대하게 하는 종세, 종화에게 사랑을 전한다.

시인의 말처럼 눈을 감지 않아도 서비스의 아름다운 순간들을 곳곳에서 만날 수 있을 날들을 기대해 본다. 부족하지만 이 책의 세 번째가 보다 깊고 넓은 '바람'이 만들어지는 곳곳에서 조금이나마 참고가 되기를 바란다.

2004년 2월

이 유 재

1994년에 〈서비스 마케팅〉의 초판이 나온 이후 많은 독자들께서 따뜻한 격려와 질책을 해 주셨다. 우선 그 분들에게 감사를 드린다.

한편 뿌듯하게 생각하는 것은 초판을 쓸 때 강조했던 서비스의 중요성이 정부, 기업, 국민에게 널리 인식되고 있다는 사실이다. 취업구조의 소프트화로 서비스업 고용비중이 크게 증가하고 있는 추세이다. 정부도 과거 제조업 일변도의 산업정책에서 탈피해 부가가치가 높고 고용 창출에 기여하는 서비스 산업의 중요성을 인식하고 있다. 또 국내기업들의 국제 경쟁력을 위해서는 서비스 산업육성이 절대적으로 필요하다는 것이 전문가들의 지적이다.

이런 상황에서 저자는 빠르게 변화하는 시장환경과 급격하게 진전되는 연구성과를 반영하는 개정판을 낼 필요를 느끼게 되었다. 그러나 일단 개정작업을 시작하고 보니 단순히 일부내용을 고치는 것으로는 충분하지 못하다는 것을 알게 되었다. 결국 처음부터 끝까지 새로 쓴다는 기분으로 내용을 대대적으로 바꾸게 되었다.

이 책의 특징들을 간략하게 소개하면 다음과 같다.

첫째, 이 책의 내용이 현장에서 활용할 수 있는 소위 '살아 있는 지식'이 될 수 있도록 최대한의 노력을 기울였다. 단순히 개념, 이론, 기법들을 소개하는 것을 넘어서 전략적 시사점 및 실무적 활용방안을 제시하였다.

둘째, 가급적 쉽고 재미있게 읽을 수 있게 서술하였다. '책은 읽기 쉽고 재미 있어야 한다'는 것이 평소 저자의 지론이다. 따라서 독자가 내용을 쉽게 이해할 수 있도록 가능한 한 많은 예를 들며 평이한 문체를 사용하였다.

셋째, 다양한 사례들을 소개하여 현장에서 실제로 서비스 마케팅을 어떻게 실천하고 있는가를 보여주려고 하였다. 우리가 벤치마킹해야 할 외국의 초일류 서비스 기업뿐만 아니라 국내의 선도기업들도 포함하였다. 또 일반 기업 이외에도 병원, 행정기관, 학교 등 비영리기관의 서비스 등도 다루었다.

넷째, 심층적으로 다룰 필요가 있는 중요한 주제는 자세하고 깊이 있게 설명하였다.

다섯째, 이 책의 내용을 보다 충실하게 하여 서비스 마케팅의 중요한 주제들을 모두 다루도록 하였다. 예를 들어, 제3장 서비스 경쟁전략, 제10장 서비스 프로세스관리, 제11장 서비스 물리적 증거관리, 제14장 서비스 기대관리, 제16장 서비스 고객

관리 : 관계마케팅 등은 제2판에서 새로 추가되었다. 또 초판에서 다루었던 주제들도 최근의 연구결과와 업계동향을 반영하여 많은 부분을 수정하고 보완하였다.

여섯째, '무엇을 전하는가(what to say)'라는 내용측면 이외에도 '어떻게 전하는가(how to say)'라는 형식측면에도 많은 중점을 주었다. 따라서 내용을 입체적이며 시각적으로 제시하여 독자의 흥미를 유발하도록 노력하였다. 이를 위해 각 장마다 사용한 다양한 양식은 다음과 같다.

- 도입사례 : 관심을 유발하고 주제의 중요성을 이해시킴
- 흐름도표 : 주요 개념들의 상호관계와 체계를 정리함
- 학습목표 : 각 장에서 다룰 내용을 미리 제시함
- 사례연구 : 국내외 기업들의 실제 예를 생동감 있게 소개함
- 원색사진 : 관련된 사진을 삽입하여 본문 내용의 이해를 도움
- 하이라이트 : 장 중간에 내용을 요약 정리함
- 토의문제 : 각 장에서 다룬 내용을 스스로 적용시켜 봄

이상과 같은 특징을 가진 제2판이 초판에 비하여 내용이나 형식면에서 향상되었다고 믿지만 아직 미비한 점이 있을 것이다. 또 많은 내용을 추가하다 보니 책의 분량이 다소 많아진 것에 대해 죄송하게 생각한다. 앞으로 이 책을 이용하시는 독자 여러분들의 건설적인 비평과 지도편달을 부탁드린다.

이 책 원고의 정리 및 교정단계에서 많은 수고를 해 준 서울대학교 박사과정의 라선아 양과 석사과정의 안정기 군과 금은영 양에게 진심으로 고마움을 전하며 이들의 앞날에 많은 영광이 있기를 빈다. 좋은 책이 되도록 도와주신 학현사의 류재식 사장과 직원 여러분의 정성과 노고에도 감사드린다. 그리고 항상 든든하게 내조해 주는 아내와 귀여운 종세, 종화에게 사랑하는 마음을 전한다.

1999년 2월

이 유 재

현대 사회를 흔히 서비스 사회 또는 서비스 경제라 일컫는다. 우리나라를 비롯한 세계 여러 나라들의 경제에 있어서 서비스가 차지하는 비중이 절반 이상이 되어 버렸기 때문이다. 금융, 정보, 통신, 운송, 유통 등 많은 서비스 분야가 국가 산업 발전의 근저를 이루며 경제 발전에 크게 공헌하고 있다. 나아가 제조 부문에서도 경쟁우위를 창출하는 수단으로서 서비스가 매우 중요해진 것이 현실이다.

더욱이 최근 서비스 관련 UR협상의 타결로 서비스 시장의 개방이 피할 수 없는 현실로 다가왔다. 우리나라는 지난 몇 십년 동안의 공업화 과정에서 주로 제조업의 개발에 역점을 두었기 때문에 제조업 분야는 경쟁력이 비교적 강한 편이다. 그러나 서비스 부문은 상대적으로 크게 낙후되어 있어 시장이 개방되면 선진국의 경쟁 상대가 되지 못할 것이라는 우려가 높다. 사실 그동안 서비스 분야는 우리나라가 개방을 저지하고 있던 분야로 '온실의 꽃'이라는 비난이 높았다. 어차피 개방이 냉엄한 현실로 다가왔고 소위 국경없는 무한경쟁 시대가 된 이상 경쟁력 제고에 사활을 걸어야 할 것이다. 이와 같은 경쟁력 제고를 위해서 고객지향적 사고의 도입을 통한 마케팅의 강화가 필수적이라 할 것이다.

이와 같은 서비스의 중요성과 개방에 따른 위기 상황에도 불구하고 우리나라의 경우 서비스에 대한 기본적인 인식이 부족한 실정이다. 흔히 서비스 분야는 소비성 산업이라는 인식이 널리 퍼져 있어 국가 정책 결정 과정에서도 우선순위가 아니었다. 또 대부분의 마케팅 교재들도 제품 위주로 씌어져 있고 서비스는 한 개의 장 정도에서 특수한 경우로 간단히 다루는 것이 보통이다. 그러나 이는 현재 우리 사회의 경제 구조를 충분히 반영하지 못하는 것으로 서비스 자체에 대한 보다 심층적인 이해가 필요하다. 서비스는 제품과 많은 면에서 차이가 있기 때문에 서비스 마케팅에 대한 개념이나 이론적 틀이 필요한 것이다.

이러한 상황적 배경하에서 저자는 서비스 마케팅의 이론과 실제를 체계적으로 정리하고자 이 책을 쓰게 되었다. 빙하시대보다 더 냉혹한 경쟁현실을 헤쳐 나갈 수 있는 대응책과 한국적 마케팅 현실에 적합한 시장지향적 서비스 전략의 수립에 도움을 줄 수 있도록 생동감 있는 국내외 사례를 풍부하게 소개하였다. 따라서 학부나 대학원 또는 업계에서 서비스 마케팅의 이론적 체계와 전략적 시사점을 쉽게 이해하고 활용할 수 있을 것이다.

이 책을 집필하는 데 여러 분들의 도움을 받았다. 우선 저자를 학문의 길로 인도하시고 오늘날까지 이끌어주신 은사님들의 은혜에 깊은 감사를 드린다. 한편 이 분들의 기대에 못 미치는 책이 된 것에 대해 죄송스럽게 생각하며 앞으로 더욱 정진할 것을 다짐한다. 원고의 정리 및 교정 단계에서 많은 수고를 해준 서울대학교 대학원의 유성진, 박진호, 이준엽, 정태천, 노범석, 공장환, 이상헌, 권경수, 김재회 군들에게 진심으로 고마움을 전한다. 성실과 인내의 정수를 보여준 이들의 앞날에 큰 영광이 있기를 축원한다. 또 이 책을 위해 열심히 애써주신 학현사의 류재식 사장님과 이용기 차장님, 방인석 과장님을 비롯한 여러분들께 감사드린다.

가을을 기다리며

이 유 재

전체 흐름도

PART 01 서비스 마케팅의 개관

- chapter 01 서비스의 의의와 특성
- chapter 02 서비스 마케팅의 기본적 이해
- chapter 03 기술 발전과 서비스 전략

PART 02 상황 분석과 포지셔닝

- chapter 04 상황 분석과 포지셔닝

PART 03 서비스 마케팅 믹스

- chapter 05 서비스 상품관리
- chapter 06 서비스 프로세스관리
- chapter 07 서비스 사람관리
- chapter 08 서비스 물리적 증거관리
- chapter 09 서비스 가격관리
- chapter 10 서비스 촉진관리
- chapter 11 서비스 채널관리

PART 04 서비스 마케팅의 전략적 이슈

- chapter 12 서비스 경쟁전략
- chapter 13 서비스 수요와 가용능력관리
- chapter 14 서비스 기대관리
- chapter 15 서비스 품질관리

PART 1

서비스 마케팅의 개관

chapter 01 서비스의 의의와 특성

chapter 02 서비스 마케팅의 기본적 이해

chapter 03 기술 발전과 서비스 전략

PART 2

상황 분석과 포지셔닝

chapter 04

상황 분석과 포지셔닝

PART 3

서비스 마케팅 믹스

chapter 05

서비스 상품관리

PART 04

서비스 마케팅의 전략적 이슈

chapter 12 서비스 경쟁전략

chapter 13 서비스 수요와 가용능력관리

chapter 14 서비스 기대관리

사례목차

PART

01

서비스 마케팅의 개관

SERVICE MARKETING

SERVICE MARKETING

CHAPTER

01

서비스의 의의와 특성

1.1 서비스란 무엇인가?
1.2 왜 서비스인가?
1.3 서비스에 대한 오해와 진실
1.4 서비스는 어떠한 성격을 지니고 있는가?
1.5 서비스 패러독스

PROLOGUE

대형병원, 스마트한 의료서비스 경쟁… 회진 알림 · VR체험도

스마트폰이 대중화되면서 국내 주요 병원들이 환자와 보호자의 만족도를 높이기 위한 각종 의료서비스 개발에 박차를 가하고 있다. 20일 의료계에 따르면 최근 스마트폰으로 단순한 진료예약이 아닌 환자의 눈높이에 맞춘 차별화된 의료서비스를 제공함으로써 병원 경쟁력 및 인지도를 높이기 위한 '보이지 않는 경쟁'이 한창 벌어지고 있다.

한림대의료원은 국내 최초로 '회진 알림 서비스'를 지난 6월 1일 첫선을 보였다. 이 서비스는 의사의 회진시간이 일정하지 않아 입원환자가 의사가 병실 침대에 올 때까지 기다려야 하는 불편함을 개선하기 위해 개발됐다. 한림대의료원에 따르면 담당 의사가 회진을 돌기 전에 자체 모바일 고객소통 프로그램을 통해 회진 시작 문자를 보내는 방식으로 서비스가 운영되고 있다. 문자를 받은 입원환자는 본인의 회진 시작을 실시간으로 인지할 수 있으므로 회진시간에 자리를 비우는 일을 예방할 수 있다. 한림대성심병원 본관 6병동에 입원한 한 환자는 "화장실에서 이를 닦거나, 잠시 병실 밖에서 병문안을 온 사람을 만나고 있더라도 '회진 시작' 문자만 확인하면 되기 때문에 마음 놓고 볼일을 볼 수 있다"며 만족감을 나타냈다. 이인욱 한림대의료원 경영전략팀장은 "회진은 입원환자가 의사와 직접 만나 치료경과에 대해 자세하게 들을 수 있는 중요한 시간"이라며 "회진 알림 서비스에 대한 환자 만족도가 상당히 높으며 앞으로도 환자 중심의 수준 높은 의료서비스를 개발하기 위해 노력하겠다"고 전했다.

입원하기 전부터 병원 내부 시설물을 미리 살펴볼 수 있는 가상현실(VR) 체험 서비스를 제공하는 의료기관도 있다. 삼성서울병원은 올해 초 '암 병원 가상현실 애플리케이션'을 개발해 현재 플레이스토어,

앱스토어 등에 공급하고 있다. 이 애플리케이션의 화면은 환자가 암 병원을 내원했을 때 주로 이용하는 동선을 기반으로 구성했으며, 병원 전경 및 주요시설을 360도 영상으로 볼 수 있다는 점이 특징이다. 특히 병원 내부 시설뿐만 아니라 의료진 소개 · 암 정보 · 암 환자 교육 영상 등 다양한 정보를 제공해 입원하기 전 환자의 불안감을 덜어줄 수 있도록 구성됐다. 남석진 삼성서울병원 암 병원장은 "가상현실 애플리케이션은 병원을 처음 방문하는 환자와 보호자가 낯선 병원 환경에 손쉽게 적응할 수 있도록 돕는 데 많은 도움이 되고 있다"고 말했다.

스마트폰 애플리케이션은 당뇨병과 같은 만성질환 관리에도 유용한 도구로 활용되고 있다. 경희의료원은 2010년 8월 국내 최초로 '당뇨병 수첩' 애플리케이션을 개발한 이후 현재까지 계속 버전을 업그레이드하면서 당뇨병 환자에게 무상으로 제공하고 있다. 당뇨병 환자는 혈당 · 식단 · 진료일정 등을 수시로 기록하고 확인해야 하는데 이 애플리케이션이 개발되기 전에는 일일이 손으로 작성할 수밖에 없었다. 이상열 경희의료원 내분비내과 교수는 "당뇨병 수첩 애플리케이션을 이용하면 스마트폰에 손쉽게 본인의 진료기록을 입력할 수 있으므로 당뇨병 관리를 보다 효율적으로 할 수 있다"고 설명했다.

자료원: 연합뉴스, "대형병원, 스마트한 의료서비스 경쟁…회진 알림 · VR체험도," 2017.07.20.
(사진: 한림대의료원 제공)

1.1 서비스란 무엇인가?

"커피는 서비스로 드려요."
"오늘 하루는 사랑하는 그녀에게 풀(full) 서비스를!"
"본 제품의 구매고객께는 1년간 완벽한 서비스를 보증합니다."
"저 식당 직원은 서비스가 만점이야."

우리가 일상에서 흔히 '서비스'를 일컬을 때 사용하는 말들을 보면, 지극히 제한적인 의미로 쓰고 있음을 알 수 있다. 위의 예에서처럼 "커피는 서비스로 드려요"라는 말에서 서비스는 "무상으로 제공되는 것"을 의미한다. 또한 누군가에게 "서비스를 한다"는 말은 "상대방에게 봉사한다"는 의미로 사용된다. 그런가 하면 "구매 후 서비스"라는 말은 대개 "판매한 제품을 수리하는 일을 무료로 해 준다"는 의미이며, "직원의 서비스가 좋다"는 말에서 서비스는 '손님을 대하는 친절한 자세와 태도'를 뜻할 것이다. 이처럼 우리가 일상생활에서 무심코 사용하는 '서비스'라는 용어는 대가를 지불하지 않아도 주어지는 부수적인 것, 중심적인 가치가 아닌 것으로 사용하는 경향이 있다.

그렇다면 서비스는 어떻게 정의할 수 있을까? 경제학에서는 서비스를 '용역'으로 보며 물질재인 '재화'와 구분되는 것으로 간주한다.

아담 스미스(A. Smith)는 서비스 노동이 부를 창출할 수 없기 때문에 '비생산적 노동'으로 간주하기도 했는데, 비물질적인 것은 보존이 용이하지 않아 부가 아니라고 생각했기 때문이었다. 이후 세이(J. B. Say)는 효용이라는 개념을 사용해 소비자에게 효용을 주는 모든 활동은 생산적이라는 논리로 서비스를 '비물질적 부'라고 정의한다. 이후 많은 학자들도 이러한 논의에서 크게 벗어나지 않았는데, 결국 경제학에서 정의하는 서비스는 '비생산적 노동, 비물질적 재화'로 볼 수 있다.

경영학 및 마케팅 분야의 정의를 보면, 먼저 미국 마케팅학회(American Marketing Association)에서는 서비스를 "판매 목적으로 제공되거나 또는 상품 판매와 연계해 제공되는 모든 활동, 편익, 만족"이라고 정의하고 있다. 블로이스(Blois)는 "서비스란 제품의 형태를 물리적으로 바꾸지 않고 판매에 제공되는 활동"이라고 정의하며, 활동을 편익과 만족을 가져오는 과정으로 파악하였다. 그러나 이 정의는 "물리적 변화를 일으키지 않는다"는 제한에서 문제를 내포한다. 때로는 서비스가 제품의 형태를 바꿀 수 있기 때문이다. 스탠톤(Stanton)은 "서비스란 소비자나 산업구매자에게 판매될 경우 욕구를 충족시키는 무형의 활동으로 제품이나 다른 서비스의 판매와 연계되지 않고도 개별적으로 확인 가능한 것"이라고 정의한다. 그러나 이 정의는 제품이나 서비스의 판매와 관련되어 존재하는 보험과 같은 서비스는 배제하고 있다. 라스멜(Rathmell)은 서비스를 "시장에서 판매되는 무형의 상품"으로 정의하였으며, 무형과 유형의 기준은 손으로 만질 수 있느냐의 여부에 따라 구분하였다.

그러나 공급과잉과 고객의 라이프스타일 변화, 니즈의 다양화 등으로 인해 서비스가 단지 부차적 요소가 아닌 필수불가결한 요건이 된 현대 사회의 모습을 생각할 때, 이러한 학계의 전통적인 관점은 서비스의 진정한 가치를 설명하지 못하고 있다. 인간 생활에서 서비스의 역할이 증대됨에 따라 서비스에 대한 인식은 근본적으로 변화되어야 한다.

이런 관점에서 저자는 서비스를 "고객과의 상호작용을 통해 고객의 문제를 해결해 주는 활동"으로 정의한다. 즉, 서비스는 솔루션이다. 잭 웰치는 "21세기는 제품을 직접 만들어 파는 것보다 아이디어와 솔루션이 주요 상품으로 등장하는 무한시장으로 변화될 것이다...(중략)...향후에는 진정한 솔루션 지향형 기업만이 장기적으로 지속 가능한 경쟁우위를 확보할 수 있을 것이다"라며 고객의 문제를 해결해 주는 것이 향후 경쟁의 중요한 전략임을 강조하였다. 이는 서비스 지향성을 지닌 기업이 경쟁우위를 확보할 수 있음을 시사하는 말이다. 서비스 지향성(service orientation)이란 서비스를 기업의 경영철학으로 보는 견해로서, 직원과 고객 간의 상호작용에 영향을 미치는 일련의 태도와 행위를 의미한다.

서비스의 이해에 있어서 통상적으로 사용되는 서비스 산업/기업, 서비스 상품, 고객서비스, 파생적 서비스(derived service) 등 다양한 용어를 구분해 보자. 서비스 산업과 기업은 핵심 상품이 서비스인 산업 또는 기업을 의미한다. 예를 들어, Marriott International(숙박), American Airlines(항공), Charles Schwab(금융) 등은 서비스 기업에 속한다. 서비스 상품은 고객들이 가치를 느끼고 시장에서 대가를 지불하고 구매하는 무형의 상품을 뜻한다. 서비스 상품은 서비스 기업을 통해 판매되기도 하고, 비서비스 기업을 통해 판매되기도 한다. 예를 들어, 보험사에서 판매하는 다양한 보험상품이 서비스 상품이다. 고객서비스는 기업의 핵심 상품을 지원하는 데 필요한 서비스를 뜻하며, 현장에서 제공되기도 하고, 온라인이나 전화로 제공되기도 한다. 고품질의 고객서비스는 고객과의 원활한 소통을 위해 반드시 필요하다.

마지막으로 파생적 서비스(derived service)는 모든 상품(products)과 유형재(tangible goods)는 이들이 제공하는 서비스를 통해 가치가 있다는 Vargo와 Lusch(2004)의 서비스 중심 사고(service-dominant logic)와 맥을 같이 한다. 즉, 유형재의 가치는 상품 그 자체에서가 아니라 상품을 이용할 때 파생되는 서비스에서 창출된다는 것이다. 예를 들어, 약품은 의료서비스를 제공하고, 면도기는 이발서비스를 제공하며, 컴퓨터는 정보서비스를 제공할 때 비로소 가치가 창출된다. 이러한 관점은 비록 추상적이지만, 서비스의 의미를 포괄적인 측면에서 본다는 점에서 의미가 있다.

1.2 왜 서비스인가?

서비스 경제

그렇다면 왜 서비스인가? 우리는 현재 서비스 사회(service society) 또는 서비스 경제(service economy)에 살고 있다. 〈표 1-1〉을 보면 GDP나 고용에서 서비스가 차지하는 비중이 상당히 높으며, 그 비중도 꾸준히 증가하고 있음을 확인할 수 있다. 한국의 경우 2016년 기준으로 서비스가 차지하는 비중은 고용의 70%, GDP의 54%에 해당하며, 전 세계적으로 GDP 내의 서비스 비중이 높은 국가들은 2015년 기준으로 버뮤다 GDP의 94%, 홍콩 GDP의 93%까지 서비스로부터 발생한다고 보고되고 있다([그림 1-1] 참조).

경제발전에 따라 고용구조가 어떻게 변화하는가를 보여주는 [그림 1-2]를 보면 경제가 발전할수록 전체 고용에서 서비스가 차지하는 비중이 증가하는 것을 볼 수 있다. 또한, 서비스 분야에서의 고용 증가는 단지 저임금 서비스 근로자들을 증가시키고 있는 것이 아니라, 교육, 금융, 통신, 법률, 컨설팅, 헬스케어 등의 서비스 분야에서

표 1-1 | GDP와 고용에서 서비스가 차지하는 비중

	2000		2010		2016	
	고용대비	GDP대비 (부가가치 포함)	고용대비	GDP대비 (부가가치 포함)	고용대비	GDP대비 (부가가치 포함)
미국	74%	73%	81%	76%	79%	77%
영국	73%	66%	79%	71%	81%	71%
호주	73%	64%	76%	66%	78%	68%
핀란드	66%	53%	72%	59%	74%	60%
한국	61%	52%	76%	54%	70%	54%

자료원: World Development Indicators, The World Bank Group

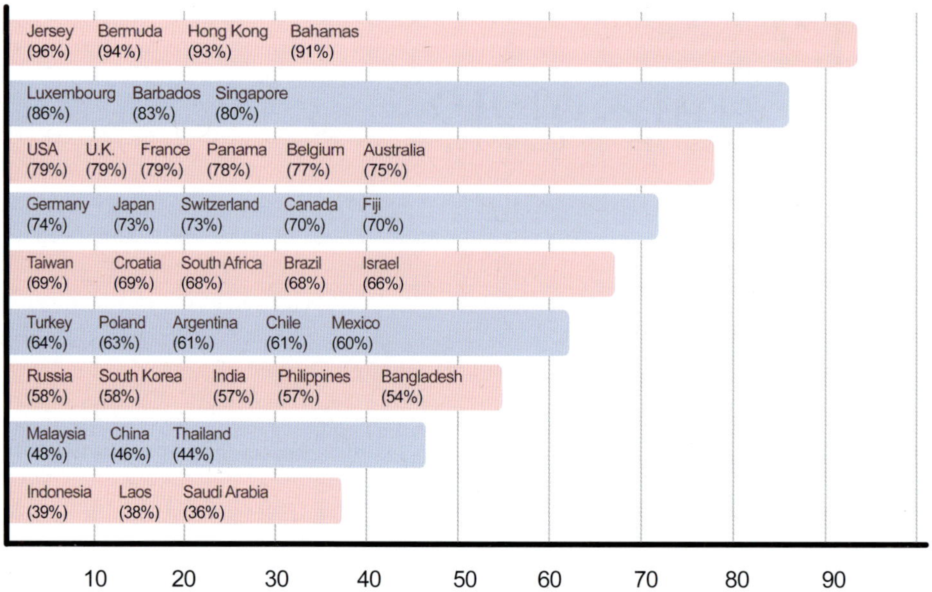

그림 1-1 | GDP에서 서비스 산업이 차지하는 비중
자료원: The World Factbook 2015, Central Intelligence Agency, www.cia.gov, accessed 22 January, 2016.

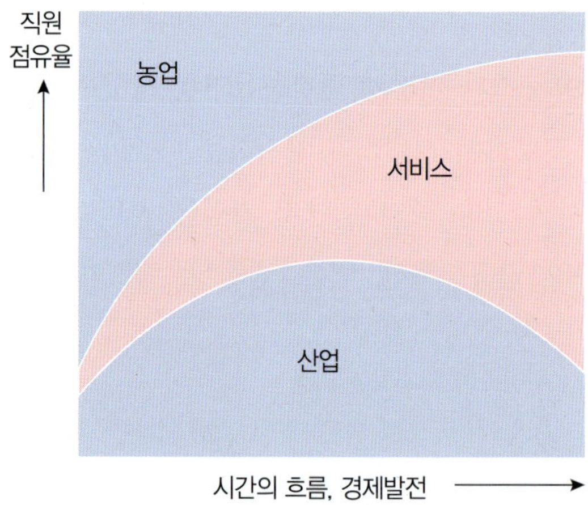

그림 1-2 | 경제발전에 따른 직원 점유율 변화추이

전문성을 필요로 하는 고급 일자리를 창출시키는 것에서 가장 가파른 상승세를 보이고 있다.

그러나 이런 통계는 산업분류상의 서비스 산업만을 서비스의 범주에 포함시켜 산출한 것으로서 제조업체에서 발생하는 서비스 활동은 제외된 것이다. 보통 서비스 기업이 제공하는 서비스 상품은 고객이 쉽게 체감할 수 있다. 패밀리 레스토랑에서 저녁식사를 할 경우 음식이 제공되고, 호텔에서 숙박할 경우 객실이 제공된다. 그러나 제조기업이 제공하는 서비스는 보통 숨겨진 서비스(hidden services) 형태로 존재하기 때문에 우리 눈에 쉽게 보이지 않는다. 가령, R&D, 디자인, 파이낸싱, 품질관리, 보안, 유지/보수 등과 같은 서비스뿐만 아니라 고객서비스 등과 같이 요금을 청구하지 않는 서비스(non-billable services) 등은 기업 내부에서 높은 비중을 차지하고 있음에도 불구하고 통계 산출 시에는 제조업의 활동으로 분류된다. 따라서 제조기업에서 일어나는 서비스 활동, 더 나아가 기업 간(B2B) 거래, 공공기관과의(B2G) 거래에서 발생하는 서비스까지 포함하면 서비스의 비중은 더욱 커지게 된다. 따라서 혹자는 "모든 것이 서비스이며, 모든 기업이 서비스 기업"이라고 표현하기까지 한다.

이처럼 경제에 있어 서비스가 차지하는 규모나 중요성이 커짐에 따라 새로운 유형의 서비스가 탄생하고 경제의 구조적 변화를 일으키고 있다. 기존의 산업사회와 비교할 때 새로운 사업, 새로운 형태의 경쟁인 서비스 경쟁과 경영관리상의 변화, 경영상 새로운 조직 등을 요구하는 것이다. 마치 200여 년 전 산업화 사회로 전환할 때와 같은 커다란 변화가 일어나고 있다고 해도 과언이 아니다. 결국 서비스가 기업의 경쟁우위를 점하는 서비스 경쟁(service competition) 시대가 된 것이다.

최근에는 많은 기업들이 훌륭한 제품만으로 장기적인 성공이 보장되는 것이 아니라는 사실을 깨우치고 서비스를 통한 성장의 중요성을 느껴 다양한 서비스를 제공하고 있다. 예를 들어, 애견전문 소매기업인 펫스마트(PetSmart)의 최근 성장률의 대부분은 애견 호텔, 애견 미용실 등 서비스 부문에서 기인한 것임을 밝혔으며, 소비재 기업인 P&G도 Mr. Clean Car Wash, Tide Dry Cleaners 등 인지도가 높은 브랜드를 활용하여 서비스 산업에 진출하고 있다.

서비스 경쟁시대로의 변화는 학계에서도 확인할 수 있다. 앞서 소개하였듯이 Vargo와 Lusch(2004)는 Journal of Marketing에 발표한 논문을 통해 모든 상품(products)과 유형재(tangible goods)는 이들이 제공하는 서비스를 통해 가치가 실현된다는 서비스 중심 사고(service-dominant logic)를 제창하였다. 이러한 견해는 제품 중심에서 서비스 중심으로 사고구조가 바뀌어야 한다는 것을 강조하는 것으로서, 앞으로도 서비스의 비중과 중요성이 지속적으로 높아질 것임에는 분명하다.

그렇다면 서비스 경제가 성장하는 이유는 무엇일까? 크게 아래와 같이 정리할 수 있다.

소비자 욕구의 다양화 현대 사회의 소비자 욕구는 매우 다양해졌다. 단순한 생존을 위한 욕구가 아니라, 생활을 즐긴다는 측면으로 욕구의 개념이 변화되고 있는 것이다. 외식을 예로 들어보자. 많은 고객들은 외식을 통해 단순히 '한 끼의 식사'를 해결하는 것이 아니라 '즐거운 체험'이나, '재미있는 시간'을 원하고 있다. 고객의 요구가 점점 까다로워지게 되면서, 기업은 고객에게 더 나은 가치를 줄 수 있는 서비스를 모색하게 된다.

급속한 기술의 진보 점점 다양해지는 소비자의 욕구를 효과적으로 충족시키기 위해서는 보다 진보된 형태의 기술이 필요해지는 상황이다. 특히, AI(Artificial Intelligence: 인공지능), IoT(Internet of Things: 사물인터넷), 빅데이터(Big Data), 클라우드 컴퓨팅(Cloud Computing), SNS(Social Network Systems) 등 ICT 기술의 혁명으로 인해서 서비스의 혁명까지도 급격히 진행되고 있다. 이러한 기술은 기업이 고객과 더욱 소통할 수 있도록 도와주며, 고도화된 데이터 분석을 통하여 소비자 개개인에 맞는 개인화된 서비스를 실현할 수 있도록 도와준다. 또 어떤 경우에는 기술에 의해서 소비자의 욕구가 창출되기까지 한다. 가정이나 사무실, 공중전화로도 만족하던

콘텐츠 스트리밍 서비스 – 넷플릭스(Netflix)

소비자들이 이동전화 없는 생활을 상상하기 어려워진 상황, 더 나아가 단지 통화와 문자, 카메라 기능뿐만 아니라, 다양한 애플리케이션을 활용한 SNS, 게임, 음악, 드라마, 영화 등 다양한 콘텐츠 스트리밍 등 보조 서비스가 없는 휴대폰을 상상할 수 없게 된 상황을 생각해 보면 기술의 진보가 얼마나 큰 위력을 갖는지 실감할 수 있다. 인터넷의 발달로 다양한 정보를 재구성하여 소비자에게 새로운 가치를 제공하는 신규 서비스가 등장하기도 하였고, 콘텐츠의 공유가 용이해져 서비스 전달 프로세스가 혁신적으로 변화하는 등 ICT 기술의 발달은 서비스 경제에 다양한 영향을 미치고 있다. 예를 들면, 블록버스터(Bolckbuster)와 같은 비디오 대여점이 몰락하고 넷플릭스(Netflix)가 급성장한 배경에는 기술의 진보가 자리 잡고 있다.

국제화(Globalization) 많은 기업들이 국제화로 인해 다국적으로 운영되면서 제공되는 서비스의 범위가 점차 넓어지고 직원들의 역량과 서비스의 품질 또한 높아지는 추세이다. 해외여행의 보편화로 인해 항공서비스나 관광서비스의 경쟁이 더 심화되고 있으며, 기업 인수합병(M&A)이 일반화됨에 따라 운영의 효율성이 증대되었다. 또한, ICT 기술 발달로 인해서 한 국가에서 행해지는 서비스를 해외 다른 국가의 소비자가 소비할 수 있는 오프쇼링(Offshoring) 형태의 서비스도 발달하게 되면서, 국제화는 서비스에서 더욱 두드러지는 현상으로 나타나고 있다.

규제완화와 전문서비스 경쟁 심화 전 세계적으로 정부에 의해 규제를 받던 항공, 금융, 통신 등과 같은 산업의 규제가 완화되면서 이들 산업의 마케팅 활동도 개별기업의 역량에 따라 전개될 수 있게 되었다. 예를 들어, 미국의 경우 과거 모든 항공 요금과 노선, 여행사에 지불하는 커미션은 정부에 의해 결정되고 통제되어 왔으나 항공사들이 개별적으로 가격을 설정하고 노선을 결정할 수 있게 됨에 따라 이들 산업의 경쟁 환경이 치열해지고 있다. 뿐만 아니라 경영컨설팅, 시장조사, 기술자문, 법률, 회계 등과 같은 전문서비스에 대한 수요도 이전에 비해 큰 폭으로 증가함에 따라 전문서비스 분야에서도 경쟁이 심화되고 있다.

이외에도 여러 가지 사회추세가 서비스 경제화를 촉진시키고 있다. 부의 증대, 여가시간의 증가, 여성취업 증가, 평균수명 증가 등으로 다차원적인 서비스에 대한 수요가 증가하고 있는 것이다. 또한 제품의 복잡화, 삶의 복잡화, 신제품의 수 증가 등도 서비스에 대한 수요를 유발하는 요인들에 해당된다.

서비스 경제에서 나타나는 현상들

서비스 경제로의 이행은 여러 가지 형태로 나타나고 있는데, 이를 살펴보면 다음과 같다.

서비타이제이션(Servitization) '제조기업의 서비스 기업화'를 의미하는 서비타이제이션(Servitization)은 제조기업들이 단순히 제품만 생산하는 것이 아니라, 통합된 제품과 서비스를 통하여 고객에게 더 큰 가치를 제공하고자 하는 움직임을 뜻한다. 서비스를 새롭게 개발하고 제품 · 서비스 통합 시스템(Product · Service System)을 통해 서비스 지향적으로 변신하는 활동이다. 제조 중심의 사업이 점차 수익성이 낮아지고 개별고객의 욕구에 적합한 상품을 제공하는 능력이 중요해짐에 따라 제조업체들의 서비타이제이션이 가속화되고 있다. 과거에는 수직계열화나 판매 제품과 관련된 사후서비스나 금융서비스를 위주로 서비스 사업을 추진하였으나 최근에는 자사 제품과 관련된 거의 모든 서비스 부문으로 사업영역을 확대하고 있다. 이익의 원천이 제조부문에서 서비스 부문으로 이동하고 있다는 사실을 깨달았기 때문이다.

서비타이제이션 현상의 대표적인 사례로 GE(General Electric)를 꼽을 수 있다. GE는 글로벌화, 제품서비스, 6시그마라는 3가지 전략적 방향 아래, 고품질 제품, 고객가치창출, 고객문제의 해결책을 제공한다는 제품서비스 방향을 설정하였다. 2000년에는 전체 수익의 약 75%가 서비스에서 창출되었으며, 그 이후 가전제품 사업 전격 철수와 헬스케어에 과감한 투자를 결정하여 서비스 사업의 비중을 더욱 높였다. 현재 GE는 전 세계 400개 이상 공장 시설에 부착된 1천만 개 이상의 센서들에서 발생하고 있는 5천만 개 이상의 데이터 수치들을 모니터링하고 분석할 수 있다. 이를 가능하게 만들어 준 것은 IoT(Internet of Things: 사물인터넷), 빅데이터, 사이버 물리시스템

(cyber physical system) 등을 적용한 클라우드 기반 산업인터넷(industrial Internet) 플랫폼인 Predix이다. GE는 오랜 시간에 걸쳐 축적한 정보기술과 운영기술의 전문지식을 통합한 Predix를 통해 전 세계 스마트 팩토리를 이끌어 갈 핵심적인 소프트웨어를 제공하고 기계와 소프트웨어를 연결하여 시스템 운영관리를 최적화하며 가치창출에 기여하고 있다. 실제로 Air Asia는 2014년 천만 달러 이상의 연료비 절감효과를 본 것으로 나타났다. GE의 보고서에 따르면 전 산업에 걸쳐 1%의 효율성을 향상시킨다면 향후 15년간 2천 7백억 달러를 절감할 수 있다고 한다. 따라서 GE는 전통적인 제조업체라는 인식이 강함에도 불구하고 매출의 상당부분이 서비스 부문에서 발생하고 있다.

IBM IBM(International Business Machines)도 서비스를 새로운 사업성장의 엔진으로 보고 서비스 기업으로 변신하고 있다. IBM은 수십 년간 컴퓨터 하드웨어와 소프트웨어 제조기업으로 큰 수익을 올려왔다. 그러나, 2000년 경 저비용 하드웨어 제조기업들의 등장과 소비자들의 오픈 소스(Open Source) 소프트웨어의 등장으로 수익이 곤두박질치게 되었다. 2002년 IBM은 PricewaterhouseCoopers(PwC)의 컨설팅 사업부문을 인수하면서 IBM Global Services(IGS)로 브랜딩을 하기 시작했다. 현재는 회사안내책자에서 IBM은 세계에서 가장 큰 서비스 회사라고 명시하고 있으며, 서비스, 소프트웨어, 솔루션을 의미하는 IGS를 표방하고 있다. IBM의 전 CEO Gerstner는 향후 수십 년간 IT산업이 하드웨어와 소프트웨어를 대신하여 시장을 주도할 것이라고 예측했으며, '고객 경험 연구소'를 신설하여 고객 통찰, 고객참여, 직원참여 등의 3가지 핵심 분야에 중점을 두어 서비스를 제공하고 있다. IBM은 전 세계 사업부를 통해 상품지원서비스(product support services), 컨설팅서비스, 네트워크 컴퓨팅 서비스를 제공하고 있으며, 이들 서비스에서 창출되는 수익이 회사 총수익의 절반을 넘고 있다. 또한 서비스 사이언스(SSME, service science, management, and engineering)라는 개념을 처음 도입하여 과거 별개의 조직으로 운영되던 컴퓨터 공학, 경영전략, 경영공학, 사회과학 등의 분야를 결합함으로써 고객 가치를 실현하고 서비스 산업에서의 경쟁우위를 점하고 있다.

항공엔진 제조사인 Rolls Royce도 제품과 서비스를 결합한 프로그램인 'power by the hour'로 서비스 회사로의 변신을 꾀했다. 즉, 롤스로이스는 항공사들에게 단순히 엔진을 판매하는 것이 아니라, 정상적으로 작동하는 엔진의 파워(Power)를 판매하는 회사임을 강조했다. 항공사들은 항공기에 고장이 발생할 경우, 고객들의 불편처리와 정비 등 추가적인 비용이 많이 발생한다. 롤스로이스는 항공기로부터 다양한 데이터를 실시간 전송받아서 언제 정밀 검사나 정비를 해야 하는지 항공 기업들이 엔진 유지 보수 비용을 정확히 예측하여 지출할 수 있도록 도와줌으로써, 불시에 발생하는 고장에 대한 추가비용 지출을 방지해 주었다. 이처럼, 롤스로이스는 항공엔진과 고장 시 보수를 해주는 서비스를 결합한 토탈 케어(Total Care)를 제공함으로써 편리함을 제공하였고, 현재 항공엔진 판매의 80%가 이 프로그램을 통해 이뤄지고 있다.

국내에서는 제일제당이 CJ로 기업명을 바꾼 이후 식품 및 식품 서비스, 생명공학, 엔터테인먼트 및 미디어, 신유통, 인프라 등의 사업에 진출하여 기존 조미료 제조업체의 이미지를 벗고 서비스 기업으로 변모하였다.

제조업체는 서비타이제이션 전략을 통해 두 가지 효과를 기대할 수 있다. 먼저, 제조 부문과 서비스 부문 간의 협력과 지식을 공유함으로써 신규 수익 사업 및 지식 기반 사업에 진출할 수 있게 된다. 또한 제품 중심의 원가우위 전략을 통해 성장하면서 서비스 중심의 차별화 전략으로 수익성을 확보할 수 있게 된다.

하지만, 주의할 점은 서비타이제이션이 기업에게 항상 성공을 보장하지는 않는다는 것이다. 캠브릿지 대학의 Andy Neely 교수는 25개 국가를 기반으로 만여 개 기업의 전략적 포지셔닝을 분석했는데, 서비타이제이션이 뚜렷하게 나타나는 흐름이기는 하지만, 재무적 위험이나 수익 위험과도 관련성이 높다는 점을 발견했다. 이러한 이유는 고객과의 직접적인 상호작용이 대체로 높은 비용을 수반한다는 것과 특정 산업이나 기술의 전문성이 있는 기업들이 고객과의 상호작용 프로세스에는 상대적으로 전문성이 낮을 가능성이 있을 수 있다. 또한, 제품에 대한 분석 기술에 비해서 상호적인 서비스 프로세스에 대한 분석이나 구현 역량이 아직은 성숙되지 않았을 가능성도 있다. 따라서, 서비타이제이션은 기업들에게 경쟁적 우위를 선점할 수 있는 역량을 제공하는 기회인 동시에 위험이 따를 수도 있다는 점을 기억해야 한다.

디서비타이제이션(Deservitization, 탈서비스화) 서비스 경제에서 서비타이제이션과 양면적 현상으로 동시에 나타나고 있는 것이 탈서비스화를 의미하는 디서비타이제이션이다. 디서비타이제이션은 기업이나 산업이 고객과의 직접적인 상호작용을 통해서 제공하는 서비스를 줄이는 방향으로 나아가는 현상을 의미한다. 그렇다면, 디서비타이제이션 현상이 나타나는 원인은 무엇일까?

첫째로, 서비스의 일용품화(Service Commoditization)를 들 수 있다. 서비스의 일용품화는 다수의 서비스 제공자가 제공하는 서비스가 서로 차별화되지 않는 현상을 뜻한다. 즉, 고객과의 상호작용 프로세스가 여러 서비스 제공자들에게 너무도 익숙해져서 서비스가 표준화될 수 있으며 일용품과 유사해질 수 있다는 것이다. 예를 들면, 서비스 직원들이 초기에는 고객들의 니즈(Needs) 각각에 달리 대응을 해야 할 것으로 예상하지만, 시간이 지남에 따라 소비자들의 니즈가 생각했던 것보다 다양하게 나타나지 않아서 자동화를 한다든지, 전문성이 떨어지는 서비스 종업원들도 따를 수 있는 일종의 규칙에 따라 서비스를 제공할 수 있다. 일례로, 소프트웨어 기업에서는 고객들이 자주 문의하는 내용에 대한 답을 제시하는 동영상을 웹사이트에서 제공하고 있다. 사용하고 있는 OS에 따라서 어떤 프로그램을 다운로드 받아야 하는지, 프로그램은 단계별로 어떻게 설치하는지 등에 대해서 서비스 직원과 직접 통화를 해서 얻는 정보보다도 더 자세한 정보를 얻을 수 있는 것이다. 이러한 서비스 일용품화는 장점과 단점이 모두 공존한다. 장점은 금전적, 정신적으로 더 낮은 비용으로 고객 니즈를 충족시킬 수 있다는 점이며, 단점은 친밀한 개인적 접촉이 떨어진다는 점이다.

둘째로, 서비스 탈중개화(Service Disintermediation)로 인하여 디서비타이제이션이 일어날 수 있다. 서비스 탈중개화는 공급 체인(Supply Chain)에서 중개자를 제외시킨다는 것을 의미한다. 서비스 일용품화는 서비스 제공자가 서비스 제공 프로세스에 대해서 학습을 하면서 서비스 상호작용을 간소화시키는 것으로 볼 수 있다면, 서비스 탈중개화는 그와는 반대로 고객이 서비스 프로세스를 학습한 이후, 고객이 자체적으로 서비스 상호작용을 간소화시키는 것을 의미한다. 예를 들어, 해외여행이 익숙하지 않은 고객들은 여행사를 통하여 비자 발급이나 호텔, 항공기 예약을 진행하게 되지만, 해외여행이 익숙해지면 여행사와 같은 중개자의 도움 없이도 본인이 직접 여행에 필요한 업무들을 처리할 수 있게 되는 것이다. 따라서, 고객들이 서비스 회사들의 경쟁자가 되는 현상이 이러한 서비스 탈중개화의 핵심이라고 볼 수 있다.

이렇듯, 디서비타이제이션은 서비스의 일용품화와 탈중개화로 인해서 나타나고 있는 현상이지만, 디서비타이제이션 역시 위험 요소가 있다. 예를 들어, 최근에는 전 세계 명문 대학의 저명한 교수들의 강의를 시청할 수 있는 웹사이트가 존재하며, 온라인 강의 및 참여만으로 커리큘럼을 운영하는 대학들도 존재한다. ICT의 발전에 따라서, 강의실에서 교수와 학생이 직접 상호작용을 하며 학습하던 기존의 대학 교육 방식이 위협을 받을 것이라는 전망도 있다. 이러한 상황에서 기존의 대학들은 어떠한 전략을 세워야 할까? 물론, 강의실에서 제공되던 강의를 온라인 교육 콘텐츠로 만든다면, 직접 강의실에서 소수의 학생들에게 제공하던 강의보다는 경제적 측면에서 효율적일 것이다. 그러나 양질의 강의들을 이미 온라인 콘텐츠화하여 제공하고 있는 여러 교육기관과 비교해서 경쟁우위를 차지할 수 있을지는 미지수이다. 기존 대학들이 교육계의 디서비타이제이션 흐름에 더욱 효과적으로 대응할 수 있는 방법은 어쩌면 학생과의 직접 상호작용을 통한 교육방식이 온라인 학습으로는 쉽게 대체할 수 없는 가치를 창출할 수 있도록 노력하는 것일지도 모른다.

서비스 기업의 보조 서비스 확대 오늘날 치열한 경쟁으로 인해 서비스 기업들은 고객에게 제공하는 핵심 서비스만으로는 경쟁우위를 가질 수 없다는 사실을 인식하고 있다. 따라서 서비스 기업에서는 본원적 서비스 이외에 보조 서비스를 추가하거나 이를 확장시킴으로써 차별화를 도모한다. 호텔의 경우 핵심 서비스는 객실을 이용하는 숙박이지만 이는 대체로 동질적이기 때문에 차별화가 어렵다. 이에 따라 레스토랑, 수영장, 피트니스센터, 나이트클럽 등의 보조 서비스를 확대함으로써 차별

롯데호텔 뷔페 '라센느'

롯데호텔 베이커리

화를 꾀하며, 고객도 호텔에서 제공하는 보조 서비스에 관심을 갖게 된다. 서울대학교병원 등에서도 건강검진서비스를 점차 확대시켜가고 있다.

항공사의 경우에도 비행기로 목적지까지 운송하는 핵심 상품만으로는 고객에게 차별화된 서비스를 제공하기 어렵다. 따라서 다양한 기내서비스, 공항 라운지, 마일리지 프로그램, 터미널을 이용한 티켓팅 편의 등 보조 서비스를 추가 또는 강화시킴으로써 자사의 서비스를 차별화시키려고 노력한다. 본원적 서비스라 할 수 있는 운송스케줄은 외부적인 제약조건 등에 의해 영향을 많이 받기 때문에 직접적으로 통제가능한 보조 서비스에 집중하게 되는 것이다.

백화점이나 대형할인점 등에서는 고객에게 물건을 판매하는 핵심 서비스뿐만 아니라 수유실, 휴게실, 문화센터 등 고객들이 쉴 수 있고 학습을 할 수 있는 보조 서비스를 제공하고 있다. 또한 어린 자녀가 있는 가족단위의 고객들을 위해 놀이방을 운영하는 식당들도 점차 증가하고 있다. IBK기업은행의 경우 기업고객을 대상으로 경영컨설팅, 세무상담, 기업승계관련 상담 등으로 업무영역을 지속적으로 확대하고 있다.

항공운수사업에 수반되는 MRO(Maintenance Repair & Overhaul) 사업도 항공기가 정시에, 안전하고 쾌적하게 운항할 수 있도록 항공기, 엔진 및 부품을 점검하고 정비하는 서비스업으로 항공사, 군 및 정부기관 등의 고객이 있다. MRO 사업은 각종 자원 확보에 투자가 필요하며 인력 양성도 상당한 시간이 필요해 비교적 진입장벽이 높다고 볼 수 있다. 이처럼 다양한 분야에서 점차 보조 서비스가 본원적 서비스보다 오히려 더 중요해져 가는 추세가 심화되고 있다.

제조기업의 부가 서비스 증가 현대 사회에서 기술적으로 향상된 제품을 제공하는 것만으로는 경쟁에서 승리할 수 없다. 간단히 말해 누구든지 제품은 만들 수 있지만 경쟁우위의 원천은 다른 곳에서 찾아야 한다는 의미이다. 따라서 많은 제조기업들도 다양한 부가 서비스를 제공하고 스스로를 '서비스 컴퍼니'라고 부르는 기업들이 늘어나는 추세이다. '서비스 컴퍼니'란 단순히 서비스를 업으로 하는 기업을 뜻하기보다는 서비스를 통한 가치 창조를 본업으로 삼는 기업을 뜻한다.

제품에 부가할 수 있는 서비스로는 기술적 서비스, 유지 및 보수, 고객 훈련, 컨설팅서비스, R&D, 배달, 자재관리 등 무수하다. 즉, 보통 서비스라고 하면 생각하게 되는 공식적 서비스 부문(official service sector) 이외에도 이와 같이 눈에 안 보이는 숨겨진 서비스 부문(hidden service sector)의 규모는 상당히 크다. 실제로 엘리베이터 제조업체인 Kone사의 경우 지난 40년 동안 총매출의 절반 이상이 유지/보수, 근대화 서비스에서 발생했다.

따라서 서비스 마케팅을 논할 때 숨겨진 서비스를 반드시 고려해야 한다. 컴퓨터를 예로 들어 보자. 컴퓨터를 판매할 때 주 제품은 하드웨어일 것이지만 여러 가지 부수적 서비스가 제품의 판매 가능성을 높인다. 특히 초보 이용자의 경우 컴퓨터 구입 후 무료교육, 사용안내, 소프트웨어, A/S 보장 등의 다양한 부가 서비스에 따라 제품을 선호하고 선택하게 된다. 애플의 아이폰도 휴대폰 단말기 자체만이 아니라 다양한 서비스를 제공하기 때문에 성공했다고 볼 수 있다. 또 정유업의 경우에도 대부분의 소비자는 제품 자체보다는 직원들의 친절한 서비스나 주유 시 제공하는 세차서비스 등에 의해 주유소를 찾게 되는 경우가 많다. 즉, 제조업의 경우에도 많은 서비스 활동을 하고 있으며 이와 같은 부가 서비스가 정작 제품보다 중요할 수 있다. 이는 소비자가 제품 자체가 아니라 여러 가지 서비스가 포함된 토털 패키지를 구매하기 때문이다. 예를 들어, 차량을 구매하는 경우 자동차 모델뿐만 아니라 할부조건, 차량케어 서비스, 중고차 가격 보장, 충전소 등을 고려하는 것이다. 따라서 기업은 단순히 제품이 아니라 제품과 서비스를 결합한 프로비스(product + service = provice)를 제공하려고 노력해야 하며 이는 고객이 인식하는 가치를 높일 뿐 아니라 기업에게도 높은 부가가치를 줄 수 있다.

신종 서비스의 등장 돌이켜보면 정보통신이나 인터넷 서비스는 산업계의 지평선을 바꾸어 놓은 새로운 서비스로 구글, 아마존을 비롯해 수많은 기업을 탄생시키는 계기가 되었다. 한편 새로운 정보통신기술의 발달로 인해 수많은 신종 서비스가 지속적으로 등장하고 있다. 기존에는 방송국의 TV편성표에 따라 정해진 시각에 정해진 프로그램을 시청해야 했지만, VOD(video on demand)서비스뿐만 아니라 KT 올레tv, SKT Btv, LG U+tv 등과 같은 IPTV(Internet Protocol Television) 서비스를 통해 지난 방송이나 영화를 다운로드 받아서 시청할 수 있게 되었다. 또한 과거에는 음악 감상을 위해 CD를 구입해야 했으나 최근에는 Melon 멜론, Bugs! 벅스 등의 인터넷 음악 스트리밍 서비스를 이용하거나 MP3 파일을 다운로드 받아 음악을 청취할 수 있게 되었다. 이외에도 인터넷 서점, 인터넷 쇼핑몰 등 기존의 오프라인에서 제공받던 서비스를 상당부분 온라인 기반으로 제공받게 되었다. 이외에도 SNS를 통하여 이루어지는 전자상거래인 '소셜 커머스' 사이트와 '소셜 데이팅' 서비스 등이 새로 등장하였다.

최근에는 공유경제 서비스가 등장하면서, 소비자들이 적극적으로 서비스 공급의 최전선에 서게 되는 일이 많아졌다. 공유경제에서는 고객들이 본인의 니즈를 충족시키기 위하여 서비스 프로세스에 참여하는 정도를 넘어서서, 고객들이 다른 고객들의 니즈를 충족시키기 위하여 직접 서비스 공급자가 되는 현상이 두드러지고 있는 것이다. 예를 들면, 본인의 차량으로 직접 다른 고객의 이동을 도와주는 서비스인 UBER 우버(Uber)나, 본인이 거주하고 있는 방이나 집을 다른 고객에게 빌려주는 airbnb 에어비앤비(Airbnb) 등이 대표적인 사례로 볼 수 있다.

거주 공간 공유 플랫폼 서비스 – 에어비앤비(Airbnb)

서비스의 고급화, 전문화, 다양화 **빵집, **제과 대신 **베이커리 등으로 간판을 교체하면서 고급화가 일어나고 있다. PB(private banking)는 고급화된 은행 업무이며, 포장 이사는 기존 이삿짐센터를 고급화시킨 것이고 모범 택시는 일반 택시의 고급화된 형태이다. 한편 사진관이 스튜디오로 고급화되면서 토털 웨딩 스튜디오의 경우 신혼부부들에게 결혼식장 장식 및 각종 연출에서 야외촬영, 신혼여행 등에 이르는 모든 서비스를 패키지로 제공하고 있다. 그리고 기존의 복덕방에서 탈피하여 부동산 관련 종합서비스를 제공하는 공인중개사로의 변화 역시 기존 서비스의 고급화라고 볼 수 있다. 롯데백화점 롯데백화점의 경우 명품백화점 AVENUEL 애비뉴엘을 오픈하여 기존에 제공하던 백화점 서비스보다 더 고급화된 서비스를 제공하고 있다.

체형이나 피부 등 미용에 대해 관심을 갖는 사람들을 대상으로 하는 비만클리닉이나 여드름클리닉은 병원에서 행해지던 의료서비스가 분리되어 나온 서비스 전문화의 예가 되겠다. 또한 천연제품에 대한 관심으로 핸드메이드 화장품만을 전문적으로 판매하는 LUSH 러쉬, 신발 종류를 전문으로 판매하는 ABC-MART ABC 마트 등이 등장했으며, 애완동물에 대한 선호도가 증가하면서 가축병원에서 애견전문병원과 미용실, 심지어 애견호텔도 생겨났다. 사진관이 베이비 전문 스튜디오나 웨딩 전문 스튜디오로 전문화하기도 한다.

서비스 다양화의 대표적인 예로는 금융상품의 다양화를 들 수 있다. 은행의 경우 예·적금 상품을 다양화할 뿐만 아니라 보험상품을 판매하는 방카슈랑스 업무도 하며, 펀드상품도 판매하고 있어 업무 영역의 다양화를 꾀하고 있다. 신용카드사의 경우 금융 관련 서비스뿐만 아니라 고객층을 세분화하고, 타겟에 맞춤화하여 다양한 유형의 서비스를 제공하고 있다. Hyundai Card 현대카드사의 경우 고객에게 심미적인 영감을 제공하는 도서들을 큐레이션한 디자인 라이브러리, 여행의 명저들을 수집한 트래블 라이브러리, 1950년대 이후 대중음악을 큐레이션한 뮤직 라이브러리, 새로운 재료와 독창적인 요리법을 소개하는 책을 수집한 쿠킹 라이브러리 등을 운영하고 있다.

앞서 살펴본 바와 같이 여러 가지 형태로 서비스가 경제에서 차지하는 비중이 높아지고 있다. 현대 사회가 제품 중심의 경제가 아니라 서비스 사회라는 것은 굳이 앨빈

서비스의 다양화
– 현대카드
뮤직 라이브러리

토플러의 분석을 거치지 않더라도 이미 알고 있는 사실이다. 생산력이 크게 발전하게 되고 산업구조가 고도화됨에 따라 기존의 산업사회에서는 상상도 하지 못하던 여러 가지 형태의 서비스가 출현했으며, 서비스의 질도 크게 변화되어 현대 사회가 서비스 경제로 급속히 이행되고 있음을 알 수 있다.

이에 따라 서비스 기업뿐만 아니라 제조기업들도 서비스 경제의 일부분이라는 사실을 깨닫고 서비스 관리의 규칙과 전략을 배워야 한다. 이는 영국의 ICI ICI(Imperial Chemical Industries) 회장이었던 하비 존스(Harvey-Jones)도 역설한 바 있는 내용이다. "점차 경쟁이 치열해지고 제조기술이 쉽게 모방됨에 따라서 경쟁 관점에서 볼 때 제품 판매는 원가와 시장위치를 차지하는 능력에 달려 있다. 향후 20년간의 화학산업은 점차로 제조업에서 벗어나 서비스업으로 바뀔 것이라고 믿는다. 이미 이런 추세를 쉽게 발견할 수 있다(Harvey-Jones, 1989)." 물론 이와 같은 추세는 다른 산업에서도 발견된다.

따라서 서비스 관리는 일상적으로 우리가 서비스 기업이라고 부르는 기업에만 국한된 것이 아니다. 모든 기업이 서비스 경제의 일부인 것이다.

공유경제 플랫폼 영상

YouTube
https://www.youtube.com/watch?v=1YXLdmsS52w

제 목 _ 이민화 이사장 "4차 산업혁명 미래는 공유 플랫폼 경제"
검색어 _공유경제 플랫폼

INSIGHT

공유경제 플랫폼, 영국 산업 전반에 등장

공유경제(Sharing economy)는 사용자 간(Peer-to-peer) 자원의 공유를 통해 효율을 극대화시키는 새로운 비즈니스 모델을 설명할 때 자주 등장하는 개념이다. 우버(Uber), 에어비앤비(Airbnb) 등이 대표적인 공유경제 플랫폼(Sharing economy platform) 성공사례로, 주로 온라인을 통해 서비스 이용자와 제공자들이 자유롭게 비즈니스에 참여하는 개방형 사업모델을 추구하고 있다. 영국 가디언지에 따르면 이러한 공유경제 플랫폼들은 회사의 자원과 재화를 '공유'를 통해 대체함으로써 자산과 비용 규모가 상대적으로 작다는 특징을 가지고 있다. 예를 들어, 에어비앤비(Airbnb)는 주택을 회사 자산으로 보유하고 있지 않고도 숙박업에 활용함으로써 수익을 거둬 들이고 있다. PwC에 따르면, 브렉시트로 인한 불확실성에도 영국 공유경제의 성장은 지속돼 2025년까지 총 거래규모가 1,400억 파운드에 달할 전망이다.

영국 스타트업 'Care Rooms'는 잉글랜드지역 국가의료시스템(NHS England)과 협업해 공유경제형 병실 도입을 제안했다. 무상의료를 실시하는 영국은 고질적으로 병실 부족 문제를 안고 있는데, 가디언지에 따르면, 2016년 한 해 장기입원(bedblocking)은 40%가량 증가했으며, 장기입원환자로 인해 매년 약 8,000명이 적절한 병원 치료를 받지 못하고 있는 실정이었다. 이러한 문제를 해결하고자, 'Care Rooms'의 에어비앤비형 병실은 장기입원환자가 병원 치료 후에 머물며 호스트(Host)의 전문적인 도움을 받을 수 있는 공간을 착안했다. 호스트는 인터뷰를 통해 선정되고, 신분 확인과 식품 위생 관련 검사를 받아야 한다. 또한 자택 내 빈방이 병실로 쓰이기 적합한지 현장 검사도 받게 된다. 선정된 호스트는 병원 치료를 받고 막 퇴원한 환자들에게 자택의 빈방을 병실로 제공하고, NHS는 필요할 경우 병실에 의료기기 등을 지원하며, 환자들은 호스트로부터 식사를 제공받고 해당 지역의 담당 의사나 간호사를 호출해 도움을 받을 수도 있다.

런던에 기반을 둔 'Love Home Swap'는 이용자들에게 '주택 교환 플랫폼'을 제공하고 있다. 즉, 이용자들은 플랫폼을 통해 살아보고 싶은 집을 찾고, 자신의 집을 원하는 다른 이용자가 있다면 주택 교환이 이루어질 수 있다. 교환 방법에는 두 가지 형태가 있는데, 클래식 스와프(classic swap)는 두 이용자가 서로의 집에 살아보는 것이며, 이 때 교환시점은 동일할 필요 없이 상대방과 조율할 수 있다는 특징이 있다. 반면, 포인트 스와프(point swap)는 시간과 장소의 제한 없이 자신의 집을 빌려주어 포인트를 받고, 향후 그 포인트를 다른 집을 빌리는 데 사용할 수 있다.

이 밖에도, 런던에 본사를 둔 'Stowga'는 물류창고의 빈 공간이 잠재적인 매출의 손실이라는 점에 착안해 창업한 기업이다. 기존 물류창고 내 공간을 서로 공유하고 사고파는 플랫폼을 제공하고 있는데,

물류창고 공유 서비스 Stowga

영국 전역에 있는 창고 내 공간을 크기에 상관없이 누구나 제공하거나 이용할 수 있게 하고 있다. 여기 제시된 기업 이외에도 개인의 삶 속에 다양한 공유경제 서비스가 자리 잡고 있으며, 향후 비용절감 부담이 큰 유통 및 의료 분야에서 공유경제 플랫폼 발달이 더욱 두드러질 것이라 분석되고 있다.

자료원: KOTRA&KOTRA 해외시장뉴스,
"英 공유경제 플랫폼, 산업 전반에 등장," 2018.01.18, 일부 내용 발췌

1.3 서비스에 대한 오해와 진실

서비스의 중요성이 날로 커지고 있지만 사람들은 아직까지도 서비스의 가치를 파악하지 못해 관심을 두지 못하고 있는 경우가 많다. 일반적으로 사람들은 서비스에 대해 다음과 같은 오해를 갖고 있다.

서비스는 다른 분야의 희생의 대가로 생산된다? 이것은 초기 경제학 이론을 근거로 생겨난 편견이다. 칼 막스와 아담 스미스 모두 서비스는 제조업보다 중요하지 않으며 서비스에 대한 투자는 가급적 회피해야 한다고 생각했다. 하지만 우리는 경제전반에 걸쳐서 서비스의 가치와 중요성을 관찰할 수 있다. 오늘날에는 제품보다 서비스에 대한 예산 비중이 더 높고 소비자들의 소비 경향에 있어서도 서비스가 더 우위에 있다. 전통적으로 서비스 분야는 경기순환 시 경제를 안정시키는 역할을 담당해왔다. 과거 자료를 보면 경기 침체기 동안에 서비스 분야에서의 고용은 제조업보다 더 안정적이었다. 왜냐하면 서비스의 소비와 고용은 꾸준히 유지되어 왔기 때문이다. 즉, 서비스 부문은 경기 불황 시에는 고용인구 감소를 줄였고 경기 호황 시에는 제조부문에 비해 고용인구 증대에 더 기여하였다. 미국에서 60년대 중반에서 80년대 중반까지를 보면 불황 시 2.1%, 호황 시 4.8%의 취업인구 증가를 서비스 부문에서 보였다. 반면 제조부문에서는 불황 시 8.3% 감소, 호황 시 3.8% 증가를 보였다.

서비스 직종은 저임금 단순노동이다? 이는 대부분 소규모 업종들이 서비스업체이고 많은 사람들이 저 숙련의 기술을 요하는 제조업체에서 실직했을 때 이에 대한 대책으로 기술을 요하지 않으며 보수가 적은 단순 서비스 업종을 생각하는 경향이 있기 때문에 생겨난 편견이다. 그러나 미국 서비스업 종사자들의 절반 이상이 금융, 법률, 컨설팅, 회계, 교육, 의료 등과 같이 전문성이 필요한 화이트칼라라는 사실로 미루어 볼 때 이 점 역시 편견에서 비롯된 것이라 하겠다.

서비스의 생산은 노동집약적이고 생산성이 낮다? 실제로 살펴보면 서비스는 자본집약적인 업종이 많다. 연구결과에 의하면 자본집약적 기업의 절반이 서비스 업체였고 서비스업체가 자본집약도가 낮은 경우는 많지 않다. 최근에는 서비스 분야의 총 투자가 제조업을 능가한다. 최근 연구들을 보면 서비스 분야의 생산성이 점차 증가하고 있고, 교육, 컨설팅, 금융, 정부 서비스 등과 같은 다양한 서비스가 제조업의 생산성을 증가시키는 데 있어서 중요한 역할을 수행하고 있다.

공공부문의 투자 때문에 서비스 산업의 비중이 높을 뿐이다? 지난 수십 년간 공공분야에서의 고용을 통해 엄청난 성장을 이룬 것은 사실이지만 실제로 노동력의 절반 이상이 공공분야가 아닌 민간분야의 서비스업에 종사하고 있다. 따라서 이 역시 서비스에 대한 편견이라고 할 수 있다.

서비스는 비용으로 작용할 뿐 수익성의 요인이 아니다? 이는 서비스를 수리, 유지, 고객 불평처리 등의 좁은 개념으로 볼 때 생기는 편견이다. 최근에는 서비스에 대한 개념이 확대되어 소비자에 대한 만족이나 가치를 증대시킬 수 있는 무형적인 것은 모두 서비스에 포함시킨다. 따라서 점차 많은 기업들에게 서비스는 경쟁자들과 차별화시키는 수단이자 중요한 수익 창출원이 되고 있다.

기업들이 서비스 전략의 효과에 대해 관심을 갖게 되자, 많은 연구자들이 서비스 전략이 기업에 수익을 준다는 것을 입증하기 시작했다. 하버드경영대학원에서는 내부 서비스와 직원만족이 고객만족을 높이고 궁극적으로 기업의 수익에 기여한다는 '서비스 수익 체인(service-profit chain)'을 제안하였으며, 미시간 대학교에서 개발한 고객만족지수인 ACSI(American Customer Satisfaction Index)와 관련한 연구결과들을 보면 고객만족이 높을수록 수익성과 주주가치와 같은 기업성과가 높다는 것을 알 수 있다. 국

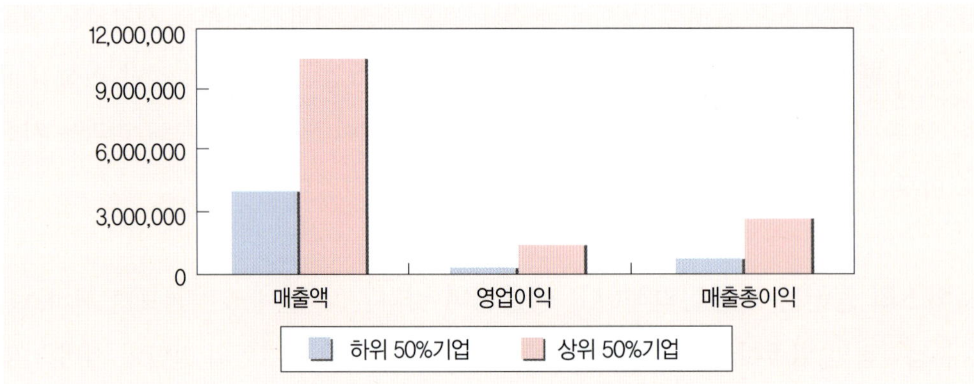

그림 1-3 | 고객만족도 상위 기업과 하위 기업의 영업성과 비교(단위: 백만 원)
자료원: 이유재, 이청림(2006), 고객만족이 기업의 수익성과 가치에 미치는 영향, 마케팅연구, 21(2).

내의 경우 한국능률협회컨설팅의 KCSI(Korean Customer Satisfaction Index) 데이터를 분석한 결과 KCSI 점수 상위 50% 기업이 하위 50% 기업에 비해 매출액은 3배, 영업이익은 8배, 매출총이익은 4배가량 높은 것으로 나타났다.

이러한 실증 연구를 바탕으로 높은 수준의 서비스를 고객에게 제공함으로써 고객만족을 실천하면 기업의 성과가 높아짐을 알 수 있다. 즉, 서비스는 단순히 비용이 아니라 기업의 수익에 기여하는 중요한 요인임을 확인할 수 있다.

서비스는 제조업체에서 필요악이다? 과거 "서비스 마케팅은 과연 다른 것인가?"라는 논쟁이 수차례 벌어졌었고 많은 학자들이 제품과 서비스 간의 차이는 본질이나 종류에 있다기보다는 어디에 강조점을 두느냐에 달려 있다는 입장을 취했다. 그러나 제품과 서비스는 많은 점에서 차이가 있고 둘 사이의 차이점은 경영전략에 많은 시사점을 준다고 볼 수 있다.

위의 사항들을 요약하여 볼 때, 서비스에 대한 오해와 진실은 다음과 같다.

오해		진실
서비스는 다른 분야의 희생의 대가로 생산된다?	→	사람들은 제품만큼이나 서비스를 중시한다. 서비스는 제품 욕구가 충족된 이후에나 원하는 것이 아니다.
서비스 직종은 저임금 단순노동일 뿐이다?	→	서비스 업종의 절반 이상이 고급기술을 필요로 하는 전문서비스를 제공한다.
서비스의 생산은 노동집약적이고 생산성이 낮다?	→	서비스 부문도 자본집약적이며, 생산성을 높이고 1인당 국민소득 향상에 이바지한다.
공공부문의 투자 때문에 서비스 산업의 비중이 높을 뿐이다?	→	서비스 산업도 제조업만큼 집중화되는 경향을 보이며 규모가 상당히 크다.
서비스는 비용으로 작용할 뿐 수익성의 요인이 아니다?	→	서비스는 중요한 수익 창출원이다.
서비스는 제조업체에서 필요악이다?	→	서비스는 경쟁사들과 차별화시키는 중요한 수단이다.

1.4 서비스는 어떠한 성격을 지니고 있는가?

서비스의 기본적 특성

제품과 비교해 볼 때 서비스는 다음과 같은 네 가지 기본적 특성을 가지고 있다. 이들 특성에 대해 살펴보고, 이에 따른 문제점 및 대응방안을 알아보도록 하자.

무형성 서비스의 기본 특성은 형태가 없다는 것이다. 누구에게나 보이는 형태로 제시할 수 없으며 물체처럼 만지거나 볼 수 없기 때문에 그 가치를 파악하거나 평가하는 것이 어렵다. 법률, 보험, 의료서비스 등이 이런 특성을 잘 반영하고 있다.

서비스의 무형성(Intangibility)은 두 가지 의미를 갖는다.

첫째, 실체를 보거나 만질 수 없다는 객관적 의미이다.

둘째, 보거나 만질 수 없기 때문에 그 서비스가 어떤 것인가를 상상하기 어렵다는 주관적 의미이다.

이러한 특성으로 인해 서비스 상품은 진열하기 곤란하며 설명하기도 어렵다. 이와 같은 문제점을 해결하기 위해서 서비스 마케터는 실체적 단서(tangible cue)를 강조하고, 구전 커뮤니케이션을 자극하며, 강력한 이미지를 창출해야 한다.

의료서비스의 경우 원장의 명성이나 유명도, 병원 시설과 같은 실체적 단서를 강조하거나 가시적인 정보를 알리려고 한다. 삼성이 병원에 진출하며 초대원장으로 전 서울대학병원장을 선임하고 최고의 시설과 의료진을 갖춘 건물을 만든 것도 이런 맥락에서 이해할 수 있을 것이다. 은행에서 '고객만족'이라는 휘장을 달거나 깔끔한 직원 유니폼을 사용하는 것은 서비스에 대한 시각적 단서를 제공함으로써 고객에게 강력한 이미지를 심어주려는 시도에서 나온 것이다. 학원의 경우 강사의 학력이나 어학점수 등의 정보를 공개하는 것이나 '서울대 OO명 합격!', '수학경시대회 수상 O명' 등과 같은 현수막을 설치하는 것도 학원에 대한 정보를 가시화하는 예가 되겠다. 보험사들이 우수고객 초청간담회를 하거나 항공사가 여행후기 공모전을 지원하는 것은 구전활동을 활성화하기 위한 것으로 볼 수 있다. 또 스마트폰 애플리케이션을 개발하여 젊은 고객들과의 접점을 만들고 이를 통해 항공여행과 관련된 커뮤니티를 만들도록 한다.

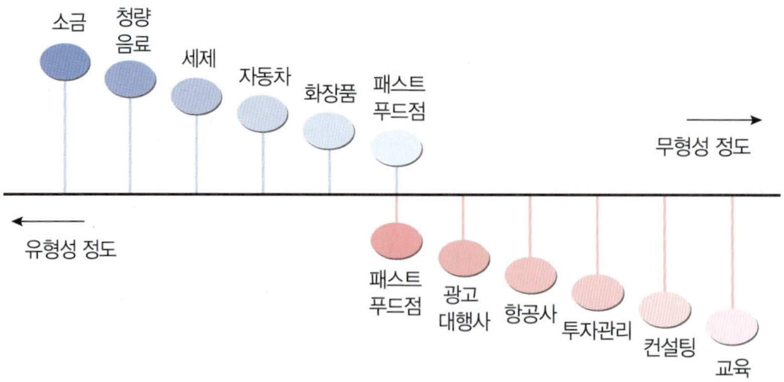

그림 1-4 | 유형성 스펙트럼

[그림 1-4]에서 볼 수 있듯이 서비스가 제품에 비해서 무형적 성격이 강하다는 것은 사실이다. 하지만 우리가 주목해야 할 사실은 완전히 유형적이고 완전히 무형적인 제품이나 서비스는 존재하지 않는다는 점이다. 즉, 서비스와 제품은 연속선상에 있다고 보는 것이 보다 정확할 것이다. 예를 들어, 보잉사 같은 제조업체도 고객들에게 컨설팅 서비스와 수요예측 서비스를 제공하고 있고 조직 내에는 데이터 처리, 법률서비스와 같은 서비스를 내부적으로 제공하는 부서가 있다.

비분리성 서비스는 생산과 소비가 동시에 일어난다. 즉, 서비스가 서비스 제공자에 의해 생산되며 동시에 고객에 의해 소비되는 성격을 가진다. 제품의 경우는 생산과 소비가 분리되어 일단 생산한 후 판매되고 나중에 소비되지만, 서비스의 경우는 생산과 동시에 발생하기 때문에 고객이 서비스 생산과정에 참여하는 경우가 많다. 따라서 고객과 직원의 상호작용이 발생한다. 그리고 다른 고객도 과정에 참여하므로 이들이 형성하는 분위기가 서비스 내용이 될 수 있다. 또한 고객들이 참여하기 때문에 집중화된 대량생산체제를 구축하기 어렵다. 제품의 경우에는 구입 전 소비자가 시험해 볼 수 있지만 서비스의 경우에는 구입 전 시험할 수 없다. 또 제품의 경우처럼 사전에 품질통제를 하기가 어렵다.

비분리성(Inseparability)에 따른 여러 가지 문제점을 해결하기 위해서는 고객과 접촉하는 직원을 신중히 선발하고 철저히 교육해야 한다. 고객입장에서는 '직원이 서비스'이기 때문이다. 자포스의 컨택센터에는 매뉴얼이 없고 전화를 받는 직원이 각자의 판단에 따라 인간 대 인간으로 고객을 응대한다. 유명한 예로 한 여성이 어머니를 위해 자포스에서 신발을 구입하였는데 어머니가 갑작스럽게 세상을 떠났다. 그녀는 부득이하게 신발을 반품하기 위해 컨택센터에 이메일을 보냈는데, 컨택센터의 직원은 한 다발의 꽃과 함께 위로의 카드를 보냈다. 직원의 마음에 감동한 고객은 블로그에 이 사례를 올려 화제가 되었다.

또 고객 구성이 서비스에 영향을 미치므로 고객관리도 중요하다. '고객도 상품이다'라는 말처럼 우리의 고객이 누구냐에 따라 평가가 달라진다. 세계 제일의 음악 스트리밍 서비스인 Spotify는 버락 오바마 전 미국 대통령이 Spotify를 통해서 듣는 음악 플레이 리스트를 공개하고, 오바마 전 대통령의 퇴임식에 앞서서는 SNS를

오바마 전 미국 대통령이 Spotify에서 공유한
주간/야간 플레이 리스트
(이미지 출처: 오바마 대통령 트위터)

통하여 오바마 대통령에게 Spotify에 일자리를 제안하는 등 재치 있는 방식으로 오바마 전 대통령이 해당 서비스의 고객이라는 사실을 적극적으로 알려 왔다.

이질성 서비스의 생산 및 제공 과정에는 가변적 요소가 많기 때문에 한 고객에 대한 서비스가 다음 고객에 대한 서비스와 다를 가능성이 있다. 예를 들어, 같은 서비스업체에서도 직원에 따라서 제공되는 서비스의 내용이나 질이 달라진다. 또 같은 직원이라도 시간이나 고객에 따라 다른 서비스를 제공할 수 있다. 심지어 직원이 아니라 기계를 사용하는 경우에도 서비스 질이 달라질 수 있다. ATM을 사용할 때 스크린의 지시사항을 잘 이해하지 못하는 고객이 경험하는 서비스는 ATM을 능숙하게 다룰 줄 아는 고객과 다를 것이다. 서비스는 이처럼 가변적이기 때문에 규격화가 어렵다.

서비스의 이질성(Heterogeneity)이 고객의 이질성으로 인해 발생하는 경우를 한번 살펴보자. 고객의 이질성은 경제적 요인, 문화적 요인, 사회적 요인 등에 의해 야기된다. 예를 들어, 외국어학원의 경우에 수강생들의 수준이 천차만별이라면 동일한 강의의 효과가 크게 달라질 수 있다. 따라서 비슷한 수준의 수강생들로 반 편성을 하여 보다 효과적인 강좌를 실시하여 이질성에 대응할 수 있다.

서비스의 이질성은 기업에게 문제와 기회를 동시에 제공한다. 서비스 품질의 균일화가 어렵기 때문에 기업으로서는 어떻게 서비스를 일정수준 이상으로 유지하는가, 또는 표준화(standardization)시키는가가 큰 문제이다. 반면에 서비스의 이질성은 고객에 따른 개별화(customization)의 기회, 즉 고객별로 차별적인 서비스를 제공할 수 있는 기회를 제공한다. 서비스의 효용은 고객이 주관적으로 평가하므로 제공되는 서비스의 개별화를 통해 다양한 고객욕구에 대응할 수 있다.

표 1-2 | 서비스의 특성에 따른 문제점과 대응전략

서비스의 특성	문제점	대응 전략
무형성	특허로 보호가 곤란하다. 진열하거나 설명하기가 어렵다.	실체적 단서를 제공하라. 구전을 적극 활용하라. 기업 이미지를 세심히 관리하라.
비분리성	서비스 제공 시 고객이 개입한다. 집중화된 대규모 생산이 곤란하다.	직원의 선발 및 교육에 세심한 고려를 하라. 고객관리를 철저히 하라.
이질성	규격화와 품질통제가 어렵다.	표준화 또는 개별화를 시행하라.
소멸성	재고로 보관하지 못한다.	수요와 공급 간의 조화를 이루라.

소멸성 판매되지 않은 제품은 재고로 보관할 수 있다. 그러나 판매되지 않은 서비스는 사라지고 만다. 즉, 서비스는 재고와 저장이 불가능하기 때문에 재고 조절이 어렵다.

구매한 서비스라고 하더라도 보통 1회로서 소멸하며 그와 동시에 서비스의 편익도 사라진다. 반면에 제품은 구입된 후에 그 상품의 물리적 형태가 존재하며 몇 회라도 반복하여 사용할 수 있다. 이러한 서비스의 소멸성(Perishability)으로 인해 시설이나 인력의 유휴, 판매 기회의 상실이라는 문제가 발생한다. 따라서 수요와 공급 간의 조화를 이루는 전략이 필요하다. 공급측면에서는 수요에 따라 생산계획을 변동하고, 임시 직원의 채용을 통해 유연성을 확보하고, 유휴시설이나 장비의 새로운 용도를 개척하며, 직원에게 여러 직무에 대한 교육을 시행해 유사시에 서로 도울 수 있는 기반을 만들어야 한다. 수요측면에서는 수요를 형성시켜야 하고 대기나 예약 같은 형태로 수요를 재고로 보관할 수 있어야 한다. 비록 서비스 자체는 재고로 보관할 수 없지만 서비스에 대한 수요는 재고로 보관할 수 있다. 예를 들어, 은행의 번호표를 통한 대기나 병원의 예약 등이 그런 전략을 사용한 것이다.

INSIGHT

롯데호텔의 서비스 특성에 따른 대응 전략

서비스는 제품과 차별화되는 고유한 특성으로 인해 마케팅을 하는 데 있어서 어려운 문제점을 안고 있다. 이러한 문제점을 극복하기 위한 전략을 롯데호텔의 사례를 통해 살펴보자.

무형성 극복 전략

- 롯데호텔은 한국서비스품질지수(KS-SQI), 국가고객만족도(NCSI), 국가브랜드경쟁력지수(NBCI), 프리미엄브랜드지수(KS-BI) 호텔 부문 1위에 선정된 바 있다. 이 밖에도 비즈니스트래블러 '서울 최고의 비즈니스 호텔'에, 시그니엘서울은 빌리제투르 어워드에서 '아시아 최고의 호텔'로 선정되었고, 부산롯데호텔은 세계 최대 여행 사이트 트립어드바이저의 '트래블러스 초이스 어워드' 호텔 부문에서 4년 연속 수상 대상자가 되었다. 롯데호텔은 이러한 사실을 주요매체에 알리는가 하면, 국제적으로 유명한 인사, 연예인, 스포츠 스타 등 과거 VIP투숙객의 사진을 게시하는 등 실체적 단서를 제시함으로써 무형성을 극복하고 있다.
- 린넨류의 불필요한 세탁 억제를 통해 환경오염을 줄여 나가자는 'save the earth'프로그램을 운영하고 있으며, 이 프로그램에 대한 안내문을 비치하고 참가에 대한 감사카드 및 기념선물을 증정하고 있다. 또한 국내 최초로 '롯데호텔 갤러리'를 개관하여 고급스러운 이미지를 심어주고 있다.

세계 최대 여행 사이트 트립어드바이저(Trip Advisor)의 '2019 트래블러스 초이스 어워드(Travelers' Choice Awards)' 호텔 부문 4년 연속 수상 홍보(사진: 부산롯데호텔 제공)

롯데호텔 갤러리

비분리성 극복 전략

- 고객관리를 위해 과거 단체객 중심의 이미지를 개선하고 호텔 특화차원에서 상류고객층의 단골을 확대하고 있다. 특히 회원제 식당을 운영해 고객 가입요건을 강화하고 있다.

이질성 극복 전략

- 호텔 체인별로 이질성을 극복하기 위해 조리 매뉴얼을 활용하고 호텔 체인별 요리 경진대회를 통해 메뉴를 업그레이드 하고 있다.
- 서비스 표준화를 위해 서비스 부문별로 서비스 매뉴얼 교재를 발간하고 지속적으로 직원들을 교육시키고 있다.
- 고객선호도를 고려해서 다양한 객실 타입을 준비해 놓으며, 어메니티(amenity)를 차별화시키고 있다.

소멸성 극복 전략

- 비수기 수요를 증대시키기 위해 레스토랑에서 할인된 가격에 특별한 서비스를 제공하는 '해피아워(happy hour)'를 활용하고 있다.
- 주류업장에서는 주말 비수기에 특별 할인가격으로 메뉴를 판매하고 있다.

자료원: 매경이코노미, "[대한민국 100대 CEO] 김정환 롯데호텔 대표이사 | 뉴욕팰리스 · 시그니엘 명품호텔 명성," 2019.04.03.

1.5
서비스 패러독스

서비스 패러독스란?

앞서 살펴본 것처럼 서비스가 경제에서 차지하는 비중이나 중요성은 높아졌는데도 불구하고 고객들이 서비스에 대해 불평하는 것을 흔히 들을 수 있다. 서비스 산업에 대한 미국의 ACSI 점수는 모든 산업 평균 대비 점차 낮아지고 있다. 특히 ACSI 점수가 낮게 나타난 분야는 운송, 통신, 공공 분야이다. 국내에서 조사되고 있는 서비스 품질지수인 KS-SQI의 경우도 전체 서비스 평균 대비 공공서비스와 교통서비스의 점수가 낮게 나타나고 있다. 거시적으로 서비스가 경제에서 차지하는 비중은 높아지는데, 고객이 체감하는 서비스 품질이 악화된다는 것은 아이러니라고 볼 수 있기 때문에 이와 같은 현상을 서비스 패러독스(service paradox)라 부른다.

그렇다면 과연 서비스가 과거에 비해 나빠졌는가? 한편으로 보면 그렇지 않다고 볼 수 있다. 24시간 은행서비스 등 ICT 기술을 활용한 많은 서비스가 등장해 종래에는 누리지 못하던 서비스를 누리기 때문이다. 그럼에도 불구하고 많은 사람들은 서비스가 악화되었다고 불평한다. 임금이 폭등함에 따라 셀프서비스(self service)가 도입되었고 숙련된 직원은 점차 줄어들고 서투른 임시 직원이 대체함에 따라 서비스의 질은 떨어진다고도 말한다.

Quinn과 Gagnon은 미국의 서비스업이 제조업처럼 몰락하리라는 것을 우려한 바 있다. 그들은 서비스 부문의 분석 과정에서 서비스 몰락을 시사하는 여러 가지 심각한 증상들을 발견하였다. 거시적 차원에서 서비스가 국가의 경제와 부에 미치는 영향력은 점차 증가하는데 미시적 차원에서 좋은 서비스를 유지하는 것은 점차 힘들어지고 있는 것이다. 그들은 이에 대해 다음과 같이 주장하고 있다.

"서비스 부문이 갖고 있는 우위를 제조부문에서처럼 빼앗기지 않기 위해서는 진지한 노력을 기울여야 한다. 선도적 위치를 빼앗기게 된 이유들이 서비스 부문에서도 나타나고 있다. 많은 기업들이 고객의 입장보다는 규모의 경제와 단기적 재무 지향성을 강조하고 있는데, 우리는 이와 같은 것들이 제조업의 몰락을 가져왔다는 사실을 기억해야만 할 것이다."

서비스 패러독스의 원인

서비스 패러독스 현상을 이해하기 위해서 서비스업에 제조업의 이론을 그대로 적용한 서비스 공업화를 살펴보아야 할 것이다. 서비스 공업화(service industrialization)는 효율성 제고 및 비용절감 등을 위해서 서비스 활동의 노동집약적 부분을 기계로 대체하고, 자동차 생산 공장에서 사용하는 것과 같은 계획, 조직, 훈련, 통제 및 관리를 서비스 활동의 전개에도 적용하는 것을 의미한다. 서비스 공업화는 인간이 아니라 장치나 시스템이 매개가 된다는 것이 하나의 특징이 된다. 이런 제조업적 발상에 기초한 서비스 공업화가 성공한 사례는 패스트푸드 프랜차이즈, 슈퍼마켓, 자동판매기, 키오스크 등을 들 수 있다. 서비스 공업화는 여러 방면의 효율화를 가져왔지만 그와 동시에 다음과 같은 몇 가지 한계점을 가지고 있다.

서비스 공업화 – 키오스크

서비스의 획일화 인간적 서비스를 공업화하여 생산성의 증대나 품질의 일관성을 가져왔으나 차별화를 추구하여야 하는 서비스에서도 획일적인 서비스를 제공하고 상황에 따라 유연하게 대응하지 못하고 경직적인 위험을 지니고 있다. 무리하게 서비스의 균일성을 추구하다 보니 서비스의 핵심인 개별성을 상실하게 된 것이다.

서비스의 인간성 상실 제조업에서 공업화 초기에 인간이라는 요소에 충분히 신경 쓰지 않아 많은 기업에서 직원의 사기가 현저히 떨어지게 되는 심각한 문제가 발생하였다. 경영자 측의 자동화 계획에 대한 노동자 측의 의심과 두려움 등으로 반목이 깊어진 것이다. 서비스 기업의 공업화를 추구하는 과정에서 효율성만을 강조하다 보면 인간을 기계의 부속품처럼 취급하게 됨으로써 제조업의 발전과정에서 나타났던 인간성 무시가 다시 생기게 된다. 또 인건비 상승으로 인해 제한된 직원의 수와 폭등하는 서비스 수요에 의해 직원들은 정신적으로 육체적으로 피곤해지며 무수히 많은 고객을 상대하다 보면 기계적으로 되는 것이 불가피해지기도 한다. 그런데 제조업과는 달리 직원의 사기 저하나 정신적 피로는 즉각적으로 서비스 품질에 반영된다. 서비스 생산은 상호작용적으로 직원과 고객이 함께 참여하기 때문이다. 따라서 서비스 직원의 인간성 상실은 제조업의 경우보다 훨씬 더 심각한 문제가 된다고 할 수 있다.

기술의 복잡화 기술이 너무나 복잡해져서 고객이나 직원이 기술의 진보를 따라가지 못하는 경우가 종종 있다. 휴대폰, TV 등도 다양해지고 복잡해져서 전문서비스센터로 가야 하고 자동차도 첨단시설을 가진 정비소로 가야만 하는 시대가 된 것이다. 손쉽게 인근 업소에서 수리받던 시대는 지나가고 이제 고객이 멀리까지 가고 기다려야 하는 시대가 되었다.

일선 직원 확보의 악순환 기업에서는 통상 고객과 접하는 일선 직원(front-line employee)을 충분한 교육훈련 없이 활용하게 된다. 그리고 업무를 가능하면 단순하게 설계해서 직원이 이직한 경우에도 손쉽게 채용하고 교육훈련도 최소로 줄이려고 한다.

이렇게 단순 업무를 맡기다 보면 직원의 실수는 줄일 수 있겠지만 직원의 사기를

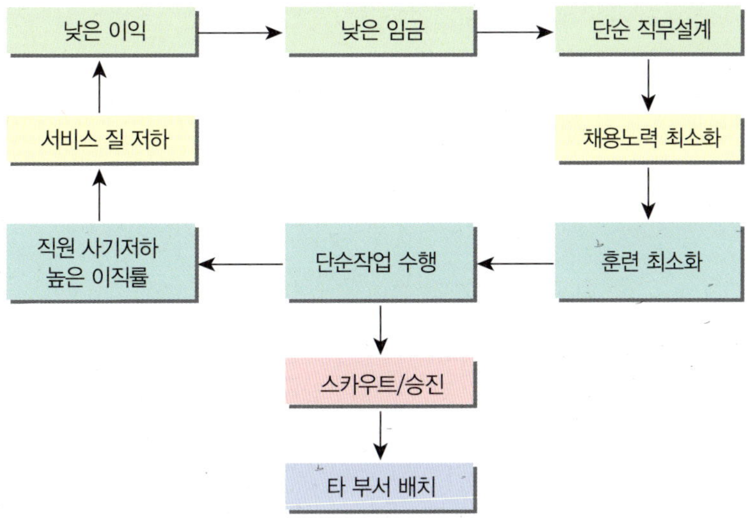

그림 1-5 | 일선 직원 확보의 악순환

저하시키고 문제가 발생했을 때 대처할 수 있는 능력을 갖추지 못하게 된다. 따라서 직원이 제공하는 서비스 품질은 저하되고 이에 따라 이익은 낮아질 수밖에 없다. 결국 직원에게 제공할 수 있는 임금은 낮아지게 되어 고급인력을 확보하지 못하고 단순 업무로서 직무를 설계해야 한다. 게다가 직원이 일을 잘해 인정을 받게 되면 승진하거나 타 부서의 스카우트로 후방 부서로 옮겨가게 되기 때문에 고객을 대하는 일선에는 들어온 지 얼마 안 되어 미숙하거나, 경험은 있으나 능력이 없는 직원만 남게 되며 서비스 품질은 낮아질 수밖에 없다.

또한 각종 부서에서 근무하며 낮은 성과를 보인 직원들을 안내데스크로 내모는 경우, 해당 직원에게 적대적 감정을 유발시키고 그 직원은 적대감을 고객에게 표출하게 되어 결과적으로 피해를 고스란히 고객이 떠안게 되는 경우가 발생한다. 이러한 현상을 '떠돌이 안내직 현상(shuffling receptionist syndrome)'이라고 한다.

서비스 패러독스의 탈피 방안

서비스 패러독스를 탈피하고 보다 높은 수준의 서비스를 제공하기 위해서는 어떻게 해야 할까? 이를 위해서는 SERVICE 기본으로 돌아가 다음과 같은 점을 명심해야

INSIGHT

어느 콜센터 직원의 독백

오랜 구직 끝에 T사에 파트타임으로 고용된 괴로워 양.

T사는 대기업 통신회사인 Q사를 비롯한 몇 개 회사의 콜센터 업무를 담당하고 있다. 괴로워 양은 신입사원으로 입사해 3주간의 교육을 받은 후 Q사의 고객을 담당하는 업무에 배치되었다.

충분한 훈련 없이 콜센터 업무를 담당하게 된 괴로워 양은 일선에 배치된 첫 날부터 쉴 새 없이 울려대는 전화기와 씨름하느라 정신이 없다. 9시에 출근해서 6시에 퇴근할 때까지 커피 한 잔 여유 있게 마실 시간이 없다.

'도대체 Q사 고객들은 왜 그렇게 회사에 불만이 많은지... 하루에도 몇 번씩 불만에 가득 찬 고객들을 응대하느라 너무 힘이 든다. 괜히 나까지 기분이 안 좋아진다. 출근해서 오후까지 하루 종일 사람들의 전화를 받는 것도, 불만에 섞인 목소리를 듣는 것도 너무 피곤하다. 그렇다고 정식직원으로 채용된 것도 아니고, 언제 해고될지도 모른다.

직원들 사이에서는 회사가 Q사에서 받은 금액의 상당부분을 떼어내고 직원들에게 월급을 적게 준다는 소문이 횡행해서 분위기도 뒤숭숭한 상황이다. 얼마 전 회사 언니인 나홀로 양이 다른 회사로 옮기면서 월급을 더 많이 받는다고 한다. 어차피 비슷한 일인데 조금이라도 더 받고 일하는 게 낫지 않을까? 자리가 비면 연락 달라고 나홀로 양한테 부탁은 했는데... 언제 연락이 올까... (따르릉)... 아휴... 또 전화다. 이번엔 어떤 고객이야...'

Q사는 얼마 전 시행된 고객만족도 조사에서 저조한 평가를 받았다. 새로운 서비스와 상품 개발에 주력하고, 끊임없이 광고를 내보내고, 고객응대 차원에서 콜센터도 운영하고 있는데 평가는 좀처럼 좋아지지 않는다. 회사 내부적으로 문제해결을 위해 비상이 걸린 상태다.

Q사는 막대한 비용을 들여 콜센터 업무를 아웃소싱하면서 고객과 관련된 일은 T사를 철저히 믿고 모든 일을 T사에 넘겼는데, 괴로워 양과 같은 경우처럼 콜센터 직원들에게 문제가 있을 것이라고는 상상도 못하고 있다. 정작 Q사는 자사의 고객들이 어떠한 불만이 있고, 그러한 불만들이 제대로 해결되고 있는지 정확히 파악하고 있지 못한 것이다. Q사가 끊임없이 자사의 콜센터 업무를 모니터링했었더라도 지금과 같은 결과가 나타났을까?

할 것이다.

Sincerity, speed & smile : 서비스에는 성의, 스피드, 스마일이 있어야 한다. 이는 오랫동안 판매의 3S로 중시되어온 것이다. 성의 있고 신속하며 상냥하게 서비스를 제공하라.

Energy : 서비스는 활기가 넘쳐야 한다. 직원의 걸음걸이나 표정이 밝을 때 고객과의 대화나 접촉이 활기를 띨 수 있다. 활기찬 대응이 고객의 인상에 큰 영향을 미친다. 감정은 전염된다는 사실을 명심하라.

Revolutionary : 서비스는 신선하고 혁신적이어야 한다. 업계의 관행을 마냥 따라갈 것이 아니라 신선하고 혁신적인 요소를 추가하라.

Valuable : 서비스는 가치 있는 것이어야 한다. 그러나 고객에게만 가치 있고 직원에게는 일방적인 희생을 요구하는 '희생양 서비스'를 넘어서야 한다. 서비스의 제공자와 고객 모두에게 이익이 되고 가치 있게 하라.

Impressive : 서비스는 감명 깊은 것이어야 한다. 기쁨과 감동을 제공하라.

Communication : 서비스에는 당사자 간의 커뮤니케이션이 있어야 한다. 일방적인 커뮤니케이션이 아니라 고객의 소리를 듣고 유연하게 반영하는 쌍방향 커뮤니케이션을 하라.

Entertainment : 서비스는 고객을 환대하는 것이어야 한다. 겉으로만 번지르르한 인사치레나 예절 수준이 아니라 손님을 맞는 것처럼 진심으로 고객을 맞이하라.

INSIGHT

하이테크 = 하이서비스?

자동응답시스템, 음성인식기술, 챗봇 등의 보급으로 기업의 고객응대는 사람이 아닌 기계가 대체하고 있다. 그러나 막대한 비용을 들여 구축한 컴퓨터 시스템은 발신자의 화가 난 목소리나 짜증을 듣거나 이에 반응하지 못한다. 고객에게 편리함을 제공하기 위해 도입된 첨단 서비스가 도리어 고객의 불평을 유발하고 있는 것이다. 과연 기업에 있어서 효율성이 고객보다 중요한가? 이는 앞으로 기업이 고민해야 할 중요한 문제이다.

은행의 콜센터, ATM, 패스트푸드점 및 마트의 셀프서비스화 등 많은 기업들이 서비스 활동과 관련된 노동집약적인 부분을 기계로 대체하는 서비스 공업화를 통해 서비스 효율성은 증대시켰지만, 한편으로는 고객이 체감하는 품질은 떨어지는 소위 '서비스 패러독스' 현상을 경험하고 있다. 한 조사에 따르면, 과거에 비해 제품에 대한 불만은 감소한 데 비해, 서비스에 대한 불만은 오히려 증가하였다는 결과가 있다.

이러한 서비스 패러독스를 해결하기 위해서 S · E · R · V · I · C · E라는 7가지 서비스 기본 요소를 바탕으로 고객의 입장에서 고객을 진정으로 만족시킬 수 있는 서비스를 제공할 수 있도록 최선을 다해야 할 것이다. 진심은 결국 통한다 하지 않았던가?

CHAPTER

02

서비스 마케팅의 기본적 이해

PROLOGUE

고객참여 브랜드 체험 프로그램 '투데이 앳 애플(Today at Apple)'

애플의 소매 유통 부문 책임자 안젤라 아렌츠는 조니 아이브나 팀 쿡만큼이나 애플에 많은 변화를 가져왔다. 취임 이후 아렌츠는 전 세계 애플 스토어에 지워지지 않을 족적을 남겼다. 전통적인 오프라인 매장에 변화를 가져왔고 애플을 고급스럽고 유행의 최첨단을 걷는 브랜드로 키워낸 것이다.

애플 스토어는 애플에 대한 새로운 경험을 제공하는 것을 표방하는 공간으로 그들만의 감성과 문화를 공유하고 전파하는 역할을 한다. 애플 스토어는 그동안 미국 뉴욕, 일본 도쿄, 프랑스 파리, 호주 시드니, 영국 런던, 캐나다 몬트리올 등 전 세계에 22개국 499개 매장을 가지고 있었다. 그리고 마침내 서울 가로수길에 500호점 애플 스토어가 문을 열며, 한국은 애플 스토어가 입점한 23번째 국가가 되었다.

애플 브랜드에 미친 아렌츠의 가장 큰 영향은 역시 애플 스토어이다. 그리고 '투데이 앳 애플 프로그램(Today at Apple Program)'에서 더욱 분명하게 그녀의 영향을 느낄 수 있다. 이 프로그램은 애플 스토어를 찾은 참가자가 음악이나 사진 등 예술 분야와 디자인, 코딩 등에 대해 배우고 자신에게 잠재된 창의력을 끌어낼 수 있도록 돕는다. 투데이 앳 애플 프로그램은 해당 분야 전문가들로 구성된 'Creative Pro'들이 이끌어 나가며, 애플 공식 홈페이지 혹은 아이폰 애플 스토어 앱에서 예약할 수 있다. 무료로 진행되는 투데이 앳 애플 프로그램은 개점 이후 한동안 예약이 꽉 찰 정도로 많은 호응을 얻었다. 즉, 투데이 앳 애플 프로그램에서는 애플 기기로 사용자가 할 수 있는 여러 가지 창의적인 작업을 공개함으로

써 여러 가지 무료 강의를 열고 현실과 애플 판매 공간 사이에 다리를 놓은 것이다.

투데이 앳 애플 프로그램은 아렌츠가 애플에 불어넣은 철학 중 일부에 불과하다. 그동안 물건을 사는 공간에 그쳤던 애플 스토어는 아렌츠의 지휘에 따라 만남의 광장과 같은 '타운 스퀘어' 브랜드로 바뀌었다. 음악을 듣거나 작업을 하면서 몇 시간을 보내도 아무도 눈치를 주지 않는 열려 있는 분위기이다. 실제로 나무 아래 앉아 아이북을 읽을 수 있는 매장도 몇 곳 있다. 기존에 애플 제품에 대한 전시와 판매 등을 담당했던 역할에서 이제는 좀더 봉사하고, 더 열린 공간을 제공함으로써 현대적인 '광장'을 만들겠다는 것이 애플 스토어를 활용한 애플의 새로운 브랜드 체험 전략이다.

자료원: IT World, "'더 젊고 더 감각적으로', 아렌츠가 가져온 애플의 5가지 변화," 2019.2.7;
CEO&, "애플 감성과 문화를 공유하는 공간," 2018.4월호, 일부 내용 발췌 및 편집
(이미지 출처: 애플 웹사이트(apple.com))

2.1 서비스 마케팅과 제품 마케팅, 무엇이 다른가?

제품과 서비스 간의 근본적인 차이 때문에 서비스 마케팅과 제품 마케팅 역시 차이가 존재한다. 이러한 차이점을 제품과 서비스의 특성에 따라 살펴보도록 하자.

고객의 생산과정 참여 서비스의 생산과정에는 고객이 종종 참여하게 된다. 만약 당신이 서울에 있는데 내일 동경에 있어야 하는 상황이라면 비행기를 타야만 되는 것이다. 머리를 깎아야 하는데 바쁘다고 다른 사람에게 대신 깎고 오라고 할 수 없다. 고객의 참여 방법은 크게 두 가지로 볼 수 있다. 첫째는 셀프서비스(self service)로서 자신이 직접 서비스를 하는 것이다. 둘째는 미용실, 호텔, 병원 등에서처럼 서비스 직원과 협조하는 것이다. 고객이 서비스 기업과 접촉하는 정도에 따라 다른 문제가 야기된다. 만약 고객이 셀프서비스를 하는 경우라면 시설이나 설비를 사용자가 이용하기 편리하게 설치해야 할 것이다. 고객이 서비스 직원과 협조해야 하는 경우에는 좋은 결과를 위해서 서로 어떻게 협조해야 하는가에 대해 양측에게 교육이나 지침을 제공해야 한다.

사람도 상품의 일부 제품의 경우 설비나 기계에 의존하는데, 서비스는 사람에 의존하는 부분이 많고 사람의 숙련도 등에 의해 그 품질이 결정된다. 고객이 서비스 프로세스에 참여하는 정도가 높아질수록 고객은 서비스 직원들과 접촉할 뿐만 아니라 다른 고객과 부딪히게 된다. 따라서 특정 서비스를 이용하는 고객의 유형에 따라서 그 서비스 경험이 결정된다. 그러므로 많은 서비스의 경우 사람들이 상품의 일부분이 되는 것이다. 즉, 고객이 서비스를 평가할 때 직원들의 업무능력뿐만 아니라 용모 및 사회적 기술(social skills)도 보게 된다. 또 고객은 다른 고객들에 대해서 평가를 하게 된다. 예를 들어, 기업의 임원대상 교육의 경우 참여하고 있는 사람들의 유형에 따라서 교육프로그램의 질이 크게 달라질 수 있다. 명문 골프장이 회원의 자격을 엄격하게 심사하는 것도 이런 맥락에서 이해될 수 있다.

품질 통제의 어려움 제품의 경우는 고객이 특정 제품을 접하기 전에 품질이 기준에 부합되는가를 체크할 수 있다. 그러나 서비스는 생산과 소비가 동시에 일어나므로 미리 품질을 통제하기가 불가능하다. 따라서 실수나 결점을 감추기가 어려운 것이다. 또한 서비스 직원과 다른 고객이 함께 있기 때문에 서비스의 질은 더욱 가변적이다. 이런 이유들로 인해 품질을 통제하거나 서비스를 일관성 있게 제공하기가 어려워진다.

Holiday Inn 호텔의 한 관리자는 품질 통제의 어려움에 대해 다음과 같이 얘기한 바 있다.

> "우리는 P&G 생산라인에서 일하는 엔지니어처럼 우리(서비스) 상품의 품질을 통제할 수 없다. 타이드(Tide)를 살 때 당신은 아마도 99.44% 정도로 이 세제가 옷을 깨끗하게 해 주리라고 믿을 것이다. 그러나 호텔의 방을 잡을 때, 아무런 문제가 없이, 벽을 소리 내며 치는 사람이 없이, Holiday Inn 호텔에서 발생할 수 있는 나쁜 일들이 없이 편하게 잠을 잘 수 있다고 당신은 확신할 수 있겠는가?"

품질을 평가하는 측면에서도 차이가 있다. 제품 품질을 평가하는 데는 시간이 소요되는 데 반해 서비스 품질의 평가는 즉시 이루어지는 것이 보통이다. 서비스의 평가는 주로 고객에 의해 주관적으로 이루어진다. 제품은 생산자가 평가할 수 있고 가격도 생산비 등에 의해 결정된다. 이에 반해 서비스는 무형적이며 일회적이므로 객관적으로 품질을 측정하기 어렵고 고객이 주관적으로 느끼게 될 만족과 효용에 의해 가격이 영향을 받는다. 따라서 특정 서비스를 받기 위해 얼마나 지불할 용의가 있는지가 서비스의 수요 및 가격을 결정한다.

INSIGHT

버드와이저 'TagWords' 캠페인

'셰프(chef)의 킥(kick)'이란 표현이 있다. 요리의 운명을 좌우하는 셰프의 결정적 한 수. 그 누구도 생각하지 못한 한 방의 킥으로 정신이 번쩍 들 만큼 놀라운 결과물을 완성하는 건 비단 요리의 세계에서만 일어나는 일이 아니다. 브랜드의 운명을 좌우하는 결정적 킥. 대체할 수 없는, 그래서 더 소유하고 싶어지는 특별한 브랜드의 운명을 걷게 하기 위해, '당신과 함께하고 싶은'이 아니라 '당신이 함께하고 싶은' 브랜드로 살아남게 하기 위해, 모든 광고인은 가장 효과적이고 강력한 '광고적 킥'을 고뇌한다. 여기 그 특별한 킥으로 자신만의 대체 불가능한 감성을 소비자와 나눈 브랜드가 있다.

자신만의 독특한 감성을 갖고 있는 사람이 눈길을 끌 듯 브랜드도 마찬가지. 이른바 브랜드 감성으로 소비자의 강력한 지지를 이끌어낸다. 그런데 짚고 넘어가야 할 한 가지. 이 감성을 나누는 '방법'은 그저 감성적인 것에 머무르지 않는다. 특히 밀레니얼 세대(1980~2000년대 초반 출생한 세대)와 교감하기 위해서는 보다 전략적이고 스마트한 킥이 절실하다. '2018 칸라이언즈' 인쇄 · 출판(Print and Publishing) 부문 그랑프리를 수상한 'TagWords' 캠페인이 대표적이다.

전설적 뮤지션, 유명 아티스트가 활발히 활동하던 당시, 그때 그곳에서 그들과 함께했던 건 음악뿐만이 아니었다. 그것은 바로 '맥주'. 역사적 뮤직 페스티벌 등 음악과 관련된 다양한 순간 속에서 뮤지션과 아티스트들의 손에 들려 있던 맥주 브랜드, 바로 '버드와이저'의 이야기다. 버드와이저는 단지 맥주가 아니라 오랜 시간 음악의 파트너로서 존재해온 브랜드다. 이런 자신들만의 고유한 브랜드 감성을 지금의 밀레니얼 세대 소비자들과 나누기 위해 '검색'이라는 아주 똑똑한 킥을 찾았다.

더 이상 광고 효과가 없을 것이라는 인쇄 매체에 대한 지배적 인식을 깨고, 단 몇 줄의 문구만으로 진행된 캠페인은 참으로 기발했다. 연도, 지역, 음악, 그리고 버드와이저. 광고 지면에 나와 있는 이 텍스트를 그대로 구글에서 검색하면 전설적 뮤지션들이 버드와이저 맥주를 즐기고 있는 진짜 사진을 만나게 된다. 예를 들어, '1987 California hip-hop Budweiser'를 검색하면, 비스티 보이즈의 애덤 호로비츠가 캘리포니아의 할리우드 팔라듐 무대에서 버드와이저 캔 맥주와 함께하고 있는 모습을 볼 수 있다. '1965 Poolside Florida Budweiser'를 검색하면, 롤링 스톤스의 믹 재거가 버드와이저 맥주와 함께 있는 모습을 만날 수 있다. 제한된 시간 안에 이야기를 담아야 하는 영상이 아니라 그 어떤 제약도 없는 인터넷 공간 전체를 브랜드의 이야기를 담아내는 공간으로 이용했다. 이를 통해 자발적으로 더 많은 이야기가 생산되고 확산될 수 있는 장을 만들었다.

이러한 방법으로 버드와이저는 전 세계인이 다 아는 전설적 뮤지션과 아티스트들을 자신의 모델로

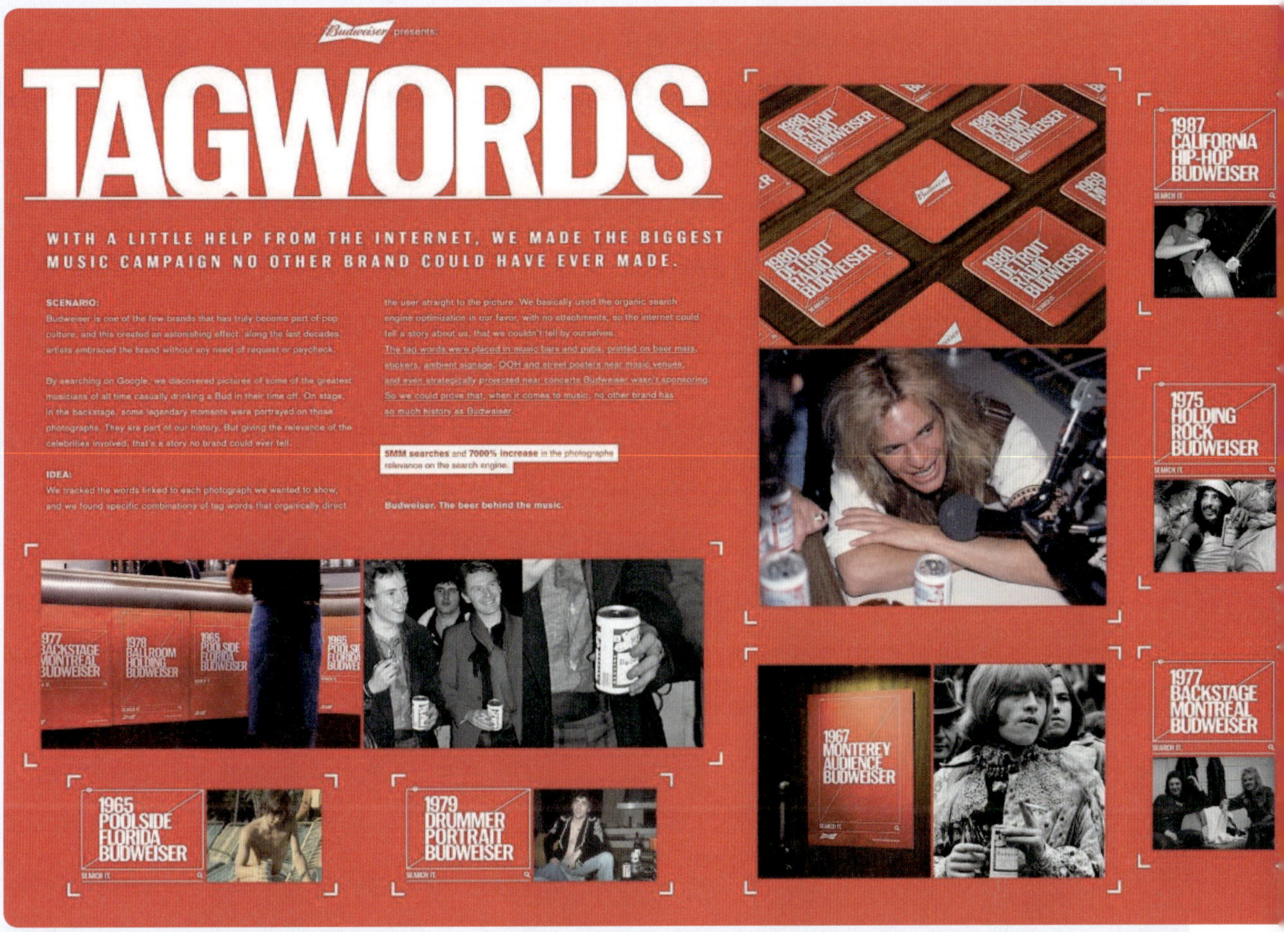

활용하는 똑똑한 마케팅을 성공적으로 이끌었다. 초상권이나 저작권 비용을 하나도 지불하지 않고도 말이다. 증명하고 싶은 혹은 보여주고 싶은 브랜드의 모습을 소비자가 기꺼이 직접 찾아보도록 유도했다. 마치 숨은그림찾기 놀이를 하는 듯한 색다른 유희를 만들어낸 것도 큰 몫을 했다.

자료원: 매일경제, "[Insight] '셰프의 킥'처럼… 검색으로 음악으로 킥 날린 광고들," 2018.10.19, 일부 발췌(사진출처: Pinterest)

서비스의 재고화 불가능 서비스는 유형적인 물건이 아니라 행위나 성과이기 때문에 재고를 남길 수 없다. 물론 서비스 제공을 위해 필요한 기구, 설비, 인력 등을 준비할 수 있으나 이것은 생산능력(productive capacity)이지 상품 자체는 아니다. 서비스 산업에서 사용되지 않는 능력은 마개가 없는 세면대의 수돗물과 같다. 그 흐름은 서비스를 받는 고객이 없으면 사라지고 만다. 한편 가용능력 이상으로 수요가 있는 경우에는 재고가 없기 때문에 일부 고객은 서비스를 받지 못하게 된다. 그러므로 서비스 마케팅의 중요한 과제는 서비스 능력에 맞도록 수요를 관리하는 것이다.

시간요인의 중요성 비행기, 병원, 미용사, 레스토랑 등으로부터 서비스를 받기 위해서는 고객이 함께 있어야 한다. 그러나 서비스를 받기 위해 고객이 기다릴 수 있는 시간에는 한계가 있다. 따라서 다른 고객이 보는 곳에서 서비스를 제공하는 경우에 한 고객에게 지나치게 오랫동안 시간을 쓰지 않도록 해야 한다. 또한 고객이 보고 있지 않은 곳에서 서비스를 제공하는 경우에도 고객은 서비스가 어느 정도 시간 내에 끝나야 하는지를 예상하게 된다. 예를 들어, 시설의 보수, 컨설팅 보고서의 작성, 양복 세탁, 법률 서류의 작성 등의 경우이다.

버드와이저 'TagWords' 캠페인 영상

YouTube
[YouTube https://www.youtube.com/watch?v=TwwA45XkHH4](https://www.youtube.com/watch?v=TwwA45XkHH4)

제 목 _ TagWords – Budweiser – Cannes Lions 2018

검색어 _budweiser tagwords

유통경로의 상이성 보통 제조기업에서는 제품을 공장에서 고객에게로 이동시키기 위해 물적인 유통경로가 필요하다. 그러나 서비스의 유통경로는 존재한다고 해도 매우 짧은 편인데, 보통 전자경로를 사용하거나 서비스 공장, 소매업소, 소비지점을 하나로 통합하고 있다. 따라서 고객과 접촉하는 순간들을 서비스 기업이 직접 관리해야 하는 것이다.

2.2 서비스 마케팅 연구가 걸어온 길

경영학 및 마케팅 분야에서는 1960년대 초반부터 서비스에 대한 연구가 시작되었다. 그 후 1970년대에 들어 서비스의 특성 및 현상에 대해 관심이 집중되었고, 1980년대와 90년대에는 서비스에 대한 이론적인 체계와 전략적 이슈가 연구의 대상이 되기에 이르렀다.

서비스 마케팅 연구는 80년대 이후, 급변하는 경제와 서비스 마케팅 관리에 대한 필요에 의해서 급속도로 발전하게 되었다. 연구 초반에는 제조업 중심의 마케팅이 지배적이었기 때문에 새롭고 혁신적인 서비스 마케팅 개념이 지지받는다는 것은 힘든 일이었다. 이러한 상황 속에서도 서비스 마케팅이 발전할 수 있었던 데에는 몇 가지 이유가 존재하는데, 학계와 산업계 간의 긴밀한 상호작용이 있었다는 점, 학제 간의 연구가 활발히 이루어졌다는 점, 어느 특정 지역에 국한되지 않고 시작부터 스칸디나비아, 영국, 프랑스를 포함해 전 세계적으로 연구가 이루어졌다는 점을 들 수 있다. 서비스 마케팅의 태동 이후 Shostack 등에 의한 전통적 연구는 주로 서비스의 특징에 대한 연구였으며, 다분히 근시안적이기는 하지만 서비스 마케팅의 존재 가치를 밝히는 작업이었다.

1980년에서 1986년 사이에는 서비스 마케팅에 대한 높은 관심과 열정이 반영되어 많은 연구가 진행되었다. 이 시기의 연구의 특징을 살펴보면, 서비스 품질과 서비스 접점과 같은 서비스 특유의 문제에 관심을 돌리게 되었다는 점이다. Lovelock은 1983년에 서비스 분류체계를 제시하였고 Parasuraman, Zeithaml, Berry는 1985년 서비스의 개념적 틀을 제공하고 서비스 품질에 관한 선구적인 모델인 'GAP' 모델을 개발했다.

또 Solomon, Suprenaut, Czepeil, Gutzman은 1985년 서비스 접점과 고객만족에 대한 논문을 발표하였고 Berry는 관계 마케팅, 내부 마케팅을 서비스 관리에 있어서 중요 문제로 연구하였다. 한편, 상품, 가격, 촉진, 그리고 유통이라는 4P의 서비스 마케팅 믹스가 도출되었고 Booms와 Bitner는 서비스의 독특한 특성을 고려하여 확장된 마케팅 믹스를 개발했다. 또한 Parasuraman, Zeithaml, Berry가 기존 문헌 연구들을 바탕으로 무형성, 비분리성, 이질성, 소멸성을 서비스의 특성으로 체계화하여 제시한 이래 널리 활용되고 있다. 이후 보다 구체적인 마케팅 문제에 초점을 둔 연구가 활발하게 진행되었다. 서비스의 특성에 따른 문제를 지적하였다고 볼 수 있는데, 예를 들면, 서비스의 이질성과 관련된 서비스 품질관리, 무형성과 관련된 설계와 통제 문제, 그리고 수요공급관리, 내부 마케팅과 관련된 조직관리 등이 그것이다.

1990년대 이후에는 서비스 품질에 대한 관심이 증가하여 서비스 품질(service quality)의 측정방법에 대해 많은 연구가 이루어졌다. 학계뿐만 아니라 업계에서도 서비스 품질, 고객만족 등의 측정에 관심을 갖게 됨에 따라 서비스 품질과 고객만족이 고객 충성도와 기업의 재무적 성과 등과의 관계를 규명하는 연구도 활발히 이루어지고 있다. 또한 인터넷의 급격한 발전과 함께 온라인이라는 변화된 환경에서 발생하는 서비스에 대한 연구도 많이 이루어졌다.

2000년대 초반에는 전반적인 환경 변화에 따라 마케팅의 관점이 제품 중심에서 서비스 중심으로 변화해야 된다는 서비스 중심 사고(service-dominant logic)가 등장하여 큰 반향을 불러 일으켰으며(Vargo & Lusch, 2004), 서비스는 이용비용(access fees)을 지불하

표 2-1 | 서비스 마케팅 연구의 진화

연도	1960년대	1980년대	1990년대	2000년대	2010년대
주요 연구 내용	서비스의 특징 서비스 마케팅의 존재 가치를 밝히는 작업	서비스 분류 체계 서비스 품질 모델 GAP모형 개발 서비스 접점 고객만족 관계 마케팅 내부 마케팅 확장된 마케팅 믹스 서비스의 4가지 특성	지각된 서비스 품질 온라인에서의 서비스	서비스 중심 사고 비소유성	변혁적 서비스, 서비스 혁신, 서비스 테크놀로지 및 빅데이터의 활용

고 일시적 소유(temporary possession)를 통해 편익을 제공받기 때문에 서비스의 주요한 특징으로 비소유성(nonownership)을 고려해야 한다는 주장(Lovelock & Gummesson, 2007)도 제기되었다.

2010년에 들어서는 개인, 가정, 지역공동체, 도시, 국가, 환경 등 웰빙 향상을 위한 변혁적 서비스(Transformative Service)와 빅데이터, 클라우드 컴퓨팅, 스마트 서비스, AI 등 다양한 테크놀로지를 활용한 서비스에 대한 관심이 학계에서 높아지고 있다. Ostrom, Parasuraman, Bowen, Patricio, and Voss(2015)는 전 세계 서비스 관련 연구기관과 공동으로 수행한 '향후 서비스 우선연구과제(Service Research Priorities: SRP) 도출'에 관한 연구 프로젝트의 결과를 발표했다. 이 프로젝트에 참여했던 국내 연구진으로서 이유재, 라선아, 이청림(2016)은 향후 10가지의 한국 서비스 우선연구과제로 〈표 2-2〉에서 제시된 바와 같이 1) 빅데이터의 활용, 2) 지속 가능한 사회를 위한 변혁적 서비스, 3) 가치 창출에 대한 이해, 4) 서비스 경험의 향상, 5) 서비스 혁신의 활성화, 6) 서비스 네트워크와 시스템의 개발, 7) 서비스 테크놀로지의 활용, 8) 세계화 맥락에서의 서비스에 대한 이해, 9) 한국적 서비스에 대한 연구, 10) 서비스 생산성과 성과를 도출한 바 있다.

표 2-2 | 한국 서비스 향후 우선연구과제

가치 사슬	우선연구과제	설명
투입 자원	**1. 빅데이터의 활용(Big Data)** 1) 고객 경험과 고객-기업 관계의 개선을 위한 빅데이터의 활용 2) 맞춤화된 서비스 추천 모형 개발 3) 빅데이터를 통한 서비스 혁신과 신규 서비스 상품 개발 기회의 발굴 4) 고객생애가치 관리를 위한 빅데이터 분석	빅데이터를 통해 서비스 추세분석 및 예측, 고객세분화와 욕구분석을 통한 신서비스 기획, 고객맞춤화와 고객관계관리 등을 적용하는 것과 관련된 영역
목표와 가치	**2. 지속 가능한 사회를 위한 변혁적 서비스 (Transformative Service)** 1) 지속 가능한 형태의 서비스 개발 및 전달 2) 웰빙 향상을 위한 신규 서비스 발굴 3) 웰빙 향상을 위한 공공/정부 부문 서비스의 개선 4) 서비스 시스템(예: 교육/의료 시스템 등)이 국민의 웰빙에 미치는 영향	CSV와 연관된 개념으로, 서비스를 통해 개인, 가정, 지역공동체, 도시, 국가, 환경 등의 문제를 해결하고 복지향상을 추구하는 영역

가치사슬	우선연구과제	설명
목표와 가치	**3. 가치 창출에 대한 이해(Value Co-creation)** 1) 고객, 종업원, 기업, 기술의 역할 통합을 통한 가치 공동창출 방안 2) 가치 공동창출의 개념 정립 및 모형 제시 3) 가치 공동창출자 및 인적자원으로서의 고객에 대한 연구 4) 가치 공동창출의 부정적 결과에 대한 이해	기업-고객-종업원-사회의 다중주체가 적극적, 자발적으로 상호이익을 추구함으로써 총가치를 증대하는 방안에 대한 새로운 서비스 가치창출관련 영역
목표와 가치	**4. 서비스 경험의 향상(Service Experience)** 1) 고객 경험 향상을 위한 접점 분석과 관리 방안 2) 고객 커뮤니티의 다각적 영향 3) 긍정적 서비스 경험을 위한 고객속성의 확인 4) 서비스 경험 향상을 위한 고객참여 활성화 방안	경험경제시대에 고객이 요구하는 오감 만족적, 기능적/정서적/관계적 '서비스 경험'을 디자인, 생산, 제공, 최적화, 업그레이드 및 평가하는 것과 관련된 영역
생산수단 및 과정	**5. 서비스 혁신의 활성화(Service Innovation)** 1) 지속 가능한 서비스 혁신을 위한 선행요인 확인 2) 가치 네트워크 내에서의 혁신과 협력 3) 서비스 디자인 씽크탱크 조성과 서비스 시제품화의 촉진 4) 크라우드 소싱과 오픈 이노베이션을 통한 서비스 혁신	향상된 고객경험과 가치증대를 위해 기술적, 물적, 인적 요소를 통한 신서비스의 개발, 프로세스의 혁신, 서비스 디자인 등 서비스 R&D를 포함하는 영역
생산수단 및 과정	**6. 서비스 네트워크와 시스템의 개발 (Service Network & System)** 1) 가치 네트워크에서의 서비스 구조와 모듈의 개발 2) 가치 네트워크와 서비스 생태계를 위한 서비스 플랫폼의 개발 3) 역동적인 환경에 대응하기 위한 서비스 시스템의 개발 4) 시스템 엔지니어링 접근법의 진화	부가가치창출을 위해 기업 내 또는 기업 간 가치사슬망의 재설계, 서비스 지향의 시스템 공학적 접근, 고객중심의 연관산업 협력체계 구축 등의 영역
생산수단 및 과정	**7. 서비스 테크놀로지의 활용(Service Technology)** 1) 신규 서비스 기술(예: 스마트 서비스, 클라우드 컴퓨팅)을 위한 비즈니스 모델의 개발 2) 고객 경험 향상을 위한 새로운 유비쿼터스 서비스에 대한 검토 3) 소셜 미디어를 기업의 새로운 가치 창출에 이용 4) 정보보안과 사생활 보호	IT, 플랫폼, 모바일, 스마트, 클라우딩 등 신기술을 적용하여 서비스 상품과 절차 등을 다양화, 개별화, 표준화함으로써 지각된 품질, 고객경험, 고객가치를 증대하는 것과 관련된 영역
환경 및 전략	**8. 세계화 맥락에서의 서비스에 대한 이해(Service Globalization)** 1) 비교문화적 관점에서 서비스의 세계화와 현지화에 대한 이해 2) 서비스 자원의 소싱(예: 인소싱, 아웃소싱, 온쇼링 등)에 대한 연구 3) 신흥국에 중요한 서비스 이슈에 대한 검토	글로벌 경쟁에서 시장발굴, 현지화/표준화, 자원소싱, 경쟁우위요인 결정을 위한 기초자료 생성에 관련된 영역

가치 사슬	우선연구과제	설명
환경 및 전략	9. 한국적 서비스에 대한 연구(Korean Style Services) 1) 한국적 서비스에 대한 개념화와 특성 요인 발굴 2) 한국식 서비스의 글로벌 확장 전략 3) 한국식 서비스 품질모형의 개발과 적용	'서비스 한류'의 창조와 서비스 강대국으로서 한국의 지위를 선점할 수 있는 서비스 영역의 발굴 및 확대 전략 관련 영역
산출 결과	10. 서비스 생산성과 성과(Service Productivity & Performance) 1) 서비스의 가치와 투자수익률 측정 2) 비용 효익 분석을 통한 서비스 최적화 모형 개발 3) 서비스 성과 측정방법 개발	투입/산출을 양적 · 질적 관점에서 분석하고 내적 효율성, 외적 효과성, 가용 능력 효율성 등을 제고하는 영역

자료원: 이유재, 라선아, 이청림(2016), "한국의 서비스 연구는 어떻게 진화할 것인가? 학계와 산업계의 인식조사를 통해 도출한 미래 서비스 연구의 방향," 경영학연구, 45(6), 2015–2064.

2.3 서비스 연구의 모형들

서비스 삼각형

칼 알브레히트는 초우량 서비스 기업은 세 가지 요소를 가지고 있다고 하면서 소위 서비스 삼각형(service triangle)을 제시하였다. 이들 요소들은 다음과 같다.

서비스 전략 초우량 서비스 기업은 자신이 무엇을 해야 하는지를 명확히 찾아내고 통일된 인식을 형성한다. 이런 인식은 직원이 행하는 모든 일에 영향을 미친다. 따라서 고객의 니즈와 자사의 능력에 대한 이해를 바탕으로 명확한 서비스 전략을 수립하고 조직 구성원과 공유해야 한다.

고객에게 편리한 시스템 서비스 제공시스템은 고객의 편의를 중심으로 설계되어야 한다. 즉, 정책, 커뮤니케이션, 프로세스 등이 고객의 니즈에 부응해야 한다. 아울러 이 시스템은 직원에게도 편리해야 고객지향적인 서비스를 지속적으로 제공하는 것이 가능하다.

고객지향적인 직원 초우량기업의 관리자는 직원이 고객의 니즈에 계속 주의를 기울이도록 만든다. 우수한 직원은 고객의 상황과 니즈에 계속 주의를 집중하고 이와 같이 뛰어난 직원이 있는 경우 고객들은 서비스가 우수하다고 느끼게 되며 재구매하는 동시에 타인에게 추천하게 된다. 따라서 고객지향적인 직원을 채용하고 지속적으로 훈련시키는 것이 필요하다.

시스템으로서의 서비스

서비스 기업이 고객과 공유하려는 접촉 수준은 서비스 시스템을 정의하는 주요 요소이다. 이러한 서비스 시스템에는 생산 시스템, 제공 시스템, 마케팅 시스템이 있다.

서비스 생산 시스템의 일부분은 고객에게 보이지 않는 소위 후방인 것이다. 연극에 비유하자면, 무대 뒤 분장실과 같은 것이라 하겠다. 고객이 보이지 않는 부분에 대해서 큰 관심을 두지는 않지만 이 부서에서 업무를 제대로 수행해 주지 않는다면 서비스의 질이 크게 저하된다. 예를 들어, 식당의 주방에서 음식을 제대로 조리하지 않는 경우 그 식당에 대해 크게 실망하게 될 것이다. 고객이 볼 수 있는 전방으로는 물리적 환경과 직원이 있다. 예를 들어, 식당의 경우 테이블이나 좌석, 실내장식, 직원 등이 해당된다.

서비스 제공 시스템은 서비스를 고객에게 제공하는 장소, 시간 및 방법과 관련된 것이다. 여기에는 서비스 생산 시스템의 시설, 설비, 직원뿐만 아니라 다른 고객까지 포함한다. 예를 들어, 식당에서 식사하는 경우 다른 손님이 시끄럽게 소란을 피우게 되면 그 식당에 대한 인식이 악화되는 상황이 발생할 것이다.

서비스 생산 시스템과 제공 시스템 이외에도 여러 요소들이 서비스에 대한 고객의 인식에 영향을 미친다. 예를 들어, 광고나 인적판매, 시장조사, 구전 등이 여기 해당

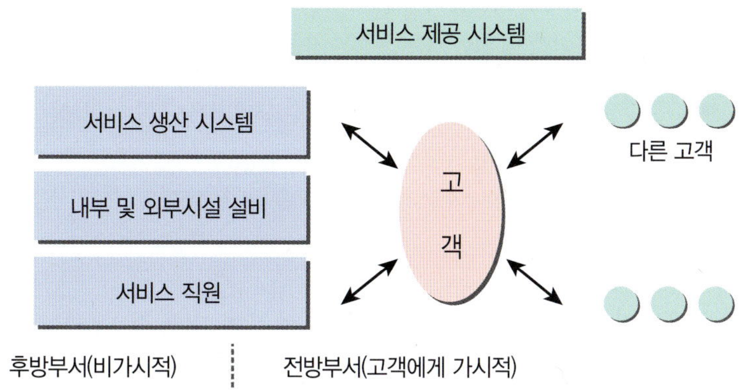

그림 2-1 | 서비스 마케팅 시스템

하는데, 이 모든 것이 서비스 마케팅 시스템을 구성한다고 볼 수 있다.

상호작용적 마케팅

전통적 마케팅 vs. 서비스 마케팅

전통적 마케팅에서는 생산과 소비의 분리를 전제하고 있다. [그림 2-2]에 제시된 바와 같이 마케팅은 생산과 소비를 매개하기 위해 필요한 것으로 보고 있다. 소비로부터 시작한 화살표는 마케터가 시장에 대한 정보를 취득하는 것을 의미하는 것으로, 마케팅 조사를 통해 수요 분석 및 구매 행동 분석을 수행하는 것을 예로 들 수 있다. 한편 생산으로부터 시작하는 화살표는 마케팅 믹스 활동의 계획 및 실행을 나타내고 있다.

그림 2-2 | 마케팅의 전통적 역할

표 2-3 | 전통적 마케팅과 서비스 마케팅의 비교

	전제	마케팅 기능	담당조직
전통적 마케팅	생산과 소비가 분리	생산과 소비 매개	마케팅 부서
서비스 마케팅	생산과 소비가 동시에 발생	전통적 마케팅 기능 + 상호작용 및 접점관리	전 직원의 마케팅 활동

앞서 살펴본 것처럼 서비스는 고유한 특성으로 인해 전통적 마케팅의 견해를 적용하기 어렵다. 기업과 고객 간의 상호작용이 발생하고 생산과 소비가 동시에 발생하기 때문에 판매자와 구매자 간의 상호작용 및 접점을 관리하는 것이 필요해지는데 이는 흔히 마케팅 이외의 관리자나 직원이 담당해야 한다. 즉, 전통적 마케팅 활동인 광고, 인적판매, 판매촉진 등은 마케팅 전문가가 담당하지만 상호작용에 관련된 활동은 마케팅 비전문가가 담당하게 된다. 홈쇼핑을 예로 들어보자. 고객들은 홈쇼핑 방송을 통해 상품을 구입하지만 직접 고객에게 상품을 전달하는 사람은 홈쇼핑 업체 직원이 아니라 택배사 직원이다. 그런데 이 배달 직원에 따라 홈쇼핑 업체에 대한 평가가 달라진다. 이와 같이 비전문가로서 마케팅 활동에 참여하는 직원, 즉 파트타임 마케터(part-time marketer)가 중요한 것이다. 이처럼 서비스의 원활한 제공을 위해서는 전 직원이 마케팅 마인드를 지니고 자신이 하는 업무의 일부는 마케팅이라고 생각하는 것이 필수적이다.

전통적인 마케팅 기능은 마케팅 조사, 광고, 인적판매, 판매촉진 등의 마케팅 활동

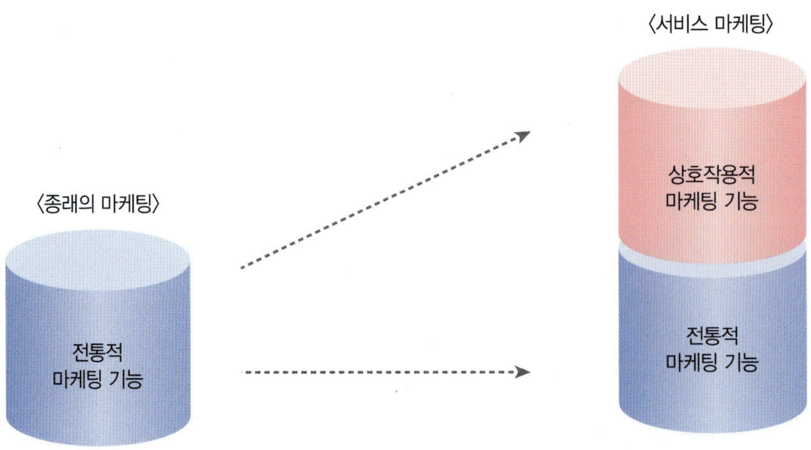

그림 2-3 | 전통적 마케팅과 서비스 마케팅

으로 마케팅 전문가들이 흔히 담당한다. 그러나 [그림 2-3]에서 볼 수 있듯이 서비스 마케팅은 상호작용적 마케팅 기능이 추가적으로 필요하게 된다. 상호작용적 마케팅 기능은 고객과의 상호작용을 관리하는 것으로 소위 파트타임 마케터들이 흔히 담당한다. 상호작용적 마케팅에서는 생산수단 및 생산과정의 모든 인적 · 물적 요소가 서비스에 대한 고객의 인식에 영향을 미친다는 사실을 강조한다.

거래 마케팅 vs. 관계 마케팅

서비스의 경우 고객과의 관계가 중요해지므로 이를 관리하는 것이 중요하다. 따라서 거래 마케팅(transaction marketing)에서 관계 마케팅(relationship marketing)으로의 전환이 필요하다. 거래 마케팅과 관계 마케팅의 차이점은 다음과 같다.

첫째, 거래유형의 차이이다. 거래 마케팅은 고객과의 거래를 이루는 것을 강조하는 마케팅이다. 반면 관계 마케팅은 고객과의 관계를 형성 · 유지 · 발전시키는 것을 강조하는 마케팅이다. 관계 마케팅에서는 상호작용적 마케팅이 필수적이다. 만약 고객과의 접점을 잘못 관리한다면 아무리 전통적 마케팅 노력을 기울인다 해도 고객이 기업과의 관계를 유지하지 않을 것이다. 거래 마케팅에서는 전통적 마케팅 기능이 지배적이고 많은 마케팅 믹스 활동이 거래를 이루기 위해 수행된다. 관계 마케팅에서는 물론 전통적 마케팅 믹스 활동이 수행되지만 상대적으로 상호작용적 마케팅 기능이 중요해진다. 직원의 고객지향적 사고, 참여자로서 고객의 역할, 물리적 환경 등이 중요한 요소가 되는 것이다.

둘째, 거래 마케팅에서는 고객이 서비스 품질을 인식하는 차원이 결과 중심으로 상품 그 자체가 가장 중요하다. 그러나 관계 마케팅에서의 서비스 품질은 단순히 결과뿐만이 아니라 과정까지 포함하게 된다.

셋째, 고객의 가격민감도가 달라진다. 거래 마케팅에서는 고객과의 관계가 상품 자체에 국한되는 경우가 대부분이다. 따라서 경쟁 상품의 품질이 비슷하고 가격이 저렴하다면 고객을 잃게 된다. 즉, 거래 마케팅 상황에서는 고객이 가격에 대단히 민감하다. 그러나 관계 마케팅에서는 고객과 광범위하고 깊은 관계를 개발 · 유지하기 때문에 경쟁사가 낮은 가격을 제시한다고 해서 고객이 쉽사리 이탈하

표 2-4 | 거래 마케팅과 관계 마케팅의 비교

구분	거래 마케팅	관계 마케팅
거래유형	단일거래	고객과의 관계 형성 · 유지 · 발전
서비스 품질	결과품질	결과품질 + 과정품질
가격민감도	높음	낮음
가치	교환가치(value-in-exchange)	사용가치(value-in-use) – 가치잠재력(value potential) – 가치실현(value realization)

지 않게 된다. 즉, 경쟁 수단으로서 가격의 역할이 감소하며 고객의 가격민감도가 낮아진다.

마지막으로, 가치창출의 차이이다. 거래 마케팅에서는 서비스 가치가 기업에 의해서 창출되며, 그 가치는 상품 안에 포함되어 고객에게 전달된다. 따라서 거래 마케팅에서는 상품이 교환될 때 가치도 교환되는 것으로 보며 교환가치(value-in-exchange)를 강조한다. 반면 관계 마케팅에서는 가치란 고객이 서비스를 이용할 때 비로소 발생하는 것으로 보며 소위 사용가치(value-in-use)를 강조한다.

사용가치의 관점에서는 두 가지의 중요한 가치 개념이 있다. 첫째는 가치잠재력(value potential)이다. 가치잠재력의 의미는 미래에 고객의 욕구를 충족시킬 수 있는 능력을 의미한다. 둘째는 가치실현(value realization)이다. 가치실현이란 현재 시점에서 욕구를 실제로 충족하는 것을 뜻한다. 예를 들어, 자신이 정말로 좋아하는 가수의 콘서트 티켓을 구매했다고 가정하자. 콘서트가 1주일 후에 열린다고 할 때, 교환가치의 관점에 따르면 티켓을 구매하며 돈을 지불하는 순간 나에게는 이미 가치가 전달된 것으로 볼 수 있다. 그러나, 사용가치의 관점에서는 티켓을 구매함으로써 미래에 있을 콘서트에서 행복을 느낄 수 있는 가치잠재력을 얻은 것이며, 아직 그 티켓을 사용하여 콘서트라는 서비스를 사용하지 않았으므로 가치실현은 아직 이루어지지 않은 것으로 볼 수 있다. 1주일이 지난 후, 콘서트에 참석해서 공연을 즐기며 행복을 느낄 때 비로소 가치실현이 된 것으로 볼 수 있다.

서비스 마케팅 삼위일체

[그림 2-4]의 서비스 마케팅 삼위일체는 서비스 기업이 성공하기 위해 수행해야 할 마케팅의 세 가지 유형을 설명하고 있다. 세 가지 마케팅 유형 모두 고객들과의 약속과 관련이 되어 있다.

먼저, 서비스 마케팅 삼위일체의 오른쪽은 외부 마케팅이다. 이는 기업이 고객의 기대를 설정하고 고객에게 제공해야 하는 것과 관련된 약속을 하기 위해 노력한다는 의미이다. 서비스가 제공되기 전에 기업이 고객에게 전달하는 모든 것들이 외부 마케팅의 일부로 간주될 수 있다. 서비스 기업에는 광고, 촉진, 인적 판매, 그리고 홍보 등의 전통적 요소 외에도 기업의 물리적 설비 등과 같이 많은 커뮤니케이션 요소들이 존재한다.

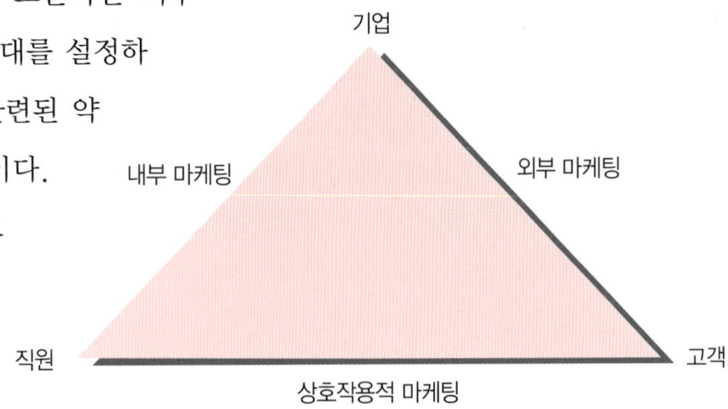

그림 2-4 | 서비스 마케팅 삼위일체

서비스 마케팅 삼위일체의 아래쪽은 상호작용적 마케팅으로 접점 마케팅이라고도 한다. 여기에서 직원들이 직접적으로 고객들과 접촉을 하면서 실제로 서비스를 제공하게 된다. 즉, 고객과의 약속을 이행하는 지점이 바로 이곳이다. 따라서 외부 마케팅을 통해 약속되는 것과 상호작용적 마케팅을 통해서 전달되는 것을 일치시키는 것이 중요하다.

서비스 마케팅 삼위일체의 왼쪽은 내부 마케팅으로 고객에게 한 약속을 직원이 이행할 수 있게 하는 마케팅 활동이다. 내부 마케팅은 기업이 직원들을 교육시키고, 동기를 부여하고, 보상하는 활동들을 말한다. 만일 직원들이 고객에게 약속한 서비스를 제공할 준비가 안 되어 있거나 그럴만한 능력이 없다면 고객과의 약속을 지키는데 실패하게 되는 것이고 결국 서비스는 무너지게 될 것이다.

서비스 마케팅 삼위일체가 의미하는 것은 세 영역들 중 어느 한 영역이 부족하거나 모든 영역이 합심해 노력하지 않는다면 성공적인 서비스를 수행하기 어렵다는 점이다.

INSIGHT

더 타임즈(The Times)가 인공지능 기술로 되살려낸 케네디 대통령의 마지막 연설

1963년 11월 22일, 미국 대통령이었던 존 에프 케네디(John F. Kennedy)는 취임 3년차에 텍사스주 댈러스 연설을 하기 위해 오픈카를 타고 이동하던 중 총격으로 암살을 당했다. 존 에프 케네디 대통령의 사후 55년 만에 영국의 일간지 더 타임즈(The Times)는 에이전시 로드코(ROTHCO)와 오디오 기술 전문 회사 코어프록(CoreProc)과 협업을 통하여 존 에프 케네디 대통령이 댈러스 트레이드 마트에서 진행하려 했으나 끝내 세상에 공개하지 못했던 '위대한 연설'을 인공지능 기술을 통하여 살려내는 캠페인(JFK Unsilenced)을 진행했다.

831건의 존 에프 케네디 대통령 연설과 인터뷰의 음성 데이터를 기반으로, 300만 분의 1초로 구성되는 25만 개 부분으로 나누어 분석하는 사운드 엔지니어링 기술과 인공지능 기술로 케네디 대통령의 목소리를 조합하고, 가장 매끄러운 소리를 찾는 과정을 거친 끝에, 영원히 들을 수 없을 것 같았던 존 에프 케네디 대통령의 마지막 연설인 트레이드 마트 스피치(Trade Mart Speech)를 완벽하게 구현해냈다.

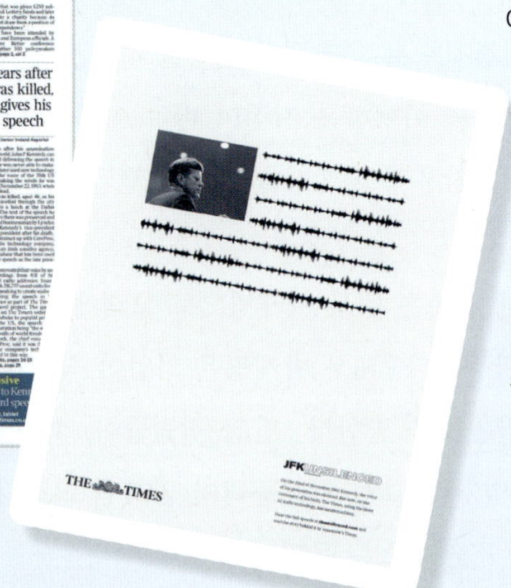

더 타임즈에 실린
JFK Unsilenced 캠페인

이 캠페인을 통해서 59개국, 11억 건의 미디어 노출과 5,210만 건의 트위터 노출, 980만 유로의 광고 가치를 얻은 것으로 평가되었고, 세계 최대 광고제인 칸 광고제에서 대상을 포함하여 7개 부문에서 수상하는 성과를 이루었다.

자료원: ROTHCO 홈페이지, 'JFK unsilenced'(https://rothco.ie/work/jfk-unsilenced/)

서비스 피라미드

최근에는 기술의 중요성이 부각됨에 따라 '서비스 피라미드' 모형이 등장했다. 서비스 기술은 새로운 서비스 제공을 가능케 하고, 동일한 서비스를 다양한 방식으로 제공할 수 있게 한다. 또한 셀프서비스 기술을 통해 고객과 직원은 더 효과적인 서비스를 제공하거나 받을 수 있다. 최근에는 빅데이터(Big Data)와 AI, 클라우드 컴퓨팅, 5G 등 새로운 기술이 등장하면서 서비스의 혁신이 더욱 가속화되고 있다. 이처럼 앞선 서비스 기술이 없이는 고객만족을 얻기 힘들고, 서비스의 기술 혁신이 효과적이기 위해서는 소비자와 직원의 기술 준비도(technology readiness: 기술 수용에 대한 사람들의 성향)에 대해 고려할 필요가 있다. 최근 기술 발전이 서비스에 미치는 영향에 대해서는 3장에서 보다 상세하게 다루기로 한다.

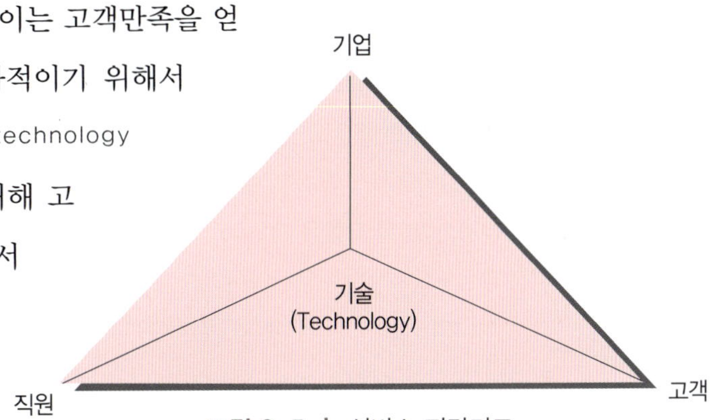

그림 2-5 | 서비스 피라미드

2.4 서비스 마케팅 믹스

기본적 마케팅 믹스

기본적 마케팅 믹스는 고객을 만족시키기 위해 기업이 통제하는 주요 요소를 말하며 상품(product), 가격(price), 촉진(promotion), 채널(place)이라는 4P로 구성되어 있다. 이러

INSIGHT

물리적 증거 사례: '문화 놀이터 극장'의 테스트 베드 - CGV용산아이파크몰

과거의 영화관은 관객들에게 영화를 '관람하는 장소' 이상의 의미는 없었다. 그러나 90년대 말 멀티플렉스(복합상영관)라는 개념이 등장하면서 영화관의 분위기 · 규모 등 거의 모든 것은 이전과 완전히 달라졌다. 이로부터도 시간이 흘러 문화를 즐기는 관객들의 수준도 점점 높아졌고 국내 영화관들에게는 또 한 번의 변화가 요구되기 시작했다. 새로운 세대의 관람객들을 맞이하기 위한 이 영화관의 진화(進化)는 멀티플렉스 CGV의 플래그십 지점 'CGV용산아이파크몰'을 통해 하나씩 완성되고 있다.

CGV용산아이파크몰은 CGV가 국내 극장업계에 제안하는 메시지가 고스란히 담긴 전략적 플래그십 지점이다. CGV가 CGV용산아이파크몰로 강조하는 영화관의 새로운 가치는 '컬처플렉스(Cultureplex)'라는 하나의 키워드로 정리된다. 컬처플렉스는 이 시대를 대표하는 문화(Culture)의 여러 유형들이 드러나는 '복합상영관(Multiplex)'을 의미한다. 이는 관객들이 영화와 더불어 다양한 문화 콘텐츠들을 즐길 수 있는 공간으로 '영화관'의 개념을 확장하고자 하는 시도이다.

CGV용산아이파크몰은 자신들의 핵심 가치인 컬처플렉스를 구현하기 위해 영화관의 공간들을 활용한 실험들을 해왔다. 대표적으로는 영화관과 VR(가상현실) 엔터테인먼트 콘텐츠를 접목한 시도들이 있다. 'V버스터즈'는 CGV용산아이파크몰에서 운영되고 있는 VR 엔터테인먼트 공간이다. 이름 그대로 영화와 VR 게임이 결합된 다양한 어트랙션(놀이시설)들을 즐길 수 있는 공간으로 조성된 V버스터즈는 공개와 동시에 월 평균 약 8,000명의 방문객들이 찾아 이용할 정도로 좋은 반응을 얻고 있다. 이러한 방문객들의 호응에 힘입어 CGV는 V버스터즈를 한 차례 업그레이드하며 '신과 함께 VR-지옥탈출', 'VR 아케이드', 'VR 복싱' 등 새로운 어트랙션들을 도입해 또 한 번 많은 방문객들로부터 뜨거운 반응을 얻었다.

CGV용산아이파크몰

V버스터즈가 어트랙션 중심의 즐길거리였다면, CGV는 자사의 최대 강점인 영화 상영기술과 VR을 접목한 콘텐츠 '4DX VR'을 선보였다. 4DX VR은 CGV의 자회사인 CJ 4DPLEX가 개발했다. VR 게임에서 쓰이는 헤드기어형 디스플레이 기기와 오감체험상영기술 4DX로 영화를 색다르게 즐길 수 있는 플랫폼이다. 지난해 3월 CGV용산아이파크몰은 CJ 4DPLEX가 영화제작사 ㈜바른손이앤에이, VR콘텐츠제

작사 ㈜이브이알 스튜디오가 협력해 제작한 4DX VR 전용 영화 〈기억을 만나다〉를 상영해 전 세계 영화업계로부터 많은 주목을 받기도 했다. 극장형 방탈출 게임 미션브레이크(Mission, Break)는 CGV용산아이파크몰의 명소가 됐다. 미션브레이크는 20대 이용객들의 뜨거운 반응으로 공개 후 약 8개월 동안 이용객 2만 명을 돌파하는 기록을 세웠다. 현재까지도 주말 평균 이용률 80%가 계속 유지될 정도로 높은 인기를 끌고 있다.

CGV용산아이파크몰 – V버스터즈

또한 CGV용산아이파크몰은 최근 젊은 관객들 사이에서 인기를 끌고 있는 '레트로(Retro Style · 복고풍)' 게임 열풍을 반영했다. 상영관들이 모여 있어 관객들이 영화 시작 전에 대기하는 공간이 마련된 7층에 CGV는 게임을 즐길 수 있는 '파코니 게임존'을 마련했다. 파코니 게임존은 간식 판매장인 팝콘랩 상단 벽면에 가로 5m, 세로 2m 규모 화면을 보면서 여러 명의 사용자가 함께 참여할 수 있는 디지털 게임 공간이다. CGV의 공식 캐릭터 '파코니'가 외계인을 물리치는 콘셉트의 게임은 어린이부터 어른도 쉽고 재미있게 즐길 수 있다. 이곳의 긴 테이블에는 컨트롤 버튼이 있어 자리가 비어 있으면 누구든지 무료로 게임을 즐길 수 있다.

CGV용산아이파크몰은 체험하는 콘텐츠 외에도 맛있는 것을 먹고, 좋아하는 영화와 관련된 굿즈(상품)를 모으는 즐거움을 만끽할 수 있는 공간도 마련했다. CGV용산아이파크몰 6층과 7층에 마련된 레스토랑 겸 상영관 '씨네드쉐프 용산'은 유러피안 캐주얼 다이닝(European Casual Dining)이라는 컨셉트를 앞세워 메뉴를 전면 개편함으로써 식사뿐만 아니라 베이커리, 음료를 즐길 수 있는 공간으로 거듭났다. '씨네샵(CINE SHOP)'은 CGV용산아이파크몰이 국내 최초로 마련한 영화 굿즈 전문 스토어이다. 씨네샵은 자신이 좋아하는 콘텐츠와 관련된 상품들을 모으고, 인증하기를 즐기는 관람객들의 취향에 맞춘 곳으로 매년 방문객 수가 늘어나고 있으며, 영화 '덕후'들의 성지처럼 여겨지고 있다.

CGV – 파코니 게임존

CGV – 씨네샵

자료원: 이코노믹리뷰, "영화관 진화의 궤적 CGV용산아이파크몰," 2019.4.15, 일부 내용 발췌(이미지: CJ CGV 제공)

한 요소들은 마케팅 계획에 있어서 핵심적인 결정변수이며, 이들 간에는 상호의존성이 높다. 기본적인 마케팅 믹스는 주어진 시점에서 주어진 세분시장 내에 최적의 믹스가 존재한다고 가정하기 때문에 최적화된 4P전략은 성공적인 서비스 마케팅에 필수적이라고 할 수 있다. 그러나 앞서 살펴본 바와 같이 전통적인 마케팅과 서비스 마케팅의 차이로 인해 서비스에 적용 시에는 약간의 수정이 필요하다.

확장된 마케팅 믹스

서비스는 생산과 소비가 동시에 발생하기 때문에 고객은 직원이나 다른 고객들과 상호작용하며 생산과정에서 일정 역할을 담당한다. 서비스는 무형적이므로 서비스 제공자들은 고객들이 서비스를 경험하기 전에 유형적으로 보여주는 것이 필요하다. 그러므로 서비스 마케터들은 고객과 커뮤니케이션하고 그들을 만족시키기 위해 추가적 변수를 사용한다. 이러한 추가적 변수들의 중요성이 부각되면서 전통적 마케팅 믹스에 프로세스(process), 사람(people), 물리적 증거(physical evidence)를 포함한 확장된 마케팅 믹스(7P)가 탄생하게 된 것이다.

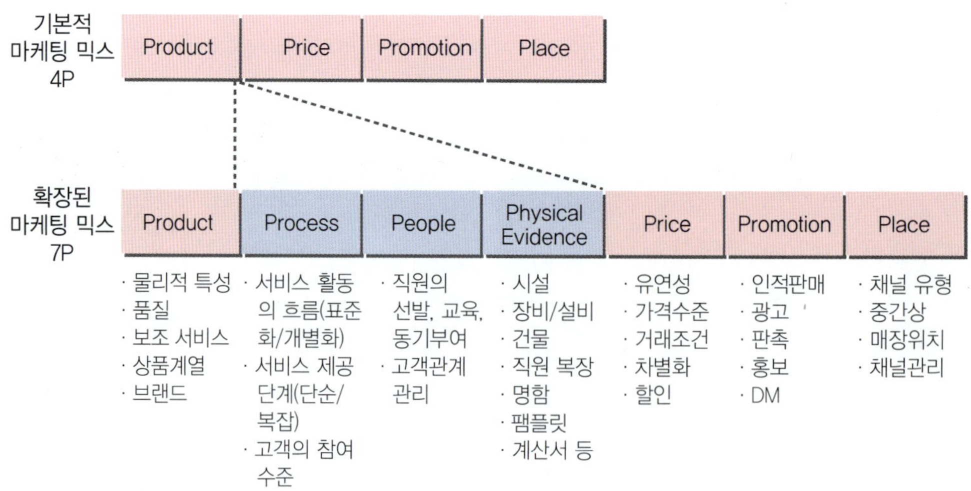

그림 2-6 | 확장된 서비스 마케팅 믹스

프로세스 서비스 운영이나 전달시스템을 의미하는 것으로, 서비스가 수행되는 절차나 활동의 메커니즘과 흐름을 말한다.

사람 서비스 전달과정에서 일정한 역할을 함으로써 구매자의 인식에 영향을 주는 모든 행위자를 말한다. 즉, 직원, 고객, 다른 고객들이다.

물리적 증거 서비스가 전달되고 기업과 고객이 접촉하는 환경을 말한다. 즉, 서비스의 제공이나 커뮤니케이션을 용이하게 해주는 유형적 요소이다. 예를 들어, 시설, 장비, 건물, 직원 복장, 명함, 팸플릿, 계산서 등이다. 이러한 물리적 증거는 고객에게 일관된 이미지와 강력한 메시지를 제공한다.

SERVICE MARKETING

CHAPTER

03

기술 발전과 서비스 전략

PROLOGUE

4차 산업혁명, 제조업체의 소프트기업화 물결

4차 산업혁명 시대를 대비한 주요국 기업들의 주도권 쟁탈 경쟁이 가속화하고 있다. 4차 산업혁명은 디지털, 물리학, 생물학 등의 경계가 없어지고 융합되는 기술혁명을 의미한다. 특히 여기에는 ICT와 다른 영역 간의 융합이 활발히 진행되고 있다. 가장 대표적인 사례가 구글의 '자율주행차 개발'이다.

이러한 상황 속에 아직까지는 ICT기업들이 기업가치에서 세계 정상을 차지하고 있는 것이 사실이다. 실제로 구글, 애플, 마이크로소프트, 아마존, 페이스북, 텐센트(위챗), 알리바바, 바이두와 같은 플랫폼 기업들은 시장가치에서 제조업 기업인 제너럴일렉트릭(General Electric 이하 GE), 지멘스, 3M 등을 훨씬 앞서고 있다.

하지만 최근 제조업체들도 반격에 나서고 있다. 자회사 설립, 인수합병 등을 통해 제조업체에 ICT기업의 DNA를 심고 있는 것이다. 가장 대표적인 사례가 GE이다. GE는 프레딕스(Predix)라는 플랫폼을 통해 세계 제조업 분야의 절대강자에서 소프트웨어 기업으로 새롭게 변신했다. 프레딕스는 산업 기계 · 설비에서 발생하는 대규모 데이터를 수집 · 분석하는 세계 최초의 클라우드 솔루션이다. GE는 전 세계에 400개 이상의 제조시설이 있다. 이 시설들에서는 매일 1조 달러 규모의 산업 자산에 장착된 1천만 개의 센서에서 발생하는 5천만 개 이상의 데이터 요소를 모니터링하고 분석한다.

발전소와 송배전 네트워크를 최적화하는 GE의 프레딕스
(출처: GE Power)

세계적 제조업체인 독일 지멘스도 2014년 '비전 2020'을 발표하며 신재생에너지와 헬스케어 · 에너지관리 · 스마트공장 등 신사업으로 눈을 돌렸다. 특히 지멘스는 제조업 위기를 돌파하기 위해 스마트공장에 힘을 쏟았다. 독일 정부가 추진 중인 제조업 성장전략인 '인더스트리 4.0'을 주도하는 지멘스는 빅데이터 분석기술을 활용한 스마트공장 프로그램으로 불량률을 획기적으로 줄였다. 소비자 요구에 따라 생산라인 구조를 빠르게 바꾸고 모든 과정을 네트워크로 연결해 효율과 속도를 높인 덕분이다.

국내에서는 포스코와 한전이 제조기업의 소프트웨어화에 앞장서고 있다. 포스코는 철강업체로는 처음으로 생산공정에 AI를 도입한 'AI 제철소'를 가동하고 있다. 포스코와 기술연구원, 성균관대가 공동으로 개발한 'AI 기반 도금량 제어 자동화 솔루션'은 자동차 강판 생산의 핵심인 용융아연도금을 AI를 통해 정밀하게 제어함으로써 도금량 편차를 획기적으로 줄인 것이다. 전력공기업인 한국전력은 KT의 스마트에너지플랫폼처럼 전국 기지국과 데이터를 활용해 신사업을 추진하고 플랫폼을 개발하기로 했다.

성장 한계에 부딪친 철강 · 조선 등의 분야뿐 아니라, 우리나라의 간판인 전자 · 자동차까지 중국이 무서운 속도로 따라오고 있는 만큼 글로벌 기업들의 혁신 사례에 더욱 관심을 가질 필요가 있다. 100년도 훨씬 넘은 글로벌 기업들이 혁신을 이끌어가고 있는 모습은 매우 고무적이다. 제조업의 벽에 부닥쳐 대내외적 어려움을 맞은 한국 기업들도 이제는 하루빨리 4차 산업혁명의 DNA를 받아들여야 할 것이다.

자료원: 소비자평가, "4차 산업혁명, 제조업체의 소프트기업화 물결," 2017.04.17.

3.1
기술 발전이 이끄는 서비스 혁명

정보통신기술(Information Communication Technology: ICT)의 발전은 바야흐로 '서비스 혁명'을 일으키고 있다. 서비스 혁명은 서비스 영역이 확장되고 모든 경제 영역에서 서비스가 더욱 중요해지는 것을 말한다. 본 장에서는 4차 산업혁명에 대해서 논하고 다양한 기술 발전과 서비스 산업의 변화 추세를 통해 기술의 발달이 어떻게 서비스 혁명을 이끌고 있는지를 살펴본다.

4차 산업혁명

산업혁명의 역사는 증기엔진 개발에 의한 18~19세기의 1차 산업혁명, 전력을 활용한 대량생산이 가능해진 1870~1914년의 2차 산업혁명, 정보화 기술의 발전으로 인한 1970년대 이후의 3차 산업혁명을 거쳐왔다. 현재 도래한 4차 산업혁명에서는 스마트폰, 컴퓨터를 통한 온라인 통신뿐 아니라 모든 것이 융합되며 공유된다. 다보스포럼의 회장인 클라우스 슈밥(Klaus Schwab)은 "디지털 혁명을 기반으로 한 4차 산업혁명은 21세기의 시작과 동시에 출현했는데 유비쿼터스 모바일 인터넷, 더 저렴하면서 작고 강력해진 센서, 인공지능과 머신러닝이 4차 산업혁명의 특징이다"라고 하였다. 4차 산업혁명에 대한 정의는 다양하지만 이것이 과학기술을 기반으로 한 디지털 혁명 또는 물리 세계와 사이버 세계의 연결이라는 점과 정보기술과 다른 기

프레딕스 영상

YouTube
https://www.youtube.com/watch?v=b0clB77sl30

제 목 _ 프레딕스, 드디어 완전 공개 – 산업인터넷 황금시대의 시작
검색어 _ 프레딕스, GE, 클라우드 플랫폼

그림 3-1 | 경제패러다임의 진화

술의 결합이라는 점은 공통적으로 논의된다. 또한 4차 산업혁명의 밑바탕에는 초연결이라는 핵심 동인이 자리 잡고 있다. 정보화 기술의 발전은 인간과 인간을 연결하는 인터넷에서 사물과 사물을 연결하는 사물인터넷의 시대로 발전을 이끌었다. 즉, 모든 사물이 연결되어 사물에 관한 데이터가 수집 · 저장됨으로써 빅데이터가 형성되고, 이를 인공지능이 가공하여 새로운 부가가치를 창출하고 이러한 빅데이터와 인공지능을 포함한 사물들의 네트워크를 통해 사물의 변화를 실시간으로 조정 · 관리할 수 있게 된 것이다. 또한 이에 관련되는 모든 사물을 관리 운영하는 초연결 플랫폼이 형성된다.

[그림 3-1]에 정리되어 있는 것처럼 과거 농업경제에서 산업경제로 이행되는 산업혁명에서는 대량생산을 가능하게 한 제조기술이 큰 기여를 한 바 있다. 마찬가지로 최근 산업경제에서 서비스 경제로 이행되는 서비스 혁명에서는 ICT가 중요한 역할을 수행하고 있다. 산업사회를 서비스 사회로 이동시키는 급진적인 혁신의 대부분은 ICT가 서비스에 미치는 영향 또는 그 자체가 서비스인 ICT에 기인한다. 즉, 서비스와 ICT의 융합이 경제패러다임과 비즈니스 모델을 변혁시키는 것이다. ICT는 고객정보에 대한 접근이나 고객 커뮤니케이션을 활성화시켜 서비스를 촉진(facilitator)하는 역할을 수행하고, 가치의 공동창출을 이룸으로써 서비스를 가능하게(enabler) 하고, 모바일폰 시장이나 이커머스와 같이 서비스의 맥락(context)으로 작용하고, 소셜 네트워킹과 같이 그것 자체로 서비스가 된다. ICT는 이와 같이 서비스 영역을 확장시키고 산업경제를 서비스 경제로 변혁시키는 서비스 혁명을 주도하고 있다.

기술 발전이 일으키는 변화

빅데이터, 클라우드 컴퓨팅, 모바일 및 네트워킹 기술과 같은 ICT의 진보는 서비스의 본질을 근본적으로 변혁시킨다. ICT의 발달은 서비스를 다음과 같이 변화시킨다.

1. 서비스가 반드시 고객이 직원과 접촉해야 하는 것은 아니다.
2. 서비스는 가치를 공동 창출하는 것이다.
3. 제품의 소유가 아니라 제품의 사용이 가치를 낳는다.
4. 서비스는 서비스 기업에만 한정되지 않는다.

이와 같이 이제 서비스는 서비스 이상이며 ICT는 서비스를 확장하는 역할을 한다. 서비스는 어디에나 있고 서비스 기업에만 한정되지 않는다. [그림 3-2]는 ICT 발전이 어떻게 서비스 혁명을 이끄는지를 보여준다. ICT의 발전은 향상된 커뮤니케이션과 다양한 정보 흐름을 강화시킨다. 데이터의 저장공간은 점점 더 저렴해지고, 데이터의 처리 속도는 점점 더 빨라지게 되었다. 이러한 모든 요인들이 더 우수하고 더 개인화된 서비스를 촉발하였고 이는 고객관계를 깊게 해준다. 이를 통해 개별고객의 수익성이 증가하며 서비스가 경제 내에서 차지하는 비중이 더욱 높아짐으로써 서비스 혁명이 진행되고 있다.

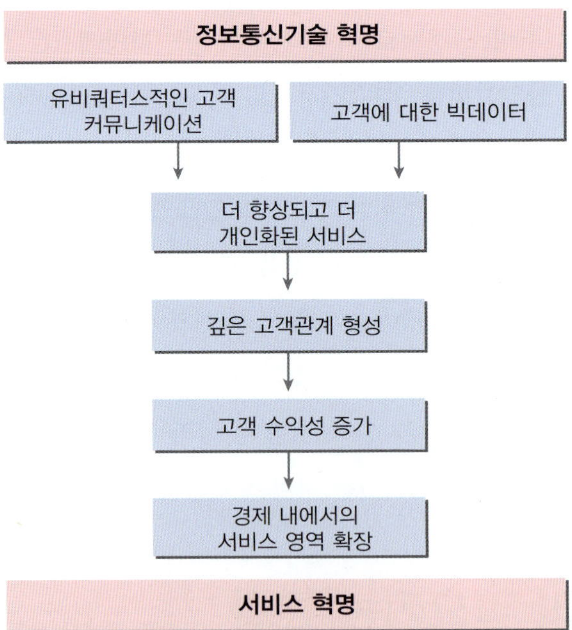

그림 3-2 | 정보통신기술 혁명이 서비스 혁명을 이끄는 과정

자료원: Rust & Huang(2014), "The Service Revolution and the Transformation of Marketing Science," *Marketing Science*, 33, pp.206-221.

유비쿼터스적인 고객 커뮤니케이션

데이터 관리 및 분석능력, 데이터 처리, 모바일 네트워크 기술은 기업과 고객, 고객과 고객, 기업과 기업 간 실시간으로 유비쿼터스적인 커뮤니케이션을 가능하게 하였다. 본래 서비스 기업의 고객 커뮤니케이션은 직접적인 개인 대 개인 커뮤니케이션이 주를 이뤘으며 이 때 직원이 이러한 연결의 중간자 역할을 수행하였다. 그러나 정보통신기술의 발달은 기업이 개인화된 서비스를 고객에게 직접 제공하는 것을 가능하게 하였다. 또한 이는 최근 인터넷, 스마트폰 기술의 발달로 더욱 강화되고 있다. 구매 전과 구매 후 고객과의 커뮤니케이션은 고객과의 관계 형성을 증진시킨다. 또한 관계 마케팅의 핵심인 고객에 대한 학습은 기업-고객 간 모바일과 네트워킹 플랫폼을 통한 커뮤니케이션을 통해 습득된다. 기업은 고객과의 상호작용, 고객의 구매 및 거래와 관련한 클릭 스트림, 온라인 행동 등과 같은 빅데이터를 통해서 개별고객에 대한 정보를 얻을 수 있다. 이를 통해 기업은 고객 행동을 보다 정확하게 이해하게 되고 서비스 품질을 향상시킬 수 있다.

고객에 대한
빅데이터의 이용

INSIGHT

서비스 표준을 정의하고 고객 경험을 향상시키는 데 활용되는 빅데이터

온라인 쇼핑, 소셜 미디어, 모바일폰의 확산과 함께 기업은 더 많은 고객 데이터를 얻을 수 있게 되었다. 기업이 수집할 수 있는 데이터는 자세한 인구통계적인 정보, 심리적인 정보, 구매 이력, 위치 데이터, 소셜 네트워크 내에서의 관계 등이다. 서비스 기업들은 이러한 엄청나게 세분화된 데이터와 함께 고객의 욕구와 필요, 그리고 그들의 습관에 대한 직관을 더욱 잘 얻을 수 있게 되었다. 이러한 데이터들은 서비스 제공자로 하여금 서비스의 품질을 더욱더 향상할 수 있도록 한다.

아마존, 오버스톡닷컴(Overstock.com), 월마트 등 많은 소매업자들은 나이, 성별, 지역, 최근의 온라인 활동, 추천에 대한 다른 고객의 반응과 같은 실시간 데이터를 기반으로 하여 상품을 추천한다. 그러나 이러한 정교한 상품 추천 외에도 서비스 제공자는 서비스 제공 자체를 향상시키기 위해서 정보를 활용할 수 있다. 즉, 고객에게 무엇에 대해 불만인가를 묻는 서베이 데이터 대신, 빅데이터는 실제 행동을 관찰하는 것을 가능하게 함으로써 고객에 대한 통찰력을 얻을 수 있게 해준다.

기업은 또한 실시간 데이터를 적극적으로 수집하고 이 데이터에 실시간으로 접근함으로써 고객 경험을 효율적으로 설계할 수 있다. 예를 들어, 디즈니 파크는 매직밴드(Magicband)를 착용할 수 있는 기회를 고객에게 제공하는데 이것은 RFID(Radio Frequency Identification) 기술을 활용하여 공원 입장객의 이동을 실시간으로 추적한다.

매직밴드로부터 수집된 데이터는 고객의 '마법' 경험을 더욱 최대화할 수 있도록 이용된다. 예를 들어, 매직밴드는 직원으로 하여금 밴드를 착용한 고객이 지금 어떤 캐릭터를 만나고 있는지를 알아차리게 함으로써 캐릭터가 고객의 이름을 부르거나, 생일 축하 메시지를 전달하도록 할 수 있다. 매직밴드는 구매 행위도 추적할 수 있으며 이를 통해 어떤 '마법'이 그들의 이익 극대화에 가장 효과적인지를 알려준다. 매직밴드 데이터는 고객의 전반적인 서비스 경험을 최적화하게 도움을 준다. 예를 들어, 디즈니는 고객 이동데이터를 통해서 어떤 지역이 가장 붐비는지를 파악함으로써 매니저들에게 이벤트나 다양한 활동들은 다른 지역에서 개최하도록 하여 고객을 분산시키는 데 활용되고 있다.

자료원: Fast Company, "The Messy Business of Reinventing Happiness," 2015.04.15; Forbes, "Benefits That MaigicBands Bring the Wonderful World of Disney Park," 2013.01.09; HBR, "Know What Your Customers Want Before They Do," pp.84–92, 2011.

매직밴드–Disney Park

고객에 대한 빅데이터의 이용

유비쿼터스적인 고객 커뮤니케이션으로부터 발생하는 거대한 양의 데이터를 처리하기 위해 데이터 저장 용량과 컴퓨팅 속도는 계속해서 급진적으로 향상되어 왔다. 빅데이터는 기업이 고객정보를 저장하고 분석하는 능력을 변혁시킨다. 예를 들어, 페이스북은 500억 개의 사진을 그들의 유저베이스를 통해 처리할 수 있다. 이렇게 증가한 데이터 저장 능력과 빠른 데이터 처리 능력은 개별고객에 대한 정보를 보다 정확하게 수집하게 해준다. 빅데이터와 클라우드 컴퓨팅 기술은 기업이 개별고객에 대한 서비스를 맞춤화하는 비용을 획기적으로 낮춰준다. 기업은 더욱 정교하고 정확한 고객정보를 개인 수준에서 수집하고 효율적으로 활용할 수 있게 된다. 이에 따라 대량의 서비스 맞춤화와 개인화된 마케팅 커뮤니케이션이 가능해진다.

기술 발전과 개인화

유비쿼터스적인 고객 커뮤니케이션과 고객에 대한 빅데이터의 이용은 더 향상되고 개인화된 서비스를 제공하게 함으로써 더 깊은 고객관계를 형성하는 것을 가능하게 해준다.

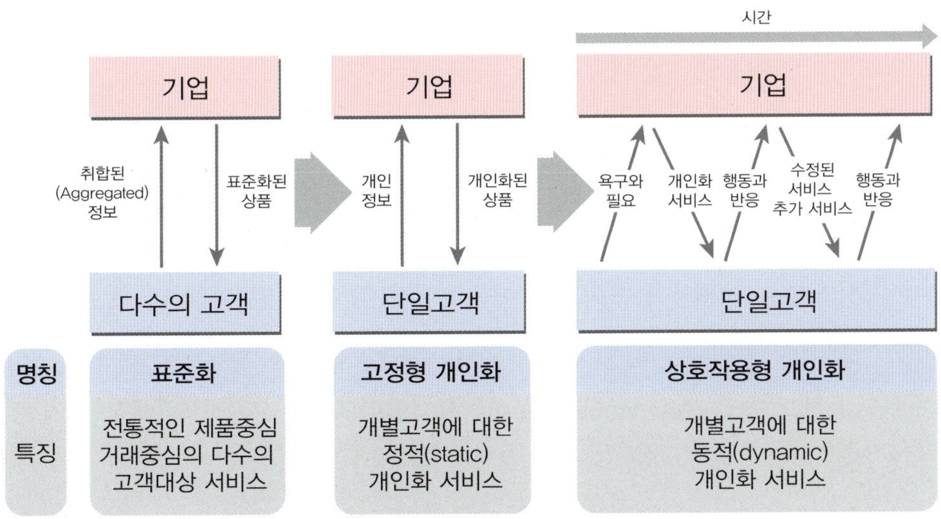

그림 3-3 | 기술 발전에 따른 개인화의 진화

자료원: Rust & Huang(2014), "The Service Revolution and the Transformation of Marketing Science," *Marketing Science*, 33, pp.206-221, 발췌 및 수정

[그림 3-3]은 정보통신기술의 발전이 기업과 고객 간의 상호작용을 어떻게 변화시키는지를 나타낸 것이다. 기술이 초기인 표준화(standardization) 단계에서는 기업은 다수의 고객으로부터 취합된 정보를 바탕으로 다수의 고객을 대상으로 한 표준화된 서비스를 제공한다. 이는 전통적인 제품 상황의 거래지향적 사고에 근거하고 있으며 기업은 다수의 고객들이 원하는 서비스를 제공한다. 그러나 기술이 발전하면서 정적 개인화(static personalization) 단계에 이르면 기업은 단일고객에 대해 차별적인 서비스를 제공하게 된다. 이 단계에서는 고객별로 서비스의 개인화는 이뤄지나 그 고객과의 상호작용이나 시간에 따라 그 서비스가 변화하지는 않기 때문에 고정형 개인화(fixed personalization)라고 볼 수 있다.

그런데 이에 나아가 정보통신기술 혁명을 통해 실시간으로 상호작용이 가능해지면 기업과 고객 간의 소통이 다중 방향의 정보 흐름을 강화시키게 된다. 또한 데이터 저장공간이 점차 저렴해지고 정보처리가 신속해지면서 기업은 고객의 반응에 대해서 신속한 대응을 할 수 있다. 따라서 기업은 개별고객에 대한 실시간의 동적 개인화(dynamic personalization) 단계에 도달하게 된다. 즉, 개별고객의 욕구와 필요를 포착하고 이에 대응하는 개인화 서비스를 제공할 뿐만 아니라, 이 서비스에 대한 고객의 행동과 반응을 살핀 후 수정된 서비스와 추가 서비스를 제공하며 다시 그 고객의 반응과 행동을 살피는 과정을 반복하면서 시간의 흐름에 따라 특정 고객에게 제공되는 서비스가 변화하게 된다. 동적 개인화는 고객과의 끊임없는 상호과정 속에서 기업은 개별고객에 대해 학습하고 반복적으로 적응해가며 지속적으로 향상된 서비스를 제공하기 때문에 상호작용형 개인화(adaptive personalization)라고 부를 수 있으며 고객관계를 더욱 심화시키며 장기간 발전시키므로 서비스 상황의 관계지향적 사고에 근거하고 있다.

동적 개인화의 한 예로 Hauser et al.(2009)이 개발한 웹사이트 모르핑(website morphing) 시스템은 사용자가 사이트를 이용하면서 취하는 행동에 따라 웹사이트에서 보여주는 내용을 실시간으로 바꾸는 것이다. 좀 더 진화된 예시로는 음악을 모바일 기기에 다운로드 하는 'My Mobile Music' 시스템이 있다. 이 시스템에서 기기는 음악 리스트를 사용자에게 제공하는데, 특정 사용자가 그 음악들에 대해서 어떻게 반응하는가(얼마나 오랫동안 음악을 듣는가, 특정 음악을 끝까지 다 듣는가)에 따라 그 사용자의 선호 정보를 업데이트하고 동시에 다른 사용자들은 어떻게 행동하는가를 고려하면서 그 사용자에게 새로운 음악 리스트를 제공한다. 이런 방식으로 서비스는 시간이 지남에 따라 역동적으로 진화하게 된다. 이것은 시스템이 단순히 추천을 하는 것이 아니라 상품 그 자체의 내용을 바꾼다는 점에서 일반적인 추천 시스템(recommendation system)과 차별점을 갖는다.

그렇다면 기술 진보에 따른 최적의 개인화 수준은 어떻게 될까? 흥미롭게도 기술과 최적 개인화의 관계는 [그림 3-4]와 같이 U자형으로 나타났다. 기술이 매우 낮은 수준에서의 서비스는 고객 개개인을 개별적으로 대응하는 형태로 서비스가 개인 대 개인으로 이루어진다. 그런 예로 과거 기술자나 장인을 생각해 볼 수 있다. 그런데 기술이 발전하게 되면서 표준화를 통한 원가절감이 가능해지고 기업은 많은 고객들을 대상으로 한 매스 마케팅을 수행할 수 있게 된다. 역사적으로 이 구간은 제조기술이 발전하고 제조부문이 성장했던 시기와 일치한다. 즉, 많은 고객들을 동일한 하나의 시장으로 보며 표준화된 서비스를 낮은 가격으로 제시하는 것이 최적인 것이다.

그런데 기술이 더욱 발달하면 정보통신기술이 주도하게 되면서 낮은 비용으로 고객별 차별화를 실현하는 것이 가능해지면서 개인화된 서비스를 제공하는 것이 기업과 고객에게 최적이 되는 것이다. 오늘날에 해당되는 이 구간에서는 ICT의 발전으로 즉각적이고 다차원적인 고객 커뮤니케이션이 강화됨에 따라 기업은 큰 비용을 안 들이면서 고객별로 개인화된 서비스를 제공할 수 있다. 따라서 고객의 이질성에 집중하는 것이 중요해지고 매스 마케팅이 일대일 마케팅으로 변하게 된다. 이와 같은 기

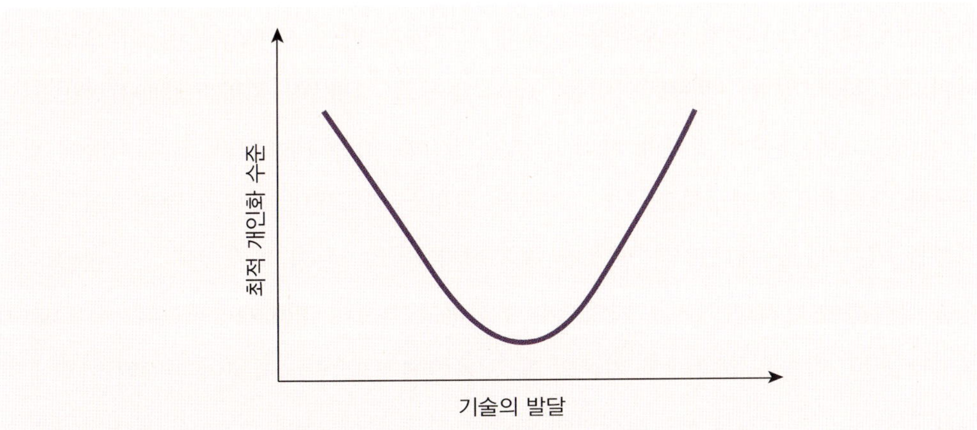

그림 3-4 | 기술의 발달에 따른 최적 개인화 수준

술의 발달은 개인화를 통한 서비스 품질향상을 가져오고 고객과의 관계를 더욱 심화시키고 있다. 이에 따라 서비스 영역이 확장되고 경제에서 서비스의 중요성이 증대되는 서비스 혁명이 일어나는 것이다.

3.2 기술 발전과 서비스 혁신

기술이 서비스에 미치는 영향

기술이 발전하면서 서비스에 다양한 영향을 미치고 있는데 대표적인 추세를 간단히 살펴보도록 한다. 물론 각 추세가 서비스 마케팅에 미치는 영향에 대해서는 이 책의 관련된 부분에서 상세히 다룰 것이다.

새로운 서비스의 기회 기술은 새로운 서비스를 개발할 기회를 제공한다. 보이스 메일, 콜센터, ATM 기기 등은 기술을 활용하여 서비스를 제공한 전통적인 예이다. 최근 기업들은 고객과의 상호작용을 통해 고객에게 맞는 서비스를 실시간으로 개선하여 제공하고 있다. amazon 아마존, Google 구글, THE WALL STREET JOURNAL. 월스트리트저널은 고객의 탐색 기록에 따라 고객이 필요로 하는 내용이나 고객 취향에 맞는 정보를 선택적으로 제공하고 있다. 기술은 서비스 기업뿐만 아니라 제조기업의 서비스화를 이끈다. 제너럴일렉트릭은 항공엔진, 전력 등 기존 사업에 소프트웨어 기술을 결합하여 디지털 서비스 기업으로 변신하고 있으며, CAT 캐터필러(Caterpillar)도 사물인터넷(IoT) 기술을 활용해서 기존의 제품 판매에서 벗어나 제품이 판매된 이후에 어떻게 활용되고 있는지를 모니터링하여 예측 정비를 통해 서비스 부품을 판매하고 가동률을 높이는 등 비즈니스 모델을 바꾸고 있다.

서비스 제공방식의 진화 기술은 서비스를 좀 더 접근 가능하고 편리하고 생산적인 방식으로 제공할 수 있도록 도와준다. 기술은 기본적인 고객서비스(요금 청구, 주문 추적, 문의), 거래(소매와 B2B), 학습 및 정보탐색 등의 진화를 가져온다. 예를 들어, 대면서비스는 전화기반 서비스, 상호작용적 음성 반응 시스템, 인터넷 기반 서비스, 이제는 무선 서비스(wireless service)로 변모하였다. 또한 기술은 구매를 가능하게 하는 도구를 제공함으로써 거래를 촉발시키고 비즈니스를 활성화한다. 예를 들어, 찰스 슈압(Charles Schwab)은 로보어드바이저 기술을 결합하여 컴퓨터 알고리즘을 통해 상장지수펀드 등 투자 포트폴리오를 설계하는 '슈왑 인텔리전스 어드바이저리' 서비스를 제공하고 있다. 기술은 고객에게 학습하고, 탐색하고, 서로 협동할 수 있는 기회를 제공해 준다. 예를 들어, UBER우버, airbnb에어비앤비와 같은 공유경제의 발전은 실시간으로 고객과 고객을 연결하는 기술의 발전으로 가능해졌다.

고객과 직원의 지원 기술은 고객과 직원 모두의 효율성을 높여 준다. 고객은 셀프서비스 기술을 통해 스스로 서비스를 이용할 수 있다. 고객은 은행 직원의 도움 없이 온라인 뱅킹을 통해 자신의 계좌에 접근해 잔고를 체크하고, 대출을 신청할 수 있고 계좌 간 예금을 이동시킬 수 있다. 소셜 미디어를 통해 개인과 기업은 더 효과적으로 소통하고 협동할 수 있다. 기술은 직원이 서비스를 보다 효과적이고 효율적으로 제공할 수 있게 도와준다. 고객관계관리(CRM)나 판매지원 소프트웨어는 직원이 더 나은 서비스를 제공하는 것을 도와주는 기술이다. 예를 들어, 서비스 직원은 고객의 요구에 따라 즉각적으로 제품, 서비스, 고객에 대한 정보에 접근함으로써 고객서비스를 더 향상시킬 수 있다. 직원은 이런 정보를 바탕으로 고객의 욕구를 충족시킬 수 있는 맞춤형 서비스를 제공할 수 있다.

전 세계로 확장되는 서비스 기술은 기존에는 접근하기 불가능했던 세계 곳곳의 지역까지 서비스가 도달할 수 있게 한다. 인터넷 자체는 경계가 없기 때문에 인터넷에 접속할 수만 있다면 정보, 고객서비스, 거래는 국경과 대륙을 넘어서 자유롭게 이동할 수 있다. 기술은 또한 실시간으로 정보를 공유하고 질문과 답변을 주고받는 등 직원들이 국제적으로 소통하는 것을 가능하게 해주기 때문에 기업은 물리적인 제약을 뛰어

넘는 가상 팀을 운영할 수 있게 된다. 따라서 기술은 서비스를 전 세계로 확장시킬 뿐만 아니라 서비스 비즈니스의 효율성을 높여준다. 이제는 서비스 직무가 전 세계로 이동하고 있으며 어디에 있든지 간에 서비스를 생산하는 것이 가능해졌다.

인터넷 자체가 서비스 기술의 영향을 살피는 흥미로운 시각 중 하나는 인터넷이 하나의 거대한 서비스라는 점을 인식하는 것이다. 인터넷상에서 운영되는 모든 비즈니스와 조직들은 기본적으로 서비스를 제공하고 있다. 심지어 모바일이나 IoT 역시 그 핵심은 서비스이다. 비록 기술과 인터넷이 어떻게 비즈니스를 하고 무엇을 제공할 수 있는지를 근본적으로 변화시켰지만, 고객들이 진정으로 원하는 것은 기본적 서비스이다. 즉, 고객은 신뢰할 수 있는 결과, 손쉬운 접근, 신속한 반응 시스템, 유연성, 문제가 발생한 경우의 사과와 보상 등을 원한다. 고객들은 기술기반 서비스업체나 e커머스 업체에게서도 이런 기본적 서비스를 원하는 것이다. 돌이켜보면 많은 닷컴 기업들이 초기에 고전하고 실패한 것은 이런 고객 니즈를 제대로 이해하지 못했거나 충족시켜 주지 못했기 때문이라고 볼 수 있다.

기술 발전에 따른 서비스 혁신 실천 사례

기술 진보에 따라 서비스의 혁신이 다양한 업종에서 이루어지고 있다. 다양한 기술 발전의 추세와 이에 대응해 혁신을 실천한 사례들을 살펴보도록 한다.

맞춤형/개인화 서비스의 확대

빅데이터와 클라우드 컴퓨팅 기술은 개별고객에 대한 정확한 정보를 획득할 수 있게 도와주기 때문에 기술 발전은 개인화 서비스의 확대로 이어진다. 뿐만 아니라 설계와 생산시스템이 디지털화되고 서로 연결되어 제품의 생산방식을 보다 쉽게 변경할 수 있게 되어 저렴한 가격에 개별고객에 대한 맞춤형 서비스 공급이 가능하게 되었다. 예를 들어, 3D 프린터는 사람마다 천차만별인 제품도 간단하게 제작할 수 있게 해준다. 그 결과, 스타트업 기업이 3D 프린터나 제조 플랫폼을 활용해서 큰 비용을

INSIGHT

산업 간 경계 허무는 크로스오버 트렌드

이종산업 간 영역파괴가 빈번해지고 있다. 전통적인 산업 구분으로는 전혀 다른 카테고리에 속해 있던 기업이 최대 경쟁자가 되기도 하고 어제까지 친구였던 협력 회사가 오늘의 적이 되는 일도 적잖게 벌어지고 있다.

초연결사회(hyper-connected society)를 향해 나아갈수록 산업 구분의 경계는 모호해지고 있으며, 산업 구분의 의미조차 퇴색되어 가고 있는 요즘이다. 최근 급성장하는 기업들을 봐도 기존의 전통적인 산업 분류법으로는 그 기업의 정체성을 명료하게 구분하기 힘든 기업들이 많다.

예를 들어, 58개국 300개 도시에서 운송 서비스를 제공하고 있는 우버(Uber)는 분명 택시 서비스를 제공하고 있지만 보유하고 있는 택시 자산은 없다. 우버 직원의 주요 업무를 보면 앱(App) 소프트웨어 및 알고리즘 개발/관리, 데이터 분석 등으로 영락없는 IT회사이다.

이러한 크로스오버적인 특성 탓에 미국 캘리포니아 주에서는 우버와 같은 IT 기반 택시 서비스 제공업체들을 처음에는 리무진과 같은 운송 서비스업으로 분류하다가 2013년에는 이들의 근간 정체성을 IT 기업으로 재정의하고 사업 영역은 운송 네트워크 업체라는 새로운 카테고리를 신설하여 분류하기도 하였다.

그러나, 이 같은 조치가 우버의 산업 분류 논란에 마침표를 찍은 것은 아니다. 우버는 'UberEATS', 'UberRUSH', 'UberESSENTIALS'와 같은 배달 서비스 등 새로운 서비스를 지속 시도하고 있고, 앱을 이용한 자체 온라인 결제 시스템도 구축하고 있으며, 2015년부터는 미국 피츠버그에 'Uber Advanced Technology Center'를 설립하여 자율주행자동차 개발에 힘을 쏟고 있다.

훗날 우버는 단순 운송 네트워크 업체가 아닌 종합 물류 업체, 핀테크 업체, 자동차 제조업체로 불리게 될지도 모를 일이다.

자동차 제조업체의 서비스화 움직임

100년 넘게 제조업의 대표 주자 격으로 자리매김해온 자동차 제조업계에서도 최근 개발-생산-판매-AS 등 기존의 가치사슬(value chain)에서 벗어난 서비스업으로의 크로스오버 움직임이 나타나기 시작했다.

지엠(GM)은 올해 초 우버와 함께 북미 차량 공유 서비스의 양대 산맥을 이루고 있는 업체 리프트(Lyft)에 5억 불을 투자했다. 이 투자를 통해 지엠은 리프트 서비스를 제공하기 원하는 차량 미보유 운전자에게 지엠의 차량을 우선 공급해 주는 파트너십을 구축하였고, 리프트의 이사회에 참여하는 한편 리프트 내부 API를 활용하여 새로운 서비스를 개발할 수 있게 되었다.

이뿐만 아니라 포드(Ford)는 차량 공유 서비스를 소비자의 구매 파이낸싱 옵션으로 활용하는 방법도 시도하고 있다. 작년에는 자사 차량 구매 고객을 대상으로 자신의 차를 타인에게 렌탈해 주는 대신 차량 할부금을 할인받는 파일럿 프로그램을 온라인 P2P 카쉐어링 업체 겟어라운드(Getaround)와 공동으로 진행한 바 있고, 올해 2월부터는 최대 6명이 차량을 공동으로 리스할 수 있는 프로그램 'Ford Credit Link'를 텍사스 주에서 시범적으로 실시 중이다.

지난 1월에 열렸던 디트로이트 모터쇼(North American International Auto Show)에서는 주차장 검색 및 내비게이션, 차량 공유 및 대여 서비스를 제공해 줄 수 있는 스마트폰 앱 기반의 서비스 플랫폼 '포드패스(FordPass)'를 공개하였다. 올 4월부터 시장에 출시될 예정인 포드패스는 포드 차량을 소유하지 않은 소비자들도 사용 가능한 것으로, 자동차를 매개로 한 서비스 확장의 가능성을 높여주고 있다.

자동차 제조업체의 서비스화 배경

UN 통계에 따르면 전 세계 GDP에서 제조업이 차지하는 비중은 점차 줄어들어 1970년 25%에서 2000년대 이후로는 계속 16% 수준을 유지하고 있다. 이는 세계 경제가 대량생산에 의한 규모의 경제 및 소유 중심의 산업화 사회에서 다품종 소량의 롱테일(long tail) 경제, 개인화 및 경험 중심의 탈산업사회로 변모하고 있기 때문이기도 하고, 또 전반적인 기술 수준이 상향 평준화 및 범용화되면서 낮은 생산 원가를 주무기로 하는 중국 등지의 업체들이 급부상하여 경쟁이 심화되었기 때문이기도 하다.

이 같은 상황을 타개하기 위해 여러 제조기반 기업들이 선택한 해결 방안 중 하나는 서비타이제이션(servitization)이다. 이미 롤스로이스(Rolls Royce, 항공기 엔진), ST에릭슨(ST-Ericsson, 무선 통신기기), 아틀라스 콥코(Atlas Copco, 산업용 장비), 알스톰(Alstom, 발전설비), 아르셀로 미탈(Arcelor Mittal, 철강) 등 다양한 산업의 제조업체들은 각 업체가 생산하는 제품과 관련된 서비스 영역을 확장시켜 이윤에서 차지하는 서비스 부문을 늘리고 있다.

지멘스, 제너럴일렉트릭 등도 기존 제품 제조 중심의 사업에서 제품 판매 이후 서비스까지 고려한 통합 솔루션 업체로의 변화를 꾀하고 있다. 단순 제품 생산에서 벗어나 제품수명주기 전체에서 필요한 서비스를 사물인터넷(IoT), 클라우드 및 센서 기술을 이용하여 함께 제공하는 것이다. 이러한 서비스 중심의 사업전환을 통해 지멘스는 이익률을 2배가량 향상시킨 것으로 알려져 있다.

'제조의 서비스화'의 핵심 중 하나는 수익 구조의 변화를 통한 불확실성 헷징(hedging)이라고 볼 수 있다. 즉, 갈수록 불확실성이 증대되는 환경에 발맞추어 단일 판매(one-time selling)로 고수익을 올리는 기존의 수익구조를 거래당 이윤은 적지만 거래의 빈도수를 높여 수익성을 확보하는 방식으로 전환하여 리스크를 줄이는 전략을 취하는 것이다. 이와 같은 맥락에서 자동차 제조업체들도 제조업이 숙명적으로 내포하고 있는 불확실성을 줄이기 위해 기존의 고수익 단일 판매 비즈니스 모델에서 탈피하여 자동차 생애주기 전체에서 지속적으로 수익 창출을 가능케 하는 서비스화 영역은 없는지 고민하는 것이다.

서비스를 품은 '모빌리티 기업'

자동차의 역사를 되짚어보면 시대에 따라 사람들이 자동차에 기대하고 요구하는 가치가 변해 왔음을 확인할 수 있다. 1880년대 중반 벤츠와 다임러가 처음 내연 기관 자동차를 내놓았을 때의 자동차는 일부 부유층에게 재미를 선사하는 장난감 같은 존재였다.

1909년 포드가 컨베이어 생산 방식을 도입하면서 대량 생산 시대의 문을 열게 된 초기 자동차 대중화 시기에는 경제도 더불어 호황기를 맞이하면서 사람들은 자동차를 자신의 신분이나 개성을 나타내는 일종의 사치재로 여겼다.

이후 시간이 흘러 세계 경제가 급격히 성장하고 사람들의 경제 활동 반경이 넓어지면서 자동차는 사람들에게 이동성을 제공해 주는 최고의 도구로 자리 잡게 된다.

오늘날에 이르러서는 사람들이 이동성 확보라는 본연의 가치 외에 추가적으로 자신의 경제적 형편에 맞게 또 용도에 맞게, 주행 성능, 경제성, 안전성, 편의성, 심미적 아름다움 등 다변화된 가치를 추구하면서 자동차도 그에 맞게 다양한 형태를 띠게 되었다.

그러나 앞으로 자동차가 본격적으로 여러 서비스를 담게 된다면 자동차는 보다 다변화될 가능성을 가지고 있다. 즉, 벤츠의 디터 제체 회장이 CES의 기조연설에서 언급한 대로 미래 자동차는 사적인 공간과 품위 있는 시간이라는 최고의 럭셔리를 제공하는 '모바일 거주 공간'이 될 수 있고 결제 플랫폼, 엔터테인먼트를 위한 도구, 여러 가지 필요한 정보를 제공해 주는 슈퍼 컴퓨터 등도 될 수 있다.

이에 따라 소비자가 자동차를 구입할 때 고려하는 요소도 기존의 자동차의 성능 및 안전성, 신뢰성 외에 '어떠한 서비스를 제공할 수 있는가', '내가 원하는 서비스를 구현하기에 적합한 형태인가' 등을 고려하는 시대가 올 수도 있다.

자료원: 시사뉴스&, "자동차의 서비스화 시작되고 있다," 2016.04.16, 일부 내용 발췌

미국의 스타트업 기업 솔스(SOLS)는 고객이 스마트폰 앱으로 찍어 보낸 발 사진을 받아 맞춤형 깔창을 3D 프린터로 제작하여 배송해 줌

로컬모터스(Local Motors)는 3D 프린터로 개인 맞춤형 전기자동차를 만들어주는 기업으로 고객의 주문을 받아 차량을 디자인하고 제작하는 데 7일 이내의 시간이 소요됨. 마이크로 팩토리라고 불리는 공장엔 컨베이어 벨트도, 숙련공도 없이 오직 3D프린터와 트리머뿐임

들이지 않고 맞춤형 제품을 생산하는 것이 가능해지고 있다.

제품과 서비스의 결합

ICT를 통해 제품과 서비스를 결합해 제공하여 부가가치를 창출하는 추세가 가속화되고 있다. 제조기업의 서비스 기업화는 기존의 전문성을 새로운 방식으로 활용해 더욱 높은 가치를 창출할 수 있고 전통적인 제조기업도 서비스화를 통해 차별화된 위치를 차지할 수 있기 때문에 기업 전략에 활발히 활용되고 있다. 제조와 서비스의 결합을 통하여 기업은 고객중심의 시스템을 구축하고 더욱 향상된 가치를 고객에게 제공할 수 있게 된다. 뿐만 아니라 기업은 고객과 지속적인 관계를 유지할 수 있다. 제너럴일레트릭은 산업인터넷(industrial internet)을 통해 엔진 · 기계 등의 제품을 유지 · 관리 · 컨설팅 · 금융 등의 통합 서비스 패키지와 결합하여 제공한다. 자동차 제조업

제너럴일레트릭의 산업인터넷

네스트의 온도조절기

계에서는 텔레매틱스(telematics)를 통해 차량 판매 후에도 고객과 지속적으로 소통하며 서비스를 제공하는 것이 일반화되는 추세이다. 이와 같이 제조기업들은 최종 생산품의 판매 후에도 유지 · 개선 · 재활용 등의 서비스를 제공함으로써 가치사슬 전체를 관리하고 고객과의 관계를 장기화하고 있다. 온도조절기를 기반으로 가정 내 가전제품과 조명을 제어해 최적의 생활환경을 제공하는 nest 네스트도 제품과 서비스의 융합 사례로 볼 수 있다.

사물인터넷

사물인터넷(IoT)은 인간, 사물, 서비스 등 모든 것이 인터넷으로 연결되어 새로운 정보가 생성 · 수집 · 공유되며 사용자에게 새로운 가치와 서비스를 제공하는 것이다. 4차 산업혁명의 주요 화두인 모든 것을 융합하기 위해 연결성을 제공하고 또 그렇게 모

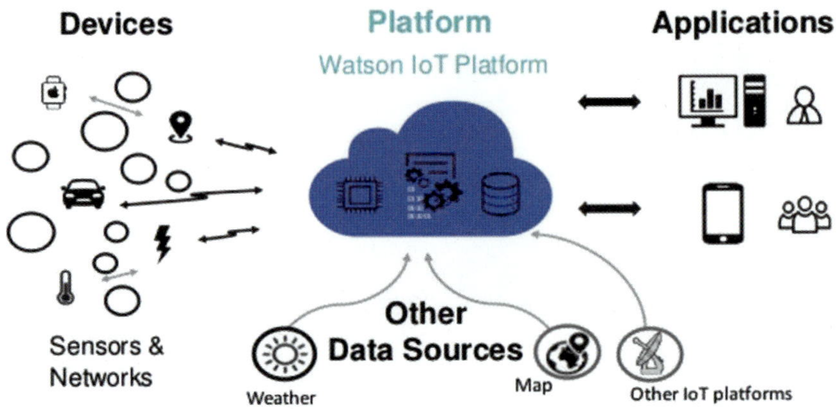

IBM의 왓슨(Watson) IoT 플랫폼은 다양한 기기와 센서를 활용하여 정보를 수집하고 날씨나 지도, 산업 관련 정보 등 주변정보까지 통합하여 분석한 결과를 사용자에게 제공

든 것을 연결하여 새로운 정보가 생성 · 수집 · 공유되는 기반을 구축하는 것이다. IoT의 핵심기술 중 하나는 플랫폼이다. 플랫폼은 다양한 용도에 공통적으로 활용되는 목적을 가지며 여러 유형으로 존재한다. 크게 스마트폰 기기와 같은 하드웨어 플랫폼, 디바이스 안에서 운영을 돕는 소프트웨어 플랫폼(예: 윈도우, 안드로이드, iOS), 다양한 서비스를 생성하고 실행 및 관리하는 서비스 플랫폼(예: 카카오톡, 페이스북), 하나의 비즈니스가 다른 비즈니스의 기반 혹은 일부로 사용되는 환경인 비즈니스 플랫폼(예: 카카오페이)이 있다. 사물인터넷 플랫폼은 IoT 비즈니스를 가능케 하는 기술적인 기반을 제공하는데 후방의 수많은 디바이스와 전방의 사용자를 매개하여 IoT를 구현한다.

IoT는 4차 산업혁명을 위한 공간 플랫폼인 스마트 시티 구현의 핵심기술이다. 스마트 시티는 교통, 환경, 안전 등 도시 문제를 해결하기 위한 첨단기술을 융합한 것으로 ICT와 IoT를 이용한 지속 가능한 미래형 도시이다. 예를 들어, 스페인의 바르셀로나는 낙후된 공업지역을 혁신지구로 선정하는 '22@ 바르셀로나 프로젝트'를 실시하여 도시 전역으로 스마트 시티를 구현하고 있다. 특히 도시의 데이터를 민간에 개방하여 글로벌 기업들이 파트너로 참여하여 24개의 솔루션을 만들고 있다. 그 중 가장 대표적인 사례는 '시스코 스마트+커넥티드 시티 파킹(Cisco Smart+Connected Parking)' 솔루션을 적용한 스마트 주차 서비스로, 주민에게는 실시간으로 주차 공간에

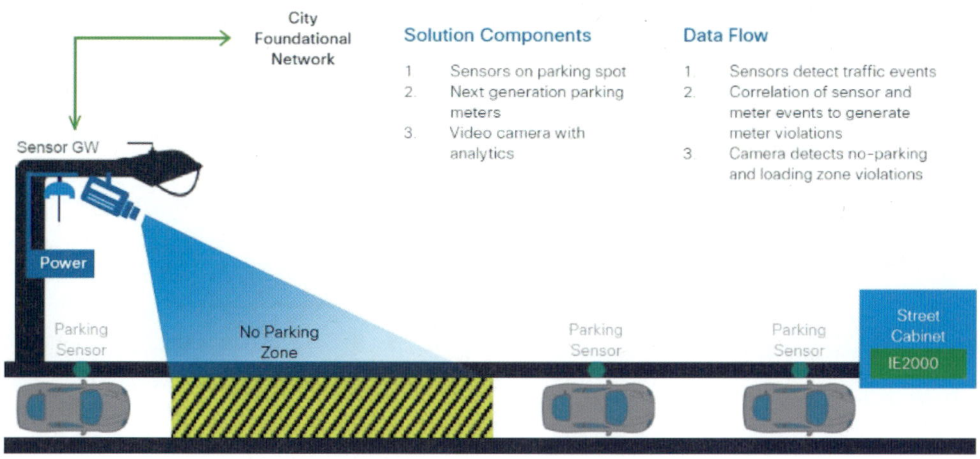

시스코의 스마트 커넥티드 시티 라이팅 솔루션

대한 정보를 제공하고 주차 단속 공무원에게는 주차 위반 정보를 전달하는 등 시 주차와 관련한 애널리틱스를 제공함으로써 장기적인 도시 계획 수립과 같은 의사결정에 조력하였다.

소유보다는 사용

ICT의 발달은 제품을 구매하고 소유하는 대신 이용할 수 있는 권한을 구매하는 서비스를 활성화하였다. 사용자는 이용 권한을 구매함으로써 제품 구매에 따른 비용을 낮추고 유지 및 보수에 대한 부담에서 벗어날 수 있다. 이는 제품 사용권을 통해서 접속하는 형태를 선호하는 최근의 현상과도 맞닿아 있다. 우버, 에어비앤비와 같은 공유경제 비즈니스의 성장은 이러한 가치를 반영하는 것으로 소비자들은 자산을 직접 소유하지 않고 원하는 때에 필요한 만큼 이용하는 것을 선호하고 있다. 기업 역시 고객의 사용량을 정확히 예측할 수 있게 됨에 따라 일회적인 판매 대신 사용량을 기반으로 하는 계약 서비스가 활성화되는 추세이다. 특히 이러한 서비스는 고객이 서비스를 어떻게 사용하느냐에 따라서 가치가 달라질 수 있기 때문에 고객과 판매자는 공동으로 가치를 창출하게 된다. 접근 중심, 사용 중심, 구독경제 등이 이러한 서비

차량 공유경제 서비스 – 리프트(Lyft)와 우버(Uber)
(출처: cars.com)

구독경제 서비스 – 입시(Ipsy), 매달 고객 취향에 맞는 5종의 화장품 샘플을 보내줌
(출처: Ipsy.com)

스의 주요한 예이다.

가치의 공동창출

고객참여는 기술 진보에 의해서 더욱 활성화되고 있다. 예를 들어, 교육에서 기술은 이메일, 수업 홈페이지, 그룹 채팅 세션, 온라인을 통한 수업 자료 배포 등을 통해 교육자와 학생, 학생과 학생이 활발히 상호작용할 수 있도록 이끌었다. 또한 하이테크 산업에서 비즈니스 고객은 웹상에서 서로 상호작용하며 문제를 해결하고, 각자의 문제에 대해서 답변을 제공하고 있다. 이러한 예들은 기술이 어떻게 고객참여를 활성화시키고 고객만족을 증진시키는지를 보여준다.

기술 발전으로 인한 고객의 활발한 참여는 의료서비스에서 더욱 두드러진다. 의료서비스는 높은 참여 서비스 맥락을 가지고 있다. 고객은 반드시 서비스에 참여해야 하며 서비스 공급자와 고객은 서비스를 공동으로 창출해야 한다. 고객참여는 다양한 단계에서 일어날 수 있다. 최적의 의료 결과를 얻기 위해서 환자는 자신의 증상과 건강 이력에 대해서 정확한 정보를 제공해야 하고, 구체적인 질문에 대답해야 하고, 치료의 과정을 결정하는 것에 조력해야 하며, 처방된 치료법을 잘 따라야 한다. 이에 대하여 기술은 고객이 어떻게 이러한 역할을 수행하는지에 영향을 미치며 고객에게 정보를 제공함으로써 의료서비스에서 고객의 영향력을 증대할 수 있다. 많은 의료

INSIGHT

구독경제! 서비스 이용 방식을 변화시키는 ICT 기술

구독경제란 일정액을 내면 사용자가 원하는 제품/서비스를 공급자가 주기적으로 제공하는 경제활동을 의미한다. 기업 입장에서는 고객과의 장기적 관계 유지를 통한 데이터 확보가 가능하며 소비자는 커스터마이제이션과 기업과의 상호작용적인 거래를 통해 더 편리하게 자신의 취향에 맞는 서비스를 이용 가능하다.

하버드 비즈니스 리뷰는 미국 구독경제 시장의 규모는 2011년 이후 매년 200%씩 폭발적 성장세를 보이고 있으며 2017년 이용자 수 1,100만 명, 2018년 상반기 시장규모 $29억이라고 보고하였다. 크레디트스위스(Credit Suisse)는 구독경제의 대표 기업인 넷플릭스에 대하여 2018년 3분기 기준 가입자 수 1억 3천만 명, 지난 10년간 주가 상승률 6,000%, 연평균 매출 성장률 8%로 향후 10년간 2.5배 이상 성장 전망된다고 발표하였다.

구독경제의 4가지 모델은 크게 정기 배송 모델, 무제한 이용 모델, 고가품 렌탈 모델, 클라우드 구독 모델로 분류할 수 있다.

정기 배송 모델

이 모델은 개별고객을 위해 전문가가 구성한 맞춤형 큐레이션 서비스를 통해 선별한 제품을 고객에게 정기적으로 배송한다. 와이셔츠 배달서비스 위클리셔츠, 꽃배달 서비스 꾸까 등과 같이 의류, 꽃, 화

어도어미(Adore Me)의 엘리트 박스
(출처: Influenster)

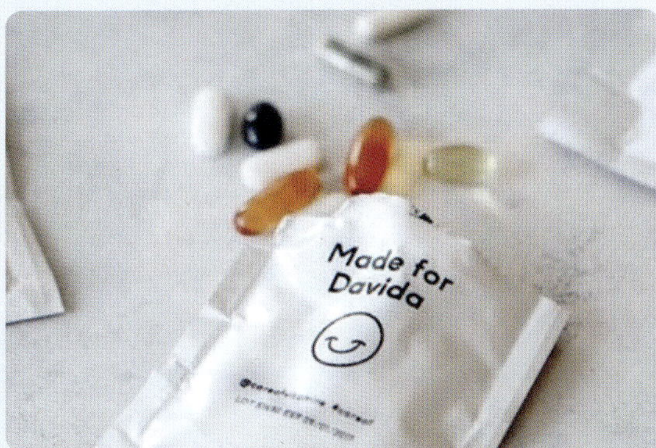

케어오브(Care/of)의 맞춤형 건강보조제
(출처: Insider)

장품, 생필품, 미술품 등 다양한 분야에서 서비스가 제공되고 있다. 예를 들어, 어도어미(Adore Me)의 '엘리트 박스'는 월 20달러에 세 세트의 속옷, 잠옷이 담긴 박스를 배송한다. 고객은 7일 내에 원하는 제품 1개를 골라 구매하고 나머지는 무료로 반송할 수 있다. 이들은 7년 만에 매출 1억 달러를 달성하였고 2019년 기준 160만 명이 사용 중이다. 또 다른 예로 케어오브(Care/of)는 29달러에 고객이 작성한 설문지를 바탕으로 맞춤형 비타민, 영양제를 제조하여 하루 단위로 포장하여 매월 발송한다.

무제한 이용 모델

이 모델은 월정액으로 고객에게 무제한 서비스를 제공한다. 넷플릭스, SKT 옥수수, 올레tv, 스포티파이(Spotify) 등이 대표적이다. 무제한 이용 모델은 온라인 서비스를 넘어 오프라인 서비스의 영역으로 확장되는 추세이다. 무제한 건강검진 서비스를 제공하는 포워드(Forward)는 3D 스캔을 한 뒤 결과는 실시간으로 고객 스마트폰으로 전송, 앱을 통한 확인 및 추가 상담이 가능하다. 또한 상담 내역 역시 AI 시스템을 통해 자동 기록된다. 이들은 샌프란시스코 본사를 시작으로 현재 미국 전역에 6개 지점을 운영 중이다.

무제한 건강검진 서비스를 제공하는 포워드(Forward)
(출처: iReviews)

고가품 렌탈 모델

고가품 렌탈 모델을 통해 고객은 구매하기 부담스러운 고가품(예: 자동차, 명품 의류, 가구)을 합리적 비용에 사용 가능할 뿐만 아니라 다양한 종류의 고가품을 경험하는 것이 가능하다. 기업은 사업 다각화를 통한 수익 극대화 기회를 마련하고 효과적인 CRM이 가능하다. 예를 들어, 현대자동차는 원하는 차를 수시로 바꿔서 골라 사용할 수 있는 '현대 셀렉션' 서비스를 통해 매월 72만 원에 쏘나타, 투싼, 벨로스터 등 중형 세단 및 SUV를 선택해 이용 가능하도록 하였다.

현대 셀렉션
(출처: 전자신문)

클라우드 구독 모델

업그레이드가 잦은 소프트웨어의 특성상 라이선스를 구매하는 것보다 대여하는 것이 유리하기 때문에 SaaS(Software as a Service)가 등장하였는데 이는 매월 정기 과금 형태로 소프트웨어를 대여하고 업그레이드와 사후관리까지 총괄 서비스를 제공하는 것으로 고객과 장기적인 관계를 유지할 수 있다는 점에서 이점이 있다. 예를 들어, 어도비(Adobe)는 2013년 말부터 100% 온라인 구독 모델로 전환하는 작업을 시작하였으며 현재 총 수익의 70%가 반복 구독하는 고객들로부터 창출된다. 또한 온라인 구독 모델로 전환 후 4년간 주가가 370% 상승하는 기록을 보였다. 마이크로소프트는 플랫폼 서비스인 'Azure'를 시작으로 클라우드 구독 서비스 기업으로 변화하였고 현재 총 매출의 25%를 클라우드 사업으로부터 얻고 있다.

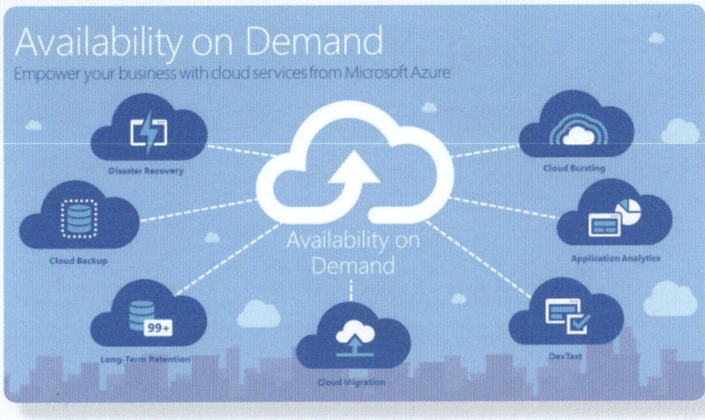

마이크로소프트사의 Azure
(출처: Microsoft Azure)

자료원: Chief Executive, "Special report 구독경제시대," Vol. 196, 2019.03, 일부 내용 발췌

미국의 국립의학도서관 홈페이지에서 제공하는 의료 정보 (출처: www.medicare.gov)

기업의 사이트들은 다양한 건강관련 정보를 제공하고 있다. 또한 정부의 지원을 받아 운영되는 사이트가 존재하며 에이즈, 우울증과 같이 질병을 기준으로 구체적인 정보를 제공하는 사이트도 존재한다. 언제든지 이용할 수 있는 의학정보는 헬스케어에 있어서의 소비자의 역할을 변화시킨다. 고객은 이제 적극적으로 자신의 질병을 처방하고, 치료 방식을 평가하고, 전반적인 웰빙을 결정할 수 있다. 환자들은 전문의료진에게 자신의 질병에 대해 질문하는 것에서부터 적절한 처방을 선택하는 것에 이르기까지 다양한 방식으로 참여하게 되었다.

인공지능서비스

인공지능(Artificial intelligence: AI)은 다양한 업무를 수행하고, 혁신의 주요한 원천을 제공하며 서비스 혁신을 일으키고 있다. AI는 서비스에서 [그림 3-5]와 같이 네 가지 단계를 통해 직원을 통한 서비스를 대체할 것으로 예상된다. AI의 학습이 고도화되는 정도에 따라 기계지능, 분석지능, 직관지능, 공감지능으로 나뉠 수 있다. AI가 서비스 직원을 대체하는

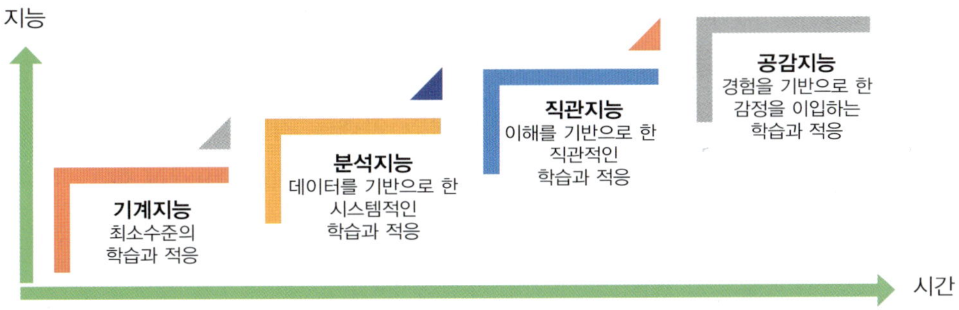

그림 3-5 | 인공지능의 4가지 유형
자료원: Huang & Rust(2018), "Artificial Intelligence in Service," *Journal of Service Research*, 21, pp.155–172.

것은 직무(job) 수준이 아닌 과업(task) 수준에서 일어날 것으로 예상되며, AI는 특정 과업을 기업의 전략적인 목표에 맞게 효율적으로 잘 수행할 수 있을 것으로 예상된다.

첫 번째로 기계지능(Mechanical Intelligence)은 가장 낮은 수준의 학습과 적응이 필요한 단계로 단순하고 반복적인 업무를 자동으로 수행하는 능력이다. 이 수준에서 요구하는 과업은 단순하고 표준화되어 있으며 반복적이고 거래지향적인 서비스이다. 따라서 정확하고, 일관적이고, 효율적인 기술이 요구된다. 구체적인 사례로는 셀프서비스 기술과 서비스 로봇을 예시로 들 수 있으며, 이들은 콜센터 직원, 소매업에 종사하는 서비스 직원, 택시 운전사의 과업을 대체할 것으로 예상된다.

두 번째 단계인 분석지능(Analytical Intelligence)은 문제해결을 위해 정보를 활용하고 이로부터 학습하는 능력이다. 이는 데이터에 기반하여 시스템적으로 학습하고 적응하는 것으로 논리적이고 분석적이며 규칙에 기반한 기술을 요구한다. 이들의 논리적인 사고는 의사결정과정과 지능기반의 서비스에서 활용된다. 머신러닝(machine learning)과 데이터 애널리틱스(data analytics)가 적용 유형이라고 볼 수 있다. 대표적인 예시로는 IBM의 체스 플레이어인 딥블루(Deep Blue), 도요타의 차내 지능시스템(in-car intelligence system), IBM의 왓슨(Watson)이 세금 업무를 위해 세금 보고 전문업체인 에

이치 앤 알 블록(H&R Block)과 협업하는 것 등이 있다.

세 번째 직관지능(Intuitive Intelligence)은 창의적으로 생각하고 새로운 상황에 효과적으로 적응하는 능력이다. 학습과 적응은 직관적인 이해를 기반으로 이뤄지며 인공의 뉴런 네트워크 기반 혹은 통계 기반의 딥러닝 기술이 활용된다. IBM의 왓슨, 구글의 딥마인드 알파고(Deep Mind Alpha Go) 등이 이 지능의 대표적인 사례이다. 여기서 요구되는 기술은 문제해결을 위해 창의적인 사고와 같이 깊은 사고를 수행하는 것이며 이에 따라 마케팅 매니저, 경영컨설턴트, 변호사, 의사와 같은 전문가의 과업을 대체할 수 있다. 이들의 과업은 본질적으로 복잡하고 혼란스러우며 특유하기 때문에 직관적 · 전체적 · 경험적 · 맥락적 사고가 필요하다.

마지막 단계인 공감지능(Empathetic Intelligence)은 다른 사람들의 감정을 인식하고 이해하며 감정적으로 적절하게 반응하고 다른 사람의 감정에 영향을 줄 수 있는 능력을 의미

일자리 4.0 영상

YouTube
https://www.youtube.com/watch?v=fYZSNpAjtGg

제 목 _ SK텔레콤 일자리 4.0 교육 애니메이션
검색어 _4차 산업혁명, 인공지능과 일자리

분석지능의 예시인 도요타의 인공지능 자율주행차 컨셉아이(Concept-i)

직관지능의 예시인 ABC 퀴즈쇼 제퍼디(Jeopardy!)에서의 왓슨

한다. 이는 경험에 기반하여 공감을 학습하고 적응하는 단계로 감정 인식, 감정적 컴퓨팅, 커뮤니케이션 방식을 학습한다. 휴머노이드 로봇인 소피아(Sophia)와 챗봇 레플리카(Replica)가 구체적인 예시로 의사결정에 감정을 함께 고려한다는 것이 특징이다. 이들은 사회적이고, 감정적이며, 상호작용이 많은 서비스를 대체할 수 있는데 이 과업에서는 공감, 감정 노동, 감정 분석 등을 요구한다. 예를 들어, 레플리카는 정신과 의사의 심리적인 위안이라는 과업을 대체할 수 있으며 소피아 로봇은 서비스 직원처럼 고객과 감정적인 교류를 나눌 수 있다.

공감지능의 예시인 인간형 휴머노이드 로봇 소피아(Sophia)

VR(가상현실)과 AR(증강현실)

VR · AR 기술은 온라인과 오프라인 경계를 무너뜨리고 사용자에게 초융합적 가치를 제공한다. VR · AR 시장은 스캐너, 카메라, 모션인식 등 인프라 부문과 디바이스, 콘텐츠 등의 영역으로 구성된다. 5G와 같은 기술의 발달은 VR · AR 콘텐츠의 품질에 큰 영향을 미치는 요소인 지연시간을 개선함으로써 부드러운 화면을 제공하여 고품질의 콘텐츠를 구현할 것으로 예상된다. 구글, 페이스북, SAMSUNG 삼성, SONY 소니, htc HTC, Microsoft 마이크로소프트 등 글로벌 대기업을 포함해 다양한 분야의 여러 신생 기업들이 VR · AR 시장에 진출하기 위해 집중 투자하고 있다. 구체적인 예로 intel 인텔의 3D 카메라인 리얼센스(Realsense), 퀄컴(Qualcomm)의 AR

페이스북의 페이스북 스페이스(Facebook Spaces)

폭스스포츠(Foxsports)의 US Open VR 중계

INSIGHT

5G 시대 초고속, 초저지연, 초연결의 시대가 열린다!

최근 글로벌 화두 중 하나는 5G이다. 국내에서는 2019년부터 5G가 본격으로 상용화되었다. 기존의 통신산업은 이동통신사업자와, 단말기, 장비, 부품 제조업체를 축으로 통신산업의 생태계 안에서 발전해 왔다. 하지만 5G 시대가 본격 개막되면 기존에는 볼 수 없던 새로운 모습의 제품과 서비스를 다방면의 산업에서 탄생시키게 된다.

"5G는 산업 전체를 재창조하고 앞으로 나아가게 할 잠재력을 가지고 있다. 도시의 인프라, 산업 현장의 자동화에서부터 교통 및 엔터테인먼트에 이르기까지, 5G는 새로운 발명과 혁신을 불러일으키는 파괴적인 힘이 될 것이다." (산드라 리베라 인텔 수석부사장 겸 네트워크 플랫폼 그룹 총괄)

5G의 최대 특징은 (1) 초고속(Enhanced Mobile Broadband), (2) 초저지연(Ultra-Reliable and Low

표 | 5G 기술의 특징과 기대효과

	특징	4G(LTE)	5G(IMT-2020*)	기대 효과
초고속	최고 속도	1Gbps	20Gbps	더 큰 데이터를 보다 빠르게 전송해 초고화질 영상, VR, AR과 같은 대용량 데이터 기반 콘텐츠 이용 활성화
	체감 속도	10Mbps	100Mbps	
초저지연	지연 속도	10ms	1ms(초저지연 우선) 4ms(속도 우선)	즉각적 응답과 반응이 필요한 원격의료, 자율주행차 등에 이용되어 지연이 없는 실시간 서비스 구현
	이동 속도	350km/h	500km/h	
초연결	접속 밀도	km²당 10만 대	km²당 100만 대	인터넷에 연결될 수 있는 단말과 센서의 수를 크게 증가시켜 만물인터넷, 대규모 IoT(사물인터넷) 환경을 구현하고 스마트홈, 스마트 시티 기반 기술로도 이용
	에너지 효율	저효율	고효율 (4G 대비 100배)	

Note: *IMT-2020은 국제전기통신연합에서 채택할 5G의 유력한 표준기술 명칭임

Latency Communication), (3) 초연결(Massive Machine Type Communication)로 압축된다.

〈표〉에서 알 수 있듯이 5G의 확산에 따라 4K 동영상, FWA(Fixed Wireless Access), 실감형 콘텐츠, 원격조작, 자율주행차, 스마트홈 · 시티 등 신규 비즈니스 분야가 부상할 것으로 전망된다. 5G는 단순한 통신기술의 발전이 아닌 산업 생태계와 기업의 비즈니스 모델, 서비스의 제공 방식 등을 바꾸는 범용기술로서의 잠재력을 보유하고 있다. 지금까지의 산업 재편은 주로 전통적인 통신산업과 통신과 직접적으로 관련된 단말, 부품, 장비 업체를 중심으로 일어났다면, 5G 시대에는 더 다양한 산업이 영향을 받고 이에 따른 새로운 비즈니스 기회가 생겨날 것으로 예상된다. 특히 인공지능, 사물인터넷과 같은 4차 산업혁명 시대의 기반 기술과 5G가 결합될 때, 미래의 산업 생태계는 전대미문의 변화를 겪게 될 것이다.

5G의 초고속 특징에 따른 새로운 비즈니스 기회로는 ① 초고화질 영상, ② 실감형 콘텐츠, ③ FWA 서비스가 있으며 초저지연 특징에 따른 기회로는 ④ 자율 주행, ⑤ 스마트 팩토리, ⑥ 디지털 헬스케어, 그리고 초연결 특징에 따른 기회로는 ⑦ 스마트홈 · 오피스, ⑧ 스마트 시티, ⑨ 스마트 에너지를 들 수 있다.

VR(가상현실) · AR(증강현실) · MR(혼합현실) 등 실감형 콘텐츠의 활성화

VR · AR · MR 등 실감형 콘텐츠는 360도 전면에서 볼 수 있는 영상 이미지, 입체 사운드, 모션인식 등의 데이터를 포함하기 때문에 매우 큰 용량을 갖는다. 통신장비업체 에릭슨이 분석한 자료에 따르면 실감형 콘텐츠를 하루에 5분씩 스트리밍 방식으로 이용했을 경우, 1080p VR의 월간 트래픽 발생량이 10GB 이상으로, 일반적인 1080p 영상의 3배가 넘는 트래픽을 보이고 있다. 이 같은 고용량 데이터의 특성 때문에 모바일 플랫폼에서의 VR · AR 콘텐츠 전송에 5G가 적합할 것으로 평가된다. VR · AR 콘텐츠의 품질에 큰 영향을 미치는 또 다른 요소는 지연시간이다. 부드러운 화면 이동을 위해서는 1ms 수준의 매우 낮은 지연시간이 요구된다. 4G 네트워크에서 10~50ms 수준으로 구현되는 지연시간이 5G에서 1~4ms 이내로 크게 단축될 경우 고품질의 실감형 콘텐츠 구현에 큰 도움이 될 것으로 기대되고 있다. VR · AR 시장은 향후 높은 성장세가 예측되고 있다. 시장조사업체인 스태티스타(Statista)는 전 세계 VR · AR 시장이 2018년 270억 달러에서 연평균 66.8% 증가해 2022년에는 2,092억 달러에 달할 것으로 전망하고 있다. 5G의 도입은 초고속, 초저지연 네트워크의 강점으로 VR · AR 콘텐츠의 높은 성장성을 뒷받침하여 실감형 콘텐츠의 활성화에 기여할 것으로 전망된다.

5G의 초저지연 네트워크로 나타날 변화와 기회

5G 무선통신은 네트워크의 종단간 지연시간이 상대적으로 짧아 4G(LTE)에 비해 최대 10분의 1 수준의 빠른 응답시간을 제공할 수 있다. 지연시간이 줄어든다는 것은 곧 실시간 서비스에 한층 더 가까워진다는 것을 의미한다.

이러한 초저지연 특성이 중요하게 작용하는 영역으로는 자율주행, 스마트 팩토리, 디지털 헬스케어를 들 수 있다. 자율주행차가 주변의 차량과 보행자, 도로 인프라 등 모든 사물과 통신(V2X Vehicle to

Everything)하며 주변을 인지하고 즉각적으로 행동하기 위해서는 5G의 초실시간성이 필수적이다. 수십 킬로미터 떨어진 곳에서 원격의료 또한 자율주행과 마찬가지로 초실시간성이 전제되지 않는다면 환자의 안전과 생명과도 직결될 수 있어 5G의 초저지연 특징이 매우 중요하게 작용한다. 스마트 팩토리의 경우도, 물리적 시설을 가상으로 투영시킨 가상의 공장을 만들고 공장의 모든 현황을 실시간으로 가상의 3D 공간에서 모니터링하고 긴급한 상황의 경우, 원격적으로 제어하기 위해서는 5G의 초저지연 특성이 필수적으로 요구된다.

스마트 팩토리로 인한 신규 비즈니스 기회

4차 산업혁명 시대에 대두되고 있는 스마트 팩토리는 기존의 운영기술에 정보기술을 결합한 지능화된 공장을 의미하며, 이에 대한 궁극적인 지향점은 실제 공장과 실시간으로 연동된 가상의 공장, 즉 디지털 트윈(digital twin)을 만드는 것으로 볼 수 있다. 2018년 가트너가 선정한 미래 유망 기술이기도 한 디지털 트윈은 공장의 물리적 시설을 가상으로 투영시켜 현실에서 발생할 수 있는 상황을 가상에서 확인할 수 있게끔 하는 기술을 의미한다.

디지털 트윈의 한 사례로 독일의 로봇제조사인 쿠카(Kuka)를 들 수 있다. 쿠카 로봇에는 여러 부품이 들어가는데, 한 개의 부품 결함으로 인해 공장 전체를 가동하지 못하는 상황이 발생할 수 있다. 쿠카는 용도별 로봇 팔이 마모되는 수준을 측정한 데이터를 활용해 실제 제조 현장의 로봇과 똑같은 로봇을 시뮬레이션상에서 만든다. 쿠카는 가상의 상황에서 언제 로봇 팔이 마모되어 고장이 날지를 예측하고, 필요한 부품을 미리 주문해 놓는 프로세스를 구축함으로써 공장의 가동률을 극대화하고 있다.

현실과 가상이 병존하면서 실시간으로 데이터를 주고받고, 지속적으로 상태를 동기화하기 위해서는 5G 통신 기술이 필수적으로 요구된다. 5G 상용화와 제조 영역에서 디지털 트랜스포메이션은 공장의 자동화를 넘어 지능화로 이어질 수 있도록 하는 기반이 될 것이다.

자료원: SAMJONG Insight, "5G 기술의 특징과 분야별 파급력," Vol. 63, 2019, 일부 내용 발췌

소프트웨어 플랫폼인 뷰포리아(Vuforia) 등을 활용한 이러닝 교육프로그램, 테마파크, 영화(구글의 360도 영화 'Help'), 스포츠 중계(FoxSports) 등 다양한 영역에서 VR · AR 기술이 적용되고 있다. 뿐만 아니라 유통업체 또한 VR · AR을 활용하여 온라인상에서 3D매장을 구현함으로써 오프라인의 쇼핑경험을 온라인으로 옮기는 서비스를 확장하고 있다.

3.3 기술 발전에 따른 서비스 전략

기술 발전과 서비스 전략의 선택

기술은 서비스와 관련된 어느 곳에나 존재하며, 서비스 혁명의 주요 원천이다. 기술은 서비스에 대해 세 가지 주요한 영향을 미칠 수 있다: (1) 고객과 커뮤니케이션 하는 능력의 향상, (2) 고객정보를 저장하는 (빅데이터) 능력의 향상, (3) 고객 데이터를 분석하는 능력의 향상. 이 세 가지의 영향은 개인화된 서비스와 고객관계를 더욱 깊게 하는 기회를 제공한다.

이처럼 기술이 발전하고 있는데 우리 기업은 어떤 전략을 선택해야 하나? Huang and Rust(2017)가 제시한 이론적 틀을 바탕으로 이 질문에 대한 답변을 모색해 보자. 이 연구자들에 따르면 서비스 전략 유형은 기술 진보에 강하게 영향을 받는 두 축을 기반으로 한다. 첫째, 고객 수요의 이질성을 파악하여 개인화 또는 표준화를 결정해야 한다, 둘째, 고객과 장기적인 관계를 구축할 것인가에 따라 거래지향적 혹은 관계지향적 고객관리를 펼쳐야 한다. 표준화와 개인화, 거래지향과 관계지향의 두 축은 기술 발전과 서비스 진화를 반영하여 전략적인 사고를 도출한다. 따라서 [그림 3-6]

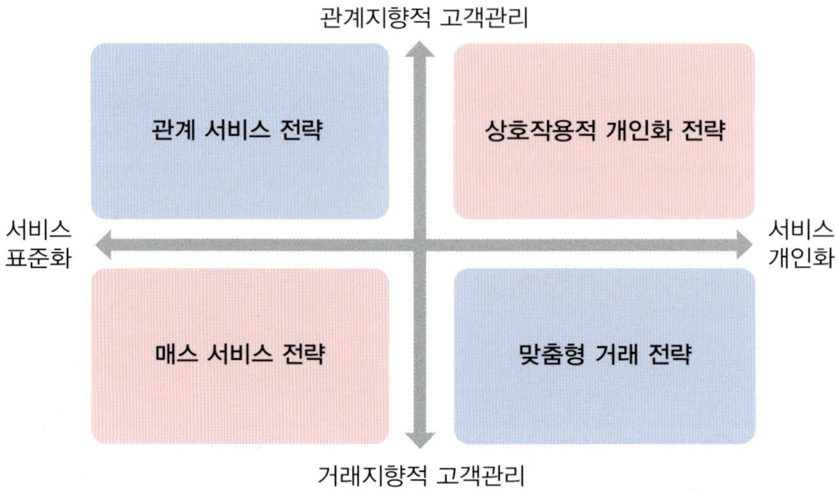

그림 3-6 | 기술 변화에 따른 서비스 전략의 유형
자료원: Huang & Rust(2017), "Technology-driven Service Strategy," *Journal of the Academy of Marketing Science*, 45, pp.906-929.

의 네 가지 전략이 가능하다.

표준화-개인화와 거래지향-관계지향은 서비스 마케팅 사고가 표준화에서 개인화로, 그리고 거래 중심에서 관계 중심으로 이행되는 것을 요약한다. 이는 서비스 수요의 두 가지 측면과 일치하는데 (1) 수요의 이질성과 (2) 수요의 미래흐름인 고객생애가치이다. 개인화는 고객의 수요가 이질적일수록 효과적이고, 관계지향은 잠재적 고객생애가치가 높을수록 효과적이다. 이질적인 수요는 고객들의 선호가 다양하다는 것이고 고객생애가치는 고객과 거래하는 전 기간에 걸쳐 발생하는 수요의 총 가치를 말한다.

표준화 vs. 개인화 이 축은 서비스가 고객의 개인적 수요를 얼마나 충족시키기 위해서 만들어지고 제공되는가에 관련한다. 이 축을 가르는 기준은 고객의 수요가 얼마나 이질적인가이다. 표준화는 고객의 수요가 동질적이어서 모든 고객에게 하나의 서비스를 제공하는 것이다. 기업은 무엇이 고객들을 만족시킬 것인가를 결정하고 일관적인 서비스를 전달한다. 이러한 접근은 전통적으로 제조기업이 택하는 전략이다. 거대한 규모의 인프라에 대한 투자 때문에, 이러한 인프라는 쉽게 바뀌기 어렵고

규모의 경제를 달성하는 것이 요구된다. 표준화된 서비스는 마치 제품과 같이 판매된다. 표준화의 가장 주요한 혜택은 비용절감과 서비스 품질의 일관성이다. 반면, 개인화는 각각의 고객이 독립적인 시장을 구성하는 것을 의미한다. 개인화는 상호작용적인 서비스 제공을 위해서 고객정보를 사용하고 고객의 선호를 학습하는 과정을 수반한다.

거래지향 vs. 관계지향 이 축은 고객과의 관계가 얼마나 유지되는가를 나타낸다. 거래지향적 단계에서는 반복적인 거래는 있지만 관계의 발전은 별로 없다. 기업과 고객이 계속해서 관계를 이어감에 따라 과도기적 단계로 이동하는데 이 때는 기업과 고객이 신뢰, 헌신, 관계 규범을 생성하기 시작하게 된다. 마침내 공동체적 단계에 다다르면 기업과 고객은 상호 의존적이 된다. 관계적인 혜택은 고객 충성도를 유지하는 데 필수적이다. 그러나 모든 서비스가 관계로부터 혜택을 받는 것은 아니다. 고객과의 약속을 지키기 위해서는 많은 비용이 수반될 수 있기 때문이다. 게다가 어떤 고객들은 그 성향이 관계지향적이 아니며 거래지향적이기도 하다. 따라서 관계지향전략이 모든 고객에게 적합한 것은 아닐 수 있다.

각 전략을 하나씩 살펴보면서 적합한 상황, 구체적 실천방안과 기술의 역할을 검토해 보도록 한다.

매스 서비스 전략

매스 서비스 전략은 수요가 동질적이고 고객생애가치(CLV)가 낮을 때 활용할 수 있다. 수요가 동질적이라는 것은 서비스를 표준화된 일상품처럼 제공하는 것이 가능하다는 것을 의미하고 고객생애가치가 낮다는 것은 고객관계 형성에 투자하는 것이 적절하지 않다는 것을 의미한다. 따라서 서비스는 표준화를 하게 되고, 고객관리는 거래지향적이다. 서비스가 일상품처럼 되면서 다른 경쟁자들도 유사한 서비스를 제공하기 때문에 전환비용이 낮아지게 된다. 따라서 이 영역에서 경쟁력을 달성하기 위해서는 효율성이 중요하다. 효율성을 위한 표준화의 예로는 ATM과 같은 셀프서비스, 자동화된 전화 메뉴, 키오스크, 맥도날드 같은 패스트푸드 체인에서의 숙련되지 않은 직원을 통한 일상품 서비스에 대한 대량생산이 있다. 이 때 기술의 역할은 효율성을 극대화하기 위한 표준화이다. 수요가 동질적이기 때문에 시간이 지나도 학습이나 적응이 없는 기술로도 충분하다. 구체적인 예로는 자동화된 기술이 이 전략에서 지배적이다. 간단하고 일상적인 상호작용을 수행하는 전통적인 셀프서비스 기술과 더불어 새로운 시대의 자동화된 기술은 인지적 역량을 탑재하여 고객정보를 수집하고 후방에서 분석을 수행한다. 예를 들어, 은행은 후방에서 머신러닝을 이용하여 금융 사기를 발견하는 시스템을 자동화할 수 있다. 전방에서는 Domino's 도미노의 경우 자연어 소프트웨어와 음성 인식 기술을 접목하여 자동화된 음성 주문 시스템을 개발하여 피자 주문 과정을 자동화하고 고객 주문을 원활히 하고 있다. 로봇 서비스나 인공지능 서비스도 새로운 트렌드인데, 로봇 서비스 직원, 로봇 가정 청소 기계 등이 그러한 서비스의 예이다. 일본 SoftBank 소프트뱅크가 만든 로봇 '페퍼(pepper)'는 피자헛 매장에서 주문을 받고 결제하는 업무를 수행하고 있다.

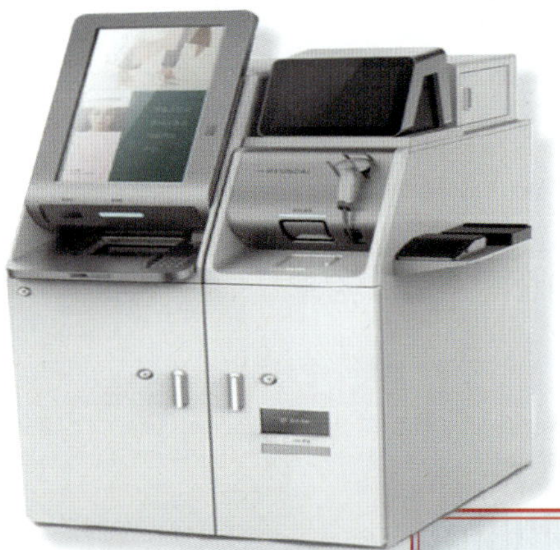

키오스크

도미노의 음성인식 도우미(DOM)

피자헛의 고객응대 업무를 수행하는 페퍼(pepper)

관계 서비스 전략

관계 서비스 전략은 표준화되고 관계적이며, 고객을 그들의 생애가치에 따라 세분화하기 위해서 데이터베이스와 고객관계관리(CRM) 기술에 의존한다. 이 관계 서비스 전략이 적합한 상황은 수요가 동질적이고 고객생애가치가 높은 때이다. 관계적인 혜택을 제공하는 것이 이 전략의 핵심 동인으로, 기업은 핵심적인 서비스는 표준화하지만 관계혜택을 차별화하여 고객 로열티를 창출한다. 이 전략에서 기술의 역할은 고객생애가치 증대를 위한 CLV 기반의 고객 세분화 및 고객관계관리이다. 기술은 후방에서 고객의 가치를 분석하기 위해서 사용되고 전방에서는 관계적인 혜택을 제공하기 위해서 사용된다. 후방에서 데이터베이스는 핵심적인 역할을 수행한다. CRM은 데이터베이스에 의존하여 고객의 생애가치를 분석하고 예측하며 로열티 프로그램을 디자인한다. 반복되는 많은 거래들을 통해 기업은 더욱 풍부한 고객정보를 갖게 되어 이에 따라 고객생애가치를 분석하고 예측하게 된다. 그리고 이를 통해 어떤 고객을 유인하고, 어떤 고객을 보유할지를 결정할 수 있고 마케팅 믹스를 고객의 생애가치에 맞게 디자인할 수 있다. 전방에서 CRM은 최전방의 상호작용을 늘리는 데 사용된다. 관계적인 혜택의 제공은 최전방의 직원들에게 의존한다. 이러한 전방과 후방의 상호작용을 원활하게 하기 위한 CRM 기술이 대표적인 예이다. 예를 들어, 제너럴일렉트릭의 클라우드 기반 플랫폼인 프레딕스(Predix)는 산업인터넷 기술로 사람

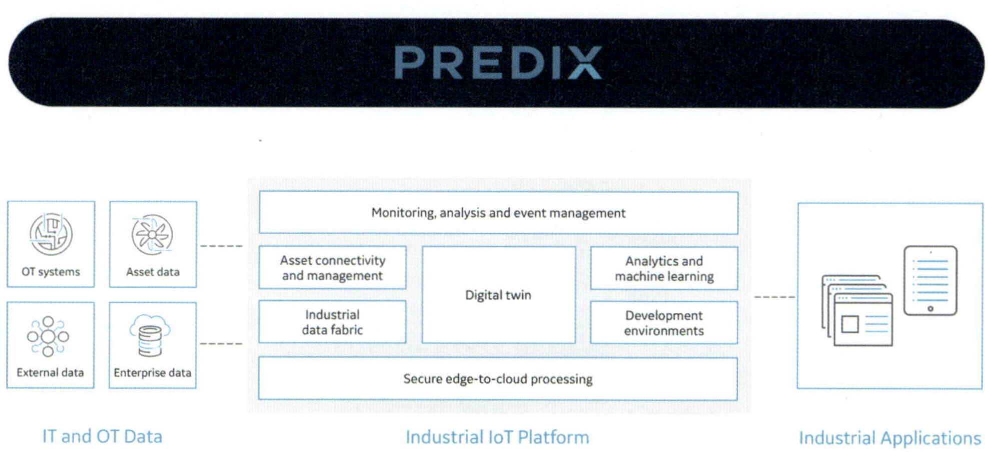

제너럴일렉트릭의 산업인터넷을 위한 운영체제 프레딕스(Predix)

과 기계와 데이터를 연결하여 기계에 어떤 일이 일어나고 있는지를 실시간으로 제공하고 해결방안도 제시하여 일선 직원으로 하여금 더 좋은 의사결정을 가능하게 한다. 인텔(Intel)은 유사한 욕구와 소비 패턴을 갖는 고객을 세분화하기 위해 예측 알고리즘을 사용하고 있으며, BBVA Compass 은행은 고객서비스를 향상시키기 위해 자연어를 처리하는 기능을 가진 소셜 미디어 감정분석 툴을 사용하여 소셜 미디어 내에서의 은행과 경쟁사에 대한 고객의 대화 내용을 분석한다.

맞춤형 거래 전략

맞춤형 거래 전략은 개인화되고 거래적이며, 빅데이터 분석을 고정된 개인화를 위해서 사용한다. 맞춤형 거래 전략이 적합한 상황은 고객의 수요가 이질적이고 고객생애가치가 낮은 때이다. 고객생애가치가 낮은 이유는 구매 가격이 낮거나(예: 구글 검색, 넷플릭스 등), 구매 빈도가 낮거나, 일회성의 서비스(예: 웨딩 서비스, 리모델링 서비스 등)이기 때문이다. 이 전략에서 개인화는 효율적으로, 그리고 비용이 많이 요구되지 않는 방법으로 이뤄질 때만 가능하다. 따라서 정적 개인화(static personalization)가 이용되며 주로 유사한 취향을 가진 고객들의 횡단 데이터(cross-sectional data)에 기반한다. 이 전략에서 개인화는 효율성의 극대화보다는 효율성의 최적화를 추구한다. 즉, 이는 효율성과 고객만족 사이에서의 균형을 찾는 것을 의미한다. 이 전략에서 기술의 가장 주요한 역할은 데이터 기반의 개인화를 가능하게 하는 것이다. 고객관리는 거래지향적이며 이 때 기술의 역할은 효율성 최적화를 위한 협업 개인화(collaborative personalization)이다. 협업 개인화는 횡단 데이터를

구글의 검색엔진 최적화(SEO)

통해 고객을 특정 그룹으로 나누고 그룹에 맞춰 개인화된 서비스를 제공하는 것이다. 이렇게 협업 개인화 기술을 활용한 예로는 동일한 상품을 구매한 다른 소비자의 구매품을 추천하는 아마존의 상품 추천시스템, 웹사이트 관련 데이터를 가져오는 크롤링(crawling)과 데이터를 검색 색인에 저장하는 인덱싱(indexing)을 통해 유저맞춤 검색결과를 제공하는 구글의 검색엔진 최적화(search engine optimization) 서비스가 있다.

상호작용적 개인화 전략

상호작용적 개인화(adaptive personalization) 전략은 개인화되고 관계적이다. 시간이 지남에 따라 학습하고 상호작용하는 인공지능과 같은 스마트 기술과 감정적인 기술을 활용하여 역동적으로 개인의 필요를 맞춘다. 이 전략이 적합한 상황은 고객의 수요가 이질적이고 고객생애가치가 높은 때이다. 이것은 관계 기반의 상호작용적 개인화 전략으로, 고객과의 지속되는 관계를 기반으로 서비스를 개인화하는 것이다. 그리고 시간이 지나면서 고객과 가치를 공동창출하고 보다 나은 상호작용을 만들게 된다. 따라서 이 전략은 고객과의 상호작용이 시간이 지남에 따라 더욱 깊어지게 되는 서비스에 적합하다. 예를 들어, 의료서비스는 매우 개인적이고 감정적인 서비스를 요구한다. 왜냐하면 서비스 제공자는 빈번한 개인 대 개인의 표준화되지 않은 상호작용을 하고 친밀한 교환을 하며 보다 나은 결과를 얻기 위해 환자와의 협동이 요구되기 때문이다.

이 전략의 핵심 동인은 시간이 지남에 따라 고객생애가치의 극대화를 이루기 위한 동적 개인화(dynamic personalization)이다. 정적 개인화와는 달리 동적 개인화는 특정한 고객의 선호를 계속해서 업데이트한다. 한 고객의 행동을 계속해서 관찰하기 때문에 한 시점에서 획득한 여러 유사한 고객의 횡단 데이터가 아니라, 한 고객의 삶의 여러 시점에서 획득한 종단 데이터가 사용된다. 이 전략의 가장 전형적인 예시는 스마트 서비스이다. 이것은 자각(awareness)과 연결성을 제품에 내재시키고 그 제품의 사용행동에 기반하여 고객에게 연속적으로 서비스를 제공하는 것이다. 스마트 서비스는 관계지향적인데, 스마트 서비스의 전체 라이프사이클이 추적되며 이에 따라서 서비스가 실시간으로 조정되기 때문이다.

동적 개인화를 이루는 것은 인공지능, 상호작용을 통해서 학습하는 스마트 기술, 감정을 감지하고, 인식하고, 해석하여 반응하는 감정 기술의 사용에 달려 있다. 인공지능 활용서비스의 예로 크라우드 펀딩 서비스 업체인 KICKSTARTER 킥스타터의 상호작용적 추천 시스템이 있는데 후원자가 좋아할 만한 프로젝트를 추천하는 것이다. 감성 기술을 활용한 서비스로는 :) Affectiva 어펙티바(Affectiva)를 예시로 들 수 있는데, 이는 표정 빅데이터를 이용한 감정 분석 소프트웨어이다. 이를 통해 웹캠만으로 사용자가 브랜드나 광고에 대해 어떤 반응을 보이는가를 측정할 수 있다. 그리고 자동차 운전 중 졸린 표정을 발견하면 자동으로 안전벨트에 진동을 준다든가 해서 사고를 예방할 수도 있을 것이다. 이와 더불어 ginger 진저아이오(Ginger.io)는 사용자의 스마트폰 활용 데이터를 모니터링해 우울증과 분노장애 환자들의 기분 변화 상태를 파악해 정보를 제공한다.

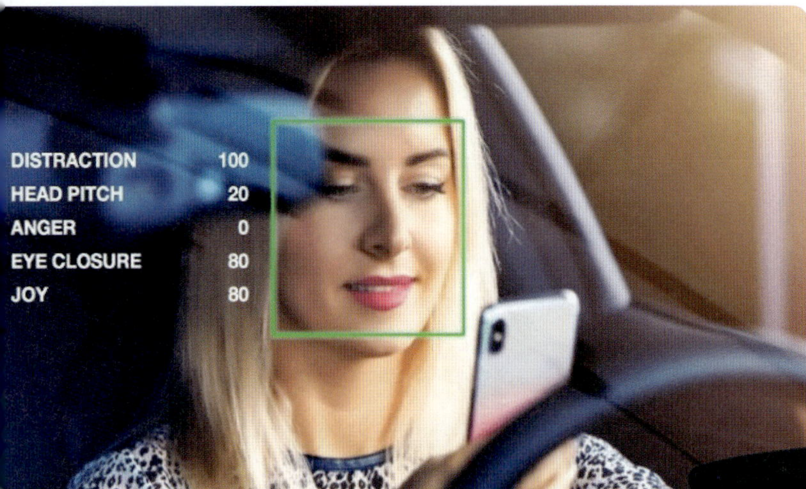

어펙티바의 자동차 감성지능 플랫폼인 '어펙티바 자동차 AI'는 운전자와 승객의 얼굴과 목소리에서 오는 복잡한 감정상태를 이해하고 표정과 감정뿐 아니라 감정의 강도, 눈가림 및 눈 깜박임 속도, 신체적 산만도 감지함(출처: 인공지능신문)

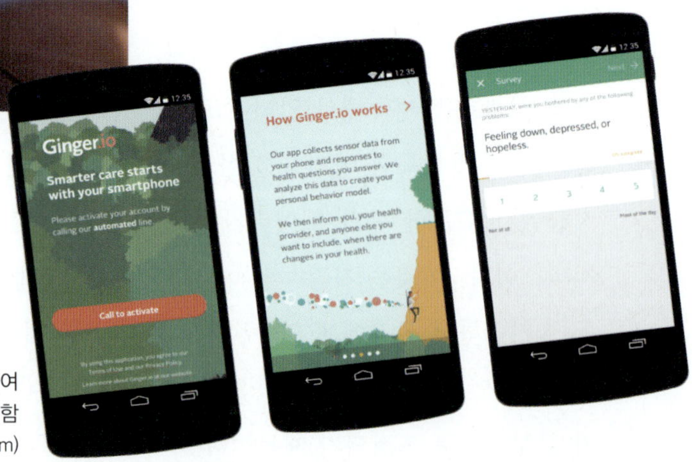

진저아이오는 스마트폰 사용 패턴을 분석하여 유저의 정신건강상태를 관리함 (출처: techcrunch.com)

추가적인 고려사항

경쟁상황을 고려하라.

고객생애가치 산출을 통해 무조건 가장 가치 있는 고객에게 집중하는 것이 최선이 아니다. 왜냐하면 고객생애가치는 고객의 종단 데이터를 통해서 분석하기 때문에 이 분석의 틀에는 기업의 경쟁상황과 같은 외부 환경과 관련한 내용이 고려되지 않았기 때문이다. 따라서 기업이 처한 시장의 상황, 경쟁의 구조 등에 따라 기업의 전략이 달라질 수 있음을 고려해야 한다.

생산성과 고객만족의 상쇄관계를 고려하라.

생산성과 고객만족의 관계는 제조업과 서비스업 간에 차이가 존재한다. 제조업에서 생산성의 증가는 낮은 비용과 높은 품질을 의미하며 이를 통해 고객만족이 일어난다. 따라서 제조업에서는 품질향상으로 인한 수익은 비용이 얼마나 절감되었는가에 따라 평가된다. 반면 서비스업은 보통 표준화보다 개별고객에 대한 맞춤형 서비스를 더 요구한다. 이러한 맞춤형 서비스는 서비스 품질향상으로 이어지며 이는 고객만족을 높이고 기업의 수익을 증대시킨다. 그러나 이러한 맞춤형 서비스는 비용을 수반한다. 즉, 서비스에서는 생산성과 고객만족 사이에 상쇄(trade-off)관계가 발생할 수 있다. 따라서 서비스에서는 생산성을 보는 패러다임의 전환이 필요하다. 제조업과 같이 무조건 생산성을 극대화하는 것을 목표로 하는 것이 아니라 고객만족과 생산성 사이의 상쇄관계를 고려하여 생산성을 최적화하는 것을 목표로 하는 것이 바람직하다. 이러한 생산성이 최적화되는 수준은 기술 수준에 의해서 달라진다고 알려져 있다. 기술이 고도로 발전할수록 생산성 향상과 고객 수익성 증대라는 두 목표를 모두 달성할 수 있을 것이다.

INSIGHT

빅데이터 시대의 명암: 부모도 모르는 딸의 임신, 대형마트는 알고 있다

한 남성이 화가 잔뜩 난 채로 대형마트에 들어서더니 “매니저 나와”라고 소리 질렀다. 손에는 이 대형마트가 딸에게 우편으로 보낸 아기 옷과 침대 등 유아용품 할인쿠폰이 들려 있었다. 남성은 “내 딸은 아직 고등학생인데 이런 쿠폰을 보내다니. 임신을 부추기는 거냐”고 따졌다. 영문을 몰랐던 매니저는 우선 남성을 진정시키고 돌려보냈다. 며칠 뒤 재차 사과를 하려고 전화를 건 매니저에게 뜻밖의 반응이 돌아왔다. 이 남성은 “딸이 임신을 한 걸 뒤늦게 알게 됐다”며 사과했다. 미성년 딸이 부모 모르게 아이를 가졌던 것이다. 대형마트 마케팅팀은 부모도 몰랐던 딸의 임신 사실을 어떻게 알아챘을까? 답은 ‘빅데이터 분석’에 있다. 이 얘기는 미국 대형마트 ‘타깃(Target)’의 미니애폴리스 점포에서 실제로 일어났던 일이다. 〈뉴욕 타임즈〉가 보도한 이 사례는 빅데이터 분석의 힘을 여실히 보여준다. 대형마트는 고객이 가족에게도 알리지 않은 비밀을 찾아내 앞으로 무엇이 필요할지 정확하게 예측해냈다.

타깃의 빅데이터 전문가들은 고객의 25가지 구매 행태를 분석하면 여성의 임신과 출산을 상당히 정확하게 예측할 수 있다는 사실을 확인했다. 예를 들어, 향이 나는 로션을 사던 여성이 무향의 로션으로 바꾸거나, 평소 사지 않던 미네랄 영양제를 갑자기 사들이는 경우이다. 타깃은 고객 데이터베이스에 이를 적용했고, 전국적으로 수만 명의 임신 추정 여성들을 가려내 관련 할인쿠폰을 보냈다. 이를 통해 고객의 구매 행동을 이끌어낼 수 있기 때문이다.

그렇다면 국내는 사정이 어떤가? 현행 ‘개인정보보호법’은 대형마트를 비롯한 기업들이 당사자의 동의 없이 정보를 수집하는 것을 금지한다. 이에 따라 기업들은 포인트 혜택을 내건 회원 제도를 활용해 부분적으로 정보 수집과 활용에 대해 사전 동의를 끌어내고 있다. 그런데 최근 기업들이 사전 동의 규제를 완화해야만 빅데이터 산업이 발전할 수 있다고 목소리를 높이면서 개인정보 보호 등 ‘정보 인권’을 둘러싼 논쟁이 가열되고 있다.

미국 시장조사업체 IDC

미국의 대형마트 타깃(Target)

는 지난해 11월 세계 빅데이터 시장이 연평균 23% 성장해 2019년에는 486억 달러(59조 원)에 이를 것으로 내다봤다. 이 업체가 말하는 빅데이터 시장이란 기업과 정부 등이 빅데이터 기술을 도입하는 데 필요한 소프트웨어, 서비스, 인프라 구축 등을 말한다. 이 분야 세계 선두업체는 미국의 IBM, SAS 등이다.

사실 빅데이터 시장의 경제적 가치는 이에 한정되지 않는다. 컨설팅회사 매킨지는 빅데이터 기술을 적용하면 세계 의료, 공공행정, 소매, 제조 등 각 부문에서 저마다 1%의 생산성 향상을 이룰 수 있다고 전망했다. 이럴 경우 분야별로 1,000억 달러(121조 원)에서 7,000억 달러(847조 원)의 부가가치가 추가로 생산된다.

이처럼 빅데이터 시대에 대한 경제적 기대감은 상당하다. 하지만 다른 한편에선 아버지보다 딸의 사정을 더 잘 아는 대형마트 같은 사례가 불러올 사회적 위험에 대한 우려도 만만찮게 나온다. 앞으로 사물인터넷(IoT) 기술은 우리 삶을 더 촘촘히 기록하고 인공지능(AI)은 이런 데이터 뭉치를 더 효율적으로 분석할 것이다. 결국 빅데이터를 입맛대로 요리하는 기업은 나도 깨닫지 못하는 내 취향과 행동양식을 속속들이 짚어내고, 가장 가까운 사람도 모르는 내 비밀을 알아챌 수도 있다. 빅데이터 활성화에 대한 모색과 아울러 개인정보 보호 법제의 새 판을 짜기 위해 정부와 시민사회, 기업, 전문가들이 범사회적 논의를 시작해야 할 이유가 여기에 있다.

자료원: 한겨레, "부모도 모르는 딸의 임신, 대형마트는 알고 있다." 2016.02.11, 일부 내용 발췌

최적 개인화 수준을 파악하라.

빅데이터를 통해서 고객정보에 더욱 세밀하게 접근할 수 있게 됨에 따라 프라이버시 문제가 불거지고 있다. 즉, 기업은 고객과의 상호작용을 통해 고객정보를 지속적으로 알고자 하지만 모든 고객이 개인화 기술이 기업과 소통하는 도구로 사용되는 것을 환영하지 않을 수 있다. 따라서 프라이버시 존중과 서비스 개인화 사이의 상쇄관계를 고려하여 고객이 편안하게 느끼는 최적의 개인화 수준을 결정하는 것이 필요할 것이다.

직무, 서비스, 전략의 특성을 고려해서 AI를 활용하라.

기업이 직원을 AI로 대체하는 결정은 직무 수준이 아닌 과업 수준에서 일어나야 한다. 따라서 기업은 한 직무에 대한 과업 포트폴리오를 생각하고 직원과 AI 사이의 노동 분담을 최적화해야 한다. 이 때 기업은 과업이 필요로 하는 지능 수준을 고려해야 하며, 서비스가 거래 중심적인지, 혹은 관계 중심적인지를 고려해야 한다. 일반적으로 고객과의 깊은 상호작용을 요구하는 서비스일수록 AI로 대체하는 것이 어렵다. 또한 기업은 원가효율성 전략이 필요한지, 고품질 서비스 전략이 필요한지를 고려해야 한다. 일반적으로 원가효율성이 중요한 경우에는 AI 대체가 효과적이다. 고품질 서비스를 제공하는 전략이 핵심적이라면 AI보다는 직원을 배치하는 것이 더 효과적이다. 그러나 인공지능이 계속해서 발전한다면 이러한 고품질 서비스 전략에서도 AI를 통해 서비스를 제공하는 것이 가능해질 것이다.

기술 발전이 항상 이로운가?

기술이 서비스를 향상시키는 데 많은 이점이 있지만 잠재적인 부정적 결과도 동시에 존재한다. 고객을 위한 기술과 서비스에는 역설이 존재하는데, 일반적으로 기술은 인간에게 자유와 독립을 제공할 수 있지만 융통성이 없는 경우에 기술은 제한적일 수 있다. 또한 기술은 사회적 상호작용을 활성화시킬 수 있지만 동시에 지나치게 기계에 의존하게 함으로써 면대면 대화나 인간적 상호작용을 감소시켜 인간을 고립시킬 수 있다. 뿐만 아니라 모든 고객이 기업과 상호작용하는 데 있어 기술을 사용하는 것을 좋아하는 것은 아니다. 어떤 고객들은 새로운 기술을 사용하는 것을 꺼려할 수 있다. 이는 직원도 마찬가지이다. 직원 역시 기술을 받아들이고 자신의 업무에 융합하는 것을 꺼려할 수 있다. 특히 기술의 발전이 인간의 노동력을 대체하고 직업을 없앨 수 있다고 생각하면 그러한 두려움은 더욱 증폭된다. 따라서 기업은 기술이 이러한 역설을 가지고 있다는 것과 고객과 직원이 새로운 기술의 수용을 반기지 않을 수 있다는 것을 고려해야 한다.

PART

02

상황 분석과 포지셔닝

SERVICE MARKETING

CHAPTER 04 상황 분석과 포지셔닝

SERVICE MARKETING

CHAPTER

04

상황 분석과 포지셔닝

PROLOGUE

4차 산업혁명을 이끄는 주역, 플랫폼 글로벌 플랫폼 기업 'The Four' 아마존의 '플라이 휠 전략 (Fly Wheel Strategy)'

애플, 구글, 아마존, 페이스북 이 4개 기업은 미국을 대표하는 IT기업이다. 디자이너와 전문가들을 위한 컴퓨터 회사였던 애플은 대중의 선망의 대상이 되는 고가 명품 브랜드로 자신들의 정체성을 전환시킴으로써 다른 기업들은 따라올 수 없는 프리미엄을 얻게 됐다. 지식에 대한 욕구와 광고업자들의 영향력을 차단해 신뢰성 높은 검색 기업으로 거듭난 구글은 '검색되고 싶어 하는' 모든 기업들이 자신들을 통할 수밖에 없도록 시장을 독점하고 있다. 아마존은 투자자를 끌어들이는 매력적인 스토리와 비전으로 계속되는 적자에도 불구하고 유통업계의 최상위 포식자가 됐다. 또, 연결되고 공감을 얻고 싶어 하는 인간의 근본적인 속성을 건드리며 전 세계인을 이어준 페이스북은 우리가 자발적으로 제공한 사진과 정보를 통해 광고 수익을 얻는다. 이들 기업은 글로벌 시가 총액 1~4위를 다투는 초일류 IT 기업이라는 점과 거대한 '플랫폼'을 기반으로 사업을 전개한다는 공통점이 있다.

플랫폼 기업들은 시장 점유율을 올리기 위해 신기술 개발보다 경쟁자 제거를 위한 공격적 인수합병(M&A)을 무기로 활용한다. 구글의 모기업인 알파벳과 아마존, 애플, 페이스북, 마이크로소프트는 지난 10년간 $1,310억을 투입해 436건의 인수합병(M&A)을 성공시켰다. 벤처에서 혁신 마인드로 플랫폼을 개발해 놓으면 인수합병 후 운영은 그대로 맡기지만, 글로벌 기업의 자금력과 인력 투입으로 효율성을 극대화하며 막강한 플랫폼으로 성장시켜 새로운 사업 영역으로 확장해 나가는 것이 대부분 글로벌 플랫폼 기업들의 신사업 전략이다.

아마존의 '플라이 휠 전략'은 성공적인 플랫폼 기업이 시장을 석권하는 단계를 잘 보여주고 있다. '플라이 휠'은 처음 시동에는 폭발적인 힘이 들지만 한번 가속도를 얻고 나면 연료 공급 없이도 관성으로 돌아가는 자동차의 기계장치를 의미한다. 아마존은 초기에 밑지고 최저가에 팔면서 고객을 사로잡는다. 그 다음 경쟁자들이 나가 떨어지면 아마존은 순식간에 시장을 장악한다. 여기서 그치지 않고 번 돈은 남김없이 신사업 확장과 고객의 새롭고 참신한 경험을 위해 투자한다. 그러면 더 많은 고객을 자연스럽게 아마존 생태계로 끌어들인다. 고객이 더욱 늘어나며 매출이 커지면, 그 돈을 다시 투자하는 방식이다. 더 많은 고객을 끌어들여 최저가에 판매한 결과 아마존은 시장을 초토화시키면서 어떤 경쟁사도 넘볼 수 없는 엄청난 플랫폼을 구축하게 됐다. 아마존이 초기 10여 년간 적자를 보면서도 꾸준하게 투자한 이유를 현재 아마존의 플랫폼이 잘 설명해 주고 있다.

기존 비즈니스 모델에서 전통적인 기업들은 제품과 서비스 경쟁을 통해 고객을 확보했지만 플랫폼 시장을 장악한 기업들은 별다른 비용을 들이지 않아도 사람들이 자발적으로 고객이 되는 구조이므로 엄

대표적인
글로벌 플랫폼 기업,
The Four
(출처: SNS 타임즈)

청나게 빠른 속도로 성장할 수 있다. 이미 'The Four' 기업들은 전 세계를 장악하고 있으며 이들이 없는 삶은 상상하기 힘들 정도로 우리의 삶 속에 깊숙이 침투해 있다. 4차 산업혁명 시대를 맞아 이의 기반이 되는 IoT, 빅데이터, AI, 블록 체인 등 핵심 기술 발달과 더불어 다가오는 플랫폼 구조의 시장 변화에 대응하는 기업들의 전략에도 대전환이 필요하다.

자료원: SNS 타임즈, "4차 산업혁명을 이끄는 주역 플랫폼(3편)," 2018.06.07;
SNS 타임즈, "4차 산업혁명을 이끄는 주역 플랫폼(프롤로그)," 2018.05.16.

4.1
시장 상황 분석

마케팅 관리는 고객에게 높은 가치를 제공하기 위해 마케팅 믹스를 계획 및 실행하고 통제하며 평가하는 모든 과정이다. 마케팅 관리과정은 구체적으로 상황 분석 및 마케팅 목표 수립, 세분시장 마케팅 전략의 수립, 마케팅 믹스의 수립 및 수행, 마케팅 활동의 조정 및 통제과정으로 이루어진다. 시장 상황 분석은 기업의 환경을 이해하는 단계를 말하며, 통상 3C 분석이라고 일컫는 경쟁자(competitor), 자사(company), 고객(customer)에 대한 분석을 통하여 이루어질 수 있다.

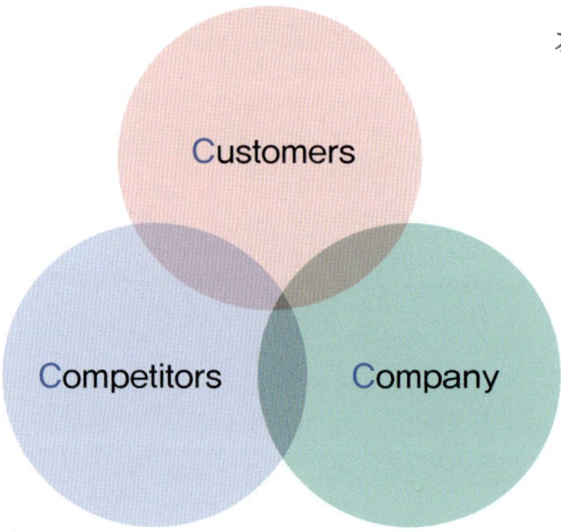

3C 분석

경쟁자 분석(competitor)

경쟁이란 고객에게 양질의 상품을 싼 가격에 공급하는 시장의 원리인 동시에 혁신의 원동력이다. 경쟁은 상품 형태에 의한 경쟁, 상품 범주에 의한 경쟁, 본원적 효익에 의한 경쟁, 고객의 예산 내에서 어느 부문에 지출하는가에 따른 경쟁 등 다양한 차원에서 이루어진다. 상품 형태에 의한 경쟁은 브랜드에 의한 경쟁이라고도 하며, 동일한 상품 형태로 인해 발생하게 되는 경쟁을 의미한다. 상품 범주에 의한 경쟁은 유사한 속성을 보유한 상품을 경쟁자로 파악하는 방법이다. 본원적 효익에 의한 경쟁은 고객의 동일한 욕구를 충족시키는 상품 모두를 경쟁 관계에 있다고 보는 관점이며, 예산에 따른 경쟁은 가장 포괄적이고 넓은 의미의 경쟁으로 고객이 어떤 상품에 예산을 사용할 것인가에 관련한 경쟁이다.

고객을 중심으로 경쟁자를 파악하는 방법에는 고객의 인식에 따른 방법과 고객의 행동에 따른 방법이 있다. 고객이 어떤 두 상품이 비슷하다고 생각할수록, 그들 간의 대체 가능성이 높아진다. 고객 행동에 기초한 방법이란 고객이 실제로 대체 사용하는 패턴을 관찰하여 주요 경쟁자들이 누구인지를 파악하는 방법이다.

경쟁자는 기존 경쟁자, 잠재 경쟁자, 대체 경쟁자로도 나눌 수 있다. 현재 산업 내에서 경쟁하고 있는 기업을 기존 경쟁자, 진입장벽을 넘어 시장에 새로이 진출하려는 기업을 잠재 경쟁자, 버스와 택시의 관계처럼 긴밀한 대체재 관계를 가지는 기업을 대체 경쟁자라고 한다.

자사 분석(company)

자사 분석은 기업이 통제할 수 있는 내부 환경요인을 살펴보게 된다. 내부 환경요인은 최고경영층에 의해 주도되는 요인들과 마케팅 부서에 의해 통제되는 요인들로 나누어 살펴볼 수 있다. 최고경영층은 기업의 전반적인 목표, 기업문화, 사업영역, 마케팅 부서의 역할, 기타 부서들의 역할 등에 관한 의사결정을 통하여 마케터에게 영향을 미치게 된다. 마케팅 부서에 의해 통제되는 내적 환경요인들로는 마케팅 조직의 구축, 마케팅 믹스의 구성과 계획, 표적시장과 마케팅 목표의 선택 등이 있다.

기업이 신규 시장에 진입하기 위해서는 기업의 내부환경과 기업이 진입하려는 시장과의 적합성에 대한 분석이 필요하다. 기업이 새로운 시장으로 진입하려고 할 때, 새로운 시장이 기존의 기업문화나 기업 사명과 맞지 않을 경우 진입을 포기할 가능성이 높다. 또한 기업은 보통 여러 개의 사업을 하기 때문에 새로운 시장에 진입할 시에는 기업이 이미 진출해 있는 다른 시장들과의 적합성도 고려하여야 한다.

고객 분석(customer)

기업이 표적시장을 선정할 수는 있지만 선정된 표적고객들의 특성을 통제할 수는 없기 때문에 고객은 기업이 통제할 수 없는 외부 요인의 하나이다. 소비자는 상품을 구

INSIGHT

BTS 키운 빅히트엔터테인먼트 가수의 일상, 백스테이지, 자체 제작 예능 고객 가치 고려한 '팬 콘텐츠'

아이돌그룹 방탄소년단(BTS)의 신곡 '작은 것들을 위한 시' 뮤직비디오가 역대 최단 시간(37시간)으로 유튜브 조회 수 1억 뷰를 돌파했다. 미니앨범의 전 세계 공개와 동시에 미국 · 캐나다 · 일본 등 86개국 아이튠스 앨범 차트 1위, 미국 빌보드 200 1위, 국내 최대 음원서비스 멜론의 서비스 장애를 일으킬 정도로 전 세계를 또 한 번 흔들고 있다. 방탄소년단의 소속사인 빅히트엔터테인먼트(공동대표 방시혁 · 윤석준)는 K팝의 발원지로 여겨졌던 '빅3(SM, YG, JYP)' 엔터테인먼트의 아성을 이미 무너뜨리고 있다. 빅히트의 지난해 영업이익은 641억 원으로 SM(477억 원), YG(95억 원), JYP(287억 원)를 압도했다.

빅히트의 미션은 '고객들에게 위안을 주는 음악과 아티스트(Music and Artist for Healing)'이다. 윤 대표는 "어떻게 하면 '고객'들에게 '가치 있는' 콘텐츠를 제공할 수 있을까를 항상 생각한다"며 "단순히 음악을 제공하는 것이 아니라 '우리 고객들이 뭘 원하는지', 지금의 젊은 세대들이 어떤 생각과 고민을 갖고 있는지를 고민하는 과정에서 '고객들이 새로운 경험을 할 수 있는 것'을 끊임없이 생각한다"고 말한다. 빅히트는 가수의 일상부터 공연장 백스테이지의 모습, 자체 제작 예능 등 팬들을 위한 다양한 영상인 '팬 콘텐츠'를 집중적으로 만들었고, 2013년 데뷔한 방탄소년단의 인기 몰이의 밑바탕이 됐다. 방

방탄소년단의 소속사 빅히트엔터테인먼트

미국 시사주간지 타임지 표지모델이 된 방탄소년단의 모습

탄소년단의 경우 칠레 현지에 가서 휴대폰을 들고 라이브로 자신들의 모습을 중계하고, 유튜브에 올리는 등 자신들의 일거수일투족을 팬들이 볼 수 있게 만들었다. 이전까지 아이돌의 일상을 담은 프로그램은 모두 방송국의 기획에 따라 정해진 시간에 방송되는 경우가 전부였다. 하지만 빅히트는 자신들이 원하는 때에 언제라도 자연스럽게 방탄소년단의 모습을 담아 실시간으로 영상을 올리는 방법을 개척한 것이다. 팬 입장에서도 이전 아이돌보다 훨씬 사실적이고 다양한 영상을 접할 수 있었고, 실시간으로 올라오는 영상에 댓글을 달거나 심지어 팀 멤버와 채팅을 통해 소통도 할 수 있어 방탄소년단을 마치 친구 · 오빠 · 남동생 · 형처럼 느낄 수 있었다. 윤 대표는 "이 같은 팬들과의 소통은 번역할 필요도 없었다. 어느 정도 팬층이 쌓이고 참여가 이뤄지자 팬들이 알아서 다양한 언어로 번역해서 전파했다"고 전했다. 그는 이어 "사실 우리는 처음부터 글로벌 시장에 진출하고자 한 것이 아니었다. 방탄소년단의 'LOVE MYSELF(진정한 사랑의 시작은 나 스스로에 대한 사랑)'라는 메시지를 한국어로 전달하는 데 집중했고 이 같은 메시지에 팬들이 반응한 것으로 보인다"고 밝혔다. 글로벌 시장에 진출하기 위해 외국어에 집중하는 등 글로벌 시장에 자신들을 맞추기보다는 팬 콘텐츠가 우선이라는 회사 목표에 따라 치밀하게 콘텐츠를 만들고, 의미있는 메시지 전달에 힘쓰면서 팬들과 자연스럽게 소통하는 과정에서 결국 승리의 원동력이 됐다는 뜻이다.

자료원: 매일경제, "빅히트 대표 – 정답은 콘텐츠입니다," 2019.04.19.

매할 때 문화, 가족, 종교 등에 의하여 영향을 받으며, 기업은 소비자들의 마음에 드는 서비스를 제공해야 한다. 따라서 기업은 고객의 행동과 욕구를 분석하여 그에 맞는 마케팅 활동을 행하여야 한다.

고객을 분석함에 있어서 고객을 한 명의 개인으로 볼 것인가 조직의 구성원으로 볼 것인가를 정하는 것이 중요하다. 기업 고객은 한 명의 독립적인 개인일 수도 있고 집단을 대표하는 하나의 구성원일 수도 있다. 고객이 집단을 대표하는 구성원일 경우 서비스는 한 명의 개인, 즉 '구매 대리인'에 의하여 구매되지만 실제로는 집단의 다른 구성원에 의해 이용된다. 그러므로 이런 경우 고객은 구매 당사자가 아니라 조직 전체가 되며 기업의 서비스는 조직 전체의 필요와 욕구를 충족시켜야 한다. 그러나 많은 경우 기업의 판매원과 직접적으로 의사소통하는 구매 대리인만을 고객으로 인식하여 실제 사용자인 다른 구성원들을 간과하는 우를 범하곤 한다. 일반적으로 조직 구성원들의 필요와 욕구가 구매 대리인에게 정확하게 전달되지 못할 수 있고, 구매 대리인과 조직 구성원이 상이한 관점을 가질 수 있기 때문에 고객을 좁은 시각으로 바라볼 경우 실제 사용자의 서비스 품질 인식에 악영향을 미칠 수 있다는 사실을 유의해야 한다.

4.2
S-T-P 분석

현대에 와서 급속한 환경변화에 따라 제품과 서비스의 수명주기가 무척 짧아졌다. 4차 산업혁명으로 빅데이터를 활용한 고객정보의 분석과 예측은 더욱 정교해지고 기업 활동에 대한 고객참여 또한 증가하고 있다. 이는 기업에게 있어 새로운 기회이자 위험요인이 되고 있다. 더욱 거세진 경쟁 속에서 많은 비용을 들여 개발한 제품 혹은

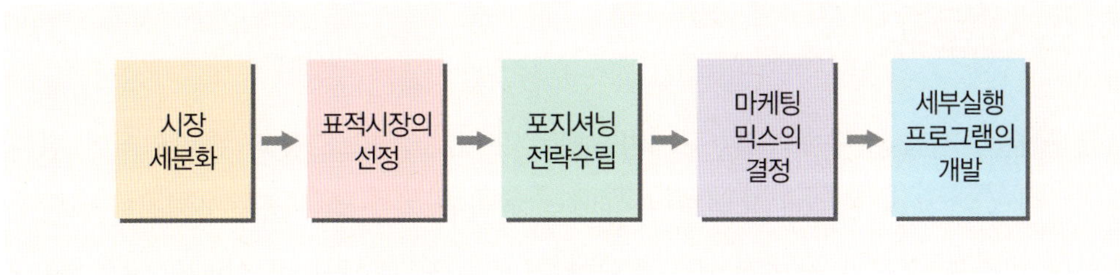

그림 4-1 | 포지셔닝 관련 흐름도

서비스가 시장에서 성공할 확률은 감소하고 있으며 성공을 하였다 하더라도 시장점유율을 확보/유지하는 것이 더욱 어려워졌다.

이런 까닭에 기업의 마케팅 전략의 기본단계로서 S-T-P 분석(시장세분화 → 표적시장 선정 → 포지셔닝)이 갖는 의미는 더욱 중요해졌다 하겠다. 그리고 이에 따른 세부적인 프로그램들이 준비되어야 하는데, 이 세부적 프로그램들이 바로 마케팅 믹스로 통칭된다. 포지셔닝 전략수립단계를 관련된 단계들로 묶어 파악한다면 [그림 4-1]과 같은 흐름도가 그려질 수 있다.

S-T-P 분석은 철저하게 고객 중심으로 이루어져야 한다. 기업의 정책, 절차, 관례나 담당자의 근시안적 사고, 과거 경험 등으로 인해 서비스 제공과정이 고객이 바라던 기대와 다른 방향으로 이루어질 수 있다. 고객의 최종 만족은 결과에 대한 기대에 근거한 서비스 과정에 대한 인식에서 나오기 때문에 고객만족은 고객이 인식한 품질뿐만 아니라 서비스에 대한 기대에도 영향을 받는다. 그러므로 기업은 항상 기업의 입장이 아닌 고객의 입장에서 고객의 기대와 니즈를 이해할 필요가 있다. 기술적으로 무엇을 하고 그것을 어떻게 해야 하는가를 아는 것이 고객이 무엇을 기대하고 필요로 하는지 아는 것과 반드시 일치하지는 않는다. 예를 들어, 의료서비스에서 "아무런 의학적 지식이 없는 환자가 적절한 치료에 대하여 무엇을 말할 수 있는가?"라는 생각과 "환자의 시각을 고려하지 않고 어떻게 의술을 펼칠 수 있는가?"라는 상반된 의견이 있을 수 있다. 그러나 환자는 자신의 병에 대하여 원하던 치료가 이루어졌는지 최종 판단하는 사람이고, 의료서비스가 자신의 기대에 부합하였는가를 판단하는 사람이다. 그러므로 이러한 판단들이 서비스의 기준을 세우는 데 있어서 중요한 요소로 고려되어야 하며 그렇지 못한 의사와 병원은 나쁜 평판을 얻을 것이다.

시장세분화

모든 세분화 전략은 구매과정, 구매자 행동, 구매자의 니즈 등과 관련되어야 한다. 구매자의 니즈가 막연하게 표현되면 구매로 전환될 가능성이 불투명해진다. 즉, 구매자의 미충족 욕구가 분명하게 표현되어 전체 시장 내에서 반영이 되어야 비로소 새로운 세분화 도구가 될 수 있는 것이다.

효과적인 시장세분화를 위해서는 각 세분시장이 적정규모 이상이며, 상이한 반응을 보이며, 측정 가능하고, 접근 가능해야 한다. 일반적으로 시장세분화에 사용되는 기준들은 다음과 같다.

인구통계학적 기준 인구통계학은 세분화된 시장들의 사실이며 연령, 지리, 가정 규모와 구성, 가족수명주기 단계, 성별, 결혼 여부 등을 포함한다. 인구통계학을 하나의 골격, 즉 기업이 각 세분시장 내의 고객들의 프로필을 구축하는 구조 또는 틀이라고 생각하면 도움이 된다. 인간이 골격이 없이는 어떠한 기능도 수행할 수 없는 것과 마찬가지로 마케터들이 인구통계학 자료가 없는 상황에서 마케팅 의사결정을 효과적으로 수행하는 것은 극히 어려운 일이다.

심리학적 기준 일단 인구통계학으로 틀이 잡혀 있으면 보다 심층적인 이해를 위해 심리학이 필요하다. 심리학은 태도, 역할 모형, 라이프스타일, 혁신 보급 정도, 사회계층, 인간행동의 심리학적 모형, 성격 등에 중점을 둔다. 인구통계학이 골격이 된다면 심리학은 하나의 인간이 살아 숨 쉬도록 덧붙이는 것이라고 할 수 있다.

구매행동 기준 사용 경험, 사용 빈도, 브랜드 애호도 등의 구매행동을 분석하는 것은 또 다른 효과적인 세분화 방법이며 표적 세분시장을 선정하는 데 필요한 통찰력을 제공하고 각 세분시장에서 이용될 마케팅 믹스를 개발하는 데 중요한 과정이다. 예를 들면, 구매행동 분석을 바탕으로 하여 다음의 가설적인 결론이 유도될 수 있다.

연령이 높은 층의 고객들은 적은 양을 구매하는 경향이 있다. 그러나 브랜드와 점포에 대한 충성도는 높다. 만일 브랜드나 점포를 전환하게 되면 그 이유는 가격이나 품질이 아니라 서비스 때문이다. 가족의 수입이나 직업과는 상관없이 가격에 민감한 구매자들은 단기할인, 쿠폰, 또는 사은행사와 같은 구매시점(point-of-purchase) 자극에 반응하여 충동적으로 구매하는 경향이 있다.

이러한 예에서 볼 수 있듯이 구매행동에 대한 결론은 인구통계학과 심리학 자료를 바탕으로 하여 구축되는 것이다. 구매행동자료를 이용하는 마케터들은 이 프로필을 토대로 기존의 구매행동패턴과 구매과정에서 미충족된 니즈를 고려하는 효과적인 마케팅 전략을 개발할 수 있다.

세분시장의 독특한 니즈 우유를 마시면 배탈이 나거나 속이 더부룩한 소비자를 타겟으로 출시되는 '기능성 유제품'이나, 1~2인 가구가 늘어나면서 등장한 '중소형 아파트'와 같이 틈새 소비자의 기호에 집중한 세분시장이 있을 것이다. 이는 전체 시장의 니즈라기보다는 독특한 세분시장의 니즈에 부응하는 서비스라고 할 수 있다. 서비스 제공물이나 세분시장의 니즈에 독특한 면이 있는지 살펴보는 것도 중요한 일이다. 기업의 능력과 이 세분시장의 니즈가 일치하면 집중전략을 구사하게 되는데, 우선 목표시장에 대한 정보를 공유하기 위해 기업의 마케팅 믹스가 조정된다.

서비스 제공 수준 분야마다 서비스 수준이 상이한 기업들이 존재하며 고객은 시간이 경과함에 따라 어느 기업이 어느 수준의 서비스를 제공하는지를 파악하게 된다. 높은 수준의 서비스를 원하는 고객들은 이러한 서비스를 제공하는 업체를 이용할 것이고 또 저가에 관심이 많은 고객들은 저가의 서비스를 제공하는 업체를 이용할 것이다. 즉, 서비스 제공자는 서비스 수준면에서 고객의 마음속에서 기억되도록 포지셔닝해야 한다.

어떤 서비스 기업은 풀 서비스(full service)를 제공하지 않는 덕분에 성장한다. 서비스 가격이 낮은 대신 서비스 수준을 낮춰서 제공하기 때문이다. Walmart 월마트, emart 이마트와 같은 유통업체가 대표적인 예이다. 로드 앤 테일러, NeimanMarcus 니만 마커스, NORDSTROM 노드스트롬과 같은 상점에서 고가라도 기꺼이 지불하는 고객이 있듯이 서비스 수준이 낮더라도 저가 서비스를 이용하기를 원하는 고객들이 있기 때문이다. 서비스 품질, 고객지향과 같은 용어 때문에 모든 세분시장이 무조건 최고 수

INSIGHT

건강 · 삶의 질 추구하는 밀레니얼 세대 위한 프리미엄 푸드 마켓

가격보다는 '먹거리 안전'에 중요한 가치를 두는 '밀레니얼 세대'가 주요 경제층으로 부상하면서 프리미엄 식품 수요가 크게 증가하고 있다. 닐슨코리아가 발간한 '2018년 국내 신선식품 트렌드 보고서'에 따르면 소비자의 76%가 가격보다 품질을 우선시한다고 응답했다.

이에 따라 유통업계에서는 프리미엄 식자재 판매 채널을 온 · 오프라인 가리지 않고 늘리고 있다. 롯데슈퍼는 2018년 12월 프리미엄 푸드 마켓 온라인 몰인 '롯데 프리미엄 마켓'을 열었다. 샤인머스캣, 인도산 애플망고, 태국산 미니 파인애플 등 프리미엄급 과일, 활어센터에서 직송한 활어와 활 랍스터, 전용고에서 숙성한 소고기 등 친환경 · 이력제 등록상품 등을 엄선해 취급한다. 5%가량은 최상위 프리미엄 상품이고, 40%가량은 고급 식품관 등에서 찾아볼 수 있는 프리미엄급 상품으로 구성했다.

롯데 프리미엄 푸드 마켓(출처: 이투데이)

신세계 계열의 이마트는 SSG푸드마켓과 자체 브랜드인 피코크키친마켓(PK마켓)을 합쳐 총 7개의 프리미엄 슈퍼마켓을 운영하고 있다. 국내 매장 수를 공격적으로 늘리는 대신, 푸드코트를 전면 리뉴얼하는 등 기존 매장의 경쟁력을 높이는 중이다. 고품질 식재료를 구입한 매장에서 바로 요리해 즐길 수 있는 '그로서란트(Grocerant)' 매장도 인기다. 그로서란트 매장은 식재료를 판매하는 그로서리(grocery)와 레스토랑(restaurant)을 합친 말로, 육류나 해산물 등 신선한 식재료를 구입한 매장에서 바로 요리해 즐길 수 있는 공간이다.

이마트 SSG 푸드마켓(출처: 이투데이)

유통업계 관계자는 "과거처럼 단순히 물건을 사고파는 유통의 시대는 지나갔다"면서 "전 세계에서 유기농 제품을 가장 많이 판매한 덴마크의 프리미엄 슈퍼마켓 이야마, 프랑스 파리의 식료품점 그랑드 에피세리, 독일의 도심형 할인 슈퍼마켓 알디 등 소비자들은 가치 있는 소비를 할 곳을 원하고 있다"고 설명했다.

자료원: 이데일리, "비싸도 안심 먹거리… 프리미엄 식자재 마켓 '북적북적'," 2019.02.12.

낮은 서비스 비용으로 제품가격을 낮춘 월마트

준의 서비스를 원한다고 보아서는 안 된다. 마케터는 각 세분시장이 기대하는 최적 서비스의 유형과 수준을 파악해야 한다. KOREAN AIR 대한항공의 경우에도 JINAIR 진에어라는 저비용 항공사를 자회사로 두고 가격지향적인 고객에 대응하고 있다.

표적시장 선정

세분시장은 규모와 성장률, 경쟁우위, 자사와의 적합성 등을 고려해 평가할 수 있다. 각 세분시장을 평가한 후 표적시장(target market)을 선택할 때 세 가지 전략이 가능하다. 단일세분시장을 타겟으로 선택하는 집중화 전략, 복수세분시장을 선택해 각 세분시장별로 마케팅 전략을 수행하는 차별화 전략, 세분시장별 차이를 무시하고 전체 시장을 하나로 보는 비차별화 전략이 그것이다.

대부분의 마케터들은 자기 능력을 과신하는 경향이 있기 때문에 능력 이상의 것을 시도함으로써 여러 가지 어려움에 직면하게 된다. 가장 성공한 서비스 마케터는 얼마 안 되는 시장 규모라도 중점을 두어 꾸준히 공략해가는 사람들이다. 그리고 표적시장에 대한 결정 역시 시간이 경과함에 따라서 변할 수 있다. 서비스 과정에서는 고객들이 자주 접촉하고 상호작용을 하기 때문에 고객들이 서로에게 영향을 미치게 된다. 따라서 너무 다양한 필요와 욕구를 가진 집단들을 동시에 만족시키는 것이 매우 어렵다. 그러므로 구성원들이 상당히 다양한 세분시장을 공략한다면 그들을 분리하는 것이 현명할 것이다.

고객은 자신이 큰 세분시장의 구성원일지라도 서비스 제공자가 한 개인으로 대해 주길 원한다. 그러므로 기업은 세분시장 개념을 맹목적으로 사용해서는 안 된다. 고객과의 직접적인 접촉은 고객 개인별 서비스의 출발점이 될 수 있으며, 정보기술의 발달은 고객 개인별 서비스 개발에 도움을 주고 있다.

포지셔닝

포지셔닝(positioning)은 시장 내 고객들의 마음에 자리매김한다는 의미를 갖는다. 기업의 포지셔닝 전략은 시장세분화를 기초로 정해진 표적시장 내 고객들의 마음에 자사분석, 고객분석, 경쟁분석 등을 기초로 하여 얻은 전략적 위치를 계획한다는 의미를 갖는다. 즉, 시장에서의 차별적 위치를 차지하여 고객욕구를 충족시키는 서비스를 표적시장에 제공하는 것이다.

포지셔닝은 시장에 대한 기업의 의사결정을 종합적으로 반영하고 있다. 즉, 기업의 고객은 누구이며(표적시장), 그들에게 어떤 이미지를(서비스 컨셉트), 어떤 방법으로(마케팅 믹스 전략) 인식시키려고 노력하는가를 포지셔닝 전략에 의해 파악할 수 있다.

서비스 마케팅에 있어 포지셔닝의 결과로 제시되는 서비스 컨셉트(service concept)는 매우 중요한 의미를 갖는다. 서비스 컨셉트란 기업이 고객에게 제공하는 서비스에 대한 약속으로 정의할 수 있다. 즉, 기업이 고객을 위해 무엇을 어떻게 하겠다는 의사표명인 것이다. 프리미엄 식재료와 샛별배송으로 입소문을 타면서 성장한 마켓컬리(Market Kurly)는 "당신의 라이프스타일을 완성하는 프리미엄 마켓"이라는 슬로건을 내걸고, 신선한 식재료를 매일 아침 집 앞에 가져다 준다는 서비스 컨셉트를 명시적으로 표현하고 있다. 기업은 위와 같은 명시적인 컨셉트를 기초로 활용 가능한 자원을 배분하게 된다.

샛별배송으로 성장한 마켓컬리(출처: brunch)

하지만, 서비스 컨셉트를 만들어 내는 작업이나 그것을 이행해 나가는 작업은 여러 가지 문제들에 직면하게 된다. 이는 서비스가 가지고 있는 여러 특성에 의한 것으로 특히, 무형성(intangibility)은 서비스 기업이 제시하려는 컨셉트와 고객들이 인식하는 서비스가 다르게 만들기도 하며, 기업 내부에서도 종업원의 노력과 경영진의 의도가 엇갈리게 만들기도 한다. 이러한 문제를 극복하기 위해 명확한 서비스 컨셉트를 개발하는 것이 중요하다.

그렇다면 서비스 포지셔닝은 제품 포지셔닝과 어떤 차이가 있는가? 서비스 포지셔닝은 대상 자체가 과정(process)으로 실체적 측면을 보유하지 못하고 그 품질의 평가에 있어서도 서비스 제공자들의 역할이 크며 또 고객들이 서비스 생산과정에서 중요한 역할을 하기 때문에 포지셔닝 전략수립에 있어서 다른 접근이 필요하다. 따라서 포지셔닝 전략을 수립할 때 고객들이 서비스 품질을 평가하는 기준들과 그 기준들의 상대적 중요도를 파악해 이를 기초로 시장 내 위치를 정해야 된다.

결국 서비스 포지셔닝이란 표적시장 내에 있는 고객에 대한 기업의 의사표현으로 자사의 서비스가 어떤 모습으로 고객들에게 인식되어야 할 것인가를 결정하는 단계이다. 이렇게 포지셔닝을 통해 기업은 서비스 컨셉트를 얻게 된다. 서비스 컨셉트란 기업이 시장에 제공하겠다고 계획하고 있는 서비스에 대한 전반적인 의사결정으로 세부적인 마케팅 실행계획들의 길잡이가 된다.

이하에서는 S-T-P 분석의 결과이자 서비스 마케팅 믹스를 수립하는 데 가이드 역할을 하는 서비스 포지셔닝에 대해 보다 구체적으로 살펴보도록 한다.

4.3
서비스 포지셔닝의 중요성과 원칙

서비스 기업이나 특정 서비스가 경쟁사나 경쟁사의 서비스와 관련하여 고객의 마음속에 독특하고 고유한 위치를 차지하게 된다면 성공적으로 포지셔닝되었다고 할 수 있다. 이렇게 되면 서비스는 고객의 마음속에 경쟁사의 서비스와는 다른 이미지를 확실히 심어 놓게 될 것이다. 포지셔닝은 다음과 같은 경우에 유용하다.

새로운 이미지 창조 프리미엄 유기농 음식을 신선하게 배달하는 업체로서 마켓컬리(Market Kurly)가 처음 샛별배송 서비스를 실시할 때 소비자들의 불신과 의심은 끊임없었다. 밤 11시까지 소비자가 각종 상품을 주문하면 다음 날 아침 7시 이전에 집 현관문 앞까지 배달해 주는 서비스는 어느 누구에게도 익숙하지 않았고 이전에 경험해 보지 못했던 서비스였다. 그러나 1~2인 가구가 증가하는 한국 사회의 인구구조 변화와 더불어 탁월한 O2O(Online to Offline) 비즈니스 모델, 그리고 효율적인 유통망 구축을 통해 이 회사는 2년여 만에 '새벽배송'과 '신선식품 배송체계'의 대명사가 되었다. 일반적으로 포지션은 주로 광고를 통해서 설정되는 경향이 있다. 그러나 서비스에 있어서는 모든 마케팅 요소들이 포지션을 강화시킬 수 있고 또 그래야 한다. 마켓컬리도 모든 마케팅 요소들을 이용한 일관성 있는 커뮤니케이션 방법을 통해서 성공적인 포지셔닝을 이룬 것이다.

기존 이미지 유지 강화 코웨이 맞춤케어렌탈 서비스는 깨끗하고 쾌적한 환경과 건강한 생활습관을 추구하는 고객들을 대상으로 포지셔닝된다. 생활가전 렌탈업계 1인자 코웨이는 정수기 · 공기청정기 · 비데 등 맞춤케어렌탈 서비스를 제공하면서 웰빙 · 라이프케어 기업으로 성장해왔다. 이 회사는 효과적으로 서비스 마케팅 믹스의 모든 요소를 이용하여 이러한 이미지를 고객들의 마음속에 자리매김하였다. 서비스 브랜드명 자체가 표적시장의 본질을 나타내고 있고 '깨끗'이라는 단어와 '깐깐'이라는 단어가 광고에 빈번하게 나온다. 최근에는 빅데이터, 사물인터넷, AI를 접목해 고객의 일상을 최상의 상태로 케어하는 첨단기술이 적용된 제품과 서비스를 출시했다. 이처럼 포지셔닝은 고객 마음에 구축된 기존 이미지를 유지하고 강화할 때 중요하다.

코웨이 영상

YouTube
https://www.youtube.com/watch?v=r8q9QISHYs0

제 목 _ 코웨이 정수기 TV광고
[깨끗하고 맛있는 물]편 15초
검색어 _코웨이 정수기 광고 15초

재포지셔닝을 통한 이미지 변화

CJ CGV는 국내 최초로 멀티플렉스(Multiplex) 극장 'CGV 강변11'을 개장한 이후, '멀티플렉스'를 중점으로 극장의 기본 서비스인 영화 관람 플랫폼을 제공해왔다. 그러나 대형 복합 쇼핑몰에서 쇼핑, 놀이, 공연, 교육 등을 원스톱으로 해결하는 현대인들의 소비 문화를 반영하여, 다양한 문화를 즐길 수 있는 복합문화공간 '컬처플렉스(Cultureplex)'로 포지셔닝을 변화시켰다. 대표적으로 리모델링 후 재개장한 CGV용산아이파크몰에는 방탈출 게임 공간 '미션

복합문화공간으로 변신한 CGV(출처: 혜원아 블로그; 전자신문)

브레이크'를 오픈해 엔터테인먼트 공간으로 확장시켰으며, VR과 체감형 스포츠를 즐길 수 있는 'VR 버스터즈(Busters)'를 도입해 콘텐츠를 다양화했다. 한편, CGV강변에는 자연 컨셉트의 영화관 '씨네&포레(CINE&FORET)'를 선보였는데, 이는 그린테리어(green interior)와 싱그러운 자연, 잔디 슬로프 바닥으로 내추럴한 숲의 분위기를 조성함으로써 소비자들에게 큰 인기를 얻었다. 특히 '씨네&포레'에서 영화 감상과 북 토크, 싱잉볼 명상, 페이스 요가 등 클래스를 결합한 문화 프로그램은 전석 매진을 기록하며 뜨거운 관심을 받았다. 이처럼 CGV는 극장 패러다임 변화를 도모하며 복합문화공간 '컬처플렉스'로 재포지셔닝하였다.

서비스 포지셔닝의 원칙

포지셔닝에는 다음과 같은 네 가지 원칙이 있다.

① 단일성(One Position) : 목표로 하는 고객의 마음속에 하나의 위치를 가져야 한다.
② 독특성(Unique Position) : 그 위치는 단순하면서도 일관된 메시지를 제공하는 독특한 것이어야 한다.
③ 차별성(Differentiated Position) : 그 위치는 다른 경쟁사들과 자사를 구별시켜줄 수 있어야 한다.
④ 집중성(Focused Position) : 한 회사가 모든 사람에게 모든 것을 줄 수는 없으므로, 자사의 노력은 선정한 포지션에 집중되어야 한다.

이 원칙들은 일반적인 마케팅 상황에서 모든 조직에게 적용될 수 있는 기본 포지셔닝 원칙이다. 더 나아가, 서비스의 고유 특성을 감안했을 때 유의해야 하는 서비스 포지셔닝의 원칙은 다음과 같다.

① 명시적 포지셔닝(explicit positioning) : 서비스 컨셉트를 아무리 명쾌하게 잡았더라도 커뮤니케이션 과정에는 어려움이 있다. 고객들은 서비스 품질에 대한 평가에서 명확한 인식을 하기가 상대적으로 곤란하며, 이에 따라 여러 서비스 조직들은 그들을 상징할 수 있는 가시적인 것들을 포지션과 연계하여 고객들에게 제시

한다. 즉, 실체적인 단서들을 명시적으로 제시하는 것이 요구되고, 이 때 경쟁사와의 차별성을 강조하는 대조적 포지셔닝(contrary positioning)을 고려할 수 있다.

② 고객 기대 및 인식 관리 : 고객이 무엇을 기대해도 좋을지를 인식시켜 주는 포지셔닝이 매우 중요하다. 고객의 인식 속에 의도한 대로 포지셔닝이 되지 않았을 경우, 수요가 거의 없어 아무도 원하지 않는 상황, 강한 경쟁자와 정면으로 경쟁해야 하는 상황, 또는 포지션이 불명확해 누구도 차별점이 무엇인지 모르게 되는 상황에 직면할 수 있다.

③ 고객 구매행동 이해 : 전자 제품에 있어 기능과 같은 기본적 속성보다 색상이나 디자인, 보증 및 A/S와 같은 부가적 속성들이 고객의 구매결정을 일으키는 차별화 요소가 되는 것처럼 서비스에서도 부가적 서비스가 차별화된 포지셔닝으로 이끄는 결정적인 속성이 되기도 한다. 이는 경쟁이 가열되면서 기본적 속성에 대한 각 기업의 접근방식이 비슷해지기 때문이다.

4.4 서비스 포지셔닝 실천 방법

서비스 포지셔닝은 어떤 기준에 따라 할 것인가? 서비스 포지셔닝은 일반적 기준이나 서비스 품질차원에 근거해 할 수 있다. 일반적 포지셔닝은 일반적인 마케팅 포지셔닝 기준에 근거하는 것으로, 구체적으로는 서비스의 속성, 서비스의 용도, 가격 vs. 품질, 서비스 등급, 서비스 이용자, 그리고 경쟁자 등에 따라서 포지셔닝하는 것이다. 서비스 품질에 따른 포지셔닝은 5가지 서비스 품질차원에 근거한다. 서비스 품질은 신뢰성(Reliability), 응답성(Responsiveness), 확신성(Assurance), 공감성(Empathy), 유형성(Tangibles) 등의 차원으로 구성되어 있다고 볼 수 있다. 이들 5가지 품질차원 중에서 하나 이상을 강조하면서 포지셔닝할 수 있다.

일반적 포지셔닝

서비스 속성 서비스 속성은 '최고로 잘하는 것(what it does best)'의 관점에서 포지셔닝하는 것이다. 예를 들면, O2O 배달 서비스 브랜드인 배달의민족 배달의 민족은 '우리가 어떤 민족입니까'라는 광고 문구를 유머러스하게 던짐으로써 효과적으로 소비자들에게 배달앱 브랜드 이미지를 각인시키는 한편, 배달음식에 대한 소비자들의 고정관념을 깨고자 했다. '제대로 된 식사'가 가능한 '맛있는 배달 음식'을 제공하는 '최고'의 배달앱 서비스로 포지셔닝하기 위해, 차별화된 컨셉트인 '전국의 배달 맛집' 혹은 '배달 맛집 대동여지도'라는 마케팅 전략을 내세웠다. 고객들이 직접 작성한 후기를 바탕으로 광고 모델인 류승룡 배우가 전국의 배달 맛집을 찾아내고 그 정보를 고객들에게 전달하는 것이다. 이러한 차별화된 포지셔닝을 통해 배달의 민족은 압도적인 업계 1위로서 입지를 다지게 되었다.

배달의 민족 앱 화면 일부

배달의 민족 초기 광고
(출처: 쓰임받는 나무 문도현 블로그)

서비스 용도 헬스클럽이 여기에 해당한다. 어떤 헬스클럽은 다이어트를 원하는 사람들이 이용할 것이고 또 어떤 헬스클럽은 단지 운동만을 원하는 사람들이 이용할 것이며, 또 근육단련을 위해서만 이용할 수도 있다. 각 포지션은 각기 다른 세분시장을 겨냥하고 있고 고유의 시설과 물리적 설비를 필요로 한다.

가격 vs. 품질 Southwest 사우스웨스트 항공(Southwest Airlines)은 저가정책을 취하는 항공사로 포지셔닝하였다. 이 회사는 여행자들이 식사를 포기하더라도 가격이 저렴한 항공운임을 원한다고 생각한다. 반면에 SINGAPORE AIRLINES 싱가포르 항공은 타겟고객들이 고품질 서비스를 원하며 높은 가격을 지불할 용의가 있다고 본다. 이처럼 같은 업종에서도 가격이냐 품질이냐를 가지고 포지셔닝할 수 있다. 호텔 중에서 SHANGRI-LA 샹그릴라(Shangrila) 호텔은 우아하고 고상한 고품질 호텔로 포지셔닝되어 있다.

서비스 등급 스타벅스(Starbucks)는 사람들이 가볍게 마시던 커피를 매장에서 여유롭게 즐기는 '문화' 개념으로 대중화시킴으로써 고급 커피 매장으로 포지셔닝하였다. 차별화된 서비스를 제공하기 위해 고품질 원두를 선별하고, 로스팅 기술을 연구하며, 체계적인 바리스타 양성 시스템을 구축하고 있다.

서비스 이용자 이를 활용한 예로 피트니스 프랜차이즈 브랜드 커브스(Curves)를 들 수 있다. 커브스는 여성층을 집중 공략하는 전략을 취하면서 센터 내 남자(no man), 거울(no mirror), 화장(no makeup)을 없애 경쟁업체와 차별화하였고, 여성들이 편한 옷차림과 얼굴로 남자들을 의식하지 않으면서 즐겁고 편하게 운동할 수 있는 분위기를 조성했다. 또한 숙박 분야의 예로는 Holiday Inn 홀리데이 인(Holiday Inn)이 레저 여행자들을 대상으로 포지셔닝한 데 비해서, Marriott 메리어트(Marriott) 호텔은 비즈니스 여행자들을 대상으로 포지셔닝한 것을 들 수 있다. enterprise 엔터프라이즈 렌터카(Enterprise Rent-A-Car)는 렌터카 업계의 3대 회사인 Hertz 허츠(Hertz), AVIS 에이비스(Avis), Alamo 알라모(Alamo)가 시장을 지배하고 있다는 사실을 깨닫고 적합한 포지션을 찾았다. 저예산의 보험 대체 시장(replacement market)을 선택했고 새로운 포지셔닝 전략의 성공으로 엔터프라이즈는 급성장을 하게 된다.

INSIGHT

세계 최고의 피트니스 프랜차이즈, 커브스 '30분 순환 운동' 바쁜 현대여성에 인기 '남자 · 거울 · 화장' 없애 헬스 홀릭 女心 저격

'여성전용 30분 순환운동'으로 입소문을 타고 있는 커브스는 1992년 미국 텍사스에서 시작되어 급속도로 확산되었고, 일본을 시작으로 한국, 중국, 홍콩, 대만 등 아시아 시장에서도 활발하게 운영되고 있는 세계 최대 피트니스 프랜차이즈 기업이다. 현재 국내에는 전국 300개 이상의 가맹점과 약 7만 명의 회원을 확보하고 있으며, 피트니스 프랜차이즈 기업으로는 전무후무한 성장 속도를 보이고 있다. 커브스가 까다로운 여성 고객의 마음을 사로잡으며 '여성들의 건강 파트너'로 자리매김하게 된 비결은 무엇이었을까?

커브스만의 차별화 요소이자 가장 큰 특징은 '3NO' 마케팅이라고 할 수 있다. 커브스의 창업주이자 CEO인 게리헤이븐은 커브스를 창업하기 전 여성전용 피트니스를 운영하다 큰 실패를 경험했다. 그는 실패의 이유를 고민하다 여성에게 불편한 세 가지를 없애기로 했고 그래서 탄생한 것이 신개념 피트니스 커브스다. 커브스에는 남자가 없고(No man), 거울이 없고(No mirror), 화장이 없다(No make-up). 여성들의 특징을 고민해 그 누구의 시선도 신경 쓰지 않고 운동에 몰두할 수 있는 환경을 마련한 것이다. 커브스는 아무도 상상하지 않았던 새로운 방법으로 운동을 힘들고 귀찮게 여기던 여성들을 헬스클럽으로 이끌었다.

커브스의 슬로건은 "Power to amaze yourself! 너 스스로를 놀라게 해!"이다. 커브스에서 운동하고 새로운 삶을 찾은 많은 사람들의 리뷰 중 가장 많이 나오는 의견은 "내가 이렇게 꾸준히 운동할 수 있을 줄은 나도 몰랐다. 처음으로 가장 오래 해 본 운동이다"라고 한다. 커브스는 여성이 운동할 수 있는 최적의 컨디션을 제공하고자 하는 목적으로 근력운동과 유산소운동, 그리고 스트레칭으로 이루어진 '30분 순환운동' 프로그램을 제공한다. 30분에 소비할 수 있는 칼로리는 러닝머신에서 1시간 30분 정도 뛰어야 소모되는 칼로리이기 때문에 시간 대비 효율성이 아주 높은 운동이다. 30분 순환운동의 특징은 여성들도 손쉬운 근력운동이 가능하다는 점이다. 여성들은 일반 피트니

커브스 로고

스에서 근력운동 기구를 이용하는 데 불편한 경우가 많다. 하지만 커브스의 유압식 기구는 속도로 무게를 조절할 수 있기 때문에 힘이 없는 노인도, 힘이 넘치는 젊은이도 모두 충분히 사용 가능하다. 근력운동이 필요한 여성들이 편하게 운동할 수 있는 환경을 제공한다는 점에서 커브스가 여성들에게 각광을 받고 있는 것이다.

커브스 30분 순환운동 프로그램(출처: 고양이 투어 블로그)

이외에도 다양한 게임과 이벤트들로 운동을 지루하게 느끼지 않고 꾸준히 출석할 수 있게 돕는다는 점, 동그란 서킷 안에 지도자가 언제나 상주해 운동을 지도해 주기 때문에 저렴한 가격으로 개인 트레이너를 둔 것만큼의 효과를 느낄 수 있다는 것이 커브스만의 특징이라고 할 수 있다.

자료원: 매일경제, "[대한민국 100대 프랜차이즈] 커브스, '30분 운동' 바쁜 현대여성에 인기," 2019.03.26; dunkman 블로그, "[기업소개] 피트니스 프랜차이즈 기업 – 커브스 코리아," 2011.02.13.

경쟁자 이것은 에이비스(Avis)가 렌터카 업계에서 순위 밖에 있을 때 선택했던 전략이다. 에이비스는 업계 1위 기업인 허츠(Hertz)와의 비교광고 전략을 폈다. "우리는 2위입니다. 그래서 최선을 다합니다"라는 광고 캠페인을 접한 고객들은 에이비스를 허츠에 대한 차선책으로서 간주하게 되었고 에이비스가 허츠만큼 좋다고 고객들이 믿게 되면서 이미지가 향상되었다. 결국 효과적인 포지셔닝이 에이비스를 거의 바닥에서 2위 기업으로 발돋움시키게 된 것이다. 동일한 포지셔닝 전략이 유로스타(Eurostar)에 의해 이용되었다. 유로스타는 고객들에게 항공서비스의 대체안을 제공하였다. 두 가지 형태의 서비스를 비교하면서 유로스타는 항공기 대신 기차로 여행하는 이점을 부각시켰던 것이다.

서비스 품질차원에 따른 포지셔닝

효과적인 포지션을 개발하기 위해 신뢰성(Reliability), 응답성(Responsiveness), 확신성(Assurance), 공감성(Empathy), 유형성(Tangibles)과 같은 5가지 서비스 품질차원을 고려할 수 있다.

Airbnb
홈페이지 화면

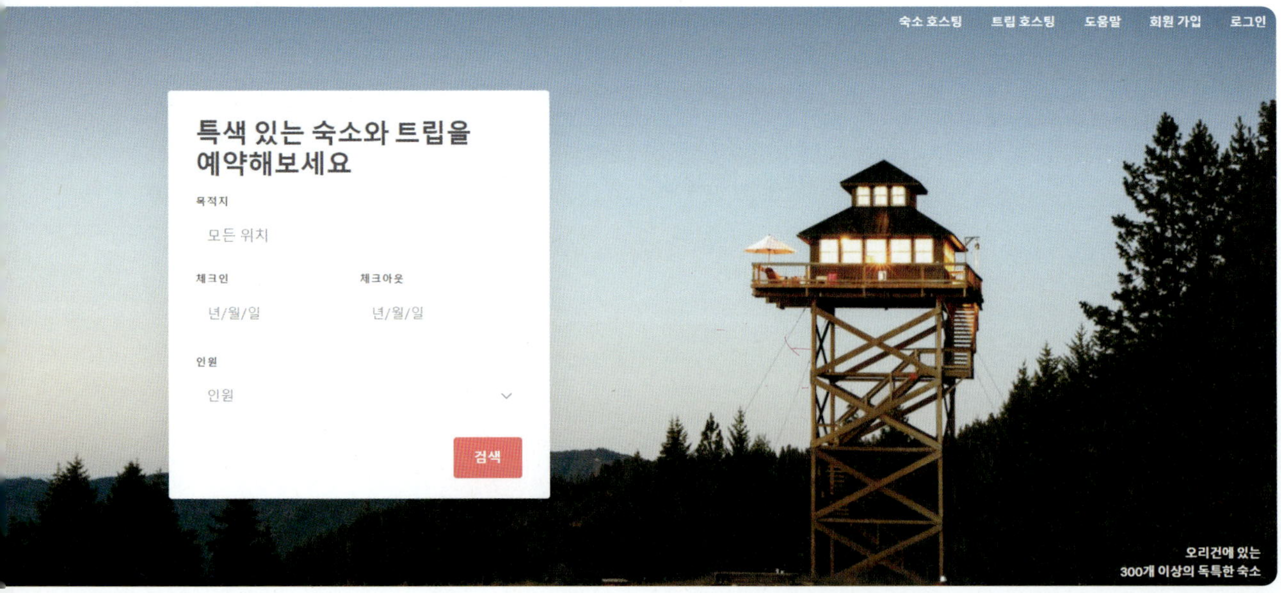

신뢰성 airbnb 에어비앤비(Airbnb)는 이용객과 집주인이 상대방이 누구인지를 몰라 불안해했던 공유숙박 서비스의 문제점을 해결하며 고객들의 신뢰를 얻었다. 서로의 페이스북 활동을 사전에 확인할 수 있도록 하여 안전성을 확보했고, 투숙객만 작성 가능한 이용자 리뷰 시스템을 통해 신뢰성을 제고했다. 또한 자체 지불결제 시스템을 구축하여 이용자 편익과 신뢰를 향상시키면서 기존 업체와 차별화를 추구했다. 이마트가 실시하고 있는 최저가격 보상제도 가장 값싼 제품을 공급하고 있다는 신뢰감을 주는 효과가 있다.

그런데 산업에 따라서는 신뢰성이 포지션의 기준이 되기 어려울 수 있다. 은행, 통신, 항공 산업을 생각해 보자. 이러한 업종에서 신뢰성은 핵심 서비스의 사안으로서 당연한 것으로 여겨지며 경쟁하기 위해서 가장 필요한 기본적 사항이다. 따라서 신뢰성은 이러한 업종에서 포지셔닝을 하기 위한 차별화 요소라고 보기는 어려울 것이다.

응답성 어떤 서비스 기업의 경우 "우리는 신속하게 고객을 도울 준비가 되어 있습니다"라는 자세로 서비스에 대한 고객의 열망에 적극적으로 반응하고 있다. coupang 쿠팡(Coupang)의 로켓배송이 트렌드가 되면서 유통업계는 배송전쟁을 벌이고 있다. 로켓배송으로 퀵(quick) 배송 패러다임을 불러온 쿠팡은 유료 멤버십 서비스인 로켓와우클럽을 제공하면서, 가입고객에 한해 신선식품 새벽배송 서비스인 로켓프레시를 시행하고 있다. 마켓컬리는 서울 · 경기 지역 거주자를 대상으로 유기농 · 해외 식료품 등 프리미엄 제품들을 낱개 단위로 판매하고 있는 반면, 쿠팡의 로켓프레시는 마켓컬리보다 제품군이 다양하고 전국구를 대상으로 제공된다. 전날 밤 12시 이전에 주문하면 다음 날 아침 7시 전까지 배송해주는 이러한 새벽배송 서비스는 처리속도와 신속성에 대한 고객의 인식과 요구에 바탕을 두고, 고객의 요구에 즉각적으로 반응하는 서비스 장면을 담고 있다.

쿠팡의 로켓배송(출처: 시사저널)

쿠팡의 로켓프레시 서비스 (출처: 시사저널)

확신성 확신성은 서비스 제공에 있어서 신뢰와 보증이 중요한 업종에서의 포지셔닝에 더욱 효과적으로 이용된다. 주로 은행이나 보험회사들이 고객 확신을 구축하기 위해서 확신성을 바탕으로 하는 광고 문안을 자주 이용한다. "올스테이트와 함께 있으면 든든합니다 Allstate (Allstate)", "평화로운 기업 Northwestern Mutual (Northwestern Mutual Life)", "바위 한 덩어리를 가지십시오 Prudential (Prudential)" 등이 그 예이다. 확신성은 또한 헬스케어 서비스에서 매우 중요한 개념이다. 메이요 클리닉(Mayo Clinic)은 서비스 품질과 확신에 대한 강력한 이미지를 구축하기 위해서 확신성을 광고 컨셉트로 한 광고메시지를 이용했다. "여러분이 알고 있는 이름에 건강을 맡기십시오"가 일례이다.

공감성 고객의 개별적 욕구에 관심을 두는 공감성으로 포지셔닝할 수도 있다. 스포츠 용품 기업인 아디다스(Adidas)는 사용자가 원하는 디자인과 색상, 소재 등을 선택하면 '스마트 팩토리'를 통해 그대로 제작하여 '마이아디다스(miAdidas)'라는 개인 맞춤형 운동화를 판매한다. 기술 발달에 따른 제조업의 혁신이 일어나면서 소비자 개별 니즈에 맞추면서도 낮은 비용으로 대량생산하는 매스 커스터마이제이션(mass-customization)이 가능해졌다. 기업이 매스 커스터마이제이션이나 일대일 마케팅 전략을 수행하고 있다면 그 기업은 적어도 부분적으로 공감성 차원으로 포지셔닝하고 있는 것이다.

유형성 유형성은 리조트, 호텔, 레스토랑, 소매업체 등을 포지셔닝할 때 흔히 사용된다. 스타벅스는 최근 프리미엄 고객을 겨냥해 전 세계 최고 품질의 원두만을 엄선해 로스팅한 커피를 판매하는 '리저브 커피 매장'을 확장시키고 있다. 국내 최대 규모 '스타벅스 더종로점' 리저브 매장은 종로라는 입지적 배경을 고려해 조선시대 종로 시장인 육의전(명주, 종이, 어물, 모시, 무명)을 모티브로 한 6가지 공간을 각각 다른 테마 공간으로 구성해냈다. 또한 스낵과 디저트는 단호박색과 자색의 한복 천을 활용한 전통적인 형태의 포장과 함께 제공되며, 한쪽 벽면에는 한복 천을 이용한 대형 아트워크(Artwork)가 설치되어 있다. 이처럼 전통 테마를 활용한 다양한 요소를 통해 '프리미엄 커피를 즐기는 문화 공간'으로 포지셔닝하였다.

조선시대 종로 시장을 모티브로 전통 테마 공간을 구현한
스타벅스 더종로점(출처: 디지틀조선일보)

PART

03

서비스 마케팅 믹스

SERVICE MARKETING

SERVICE MARKETING

CHAPTER

05

서비스 상품관리

PROLOGUE

IBM, 거대한 공룡이 21세기에도 살아남는 법

"IBM이 어떤 회사인 줄 아니?"

"그럼 알지. 굉장히 큰 정보기술(IT) 회사 아니야? 컴퓨터 만드는 기업."

위의 문답은 공룡 혹은 코끼리에 흔히 비유되는 거대 기업 IBM에 대해 대부분 사람들이 갖고 있는 전형적인 생각이다. 그러나 '반은 맞고 반은 틀리다'가 정답이다.

그 이유는 1911년 설립 이후 세상의 변화를 이끌며 하드웨어 제조회사가 아닌 클라우드와 인공지능 서비스 회사로 거듭났기 때문이다. IBM은 PC를 개발해 전 세계 사용자의 업무에 혁신을 가져오고, 기업 비즈니스 프로세스를 바꾼 기업이다. 2000년대 초반 IBM은 중점사업을 서비스 분야로 전환하여 컨설팅, 소프트웨어 및 서비스 비즈니스에 주력하는 통합 솔루션 회사로 진화했다. IBM은 기존에 보유한 뛰어난 기술력과 혁신 철학을 바탕으로 급격히 변화하는 세상 속의 기회를 포착하며 고수익, 고부가가치 서비스 사업으로 성공적으로 전환하였고, 그 결과 실제로 수익이 매년 성장하였다.

하지만, 인터넷과 모바일의 시대가 열리면서 IBM도 흔들리기 시작했다. 주력 하드웨어 사업과 소프트웨어 사업이 경쟁사의 약진으로 흔들리기 시작하고 컨설팅 사업도 부진했다. 따라서, IBM은 노트북, 서버 등 수익성이 떨어지는 사업 부서를 매각하고, 클라우드 컴퓨팅과 인공지능이라는 미래 사업에 집중하는 전략을 펼치고 있다. IBM은 클라우드와 인지 솔루션 서비스로 사업 영역을 바꾸고 클라우드 서비스 '블루믹스(Bluemix)'와 인공지능 서비스 '왓슨(Watson)'을 개발해 기업에게 제공하고 있다. 예를 들면, 현대카드는 IBM 왓슨 기반 챗봇 서비스를 통해 소비자 문의를 실시간으로 처리하고 있고, CJ오쇼핑은 클라우드를 통해 쇼핑 인프라를 확장했다.

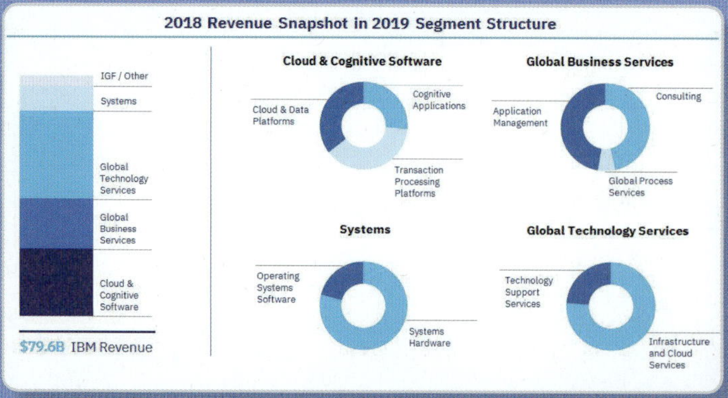

IBM은 기업이 인공지능 개발, 사물인터넷 관리, 블록체인 구축 등 최신 IT 기술을 빠르게 이용할 수 있도록 관련 기술을 제공하는 서비스를 통해 2018년 4분기에는 월가 기대치를 뛰어넘는 실적을 발표했다. IBM의 사례에서 알 수 있듯이 제조업, IT기술, 서비스업이 융복합되면서 시너지 효과를 발휘하면 기업이

성장할 수 있는 기회가 더 커질 수 있다. 서비스의 IT융합화, 지식화를 통해 기존 산업을 고도화하고 새로운 서비스를 창출할 수 있다.

100년의 혁신, 그리고 21세기 4차 산업혁명 시대의 서비스 진화

- **IBM의 설립:**

1911년 탄생한 Computing-Tabulating-Recording Company가 전신. 1914년 토마스 왓슨의 진두지휘 하에 국제적 선두 기업으로 발전하여 1924년, 현재의 IBM(International Business Machines)이라는 새로운 이름을 갖게 되었다.

- **개인용 컴퓨터(PC):**

IBM 컴퓨터 1대에 9백만 달러와 직원 60명, 냉방 시설을 갖춘 천 제곱미터의 공간이 필요했던 1960년대와 달리 1981년 탄생한 새로운 PC(IBM 5150)는 1,565달러의 가격으로 모든 가정에 빠른 속도로 퍼져나갔고, 세계의 비즈니스 방식을 근본적으로 바꿨다.

- **서비스 과학의 창안:**

제조업에서 서비스업으로 변화하고 있는 세계 경제 상황에 따라 서비스 사이언스, 경영 및 공학(SSME: Service Science, Management and Engineering)의 중요성 대두에 주목한 IBM은 2003년부터 54개국 450개 대학 및 정부, 산업 리더들과 함께 공동으로 SSME 커리큘럼을 구축했다.

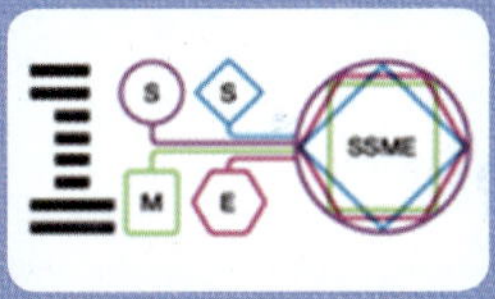

- **똑똑한 세상 만들기(Smarter Planet):**

2008년 발표한 비전으로 똑똑한 세상을 만들기 위한 아젠다. 전 세계 기업, 정부 및 시민 사회의 리더들이 더 지능화된 시스템의 잠재적 가치를 활용하여 일상 업무 및 운송, 교육, 에너지, 식품 및 수도 시스템 등 다양한 영역에 걸쳐 경제적 성장, 즉각적인 효율성, 지속 가능한 개발 및 사회적 진보를 실현했다.

- **'고객 경험 연구소' 신설, 빅데이터 시대에 대응하는 차별화 솔루션:**

'고객 경험 강화'를 강조하는 로메티 CEO의 전략 아젠다에 따라, 2013년 최고 경영진 전용 R&D 연구소인 'IBM 고객 경험 연구소(Customer Experience Lab)'를 신설하고, 빅데이터 시대 CEO들의 최우선 과제 해결

에 나섰다. 100명의 전담 수석 연구원들이 수천 명의 IBM 컨설턴트들과 팀을 이뤄 모바일, 소셜 비즈니스, 클라우드 등 핵심 기술과 비즈니스 컨설팅 역량을 결합한 차별화된 서비스를 고객 기업 경영진에게 제공했다. 또한, '고객 접점 혁신(Front Office Transformation)'을 목표로 IBM은 빅데이터 분석을 통해 개별 소비자의 구매 패턴과 선호도 파악 등 고객 통찰력을 기반으로 한 맞춤 시스템을 구현했다.

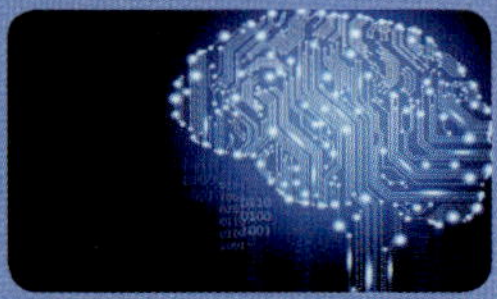

● 변해야만 살아남을 수 있다, 디지털 트랜스포메이션:

로메티 CEO는 하드웨어 중심의 사업은 성장 가능성이 더 이상 보이지 않지만, 데이터 관련 산업은 계속 성장할 것으로 예측했다. 따라서, 데이터를 저장할 수 있는 플랫폼인 클라우드와 데이터를 분석하는 인공지능이 시장을 이끌어나갈 미래 기술이라고 판단하고 클라우드와 인공지능을 전담하는 사업부와 조직을 신설했다. 현재 IBM은 클라우드 상에서 구동할 수 있는 AI, 블록체인, IoT, 애널리틱스 등의 기술을 보유하고 있으며, 이를 지속적으로 발전시키기 위해 노력하고 있다.

자료원: IBM 홈페이지; IT동아, "각 클라우드의 장점을 최대로 활용한다, IBM 멀티 클라우드," 2019.05.23; 한국경제, "클라우드로 체질 바꾼 IBM, 기대 이상 실적발표에 주가 급등," 2019.01.23.

IBM 왓슨 영상

You Tube
https://www.youtube.com/watch?v=r7E1TJ1HtM0

제 목 _ How does IBM Watson work?
검색어 _IBM Watson

IBM Watson

5.1 서비스 상품에 대한 이해

서비스 상품이란?

서비스 상품은 핵심 서비스와 다양한 보조 서비스의 묶음으로 구성되어 있다.

핵심 서비스 고객의 본질적인 욕구를 충족시키기 위한 것을 말한다. 예를 들어, 대한항공의 비행기를 타고 서울에서 뉴욕으로 가는 것, 호텔에서 숙박하는 것 등이 핵심 서비스(core service)이다.

보조 서비스 핵심 서비스의 이용을 가능하게 하거나 그 가치를 확장시키는 서비스를 의미한다. 보조 서비스(supplementary service)는 핵심 서비스 이용을 위해 없어서는 안 될 가치 지원 서비스와 없더라도 핵심 서비스의 제공은 가능하지만 그 존재로 인해 핵심 서비스의 가치가 확장되고 핵심 서비스를 차별화시켜 주는 가치 증대 서비스로 나눠서 살펴볼 수 있다.

가치 지원 서비스 핵심 서비스의 이용을 가능하게 하는 서비스로, 예컨대 비행기로 뉴욕 출장을 갈 때, 인터넷이나 모바일 앱으로 티켓을 예매하거나 여행 중 식사나 음료를 제공하는 등의 기내서비스나 호텔에서 체크인을 하는 리셉션이나 무인 체크인 키오스크 등을 가치 지원 서비스(enabling service)라고 한다.

가치 증대 서비스 가치 지원 서비스처럼 핵심 서비스 제공을 위해 필수적이지는 않지만 핵심 서비스의 가치를 높이고 경쟁자 서비스와의 차별화 요소가 되는 서비스로, 항공사의 마일리지 서비스와 라운지 서비스나 호텔에서 경쟁사와 차별화를 위해 반려동물 시설을 마련하거나 유명 레스토랑을 유치하는 것과 같은 서비스 등이 가치 증대 서비스(enhancing service)의 예라고 할 수 있다. 신세계그룹의 부티크 호텔인 레스케이프 호텔은 반려견과 함께 숙박이 가능한 객실을 구비하고 홍콩 유명 딤섬 레스토랑의 노하우로 광둥식 중식당을 운영하고 있다.

가치 지원 서비스와 가치 증대 서비스의 차이 가치 지원 서비스와 가치 증대 서비스의 가장 큰 차이는 각 서비스의 부재가 핵심 서비스 제공에 어떤 영향을 미치나이다. 가치 지원 서비스는 핵심 서비스 제공의 필요조건으로 가치 지원 서비스가 없이는 핵심 서비스가 불가능한 데 비해 가치 증대 서비스는 핵심 서비스가 갖는 가치를 높여주긴 하지만 없다고 해서 핵심 서비스의 가치가 훼손되지는 않는다. 물론 이러한 구분이 언제나 명확한 것은 아니다. 기내식의 경우 장거리 구간에서는 핵심 서비스와 더불어 필수적인 가치 지원 서비스이지만 단거리 구간에서는 가치 지원 서비스가 아닌 가치 증대 서비스로 활용될 수 있기 때문이다. 따라서 어떤 서비스가 전체적인 서비스 상품에서 가치 지원 서비스로 작용하는지 가치 증대 서비스로 작용하는지를 먼저 확인해 볼 필요가 있다.

가치 지원 서비스와 가치 증대 서비스의 차별화 서비스 상품은 특허로 보호받지 못하기 때문에 쉽게 모방할 수 있다. 뿐만 아니라 기술의 발달속도가 급속히 빨라졌기 때문에 핵심 서비스의 차별화를 유지하는 것이 점점 힘들어지고 있다. 따라서 가치 지원 서비스와 가치 증대 서비스의 차별화가 더욱 중요하다. 기술혁명은 서비스 산업의 발전에 큰 영향을 주었다. 신기술을 통해서 새로운 서비스 상품이 개발되었고 기술적 발전을 통해 서비스의 생산과 전달 방법은 놀랄 만한 변화를 했다. 핵심 상품에 있어서의 혁신은 새로운 형태의 의료서비스에서부터 보험상품, 차량 공유 서비스에 이르기까지 매우 다양하다. 예를 들면, 미국의 PROGRESSIVE 프로그레시브(Progressive) 보험회사는 빅데이터 분석을 통해 상품을 개발했다. 프로그레시브는 텔레매틱스를 이용해 20여 년간 운전자의 운전습관 빅데이터를 수집하고 기록을 분석해 기존 보험회사들이 인수를 꺼려하는 피보험자 중 위험도가 낮은 고객을 선별해 보험을 제공했다. 이와 같은 노력을 통해 프로그레시브는 미국 시장에서 10%를 점유하는

스타벅스 사이렌 오더

3위 자동차보험 회사로 성장했다.

또 하나의 중요한 변화는 빅데이터, 위치기반 서비스, 텔레매틱스, 웨어러블 기기, IoT 등의 신기술을 이용한 보조 서비스에서의 개선이다. 예약, 정보획득, 청구서 작성, 결제, 그리고 문제해결 등의 서비스들이 더 쉽고 더 빠르고 더 저렴하게 데이터에 접근할 수 있게 된 것이다. 예를 들면, UBER 우버(Uber) 사용자는 모바일 앱을 통해 예약, 실시간 차량 위치, 자동결제, 실시간 상담 등을 손쉽게 할 수 있다. 스타벅스는 모바일로 간편하게 주문, 결제할 수 있는 스마트 주문 시스템인 '사이렌 오더'를 도입했다. 모바일 앱에 선불로 돈을 충전해 놓고, 원하는 음료를 사전에 주문할 수 있는 시스템이다. 사이렌 오더를 통해 매장 방문 전에 주문과 결제가 가능해 혼잡한 시간대에 대기시간을 줄일 뿐만 아니라, 음료가 준비되는 과정을 실시간으로 확인할 수 있다.

대부분의 서비스 기업은 하나의 상품을 파는 것이 아니라 일련의 상품묶음을 판매한다. 따라서 급격히 변화하는 시장의 변화에 대응하며 경쟁사와 효과적으로 경쟁하기 위해서는 핵심 서비스뿐만 아니라 가치 지원 서비스, 가치 증대 서비스 등의 보조 서비스를 고려한 상품 믹스를 개발해야 한다.

서비스 상품의 분류

서비스를 서비스 대상과 변환 과정의 유·무형성에 따라 네 가지 유형으로 분류할 수 있다.

표 5-1 | 대상에 따른 서비스 상품의 분류

		서비스 대상	
		사람	사물
서비스 대상의 변환 과정	유형적 서비스	신체 처리 서비스 • 서비스 대상: 고객의 신체 • 대표적인 예: 헬스케어, 미용실, 마사지	소유물 처리 서비스 • 서비스 대상: 고객의 소유물 • 대표적인 예: 화물운송, 세탁 및 드라이클리닝, 청소
	무형적 서비스	정신 처리 서비스 • 서비스 대상: 고객의 정신 • 대표적인 예: 교육, 상담, 엔터테인먼트	정보 처리 서비스 • 서비스 대상: 고객의 무형 자산 • 대표적인 예: 회계 및 세무, 법률서비스, 컨설팅

서비스에서는 고객이 상품의 일부로 파악되고, 고객의 만족이나 품질의 평가가 중요한 요소로 작용한다. 따라서 서비스를 소비하는 주체인 고객의 행동과 그들의 관점으로 상품을 분류하여 살펴보는 것은 서비스 기업에 많은 시사점을 줄 수 있다. 따라서 이 장에서는 서비스 상품을 편의서비스(convenience services), 선매서비스(shopping services), 전문서비스(specialty services) 등의 3가지로 분류하여 살펴보겠다.

편의서비스 상품 고객이 최소한의 쇼핑 노력만을 들여 구매하는 것을 말한다. 편의서비스 상품에 대해서 고객은 위험을 매우 낮게 인식한다. 이러한 예로는 택배서비스 등을 들 수 있다. 즉, 대부분의 소비자들은 택배를 보낼 때 택배가 잘못 배달되지 않을까 하고 그다지 걱정하지 않는다. 또한 편의서비스 상품을 얻기 위해서 고객들은 탐색시간이나 비용 등을 들여 정보를 얻으려 하지 않는다. 즉, 커피 한 잔을 위해서 이곳 저곳을 둘러보고 서비스의 품질을 점검하거나 가격을 비교하지 않는다.

왜냐하면 이 상품은 그다지 가격이 비싸지 않고 반복적으로 자주 구매하는 경향이 있는 것이기 때문이다. 뿐만 아니라 고객이 관여되는 정도도 상당히 낮다. 따라서 이러한 서비스를 얻고자 할 때 소비자들은 가까운 점포를 선택한다.

선매서비스 상품 고객이 원하는 서비스를 얻기 위해 경쟁 서비스와 품질, 가격 등을 비교해가며 정보를 탐색하는 등 구매 노력을 들인 후 구매하는 것을 말한다. 여행상품이나 미용실 같은 서비스가 그러한 경우의 좋은 예이다. 최근, 모바일 디바이스와 온라인 플랫폼의 발달로 인해 소비자는 다양한 상품들에 대한 실시간 검색뿐 아니라 경쟁상품들 간의 가격 및 품질에 대한 즉각적인 비교와 판매순위를 검색할 수 있다. 예를 들면, 소비자들은 호텔, 비행기 티켓 등 여행상품을 구매하기 전 세계 최대 규모의 여행 사이트 tripadvisor 트립어드바이저(Tripadvisor)에 접속해 다른 소비자들이 숙박시설, 항공사, 음식점 등에 대해 남긴 리뷰를 검색한다. 일반적으로 편의서비스에 비해서 사회적이나 심리적으로 중요한 경우가 많기 때문에 소비자들은 대개 선매서비스 상품에 대해서 높은 위험을 인식한다. 또한 어떤 서비스를 구매해야 할지 정확히 알지 못하는 경우가 대부분이므로 적절한 구매를 하기 위해서 탐색을 하는 등 노력을 기울이게 된다. 하지만 관여도는 전문서비스에 비해서 그리 높지 않다.

전문서비스 상품 서비스가 가지는 차별적인 성격이나 전문적 성격 때문에 대체할 만한 서비스가 존재하지 않으며 브랜드 충성도가 매우 높은 상품을 말한다. 따라서 고객들은 해당 서비스를 그 서비스업 전체라고 파악하기도 한다. 소비자들이 인식하는 위험이 매우 크고, 구매 노력을 많이 들이며, 관여하는 정도가 매우 높다. 따

표 5-2 | 서비스 상품의 3가지 분류

	인식된 위험의 정도	구매 노력의 정도	고객의 관여 정도	대표적인 예
편의서비스	낮음	낮음	매우 낮음	택배서비스, 음료 등
선매서비스	높음	중간	높음	여행상품, 미용실 등
전문서비스	높음	높음	매우 높음	좋아하는 가수의 콘서트, 개인 변호사의 법률서비스 등

라서 고객들은 최상의 서비스를 얻기 위해서 적극적으로 참여하며 비교적 많은 투자를 한다. 그러므로 가격에 대해서는 비탄력적인 경우가 많다. 대표적인 예로는 좋아하는 가수의 콘서트 관람, 개인 변호사의 법률 상담 등이 있다.

서비스 수명주기

[그림 5-1]에서처럼 서비스 수명주기(Service Life Cycle: SLC)는 제품수명주기(Product Life Cycle: PLC)와 마찬가지로 시간에 따른 매출을 기준으로 도입기, 성장기, 성숙기, 쇠퇴기 4단계로 구성된다. 그리고 각 단계의 특성도 제품수명주기와 유사하다. 그러나 사용되는 전략에 있어서는 차이가 있다. 모든 제품수명주기를 서비스 수명주기 전략에 그대로 사용할 수는 없고, 사용하기 위해서는 수정되어야 한다. 이러한 전략의 수정이 필요한 것은 서비스가 무형성, 비분리성, 이질성, 소멸성이라는 특성을 갖고 있기 때문이다. 또한 서비스는 경쟁자가 쉽게 모방할 수 있기 때문에 서비스 수명주기는 제품수명주기와 다른 단계를 갖게 된다. 〈표 5-3〉은 각 수명주기별 특성과 전략을 나타내고 있다.

도입기 새로운 서비스나 기존 서비스의 새로운 형태가 처음으로 제공되는 때를 도입기라 한다. 많은 신규 서비스가 고객의 선택을 받지 못하고 수명주기의 첫 단계

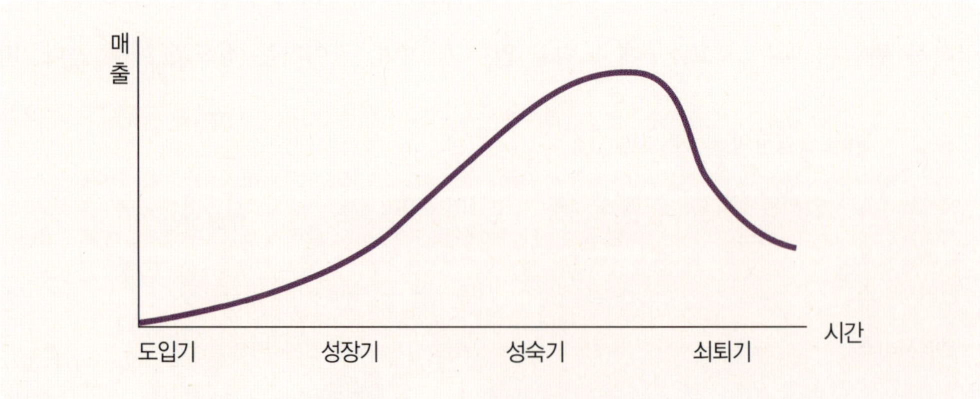

그림 5-1 | 서비스 수명주기

표 5-3 | 서비스 수명주기별 특성과 전략

	도입기	성장기	성숙기	쇠퇴기
특성	• 경쟁–적거나 없음 • 마진–낮음 • 현금흐름–적자 • 세분시장–미구분	• 경쟁–급격한 증가 • 마진–높음 • 현금흐름–흑자 • 세분시장–명확한 구분 • 시장 성장속도–빠름 • 신규기업–진입쇄도	• 경쟁–극심해짐 • 세분시장–명확한 구분 • 시장 성장속도–둔화 • 부실기업–퇴출 • 브랜드–평준화	• 경쟁–감소 • 현금흐름–적음 • 이윤–감소 • 시장 성장속도–감소
전략	• 서비스 설계 시 고객참여 유도 • 초기수용자 확인 • 초기수용자의 반응 확인 • 산업 전체의 수요 형성 • 촉진 유인물 제공 • 긍정적 구전의 자극	• 경쟁우위 전략 개발 • 브랜드 선호 유도 • 서비스 충성도 제고 • 반복구매 유도	• 경쟁우위 전략 개발 • 영업비용 감소 • 특정 세분시장에 집중 • 보조 서비스의 추가 • 설득형 광고의 사용	• 철수 • 수확 • 제거 • 비용절감 • 재활성화

인 도입기에서부터 사라지게 된다. 그러나 서비스가 제품에 비해서 갖는 이점은 서비스는 작은 규모로 도입한 후 고객의 반응이 좋으면 그 규모를 확장할 수 있다는 것이다. 이러한 절차는 도입기와 관련된 재무위험을 감소시킨다. 따라서 대부분의 서비스 도입에는 실패비용이 상대적으로 적게 든다.

배달의 민족 폰트 포스터

도입기에 경쟁자의 수는 거의 없거나 매우 적다. 그러나 서비스 혁신에 대해서 저작권이나 특허로 보호받기가 힘들기 때문에 경쟁자가 쉽게 모방하여 유사한 서비스를 제공한다. 따라서 서비스의 도입기는 매우 짧다. 즉, 성공적인 서비스의 도입은 빠르게 성장기로 옮겨가는 반면에 그렇지 못한 서비스는 바로 사라지게 된다. 예를 들면, 불과 몇 년 전만 해도 음식

배달 서비스는 종이로 받던 전단지를 온라인으로 옮겨온 정도였다. 하지만, '배달의 민족'은 적극적인 마케팅과 재치 있는 브랜딩으로 밀레니얼 고객을 유치해 수많은 경쟁업체를 제치고 '푸드테크'의 선두기업으로 자리 잡았다.

신규 서비스가 고객에게 수용되는지를 판단하기 위해서는 현재 사용자들로 하여금 새로운 서비스를 이용하게 해 보는 것이 좋은 전략이다. 스트리밍 서비스가 인기를 끌면서 음악 스트리밍 서비스 이용자도 증가하고 있다. 미국의 아마존은 자사 인공지능 스피커 사용자에게 음악 스트리밍 서비스를 무료로 제공한다. 하지만, 사용자는 음악을 고를 수 없고 아마존이 만들어 둔 플레이리스트를 선택해 들어야 한다. 아마존 음악 스트리밍 서비스를 무료로 이용한 고객들은 별도로 제공되는 유료 서비스를 이용할 가능성이 높다. 아마존은 무료 음악 제공을 통해 인공 지능 스피커를 사용하는 가정을 늘리고 소비자들에게 신규 서비스를 선보이고 있는 것이다.

도입기에서의 중요한 전략 중의 하나는 그 산업전체의 수요를 형성하는 것이다. 우버(Uber)가 차량 공유 서비스를 처음으로 도입하였을 때에는 다른 경쟁자가 존재하지 않았다. 따라서 광고의 주목적은 차량 공유 서비스의 편리성을 알리는 것이었지, 다른 경쟁사들과 구별하여 자사의 서비스를 이용해 달라는 광고를 할 필요가 없었다. 그러나 리프트(Lyft), 그랩(Grab)과 같은 후발 업체들이 가세하자 이러한 전략은 수정될 수밖에 없었다. 이후 브랜드를 도입하고 차별화한 특성을 강조하는 광고를 내보내는 등 다른 전략을 사용했다.

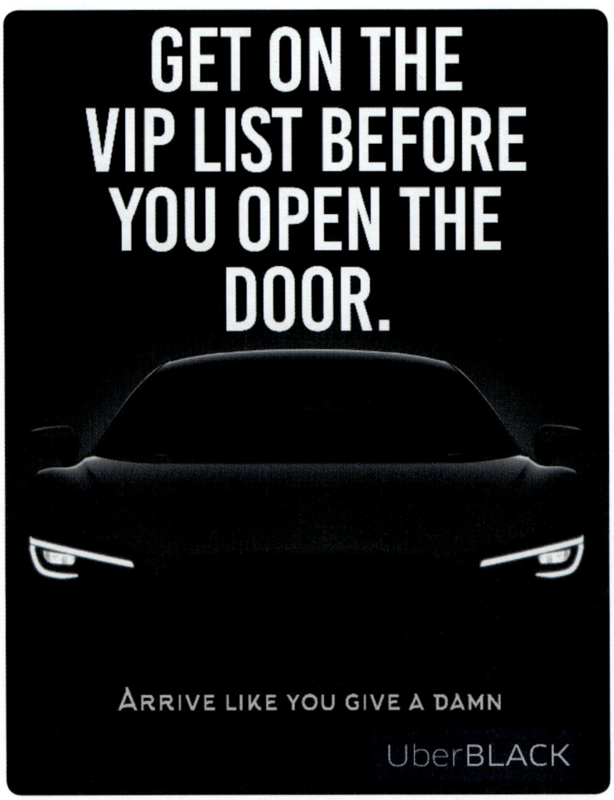

우버 광고

신규 서비스의 채택을 높이기 위해서 기업은 여러 가지 판촉물을 제공한다. 인터넷 전용 회선 가입 시 가입비를 면제해 준다거나 이동전화 신규 신청 시 한 달간 100분 무료 통화 기회를 준다. 또는 헬스클럽 가입 시 수영장을 이용할 때 50%의 할인혜택을 주는 것 등이 그것이다. 이러한 도입기 판촉물은 신규 서비스의 유형에 따라 그 형태를 달리한다. 최근 유통업계에서는 이커머스 업체를 중심으로 고객 확보 경쟁이 불붙고 있다. coupang 쿠팡은 구매 가격에 상관없이 당일 무료배송, 무료반품, 새벽배송 등의 서비스 멤버십을 출시하고 신규 가입자에게 3개월 무료 체험 기회를 제공하고 있다. 또한, 서비스 출시 두 달 만에 가입자가 100만 명을 넘자, 쿠팡은 흥행 열기를 이어가기 위해 기존 가입자들에게 무료체험 기간을 3개월 더 연장해 주기도 했다. 쿠팡은 작은 규모로 도입한 후 고객의 반응이 좋아지자 그 규모를 확장하는 전략을 펼치고 있다.

성장기 성장기에 서비스 산업은 급속히 성장한다. 점차로 산업이 확장되고 수요가 증가하므로 신규 서비스를 제공하는 대부분의 기업들은 지출보다 수입이 많게 된다. 대체로 가격이 조금씩 올라가고 이익의 폭도 커진다. 이러한 수익성 때문에 다른 기업들도 시장에 진입하게 되고, 경쟁은 증가한다. 따라서 서비스 제공업체들은 지속적인 경쟁우위 전략을 개발해야 하고 적극적으로 시장점유율 확대를 위한 전략을 수립해야 한다.

성숙기 성숙기 산업의 매출은 안정세를 이룬다. 기업이 시장점유율을 늘리거나 매출을 증대시켜 더욱 성장하기 위해서는 경쟁사의 고객을 빼앗는 것이 유일한 방법이다. 따라서 산업 내의 경쟁은 점점 심화된다. 이러한 경쟁 때문에 산업의 전체 이익은 감소하게 된다. 이 때 기반이 약한 기업들은 자연스럽게 시장에서 퇴출된다. 고객들은 산업 내의 각 기업 간 서비스가 별다른 차이를 보이지 않는다고 인식하게 된다.

성숙기를 맞은 호텔업계의 대응 전략을 살펴보자. 업체들 간의 경쟁은 매우 심하지만 매출은 침체되고, 산업전체의 이윤은 쇠퇴하는 경향이 있다. 따라서 Marriott INTERNATIONAL 메리어트 인터내셔널(Marriott International) 같은 경우에는 다른 업체들과 경쟁하기 위해서 이윤이 나지 않는 호텔들을 팔고, 인력을 조정하는 등의 리스트럭처링 작업을 수행해야만 했다. 또한 이외에도 전과 비슷한 수준의 서비스를 제공하면서 동시에 원가를 줄이기 위한 다양한 방법을 모색했다. 예를 들어, 욕실의 세면용품을 풍부하게 비치하는 대신 꼭 필요한 양만 제공하였다. 어떤 지점에서는 고급 바디로션이나 목욕용 수건 등의 물품을 없애기도 하였으며 샴푸를 제공하지 않는 곳도 있었다. 하얏트 호텔(Hyatt Hotel) 같은 경우에도 비치하는 수건의 수를 줄임으로써 연간 2백만 달러를 절약할 수 있었으며, 색이 들어간 침대시트 대신 흰색 시트를 사용함으로써 1백만 달러를 절약할 수 있었다.

엠버시 스위트(Embassy Suites)는 다른 전략을 사용했다. 그들은 운영비를 절감하고 낭비를 줄이는 데 초점을 맞추는 것이 아니라 고품질 서비스를 추구하고 추가적인 서비스를 제공하는 전략을 실행하였다. 이곳에 묵는 손님들은 넓은 스위트룸을 얻을 수 있고, 두 개의 TV, 두 대의 전화, 무료로 제공되는 음료수 등을 서비스받았다. 이러한 전략 등으로 엠버시 스위트는 100퍼센트의 만족 보증을 최초로 시행한 최상급의 호텔체인으로 유명해지기 시작했다.

홀리데이 인(Holiday Inn) 역시 색다른 전략을 구사한 경우이다. 그들의 성숙기 전략은 특정 세분시장에 집중하여 그 세분시장에 필요한 서비스만을 제공하는 것이다. 홀리데이 인은 경제성을 중시하는 고객들은 홀리데이 인 익스프레스(Holiday Inn Express)를 이용하도록 유도했다. 주 타겟고객이 경제적인 레저를 선호하는 층이었기 때문에 홀리데이 인 익스프레스에는 수영장이나 레스토랑 같은 시설들이 마련되어 있지 않다. 반면에 홀리데이 인의 다른 호텔들은 타겟고객이 이와 다르기 때문에 회의실, 레스토랑, 수영장, 나이트클럽 등을 구비하고 있다. 즉, 홀리데이 인 익스프레스는 경쟁자의 수준으로 영업비를 감소하려고 노력하였으며, 홀리데이 인의 다른 호텔들은 서비스 품질을 개선하려고 노력하며 여유 있는 손님을 유도하는 것이다.

결국 성숙기 시장의 치열한 경쟁에서 살아남기 위해서는 적절한 마케팅 전략을 개발하는 것이 필수적이다. 앞에서 예를 든 엠버시 스위트와 홀리데이 인은 그 전략의 차이를 보이고 있지만 주요 전략에 집중하고 각자의 강력한 경쟁우위 수단을 개발한 것이다.

쇠퇴기 서비스 수명주기상의 쇠퇴기에는 산업의 매출이 감소한다. 이러한 매출의

하락은 새로 개발된 신기술의 영향인 경우가 대부분이다. 예를 들어, 국내 게임산업은 PC, 콘솔 패키지 게임에서 온라인으로, 온라인에서 모바일로, 모바일에서 VR/AR로 이뤄지는 게임산업 구조 변화와 셧다운제 등 정부 규제를 겪으며 침체기를 벗어나지 못하고 있다. 자동차 산업 역시 침체기를 겪고 있다. 차량 공유 서비스가 활성화되고 모빌리티 산업의 패러다임이 소유에서 서비스 중심으로 변화하며 전 세계 차량 판매량이 매년 감소하고 있다. 고객 수요가 감소하기 때문에 많은 기업들은 서비스 포트폴리오로부터 불필요한 것을 없애는 경향이 있다. 자동차 제조사들은 자동차 제조보다는 IT 기술에 집중하며 미래에 대비하고 있다. 특히, 자율주행차와 커넥티드카(Connected Car) 개발에 막대한 비용을 투자하고 있다. 쇠퇴기에는 경쟁도 감소하며, 해당 산업의 현금흐름과 이윤도 감소한다.

쇠퇴기의 서비스 기업은 5가지의 행동을 선택할 수 있다.

① 시장 철수(divest) : 이것은 쇠퇴기에 해야 하는 가장 중요한 결정의 하나인데 쇠퇴기의 징후가 처음 나타날 때나 성숙기가 끝나가는 시점에서 철수를 실행하는 것이 가장 좋다. 그러나 성급히 철수하면 혹시 있을지 모르는 극적인 전환점을 놓칠 수 있다는 것도 잊지 말아야 한다.

② 수확(harvest) : 소비자의 수요가 계속적으로 감소하고 있다는 것을 인식할 때, 지출을 줄이고 가능한 최대한의 수익을 얻도록 하는 것이다. 하지만 노동 집약적 성격을 가진 서비스의 경우에는 잘 사용하지 않는다.

③ 제거(pruning) : 제공되는 서비스의 수를 감소시키는 것으로 이윤을 많이 내는 서비스만을 선택적으로 제공하며 이윤을 내지 못하는 서비스는 중단한다.

④ 비용절감(retrenchment) : 이윤을 얻을 수 있는 서비스는 계속 유지하고 확장하는 대신 투자한 금액에 비해 이윤을 얻기 힘든 영역으로 지출되는 비용은 줄이는 것이다. 이 전략은 여러 매장을 가진 대규모 기업들과 B2B 서비스(business-to-business service)를 제공하는 기업에 유용한 전략이다.

⑤ 재활성화(rejuvenation) : 기존 시장의 다른 용도를 겨냥하거나 새로운 표적시장을

찾아서 서비스를 제공하는 것이다. 하지만 이를 위해서는 도입기와 유사한 정도의 비용 지출이 필요하기 때문에 위험할 수 있다. 재활성화 전략의 주된 목적은 서비스의 수명주기를 되돌려 다시 성숙기로 돌아가려는 것이다.

5.2 서비스 브랜드 관리

서비스 브랜드, 무엇이 다른가?

제품 브랜드와 서비스 브랜드의 차이 브랜드는 마케팅에서 주로 언급되며 중요하게 다루어지고 있지만 서비스 마케팅의 분야에서도 매우 중요한 이슈로 떠오르고 있다. 고객들이 서비스를 구매하려고 할 때 제품을 구입하려는 경우보다 브랜드 전환(brand switching)이 더 적게 발생한다고 한다.

우선 서비스 브랜드를 전환함에 있어서 소요되는 정보 수집 비용은 제품 브랜드를 전환할 때보다 높다. 예를 들어, 미용실에서 파마를 하려는 고객이 다른 곳을 이용하려 한다면 다른 곳으로 이동해야 하며 무형적인 서비스의 특성상 필요한 정보를 얻기가 쉽지 않기 때문이다. 반면에 헤어드라이어를 사려는 고객은 한 장소에서 다양한 제품을 비교하고 직원에게 객관적인 설명을 들어가며 구매를 할 수 있다.

브랜드 전환에 따르는 실질적인 지출도 큰 경우가 많다. 병원을 바꾸려면 새로 찾아간 병원에서 접수를 하고 X-ray 촬영이나 혈액검사 등 기초적인 진단을 다시 받아야 한다. 또한 일반적으로 서비스는 제품보다 위험부담이 크다. 이것 또한 브랜드 전환을 막는 요인으로 작용한다. 구매와 관련해서 인식하는 위험이 클수록 높은 수준의 브랜드 충성도(brand loyalty)를 보이는 경향이 있다. 고객의 브랜드 충성도가 높은 브랜드로 스타벅스, 애플 등이 있다. 브랜드 충성도가 높은 고객들은 같은 성격의 여러 상품 가운데 지지하는 브랜드만을 추구하며, 가격 인상에도 민감하게 반응하지 않고 구매를 위해 시간과 돈을 투자하는 것도 마다하지 않는다.

마지막으로 고객이 특정 서비스를 계속 사용할 경우 해당 서비스업체가 해당 고객의 욕구를 깊이 있게 파악하는 계기가 될 수 있으며 보다 나은 서비스를 제공받는 기회로 작용할 수 있다. 즉, 미용실의 단골고객에 대해서는 좋아하는 스타일, 피하고 싶은 스타일 등을 충분히 알고 있으므로 굳이 많은 설명이 없어도 원하는 모습을 얻을 수 있는 것이다. 최근 기업들은 보유한 빅데이터, 머신러닝 등 최신 IT 기술을 활용해 개인화 서비스를 제공하고 있다. 스타벅스에서는 스마트 모바일 앱 주문 시스템인 '사이렌 오더'를 통해 고객 데이터를 수집하고 분석해 개인화 서비스를 제공하고 있다. 이렇게 수집한 빅데이터를 날씨, 로케이션 등 상황 데이터와 조합하여 보다 나은 고객서비스와 차별화된 경험을 제공할 수 있다.

서비스 브랜드의 목적과 특성 브랜드의 본질적인 목적은 기업의 제공물을 다른 기업의 것과 구별하기 위한 것이다. 브랜드는 상품의 이름, 슬로건, 심벌 등의 요소로 구성되는데, 고객들은 이것을 특정한 기업이나 상품을 식별하는 메커니즘으로 활용한다. 이처럼 고객들로 하여금 자사의 상품과 경쟁사들의 것을 명확히 구별하도록 하는 것은 서비스 마케팅에서 더욱 중요하다.

서비스 마케팅에서는 흔히 기업 브랜드(company brand)가 가장 중요한 브랜드이다. 서비스는 제품처럼 외형적 실체를 가지고 있지 않으므로 브랜드가 미치는 영향도 제품과 다르다. 일반적으로 전력과 같은 서비스를 제공하는 경우 개별적인 상품에 브랜드를 도입하기가 매우 어렵다. 따라서 개별상품의 브랜드보다는 기업 자체의 브랜드가 큰 의미를 갖게 된다. 즉, 고객들은 초코파이, 포카칩, 오징어 땅콩 등의 제품이 오리온의 것이라는 것에 큰 비중을 두거나 굳이 알려고 노력하지는 않는다. 다만 소비자는 포카칩과 포테이토칩, 감자깡 등을 구분하려고 할 것이다. 하지만 KFC, 페덱스, KEB하나은행, 에버랜드 등의 서비스 선택 시에는 해당 기업 브랜드를 유심히 살펴보고 그 서비스를 선택할 것인가 아닌가를 결정한다.

기업 브랜드의 영향도 점차 중요해지고 있다. 예를 들어, 오리온이라는 기업 브랜드는 고객에게는 간접적인 영향만을 주지만 오리온의 제품을 취급하는 도·소매상에게는 매우 중요한 역할을 한다. 따라서 기업 브랜드는 도·소매상에게는 매우 큰 영향을 준다. IBM, 삼성 SDS, LG-CNS와 같이 산업재 서비스를 제공하는 기업들에게도 기업 브랜드는 그들의 서비스를 시각화하여 가치를 드러내게 하는 중요한 요소로 인식되고 있다.

브랜드 관리 전략 브랜드는 서비스 기업이 상품을 차별화하고 경쟁우위를 획득하기 위해 사용된다. 서비스 기업의 브랜드 관리 전략은 크게 네 가지로 나눌 수 있다. 개별 브랜드는 기업의 대표 브랜드와는 상관없이 각각의 브랜드가 모여서 이뤄지는 브랜드 구조를 말한다. 개별 브랜드 전략을 취하고 있는 대표적인 회사는 프록터 앤드 갬블(P&G)이다. 프록터 앤드 갬블은 비누, 세제, 기타 가정용품을 제조하는 미국 회사로 생산하는 제품군마다 서로 다른 상표를 사용하여 확고한 개별 브랜드 전략을 고수하는 것으로 유명하다. 통합 브랜드는 기업의 대표 브랜드를 메인

P&G 브랜드

으로 비즈니스 영역에 따라 파생되는 서브 브랜드들이 나눠지는 방식이다. 대표적인 예로는 BMW가 있다. BMW에서는 1시리즈, 3시리즈, 5시리즈, X시리즈 등 다양한 종류의 차량을 출시하지만, 모든 차량에는 BMW 대표 로고 하나만 사용된다.

개별 브랜드는 브랜드별 컨셉트를 명확하게 차별화할 수 있는 장점이 있는 반면 브랜드 운영과 마케팅 비용이 많이 든다는 단점이 있다. 통합 브랜드는 그와 반대로 한 번 통합해 놓으면 지속적으로 관리하기가 편하고 브랜드 간의 시너지나 후광효과를 얻을 수 있다는 장점이 있다. 하지만, 한 브랜드에서 부정적 사건이 발생하면 다른 브랜드로 확산될 위험이 높다. 서브 브랜드는 기업의 대표 브랜드에 기반하면서도 차별점을 두는 하위 브랜드이다. 아마존은 바코드를 찍고 계산대를 마주하는 과정이 전혀 필요 없는 무인 자동 결제 시스템 매장 amazon go 아마존 고(Amazon Go)를 오픈했다. 아마존 고는 아마존에 기반하면서도 차별점을 두는 서브 브랜드라고 볼 수 있다. 마지막으로, 보증 브랜드는 강력한 브랜드 파워를 형성한 기업 브랜드가 개별 브랜드와 함께 사용되는 경우를 말한다. 통합 브랜드와 개별 브랜드가 혼합된 한층 발전된 형태의 복합 전략이라고도 볼 수 있다. 예를 들면, LG LG는 대표 브랜드인 'LG' 상표와 '휘센', '그램', '트롬' 등을 함께 사용하고 있다. 또 다른 예를 들자면, SAMSUNG 삼성전자 삼성전자가 최초로 스마트폰을 런칭할 때 '삼성', '갤럭시'라는 보증 브랜드 전략을 사용했다.

기업의 제공물을 구분하기 위한 방법으로 서비스 티어링(tiering), 즉 서비스 등급에 따른 브랜딩을 하기도 한다. 서비스의 품질, 지원 수준 등에 따라 서비스 등급을 구분하는 것으로 〈표 5-4〉에 정리된 것과 같이 호텔, 항공, 자동차 공유 서비스, 컴퓨터 하드웨어 및 소프트웨어 산업 등에서 주로 활용된다.

서비스 브랜드의 요소와 영향 서비스 기업은 현재고객, 가망고객(prospect), 직원, 기타의 사람들에게 다양한 매체를 이용하여 브랜드를 알린다. 여기에 사용되는 매체로 서비스 기업의 설비, 간판, 인쇄나 방송 광고, 운송용 차량, 직원 유니폼, 홈페이지 등이 포함된다. 여기서 제시되는 브랜드의 핵심은 기업의 이름이지만 이에 수반되는 심벌(symbols)과 시각적 제공물도 역시 중요한 역할을 한다. KFC의 할아버지 상,

표 5-4 | 서비스 티어링 예시

산업	서비스 티어(Tier)	주요 서비스 속성 및 물리적 요소
호텔	별 순위 (1–5)	인테리어, 룸 사이즈, 가구, 데코레이션 레스토랑 시설 및 메뉴 룸 서비스 이용시간 편의서비스 및 시설 인력 규모, 직원 서비스 수준 및 태도
항공	이코노미, 비즈니스, 퍼스트 클래스	좌석 간 거리(앞뒤, 옆), 등받이 수준 식사 및 음료 서비스 고객당 직원 비율 체크인 속도 출입국 전용 라운지 수하물 회수 속도
자동차 공유 서비스	자동차 클래스	차량 크기(소형~대형) 고급 수준 특수 차량(미니밴, SUV, 컨버터블, 휠체어 리프트 차량)
컴퓨터 하드웨어/소프트웨어	지원 수준	서비스 일수 및 시간 응답 속도 부품 교체 속도 기술자 제공 서비스 vs. 셀프서비스 지원 부가 서비스 여부

맥도날드의 황금색 아치, 디즈니의 미키마우스 등은 대표적 심벌들로 브랜드의 차별화와 인지도 제고에 중요한 역할을 한다. airbnb에어비앤비의 로고는 이니셜 'A'와 사람(people), 장소(place), 사랑(love)의 의미가 담겨있다. 또한, 형태적인 특징으로 하늘 높이 날아오르는 비행기 날개의 의미를 가지고 있어 기업의 정체성을 잘 나타내고

KFC의 할아버지와 맥도날드의 황금색 아치

에어비앤비 로고

있다. 일반적으로 시각적 이미지가 단어보다 더 기억하기 쉽기 때문에 브랜드명과 관련된 심벌이나 시각적 요소가 큰 도움이 된다.

브랜드 의미(brand meaning) 브랜드 의미(brand meaning)는 기업에 대해 고객이 갖는 이미지를 생성하고 기업을 식별할 수 있도록 도와주는 것이다. 구체적으로 싱가포르 항공과 사우스웨스트 항공(Southwest Airline)의 브랜드는 이용고객들에게 단순히 글자상의 차이를 주는 것이 아니라 그들의 선호에 영향을 미친다. 즉, 싱가포르 항공은 개별화되고 고급스러운 서비스를 제공하는 이미지를 고객에게 전달하고, 사우스웨스트 항공은 지정좌석도 없고, 음료수나 음식이 제공되지 않지만 저렴한 항공이라는 이미지를 준다. 브랜드 의미는 서비스 컨셉트, 품질, 가치에 의해 결정된다. 트립어드바이저는 고객들이 여행 경험에 대해서 솔직하게 얘기하는 정보들을 한 곳에 모아보자는 창립 취지를 로고를 통해 잘 나타내고 있다. 부엉이는 지식과 지혜, 쌍안경은 검색의 툴, 녹색과 빨간색은 좋은 리뷰와 나쁜 리뷰 모두를 의미한다. 트립어드바이저의 로고는 고객들에게 정직한 리뷰를 제공하여 지식을 얻을 수 있도록 돕는 플랫폼이라는 의미를 담고 있다. 기업이 제공하는 서비스와 그 서비스의 가치는 제시된 브랜드에 대한 고객의 해석에 영향을 미친다. 기업은 그들 스스로 고객 경험에 개입하여 기업의 브랜드를 특정하게 인식되게 만들 수는

트립어드바이저 로고

없다. 기업이 할 수 있는 것은 의도된 브랜드 이미지를 강화할 수 있는 서비스를 만들어 내는 데 주력하는 것이다.

효과적인 브랜드는 다음과 같은 상황에서 마케팅 이점을 얻을 수 있게 해준다.

- 고객들이 한 기업의 서비스 컨셉트, 품질, 가치를 경쟁사의 것과 유사하다고 느낄 때
- 고객들이 가장 강력한 브랜드에만 반응할 때
- 기업이 관련된 서비스 카테고리로 진입하고자 할 때나 새로운 카테고리로 브랜드를 확장하고자 할 때
- 기업이 혁신적인 신상품을 도입하려고 하는 경우
- 기업이 마케팅 전략을 변화시키고 기업의 신경향을 알리기 위해서 새로운 브랜드를 사용하려 할 때

강력한 서비스 브랜드는 고객으로 하여금 무형의 서비스를 시각화하고 이해하며 믿게 한다. 서비스는 구매 전에는 평가하기 어려운 성격을 갖고 있다. 따라서 기업들은 브랜드를 이용하여 고객들이 느끼는 금전적 · 사회적 위험을 감소시킬 수 있다.

서비스 브랜드의 핵심-브랜드명

브랜드명은 SK텔레콤과 같은 기업 수준으로부터 T world, 5G와 같은 서비스 상품수준에 걸쳐 사용된다. 또한 일반적인 상품에서부터 영화제목, 책제목, 식품 등에 이르기까지 사용된다. 예를 들어, 고객가치에 대한 책의 제목을 「고객가치경영의 이론과 실제」라고 하는 경우와 「고객가치를 경영하라」라고 한 경우 독자의 느낌이 다를 것이다.

영화의 흥행 성공을 위한 첫 번째는 시선을 끄는 제목이라고 한다. 「아마겟돈」이라는 영화도 원래 등록되어 있던 이름을 사용하기 위해 두 개 이상의 이름을 대가로 지불하고 사용했다고 한다. 그만큼 영화도 브랜드명이 중요하다는 것을 인식한 결정이었던 것이다. 새로운 시장을 창출하는데도 브랜드명이 중요하다. 동서식품은 2011년

원두커피를 믹스커피의 형식으로 담은 제품을 출시하면서 타 먹는 원두커피만의 새로운 카테고리를 창출하기 위해 심플하면서도 임팩트 있게 브랜드명을 KANU'카누'라고 지었다. 소비자는 카누를 믹스커피 중 하나로 인식하지 않고 새로운 커피 카테고리로 받아들였다. 이후 비슷한 브랜드들이 출시됐지만, 아직도 카누의 시장점유율은 무려 80%가 넘는다. 따라서 파워 있는 브랜드명을 사용하는 것이 중요하다. 그러면 어떻게 브랜드 파워를 평가할 수 있을까? 브랜드 파워를 평가하기 위한 방법으로 다음의 4가지를 들 수 있다.

- 독특성(Distinctiveness) : 경쟁사와 명백히 구분되어야 한다.
- 연관성(Relevance) : 서비스의 속성이나 효익을 가지고 있어야 한다.
- 기억용이성(Memorability) : 쉽게 이해하고 사용할 수 있으며 회상할 수 있어야 한다.
- 유연성(Flexibility) : 기업의 전략 변화에 대응할 수 있어야 한다.

독특성 독특성을 가진 브랜드를 갖는 방법은 세 가지가 있다.

① 구체적이며 기업 특성을 잘 드러내는 표현이 들어가야 한다 : 미국의 금융기관에서 가장 흔하게 사용되는 단어는 '제일(First)', '국립(National)', '상업(Commerce)' 등이다. 이런 일반적인 단어가 들어간 브랜드를 사용한다면 경쟁이 증가되어 영역을 확장하려고 하는 경우에 그들 특유의 개성을 가지지 못하고 경쟁에서 뒤처지게 된다. 미국의 버지니아주에는 4개의 대형 은행이 있었는데 그들의 이름은 '국립 버지니아 은행(Virginia National Bank)', '버지니아 제일은행(First Virginia Bank)', '버지니아 은행(Bank of Virginia)', '버지니아 연합 은행(United Virginia Bank)' 등이었다. 초창기에는 이러한 이름의 사용으로 인한 폐해가 적었으나 은행 간 경쟁이 치열해지면서 소비자들이 혼동하기 시작했다. 따라서 각 은행은 자신만의 독특한 포지셔닝으로 고객에게 다가가기 위해 독창적인 이름을 사용하였고 각기 특색을 가진 은행으로 자리매김했다. 우리나라의 은행도 예전에는 딱딱하고 권위적인 이름을 주로 사용했으나 최근에는 부르기 쉽고 기억하기 쉬운 이름을 사용하여 고객에게 친밀감을 주고 개성을 잘 나타내고 있다. 지금까지 딱딱하고 권위적이던 병원 이름도 바뀌고 있다. '고운

세상'은 피부과, '밝은 세상'은 안과, '마음과 마음'은 정신과, '고른 이'는 치과의 이름이다. 병원이 많아지면서 환자 유치를 위한 경쟁이 치열해지면서 톡톡 튀면서도 부드러운 이름을 사용하고 있는 것이다.

② 해당 서비스 카테고리에서 일반적으로 사용하지 않는 단어를 활용한다 : 세계적으로 유명한 투자자문회사인 J.P.Morgan J. P. 모건, 패스트푸드의 대명사 맥도날드에서 보이듯이 창업자의 이름 등을 사용하는 것이 그 예이다.

③ 가공의 단어(Fabricated Words)를 사용한다 : 현실에서 독특한 이름을 찾아내기가 쉽지 않으므로 이 방법도 각광받는 추세이다. 그러나 이것을 사용할 때도 에어비앤비나 citibank 씨티은행(Citibank)처럼 기업의 서비스 특성을 잘 드러내는 것을 사용해야 한다.

연관성 서비스의 성격과 혜택을 잘 드러내도록 이름이 지어진다면 고객은 기업을 잘 이해할 수 있을 것이다. 예를 들어, 샌드위치 브랜드 SUBWAY 써브웨이(Subway)는 '잠수함(submarine)'에서 따온 이름이다. 써브웨이는 길다란 빵을 반으로 가른 후 다양한 재료를 채워 샌드위치를 파는데, 둥글고 긴 빵 모양이 잠수함을 닮아 붙여진 이름으로 기업의 성격을 잘 나타내고 있다. VISA 비자(Visa)카드는 해외출입국 시 사용되는 '비자(Visa)'를 이용한 이름으로 신용카드 서비스가 전 세계적으로 통용되며 신뢰감을 준다는 것을 효과적으로 알려주고 있다. SOBIESKI 소비에스키(Sobieski) 보드카는 실제로는 폴란드에서 만들어지는 보드카지만 브랜드명을 러시아식으로 표기하여 러시아산 오리지널 보드카 브랜드라는 이미지를 차용하고 있다.

신세계는 '위드미(With Me)' 편의점을 인수한 후 브랜드명을 emart24 '이마트24(emart24)'로 변경했다. 이마트의 24년 성공 노하우를 그대로 편의점에 반영한다는 의미를 담은 브랜드명을 선택함으로써 서비스와 브랜드 두 가지 모두를 쉽고 효과적으로 전달하고 있다. 대명 홍천 콘도의 경우에도 과거 스키장 중심에서 골프장, 워터파크, 등산로 개발 등을 통해 4계절 즐길 수 있는 복합 리조트로 바뀌면서 VIVALDI PARK '비발디 파크'라는 새로운 이름을 채택한 바 있다.

연관성(Relevance)은 단순히 서비스를 묘사해 놓은 것을 의미하는 것은 아니다. 서비스를 설명하듯이 장황하게 표현하는 것은 이름만 길게 하고, 특유성을 감소시키기 때문에 불리할 수 있다. '오버나이트 메일 서비스(Overnight Mail Service)'라는 회사는 적절하게 기업의 특성을 표현한 이름이지만 '페더럴 익스프레스(Federal Express)'만큼 강한 느낌을 주지는 못한다. 이 때 특히 중요한 것은 고객 관점에서의 연관성이다. 즉, 서비스의 기능이나 혜택은 고객의 관점에서 이해하기 쉽도록 해야 할 것이다.

기억용이성 브랜드명의 기억용이성(Memorability)에 도움을 주는 요소들은 독특함(distinctiveness), 간결성(brevity), 단순성(simplicity) 등이다. '우버'처럼 발음하기 쉬운 것은 기억을 오래가게 돕는다. 간결성과 단순성은 로고를 제작할 때 효과적으로 그래픽을 만들게 해준다. '럭키 금성(Lucky Goldstar)'이나 'Minnesota Mining & Manufacturing Company'처럼 긴 영어이름을 가진 경우에 'LG'나 '3M'으로 축약해 성공했다. 특히 LG그룹은 영어의 이니셜을 효과적으로 도안하여 '미래의 얼굴'을 형상화함으로써 미래지향적이며 친근한 인간의 모습을 잘 나타내고 있다. '프록터 앤드 갬블(Proctor and Gamble)'사나 'International Business Machine'사도 풀 네임을 사용하기보다 축약해서 'P&G'나 'IBM'으로 표현해 기억에 도움을 준다. 또한 철자를 특이하게 사용함으로써 기억하기 쉽게 할 수 있다. 이탈리아 명품 브랜드인 '불가리(BVLGARI)'는 고대 알파벳 표기법을 따라 'U' 대신 'V'를 사용하는 방식으로 역사가 깊은 명품 브랜드라는 것을 강조한다.

유연성 한 기업이 제공하는 서비스의 속성과 영역이 변화하는 것은 불가피하기 때문에 효과적인 서비스 브랜드 프로그램으로 유연성(flexibility)있게 적응해 나가야 한다. 장기적인 안목으로 브랜드를 설정해야 하고 주기적으로 평가를 시행하여야 한다. 웰빙 열풍으로 조미료에 대한 부정적인 인식이 커지자 '미원'은 1997년 과감하게 회사 이름을 '대상'으로 바꾸고, 패밀리 브랜드 '청정원'을 중심으로 대규모 브랜드 리뉴얼을 진행했다. 로고도 새롭게 디자인해 자연 친화적이고 깨끗한 이미지를 강조했다. 글로벌 도넛 체인 '던킨도너츠'는 브랜드명을 '던킨'으로 변경했다. 도넛 가게라는 한정적인 이미지에서 벗어나기 위한 노력으로 볼 수 있다.

지명을 인용하여 브랜드를 만드는 것도 때론 조심해야 한다. 항공사의 경우 신항로 개척에 대한 규제가 풀리면서 지역을 근거해 만든 표현된 이름들이 고객에게 적절하게 어필하지 못하고 있는 것들이 그 예이다. 미국의 앨러게이니(Allegheny) 항공의 경우 앨러게이니산맥 주위 지역을 중심으로 활동하고 있었는데, 미국 전역으로 그 활동범위를 넓히면서 유에스 항공(USAir)으로 개칭하였다. 미국 외의 지역으로도 적극적으로 활동하는 지금은 유에스 항공이라는 이름도 바꾸어야 할 필요가 있다.

기업이 주는 인상을 제한하도록 표현된 이름도 삼가야 할 이름 중의 하나이다. 예를 들어, 회사의 활동 영역은 이미 종합 운송회사로 확장되었는데 여전히 XX트럭, 00레일 등의 명칭을 갖고 있다면 문제가 있다. 자연농원을 에버랜드로 바꾼 것도 국제형 테마파크로의 변화에 대응하기 위한 노력으로 볼 수 있다. 안양 C.C.를 '안양 베네스트'로 동래 C.C.를 '동래 베네스트'로 바꾼 것은 세련된 이미지와 이미지 통합을 위한 조치였다.

또한 세계화의 시대에 걸맞지 않는 이름으로 다른 나라에서는 좋지 않은 인상을 주는 이름이 아닌가를 다시 한 번 고려해 봐야 한다. '선경(SUNKYUNG)'그룹의 경우에는 영어로 읽으면 '가라앉은 젊은이'를 뜻하는 'Sunk Young'으로 발음된다. 때문에 젊고 창의적인 기업으로 거듭나고 싶은 선경은 고민 끝에 그룹명을 'SK'로 바꾸었다. '한국화약'도 영어로 'Korea Explosive'로 표현되어 테러단체인 것처럼 오해되는 경우가 있어 '한화(HANHWA)'로 명칭을 바꾸었다.

세계적 석유회사인 엑슨(Exxon)사의 전신인 스탠더드 오일(Standard Oil)은 1972년 회사 이름을 바꾸기로 했다. 여러 이름들 중에서 유력한 최종 후보로 오른 이름이 엔코(Enco)였다. 그러나 마지막 결정 과정에서 '엔코'가 일본어로 '휘발유가 떨어졌다. 자동차가 고장났다'라는 의미인 '엥코'와 비슷하다는 사실이 밝혀지면서 막판에 엑슨으로 뒤바뀌었다. 이처럼 전 세계를 대상으로 하는 다국적기업의 경우에는 각 나라의 언어나 문화를 고려해 브랜드명을 선정해야 할 것이다. 이처럼 유연성 있는 브랜드는 기업의 현재 사업뿐만 아니라 향후의 사업방향, 세계화의 추세까지도 고려해야 한다.

차별화된 브랜드, 어떻게 만드나?

오늘날 기업들은 심화된 경쟁 구도 속에서, 경쟁자들의 넘치는 마케팅 활동 속에서 고객에게 경쟁우위를 갖춘 차별화된 브랜드를 제공하기 위해 고군분투하고 있다. 차별화를 위해 기존 서비스에 추가적인 가치를 더하거나(추가적 확장) 소비자들의 다양한 욕구를 반영하여 선택의 폭을 넓히기 위한 확장을 한다(증식적 확장). 즉, 지속적으로 그리고 반복적으로 더 좋은 브랜드로 다듬는 것이다. 그러나 무분별한 확장은 결국 소비자들을 기업들의 노력과 투자에 더욱 무감각하게 만든다. 가령, 모든 항공사들이 똑같이 마일리지 프로그램을 실시하고 있다는 사실을 알았을 때, 모든 브랜드들의 보증기간이 2년으로 늘어났다는 사실을 깨달았을 때, 소비자는 특정 브랜드를 선택해야만 하는 이유를 잃어버리게 된다. 그럼에도 기업들은 지속적으로 확장을 통해 차별화된 브랜드를 만들고자 노력한다. 그 미묘한 차이들을 지나치게 과대평가한 나머지 끊임없이 차별화를 추구하고 있다는 착각에 빠져있는 것이다. 진정한 차별화를 달성하기 위한 몇 가지 방안을 알아보자.

거대한 흐름에 맞서라, 역 브랜드 차별화된 브랜드는 틀을 깨는 독창적인 가치에서 출발한다. 핵심에서 벗어난 부가적인 가치를 덧붙이는 관성적인 경쟁에서 과감하게 뛰쳐나와 소비자들이 기대하지 못했던 방향으로 기발하게 결합하여 차별화된 입지를 마련하는 것이다. 이를 역 브랜드, 역 포지셔닝 브랜드(reverse-positioned brand)라고 일컫는다.

대표적인 사례로 '더 많이'가 아닌 '더 적게'를 통해 차별화를 달성한 Google 구글이 있다. 구글은 기존의 포털들이 반드시 필요하다고 생각하고 있던 요소들을 과감하게 삭제하고 사용자들이 일반적으로 기대하는 바에서 벗어나더라도 핵심적인 가치에 주력하여 오늘날의 입지를 다지게 되었다. 즉, 구글은 기존의 포털 사이트들이 기본적으로 제공하던 뉴스,

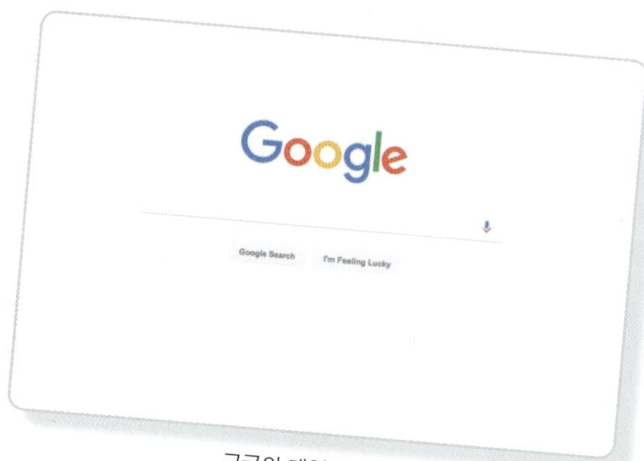

구글의 메인 페이지

INSIGHT

이동통신사 브랜드 5차 대전

1997년 PCS의 등장과 함께 국내 이동통신사들은 전쟁이라고 불릴 만큼 치열한 경쟁에 돌입하게 된다. 이 당시 통신사들은 스피드 011, PCS 016, 원샷 018 등 자사의 접속번호를 전면에 내세운 브랜드를 사용하며 번호 알리기에 집중하였다.

5개의 이동통신사가 경쟁을 하던 시장이 SK텔레콤, KTF, LG텔레콤의 3개사로 압축되면서 통신사의 브랜드 전쟁은 세그먼트 브랜드의 시대로 접어들게 된다. SK텔레콤은 그간 약점으로 여겨졌던 젊은 세대를 공략하기 위해 'TTL'이라는 이름으로 20대를 겨냥한 세그먼트 브랜드를 내놓았고, TTL의 성공은 KTF의 'Na', LG텔레콤의 '카이'를 비롯해 Ting, UTO, KARA, Drama 등 수많은 세그먼트 브랜드들을 시장에 쏟아냈다.

이후 세그먼트 브랜드뿐만 아니라 Nate, June, Fimm, Magic N, Melon, 도시락 등 새로운 데이터 통신 서비스에도 모두 개별 브랜드를 도입하는 브랜드 전략이 시장을 지배하며, 이동통신시장은 브랜드 홍수에 빠지게 된다.

그러나, 2006년 3세대 이동통신 서비스를 준비하며 SK텔레콤은 그간 중구난방으로 쏟아져 나왔던 많은 통신 브랜드를 'T'라는 브랜드 아래 통합했다. 각 브랜드 간 연계가 고객들에게 일관된 이미지를 전달하고 시너지를 창출할 것이라고 내다본 것이다. KTF는 만년 2등의 이미지를 벗기 위해 KTF라는 기업 브랜드를 철저히 숨기고 2세대 서비스 브랜드들이 쌓아온 가치들을 모두 포기하여 'SHOW'라는 이름 아래 통합시켰다. LG텔레콤은 무선 인터넷 서비스인 'OZ'로 승부수를 띄우며 경쟁에 가담했다.

2011년 KTF는 KT로 합병된 후 'QOOK', 'SHOW'의 브랜드로 구분되던 유선/무선 서비스 브랜드를 폐지하게 된다. 소비자들이 통신 서비스를 자신의 라이프스타일을 만족시키는 하나의 솔루션으로 인식하는 것에 맞춰 단일 브랜드 'olleh'로 통합한 것이다. LG텔레콤 또한 2009년 'LG U+'로 상호를 변경하며 이동통신 영역에서 벗어나 유비쿼터스 세상을 선도하겠다는 비전을 브랜드에 담았다. 4G LTE(long term evolution) 사업이 본격화되며 SK텔레콤의 '4G LTE', KT의 'warp', LG U+의 'U+LTE'가 각축전을 벌였다.

2019년의 글로벌 화두는 5G이다. 방대한 데이터를 빠르게 전송하고 실시간으로 모든 것을 연결하는 5G 상용화는 4차 산업혁명의 핵심 인프라로서 새로운 발명과 혁신을 불러올 것이다. 5세대 이동통신의 시대가 시작되면서 SK텔레콤, KT, LG U+의 신기술 경쟁이 다시 한번 펼쳐지고 있다. 특히, 3개의 이동통신사들은 고객을 유치하기 위해 콘텐츠를 확보하는 데 공을 들이고 있다. 5G는 초고화질 영상의 실시간 전송을 가능케 함으로써, 콘텐츠 제작 측면에서도 큰 변화를 불러일으킬 것이다. SK텔레콤은 게임 '리그 오브 레전드(LoL)' 대회를 5G AR/VR로 생중계하고 고객들의 선호도를 분석해 VR 경기 리플레이, 가상 팬미팅 등 AR/VR 특성을 살릴 수 있는 신규 콘텐츠를 개발할 예정이다. KT는 5G 네트워크와 클라우드, 10기가 인터넷을 결합한 '차세대 영상 데이터 관리 기술'을 개발해 콘텐츠 제작 현장을 혁신할 예정이다. LG U+는 세계 최초로 VR과 AR 콘텐츠를 자체 제작하고 전용 플랫폼을 통해 공급할 예정이다.

자료원: 매일경제, "막오른 5G시대... 이통3사 콘텐츠 싸움 불붙었다," 2019.04.22;
서울신문, "SKT, 5G 상용화 앞두고 특화 미디어 콘텐츠 론칭," 2019.03.28.

5세대 이동통신 영상

YouTube
https://www.youtube.com/watch?v=_R6nq9gQoBg&list

제 목 _ 5세대 이동통신이 바꾸는 미래
검색어 _YTN 사이언스, 5G, 5세대 이동통신

날씨, 주식, 쇼핑, 사진 등의 항목을 첫 화면에서 아예 배제하고 로고와 검색 창을 제외한 모든 항목을 텅 빈 공간으로 구성했다. 홈페이지를 고급스럽게 만들려는 어떠한 시도도 없었다. YAHOO! 야후 같은 대형 포털들이 최대한 풍성하게, 화려하게 첫 화면을 가꿀 때 구글은 정반대의 길을 택한 것이다. 이는 인터넷 사용자들에게 예전에 느끼지 못했던 새로운 자유를 주었다. 페이지를 수놓은 어지러운 배너 광고에서 해방된 것이다. 더 나아가 인터페이스를 단순화함으로써 더 빠른 검색 서비스를 제공할 수 있었기 때문에 구글 사용자들은 검색 서비스가 적절하고 합리적인 수준에서 이루어지고 있다고 만족할 수 있게 되었다. 구글은 업계의 관행에서 과감히 벗어나, 단순함의 미학을 사용자들에게 제시하여 더욱 강력하게 차별화된 브랜드로 거듭난 것이다.

고객의 심리를 변화시켜라, 일탈 브랜드 고객들의 고정관념을 타파함으로써 차별화를 달성할 수 있다. 즉, 브랜드의 일탈은 기존 카테고리에 대한 인식과 기대에서 완전히 벗어나 카테고리의 한계에 도전하여 철저히 다른 카테고리로 정의되도록 한다. 일탈 브랜드는 고객에게 강한 인상을 남기고 새로운 가치를 제시함으로써 경쟁자들에게 압박을 가하여 시장을 바꾸어 나갈 수 있다.

에어비앤비는 자신의 집을 숙박시설로 등록하고 필요에 따라 이용할 수 있도록 하는 전 세계 숙박공유 서비스 기업으로 현재 전 세계적으로 492만 개의 숙박 공간을 제공하고 있다. 회사 소유 숙박시설 없이 공유경제의 아이콘으로 떠오른 에어비앤비는 현재 세계 1등 호텔 체인인 힐튼보다 더 큰 가치를 인정받고 있다. 에어비앤비는 숙박은 호텔에서만 가능하다는 고정관념을 타파함으로써 고객에게 새로운 가치를 제시해 기존 숙박업을 바꾸어 나가고 있다.

또 다른 대표적인 사례로 1984년 캐나다 퀘백의 작은 마을에서 12명의 길거리 공연자들로 시작하여 1,200명 정도의 공연자들을 포함 5천 명에 이르는 세계 최대 규모의 글로벌 회사로 성장한 태양의 서커스단(Cirque du Soleil)이 있다. 태양의 서커스는 기존의 서커스와는 완전히 다른 형태의 공연으로 차별화를 달성했다. 태양의 서커스에는 서커스하면 사람들이 연상하는 화려한 동물, 링을 던지는 사람, 그리고 음식물로 뒤덮인 지저분한 바닥이 없다. 대신, 전통적 서커스 요소와 함께 무용, 정교

태양의 서커스

한 세트, 오페라, 음악, 코미디 등이 혼합된 한층 진화된 새로운 공연이 있다. 단순한 서커스 쇼가 아니라 독창적인 음악과 음향 효과, 스토리, 그리고 안무가 더해진 서사적인 진행으로 구성되어 있고, 기존의 쇼에서는 상상할 수도 없는 주제를 다룬다. 가령, 캐나다 국영방송 CBC가 주요 장면들을 모아 제작한 Solstrom이라는 프로그램에는 사막, 우주, 과거 등 매우 자유로운 공간 배경 속에서 외계 생명체, 흡혈귀 등 상상적인 인물들이 등장한다. '서커스 재창조(Le Cirque Revente)', '새로운 경험(Nouvelle Experience)'과 같은 공연 명칭 또한 일탈 브랜드의 면모를 나타내고 있다.

고객을 문전박대하라, 적대 브랜드 고객들에게 냉소적이며 적대적인 태도를 취하는 것이 때로는 강력한 차별화 수단이 될 수 있다. 즉, 단점을 거리낌 없이 이야기하고 판매 활동에도 적극적이지 않으며, 심지어 고객들이 테스트를 통과해야 상품을 살 수 있도록 하는 등 고객들로부터 외면을 받을 수 있다는 위험에 겁내지 않는다. 이러한 적대 브랜드들에 대한 고객들의 태도는 극명하게 갈리지만, 고객의 관심을 끌어당기는 매력으로써 강력하게 작용하기도 한다.

"우리는 우리의 터전, 지구를 되살리기 위해 사업을 합니다.(We're in business to save our home planet.)" 미국 아웃도어 브랜드 **patagonia**파타고니아(Patagonia)가 내세우는 사명이다. 파타고니아는 기업의 사회적 책임(CSR)이 기업의 이윤추구보다 우선이라고

파타고니아 광고

내세우며 필요 없는 옷은 사지 말아 달라고 고객들에게 당부하고 매년 매출의 1%를 환경보호를 위해 기부한다. 오히려 낡은 옷을 수선해 입으라는 취지로 최소한의 비용만 받는 수선 서비스를 제공한다. 심지어 "이 재킷을 사지 마세요(Don't buy this jacket)" 광고를 뉴욕타임즈(NYT)에 실은 적도 있다. 옷을 만들 때마다 환경이 파괴되니 이 재킷이 정말 필요한지 생각해 달라는 진정성을 담은 문구였다. 이 광고가 실린 이후 파타고니아의 매출은 40% 급성장했다. 여기서 한 걸음 더 나아가 파타고니아는 친환경적이지 않은 기업엔 조끼를 팔지 않겠다고 공지하며 인기가 더 높아졌다. 파타고니아는 이와 같은 적대적인 태도를 통해 환경보호 기업이라는 정체성을 더욱 강화하고 있다.

또 하나의 대표적인 사례로 뻔뻔하고 도도한 마케팅을 펼친 MINI 미니 쿠퍼 자동차가 있다. 미니 쿠퍼는 처음부터 작은 사이즈를 노골적으로 강조했다. 2002년 미국에서 런칭 당시 건물 옥상과 인쇄매체의 광고 문구는 XXL, XL, L, M, S, MINI가 전부였다. 두 번째 광고는 미국산 대형 SUV 위에 미니를 올려놓고 아래 'SUV에 비해 꼬마 같다고요? 직접 확인해 보세요!'라는 발칙하고 뻔뻔한 문구를 담았다. 자동차 크기에 대한 고객의 걱정을 달래고 설득하기보다는, 미니 쿠퍼는 단점을 더 강조하며 고객의 외면을 두려워하지 않았다. 이는 접근성을 어렵게 함으로써 그 매력을

표 5-5 | 세계 Top 12 브랜드자산의 가치(2018년, 단위: 백만 달러)

자료원: 인터브랜드(www.interbrand.com)

한층 더 높일 수 있다는 역 심리학(reverse psychology)의 개념으로 이해할 수 있다. 이는 미국인들의 감성을 자극하여 오히려 미니 쿠퍼의 매력을 극대화하고 차별화된 가치를 효과적으로 전달할 수 있게 하였다.

5.3 서비스 신상품의 기획

서비스 신상품이란?

새로운 서비스의 기획이란 서비스를 구성하는 주요 요소들을 객관적이고 구체적으로 표현하는 것을 말한다. 서비스 산업에 있어서 새로운 서비스를 기획하는 것은 매우 중요한 것이다. 그러나 서비스는 무형성이라는 특징 때문에 그 기획의 과정이 제품에서처럼 명확하거나 구체적이지 못할 가능성이 존재한다. 따라서 새로운 서비스의 기획에는 서비스의 모든 프로세스를 누가 봐도 알 수 있을 정도로 정확하고 구체적으로 제시해야 한다. 또한 새로운 서비스의 기획과 개발을 위해서는 제공할 서비스의 종류와 기업의 장기적인 전략, 서비스 마케팅의 7P 관리, 서비스 브랜드 같은 모든 속성들이 명확히 결정되도록 조직적이고 체계적인 절차가 필요하다.

또한 서비스는 고객과 따로 떼어 생각할 수 없는 비분리성을 가지고 있기 때문에 고객과 직원이 서비스 신상품 기획과정에 동시에 고려되어야 한다. 최근 휴대용 디바이스와 인터넷의 발달로 인해 기업들이 접근할 수 있는 정보의 양이 크게 증가하고 있다. 특히, 기업들은 소비자 위치기반 서비스, 텔레매틱스, 스마트홈, 웨어러블 기기 등으로 얻을 수 있는 다양한 정보를 활용해 신상품을 개발하고 고객의 니즈를 충족시킨다. 예를 들면, 스타벅스는 자체 빅데이터 분석과 디지털 설문 조사 프로그램인 마이 스타벅스 리뷰를 통해 소비자 의견을 적극 반영한 신상품을 끊임없이 개발하고 있다. 2018년 선보인 드라이브 스루 서비스인 'My DT Pass'는 차량 정보를 등록하면 매장 진입 시 자동 인식을 통해 별도의 과정 없이 자동 결제돼 바로 출차가 가능한 서비스이다. 차량 정보 등록 이후 사이렌 오더로 주문 시 대기시간이 획기적으로 단축돼 이용자가 꾸준히 증가하고 있다.

날로 격화되고 있는 경쟁 상황에서 살아남기 위해서는 기존의 상품을 잘 전달하는 것뿐 아니라 '새로운' 상품을 효과적으로 개발하여 경쟁자들과 차별화해야 한다. 대

아마존 드론 배송 서비스

아마존 자율주행 소형 택배 로봇

표적인 유형을 살펴보면 다음과 같다.

대규모 혁신 과거에는 존재하지 않았던 시장을 창출한 혁신적 서비스의 개발을 의미한다. 라디오 방송만 가능하던 시기에 출현한 TV방송, 마켓컬리가 도입한 새벽배송 서비스, 아마존이 도입한 예측배송 같은 경우가 대표적인 예이다. 최근 물류업체 간 운영 수준이 비슷해지며 물류 기업들은 경쟁력 제고를 위해 고객의 요구사항을 더욱 더 세분화하여 분석하고 다양한 영역에서 새로운 가치를 찾기 위해 노력하고 있다. 아마존은 경쟁력을 극대화하기 위해 혁신적인 리테일 테크를 활용하고 있다. 아마존은 드론 배송 서비스 '프라임에어', 자율주행 소형 택배 로봇 '스카우트', 자율주행 자동차, 예측배송 시스템 등을 통해 물류혁명을 주도하고 있다. 전통적으로 배송은 주문이 확정된 뒤에 시작되지만 아마존은 예측배송 기술로 상식을 뒤엎었다. 특정 상권과 특정 지역의 과거 주문 판매실적 빅데이터를 분석해 특정 상권에서 어느 정도의 확률로 특정 상품의 주문이 발생할지 예측한다. 고객이 주문하기 전에 상품을 인근 창고로 미리 배송해서 실제 고객 주문이 발생하면 30분 안에 배송할 수 있다.

신규 사업 대규모 혁신과는 달리 소비자의 근본적 욕구를 충족시킬 상품이 이미 시장에 존재하지만 새로운 유형으로 대체하려는 경우를 일컫는다. IT 기술의 발전과 모빌리티의 융합으로 서비스형 모빌리티(MaaS)가 뜨고 있다. 서비스형 모빌리티는 차량 공유에서 더 나아가 열차, 버스, 자전거 공유 등과 같이 모든 교통수단을 네트워크로 연결해 하나의 앱을 통해 경로 제공, 예약 및 결제까지 가능하게 하는 플랫폼이다. 서비스형 모빌리티의 개념은 기존에도 있었지만, 지금은 디지털 디바이스의 보급으로 인한 높은 수준의 연결성, 결제 시스템, 우버와 에어비앤비 등 공유경제에 대한 인식 변화, 실시간으로 교통 상황을 파악할 수 있는 기술로 인해 더욱더 발전하고 있다.

기존 시장을 위한 신상품 서비스 기업의 현재고객들에게 이전에는 제공하지 않았던 서비스를 제공하는 것이다. SK가 주유소에서 시작하여 스피드메이트를 통해 정비서비스를 제공하고, 중고차 거래 서비스인 엔카를 만든 것이 그러한 예이다. 자사의 주유소를 찾는 자동차 소유자라는 기존 시장을 위해 정비서비스와 중고차 거래 서비스라는 신상품들을 추가적으로 개발함으로써 고객의 편의를 도모하고 신상품을 통한 수익 확대를 꾀할 수 있게 된 것이다. 우버는 차량 공유 서비스로 시작해 지금은 전기자전거(마이크로 모빌리티), 우버에어(항공), 우버이츠(음식) 등 사람과 사물을 이동하는 모든 모빌리티 영역으로 확장하고 있다.

계열 확장 현재 제공되고 있는 서비스 상품계열에 새로운 것을 추가하거나 기존의 상품이지만 고객에게 전달하는 방법이 새로워진 것을 말한다. 예를 들면, 우버는 총 9가지의 차량 공유 서비스를 제공한다. 고객들은 차량 크기, 고급 수준 등에 따라서 원하는 서비스를 제공받을 수 있다. 서울대학교 경영대학에서는 대학생들과 대학원생들을 위한 교육 외에도 일반인들을 대상으로 최고경영자 과정, 공기업 고위경영자 과정, 고급금융과정 등을 개설하여 운영하고 있다. 또한 아침 식사를 하지 않던 식당이 아침 메뉴를 추가하는 것, 항공사의 새로운 노선 취항, 주유소에서 셀프서비스를 도입하는 것 등도 대표적인 예로 들 수 있다.

서비스 상품의 개선 가장 일반적인 방식으로 기존 서비스의 형태를 변경하는 것이다. 여기에는 은행에서 업무를 보다 빨리 처리하는 것과 같은 핵심 서비스 개선,

거래와 관련된 상담 서비스를 제공하는 것과 같은 보조 서비스의 개선 모두를 포함한다. 중국의 泰康人寿 TAIKANG LIFE 타이캉 생명은 빅데이터의 도입으로 고객관리 시스템을 개선했다. 이전에는 데이터 시스템의 문제로 인해 대리점이 고객 정보에 접근하기가 힘들어 상담원이 적절한 제품을 추천하거나 해지할 것 같은 고객을 판단할 수가 없었다. 이를 개선하기 위해 타이캉 생명은 4,500만 명의 계약 정보를 통합하는 플랫폼을 구축했다. 이렇게 정리된 빅데이터를 바탕으로 다양한 분석 기법을 활용해 고객에게 맞춤 상품을 추천할 수 있게 되었고, 영업사원들은 모바일 앱을 통해 고객 특성, 권장 제품, 계약 해지 위험 고객 판별 등 다양한 방법을 통해 계약 관리를 효율화할 수 있게 되었다. 실제로, 이 빅데이터 시스템을 구축해서 보험계약 갱신 수입을 전년 대비 18% 증가시키고 해지율은 0.1%로 낮추었다.

스타일 변화 물리적 증거를 바꾸는 작은 변화의 신상품이다. 레스토랑의 인테리어나 직원 유니폼을 새로이 바꾸거나 브랜드를 변화시키는 것들이 모두 여기에 속한다. kakaobank 카카오뱅크는 진부한 신용카드 디자인을 획기적으로 바꿈으로써 소비자들에게 참신하고 앞서가는 신용카드 서비스라는 인식을 심어주는 데 성공하였다.

카카오뱅크 체크카드

서비스 신상품 기획 시 고려사항

서비스 디자인 사고를 하라 서비스는 프로세스이고 서비스를 받기 위한 소요시간이 존재하는 특성이 있기 때문에 서비스 신상품을 기획하는 데 서비스 프로세스에 관련된 모든 단계와 요소, 활동들을 고려할 필요가 있다. 즉, 서비스를 제공하는 상황의 직원, 고객, 기술, 장비, 물리적 공간 등이 모두 서비스 신상품 기획에 반영되어야 하는 것이다. 이러한 복잡함을 효과적으로 조정하고 성공적인 서비스 혁신을 달성하기 위해 대두되는 개념이 서비스 디자인 사고(service design thinking)이다. 서비스 디자인 사고는 고객의 관점에서 유용하고 사용 가능하고 매력적이며, 공급자 관점에서 효율적이고 차별화된 서비스를 만드는 것을 목적으로 한다. 또한, 고객, 직원, 비즈니스 파트너 등의 이해관계자들 모두의 서비스 경험을 고려한 혁신적인 서비스 전략을 만드는 데 주력한다. 서비스 디자인 사고는 다음과 같은 4개 원칙을 핵심 내용으로 한다.

① 고객 중심(User-centered) : 서비스는 고객 경험의 관점에서 설계되어야 한다.

② 공동 개발(Cocreative) : 모든 이해관계자들이 서비스 디자인 과정에 포함되어야 한다.

③ 증거화(Evidencing) : 무형의 서비스는 물리적 증거로 시각화되어야 한다.

④ 전체성(Holistic) : 서비스의 전체 환경이 고려되어야 한다.

고객이 추구하는 편익을 제공하라 서비스 신상품을 개발하거나 기존 서비스를 개선하고자 할 때 반드시 생각해야 할 질문은 '고객은 어떤 편익을 원하는가'이다. 즉, 고객의 입장에서 고객이 필요로 하는 것을 생각해 보는 것이다. 고객의 어려움을 덜어주고 고객의 욕구를 충족시켜줄 수 있는 것을 개발하는 것이 새로운 상품개발의 첫 단계라 할 수 있다. 미국 아마존은 무인 자동 결제 시스템 매장 amazon go 아마존 고(Amazon Go)를 오픈했다. 고객들은 아마존 고 앱에 회원가입을 하고 매장 입구에서 코드를 인식시킨 뒤 입장해 원하는 물건을 골라 나오면 된다. 매장 내에 있는 수백 대의 카메라가 실시간으로 고객들의 움직임과 행동을 파악해 결제 판단을 내린다. 덕분에 고객들은 빠르고 편리하게 물건을 구매할 수 있다.

고객 욕구에 대한 체계적인 이해를 위해서는 고객에 대한 조사를 하는 것이 필요하다. 과거에는 고객 조사가 단순히 자료를 수집 · 분석 · 기록하는 것이었으나 오늘날에는 변화하는 환경에 적절히 대응하기 위하여 마케팅의 여러 문제를 예측 · 진단 · 분석하여 이 결과를 기업의 의사결정에 반영하려는 목적으로 사용되고 있다. 많은 새로운 상품들이 고객 또는 현장으로부터의 요구에 의해 개발된다는 점을 충분히 인식해야 한다. 이런 경우 고객은 상품 계획과정의 일익을 담당하는 것이 되며 마케팅 관리자는 이들로부터의 정보를 탐지할 수 있는 정보시스템을 구축 · 운용하여야 한다.

제품을 서비스로 전환하라 새로운 서비스를 만드는 아이디어는 시장에 존재하는 제품을 서비스로 바꾸려는 노력에서 얻을 수 있다. 제품을 직접 소유하고 이용하는 것을 대체하는 서비스로 ① 제품을 빌려주는 서비스, ② 제품을 조작할 사람을 고용하는 서비스, ③ 앞의 두 가지를 결합하는 것과 같은 세 가지 종류의 서비스가 개발될 수 있다. [그림 5-2]는 자동차를 소유하고 사용하는 것에 대한 대체재로서 서비스의 예를 보여준다.

한편 다른 유형의 서비스는 시설 설치, 교육훈련, 보험, 유지와 보수, 폐기와 처분 등의 서비스이다. 이런 서비스는 종종 핵심제품의 가치를 높이기 위한 보조적 활동으로 시작한다. 예를 들어, 장비 제조업체는 고객이 신제품을 구입하도록 금융서비스를 제공해줄 수 있다. 그 장비를 설치한 뒤에는 보험이라는 형태로 보다 확장된 보장내용을 팔 수도 있다. 그리고 수리와 유지 서비스를 제공할 수도 있다. 하지만 어느 정도 시간이 지나면 이런 서비스들을 전문적으로 취급하는 자회사 또는 독립적인 기업이 설립될 수 있다. 이러한 예는 '삼성전자'에서 파생되어 나온 '삼성전자 서비스'에서도 볼 수 있다.

몇몇 제품은 시간의 흐름에 따라 위험하게 되고 또 노후하며, 결국에는 폐기된다. 이에 따라 석면에서부터 재생 플라스틱까지 폐기와 재활용 등의 처분을 위한 서비스 업체도 생겨났다. 신제품이나 기존 제품에 가치와 기능을 더하거나, 제품의 수명이 다했을 때 폐기하는 것과 같은 경우도 서비스의 기회가 되는 것이다.

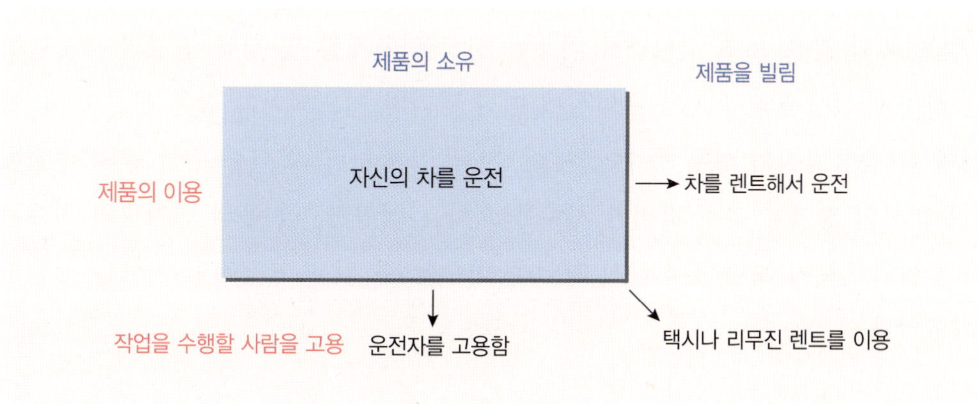

그림 5-2 | 제품의 대체재로서의 서비스

시장조사를 활용하라 새로운 서비스를 만든다고 할 때, 타겟고객에게 최상의 가치를 제공하기 위해서 어떤 특성과 가격의 서비스가 가장 적절할지를 어떻게 알 수 있을까? 고객에게 묻지 않고서 고객에게 최상의 가치를 제공하는 서비스를 찾기란 쉽지 않다. 그래서 시장조사가 필요하다. Marriott 메리어트 호텔은 시장조사 전문가의 도움을 받아 실제 상황에서 세 가지 형태의 호텔서비스를 테스트한 후 초고속 인터넷 및 24시간 비즈니스 서비스를 제공하는 비즈니스 여행자를 위한 새로운 컨셉트의 호텔을 만들어 냈다. 이 새로운 서비스 컨셉트는 고객들이 지불할 의사가 있는 가격과 그들이 원하는 물리적 환경 및 서비스 간의 균형을 가장 적절하게 맞춰 시장의 틈새를 정확하게 공략하였다. 메리어트가 이처럼 틈새를 잘 찾아 적절한 서비스를 제공할 수 있었던 것은 시장조사를 통해 찾아낸 고객의 소리를 바탕으로 새로운 서비스를 개발했기 때문이다.

보조 서비스로 새로운 상품을 만들어라 서비스 상품의 믹스를 결정할 때는 핵심 서비스에 부가되는 보조 서비스를 어느 정도 제공해야 하는지를 고려해야 한다. 고객들은 서비스 상품을 평가할 때 핵심 서비스 외에 그것에 덧붙여지는 브랜드나 분위기, 보증 등을 함께 생각하기 마련이다. 그러나 경제적인 이유나 시간상의 이유로 인해 모든 고객들이 기업이 제공하는 서비스 전체를 필요로 하지는 않는다. 복잡한 서비스를 원하지 않는 고객에게는 핵심 서비스와 함께 제공되던 보조 서비스를 개별적으로 상품화하는 것이 보다 효과적인 경우도 있다. 또한 일부 서비스 속성을 변화시켜 서비스 신상품으로 개발함으로써 좋은 결과를 얻을 수도 있다.

물론 이와 같은 보조 서비스를 이용한 신상품의 개발 및 상품 변경의 의사결정은 서비스 신상품의 수요와 수익성에 대한 평가가 기초되어야 함은 물론이다. 예컨대 한 종합병원의 경우 충수 절제술, 자궁 절개술 및 담석증 수술 등의 수술에 전문화하고 장기에 걸쳐 값비싼 치료를 요하는 백혈병, 암 등의 난치병의 치료는 하지 않음으로써 보다 신속하게 자금을 회수할 수 있고 안정적인 이윤을 창출할 수 있었다.

브랜드를 내재화하라 서비스를 고객에게 효과적으로 알리는 수단은 무엇일까?

여러 가지 매체들이 있겠지만 직원들이야말로 최상의 전달매체일 것이다. 직원들은 서비스에 생명력과 활기를 불어넣을 수 있고 브랜드 개성을 심을 수 있다. 그리고 직원들은 브랜드 의미를 강화하는 역할을 수행한다.

브랜드 내재화(brand internalization)에는 직원에게 먼저 브랜드를 설명하고 알리는 일이 포함된다. 그러기 위해서는 브랜드에 대한 조사 내용과 전략을 직원들과 공유하는 것이 필요하다. 그리고 브랜드를 강화하도록 직원을 교육시키는 것이 수반되어야 하며 브랜드 지원 활동에 적극적인 직원에게 적절한 보상을 실시하는 것도 필수적이다. 만약 직원들 자신이 브랜드를 확실히 이해하고 신뢰하지 않는다면 그들은 브랜드를 지원하는 역할을 하지 않을 것이다. 따라서 관리자들은 먼저 직원에게 브랜드를 알려야 한다. 여기서 중요한 것은 고객에 대한 브랜드의 형성 작업처럼 브랜드 내재화 역시 지속적으로 진행해야 하는 과정이라는 것이다.

자포스의 브랜드 내재화

자포스(Zappos)는 컨택센터 직원으로 하여금 당장의 매상과 상관이 없더라도 고객의 질문에는 최선을 다하도록 교육을 시키고, 고객과의 전화 응대를 성공적인 서비스 브랜딩의 기회로 활용하고 있다. 고객과 통화하는 잠깐의 시간이 고객이 직원의 말에 귀를 기울여주는 귀중한 시간이라는 일념 하에 '평생고객(Customer for life)'을 만들기 위한 투자로 여기는 것이다. 오밤중 자포스 컨택센터에 전화를 걸어 피자가 먹고 싶다는 고객에게 인근 지역의 피자집 번호를 안내한 컨택센터 직원의 유명한 일화는 이러한 자포스의 브랜드 내재화 정도를 보여주고 있다.

서비스 신상품의 개발 과정

[그림 5-3]은 서비스 신상품의 개발과 기본 단계를 나타낸다. 물론 어느 단계에서든지 성공적인 신상품 기준에 못 미치는 경우 신상품 개발 과정은 중단될 수 있다.

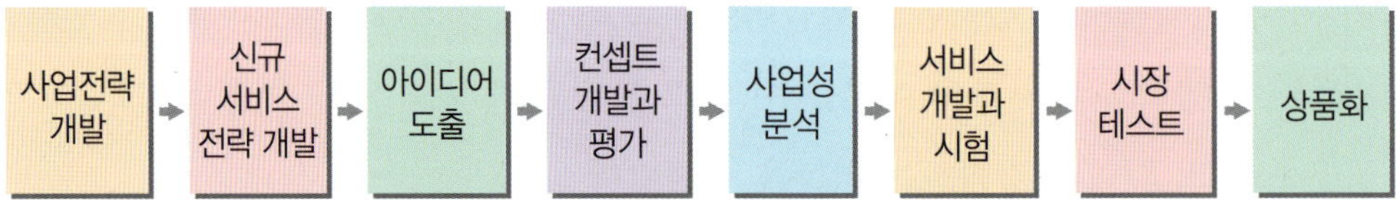

그림 5-3 | 서비스 신상품 개발 과정

사업전략 개발 신규 서비스 개발의 첫 단계는 기업의 전략적 비전과 미션을 검토하는 것이다. 신상품 개발은 기업의 전략적 구도와 일치하게 진행되어야 하기 때문이다.

신규 서비스 전략 개발 사업포트폴리오 전략과 신규 서비스 전략은 매우 중요하다. 시장, 서비스 유형과 개발 소요시간, 목표이익 수준 등에 대한 신규 서비스 전략을 수립함으로써 새로운 서비스 아이디어의 기반을 마련할 수 있다. 신규 서비스 전략을 개발하는 방법 중의 하나는 〈표 5-6〉의 틀을 이용하는 것이다.

아이디어 도출 브레인스토밍, 직원과 고객으로부터의 아이디어 유도, 선도 이용자(lead-user) 조사나 경쟁사 서비스 연구 등이 대표적인 아이디어 도출 방법이다. 그 아이디어의 원천이 조직의 내부이든 외부이든 간에 신규 서비스 가능성을 지속적으로 검토하는 제도가 필요하다. 이런 제도로는 공식적인 신상품 개발 부서, 표적집단면접, 또는 의견함 등이 있다.

서비스 컨셉트 개발과 평가 서비스의 고유한 특징, 특히 무형성 및 생산과 소비의 비분리성 때문에 이 단계가 중요하다. 이 단계에서는 신규 서비스의 컨셉트에 대해 완벽한 합의에 도달하는 것이 필요하다. 서비스 컨셉트에 대한 분명한 정의가 내

표 5-6 | 성장 기회 확인을 위한 서비스 신상품 전략 매트릭스

제공 서비스	시 장	
	기존 시장	신규 시장
기존 서비스	시장 침투	시장 개발
신규 서비스	서비스 개발	다각화

려진 후에는 서비스의 특징과 특성에 대한 정확한 서술이 있어야 하고 그 컨셉트에 반응할 표적고객과 서비스 직원이 누구인지에 대한 확인이 이루어져야 한다. 서비스 특징과 특성에 대한 서술에는 서비스가 다루는 문제, 신규 서비스가 필요한 이유, 구체적인 프로세스와 그 혜택 등이 명시되어야 한다.

사업성 분석 잠재이익과 신규 서비스의 실현 가능성이 결정된다. 예상 수입 견적, 비용 분석, 운영과 IT 기술 측면에서의 실현 가능성 등이 평가된다.

서비스 개발과 시험 이 단계에서는 마케팅, 운영, 그리고 인사부의 실무자들뿐만 아니라 고객과 접점 직원 모두가 참여하여 신규 서비스를 위한 시행계획과 상세한 서비스 청사진에 맞도록 서비스 컨셉트를 수정한다. 모든 영역으로부터 입력된 자료를 바탕으로 일련의 과정을 반복함으로써 수립한 서비스 컨셉트를 정교화하는 것이 중요하다. 이렇게 만들어진 서비스 청사진을 바탕으로 서비스 제공과정이 관련된 모든 부서마다 각자의 구체적인 역할에 대한 실행 계획을 수립해야 한다. 서비스 개발, 디자인, 제공은 서로 복잡하게 얽혀 있기 때문에 관련된 사람들이 함께 신규 서비스의 세부사항을 결정해야 한다.

시장 테스트 신규 서비스 상품은 종종 기존 서비스 시스템과 얽혀 있기 때문에 기존 서비스와 완전히 분리하여 테스트하기가 어렵다. 그렇지만 직원 및 일부 지역을 대상으로 마케팅 믹스에 대한 반응을 시험하는 대안이 있을 수 있다. 이 단계에서는 서비스의 각 프로세스들이 매끄럽게 기능하는지 점검하는 것이 매우 중요하다.

상품화 이 단계에서 신규 서비스는 실제로 시장에 도입되는데, 이 단계는 두 가지 목표가 있다. 서비스 품질을 책임질 많은 서비스 직원들이 신규 서비스를 수용하고 이를 유지시키는 것이 하나이고, 서비스의 전체 사이클에 걸쳐 신규 서비스의 모든 부분을 모니터하는 것이 두 번째이다.

CHAPTER

06

서비스 프로세스관리

PROLOGUE

대중의 지혜를 활용하다, 크라우드 소싱(crowdsourcing)

인터넷 기반으로 지식과 기술을 중개하는 대표적 글로벌 기업인 이노센티브(Innocentive)는 크라우드 소싱이라는 새로운 혁신 수단을 제공해 기업의 문제를 해결해 주는 비즈니스 모델로 가파른 성장을 달성하고 있다. 이노센티브가 주목을 받은 것은 2007년, 20년 가까이 해결되지 못한 엑손모빌의 알래스카 기름유출 사고의 해법을 제시했기 때문이다. 1989년 엑손모빌 소속 유조선 발데즈 호가 알래스카에 좌초해 막대한 환경오염을 불러왔는데, 물과 얼음이 엉켜 굳어져 버리는 바람에 기름을 분리시키지 못한 것이다. 결국 국제기름유출연구소(OSRI)는 2007년 이노센티브에 문제해결을 의뢰했고, 3개월도 안 되어 문제가 풀렸다. 문제가 이노센티브 웹상에 게재되자 과학자, 기술자, 회사원 등 전 세계 문제 해결자(Solver)들의 수천 건에 달하는 아이디어가 몰렸다. 그리고 모두가 애타게 찾던 해결책은 석유, 화학 등과 아무 관련이 없는 미국 시멘트업체 근무자 존 데이비스가 내놓았다. 시멘트가 굳지 않게 저어주듯 굳는 기름도 그렇게 해결할 수 있다는 아이디어였다. 그는 보상금 2만 달러를 받았다. 이노센티브에 등록된 전 세계 200개국에 있는 20만 명의 문제 해결자들은 각국의 기업, 정부기관 및 단체들이 의뢰한 화학, 엔지니어링, 식품, 수학, 디자인, 비즈니스 등 다양한 분야의 문제들을 살펴보고 해결에 나선다. 문제 해결자들은 과학자, 엔지니어, 일반기업인, 공무원, 가정주부, 학생 등 천차만별이다. 의뢰인(Seeker)에게 필요한 답을 제공한 해결자는 문제에 따라 5천~100만 달러 상금을 받고 거래가 완료된다.

이렇게, 대중의 지혜인 집단 지성(collective intelligence)을 적극 활용하는 크라우드 소싱(crowdsourcing)이 전 세계적으로 각광받고 있다. 크라우드 소싱이란 Jeff Howe가 2006년 와이어드(Wired)지에 처음 소개한 단어로, 대중(crowd)과 외부 자원 활용(outsourcing)의 합성어이다. 기업의 생산이나 서비스 및 문제 해결 과정 또는 혁신 과정에 특정 커뮤니티 또는 불특정 다수의 대중을 인센티브 제공을 전제로 참여시켜 기업 생산 과정의 효율성을 높이는 방법을 일컫는다.

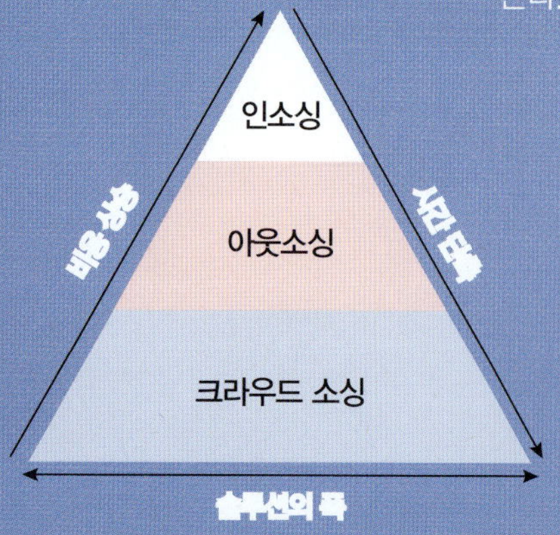

자료원: Crowdsourcing Through Knowledge Marketplace, SpinAct

전통적으로 기업들은 내부인력을 동원해 재화를 만들거나 서비스를 제공하다가(insourcing), 외부 전문가들에게 일을 맡기는 외주(outsourcing)를 늘려가는 추세였다. 하지만, 내부인력 활용은 전문성 · 창의력 부족이라는, 외주는 고비용이라는 단점이 있었다. 크라우드 소싱은 외부 자원을 활용해 창의력과 전문성을 보완하면서도 그 대상 범위를 크게 늘려 비용을 낮춘다는 면에서 기업들의 효율성을 제고하고 있다. 이는 일반 대중들이 예전에 기업만이 할 수 있었던 다양한 활동과 기능을 수행하며 기업의 가치 창조 과정에 참여할 수 있음을

뜻하며, 이 과정을 통해 기업은 고객이 원하는 니즈는 물론 다양한 고객 인사이트 확보로도 이어지고 있다.

'세계인의 지식 축제' TED도 크라우드 소싱에 주목하고 강연자 중 일부를 크라우드 소싱으로 선발했다. '천재 한 명의 아이디어보다 여러 사람의 지혜가 낫기 때문'이라고 밝힌 TED 큐레이터 크리스 앤더슨은 한국 등 세계 각국에서 오디션을 실시해 지식을 전파할 숨은 인재를 발굴했다. 크라우드 소싱은 제품 개발 또는 각종 서비스에도 활용되고 있는데, 미국 화장품 브랜드 볼리션(Volition)은 소비자들의 '의지'가 담긴 제품을 제작하고 출시하는 것을 모토로 크라우드 소싱을 통해 신제품 아이디어를 모집한다. 고객이 볼리션 홈페이지에 아이디어를 발안하면, 회사측 연구원, 패키지 및 제형 제조사 등이 실현 가능성을 검토한다. 해당 아이디어가 실현 가능 판정을 받으면, 프로토타입을 제작하고 홈페이지에 발안자의 신상 정보, 아이디어를 제시하게 된 스토리, 프로토타입 이미지를 게시하고, 회원들을 대상으로 투표를 실시한다. 투표를 통해 시장성이 있다는 판단이 내려지면, 해당 아이디어의 제품화가 이루어지고, 아이디어 발안자는 수입의 일부를 인센티브로 지급받으며, 투표한 고객들은 해당 제품의 첫 구매에 사용할 수 있는 쿠폰을 받게 된다.

독일 맥도날드는 40주년을 맞이하여 크라우드 소싱을 통해 신메뉴 아이디어를 모집했다. 접수된 수많은 메뉴들 중 소비자들의 선택에 따라 프레첼 햄버거 빵에 이탈리아 치킨, 카레의 매콤한 맛이 어우러진 '프레첼네이터(Pretzelnator)'가 한정 출시되었다. 크라우드 소싱은 개인 사업자에게도 기회를 제공한다. 닭갈비집 개업을 준비한 이 모 씨는 디자인 크라우드 소싱 업체를 통해 상호와 간판 디자인을 공모하여 높은 품질의 디자인을 적절한 가격에 얻었다. 디자인 전문 업체에서 요구한 400만 원이라는 부담스러운 금액 대신 이 씨는 크라우드 소싱을 통해 상금 40만 원을 내걸고 상호와 간판 디자인을 공모했다. 일주일 만에 20개 가량의 응모작이 접수되었고, 마음에 드는 상호와 간판 디자인을 고른 이 씨는 "현직에서 일하는 분들이어서 그런지 응모작들이 생각보다 디자인 수준이 높았다"며 만족스러워했다.

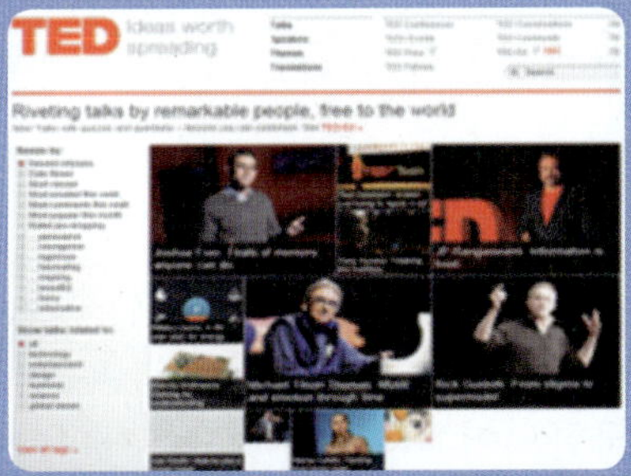

자료원: 트렌드 인사이트, "팬심을 자극하라! 크라우드 소싱 2.0 시대를 그려보다," 2018.10.03; 한겨레 뉴스, 2012.06.27; 아시아투데이, 2012.04.30; 중앙일보, 2012.03.03; 매일경제, 2010.07.14; LG 경제연구원, 2010.04.21.

6.1 서비스 프로세스

서비스 프로세스란?

서비스 프로세스란 서비스가 전달되는 절차나 메커니즘 또는 활동들의 흐름을 의미한다. 고객이 경험하는 서비스는 화물 운송이나 자동차 수리 등과 같이 일정한 결과물(outcome)을 갖는 경우도 있지만 대부분의 서비스는 일련의 과정(process)이며 흐름(flow)의 형태로 전달된다. 따라서 프로세스는 서비스 상품 그 자체이기도 하면서 동시에 서비스 전달과정인 성격을 가지고 있다.

서비스는 생산과 소비의 비분리성이라는 고유한 특성 때문에 고객과 분리해 생각할 수 없다. 고객은 서비스 프로세스 안에서 일정한 역할을 수행한다. 그렇기 때문에 서비스 생산의 흐름과 프로세스는 제품 마케팅에서보다 훨씬 더 중요할 것이다. TV를 구매하는 고객은 그것이 만들어지는 제조과정에 대해서 특별히 관심을 두지는 않지만 레스토랑에 식사를 하러 간 고객은 단순히 최종 결과물인 '배고픔의 해소'만 관심 있는 것은 아니다. 레스토랑에 도착하여 자리에 앉고 안락한 분위기를 즐기며, 주문을 하고, 음식을 받고 식사를 하는 전 과정(process)과 거기서 얻어지는 경험(experience)이 훨씬 더 중요한 것이다. 이러한 프로세스의 단계와 서비스 제공자의 능력은 고객의 눈에 보인다. 그러므로 이것들은 서비스 품질을 결정하는 데 매우 중요한 역할을 하고, 구매 후 고객의 만족과 재구매 의사에 결정적인 영향을 끼칠 수 있다.

프로세스의 중요성은 레스토랑 같은 서비스에만 국한되어 나타나는 것은 아니다. 예를 들어, 은행에 대출을 신청한 고객은 그가 받는 대출금액과 금리만으로 평가하지 않는다. 신청 및 승인 절차의 신속성, 직원과의 상호작용, 여러 가지 서류들의 적절한 전달 등의 프로세스가 고객의 태도와 향후 거래여부에 영향을 미친다. 따라서 서비스 프로세스를 설계할 때에는 프로세스에 대해서 고객이 느끼는 점들을 파악해야 하고 고객의 관점을 고려해야 한다.

서비스 프로세스의 표준화

표준화(standardization)는 주로 제품의 생산에서 많이 사용되는 것으로 과연 서비스에서도 표준화가 가능할 수 있는지에 대해서 의문을 제기하는 사람들도 있다. 이처럼 서비스가 표준화되지 않는다고 생각하는 견해로 인해 종종 서비스는 측정되거나 피드백을 받지 못하는 모호한 프로세스로 설계된다. 그러나 많은 서비스가 구체적인 규칙과 기준으로 표준화할 수 있다. 예를 들어, 병원에서 입원수속과 체중검사 등은 간호사들이, 혈액검사 등은 임상병리사가 실시하도록 일반화해 두고, 의사는 진료에 집중하는 경우가 그러한 예이다.

프로세스는 그 성격에 따라 표준화(standardization) 또는 개별화(customization)된 프로세스로 나누어 볼 수 있다. 예를 들어, Southwest 사우스웨스트 항공(Southwest Airline)은 저렴한 요금으로 가까운 거리를 운항하며 기내에서 음료나 식사를 제공하는 프로세스를 생략한다. 항공사의 목표와 비전에 따라 매우 표준화된 프로세스만 제공하고 있는 것이다. 반면에 SINGAPORE AIRLINES 싱가포르 항공(Singapore Airline)은 높은 가격으로 개별화된 서비스를 제공한다. 그들은 친절하고 자상한 직원들에게 많은 권한을 부여하여 개별 고객들의 취향에 맞는 차별적 서비스를 제공하는 프로세스를 갖고 있다.

싱가포르 항공의 서비스

INSIGHT

사우스웨스트 항공의 독특한 서비스

사우스웨스트 항공은 운영 측면에서 볼 때 안전관련 문제를 제외하고는 종래의 틀에 박힌 항공사 경영방식을 따르지 않는다. 다음은 사우스웨스트 항공만의 독특한 서비스이다.

1. 타 항공사와의 연계운영

서로 보완적인 노선을 가진 항공사들은 통과여객 티켓을 제공하여 서로 도와주곤 한다. 그러나 이는 모든 탑승객들로 하여금 타 항공기의 정시 운항에 의존하게 만들기 때문에 사우스웨스트 항공은 그와 같은 전략은 도입하지 않고 있다. 자사 항공편과 타사 항공편 간에 짐을 이동시키지 않는 점은 다소 어색해 보일 수도 있지만 이착륙 시간 사이의 소요시간을 줄일 수 있는 좋은 방법이다. 게다가 동일한 노선 운항에 있어서 타 항공사 티켓을 받지 않는 것은 사우스웨스트 항공의 회계처리업무를 단순화시켜 준다.

2. 지정좌석제 폐지

사우스웨스트 항공에 예약할 때는 창가나 통로 자리를 따지지 말아야 한다. 왜냐하면 예약하는 곳에서 좌석을 정해줄 수 없기 때문이다. 사우스웨스트 항공은 먼저 오는 순서대로 우선 탑승을 시킨다. 탑승권은 플라스틱 카드로 번호가 적혀 있는데 맨 처음 체크인한 승객이 카드번호 1번을 받아서 첫 번째 탑승하여 좌석 선택권도 최우선이 된다. 만약 맨 뒤의 카드번호를 받으면 하는 수 없이 남은 자리에 앉아야 한다. 비행기에 탑승하면서 내고 간 카드는 수백 번 재활용되므로 환경보호의 한 방법이다.

무엇보다도 중요한 것은 사우스웨스트 항공은 예약 시스템에 좌석을 지정해 놓을 필요가 없고 탑승권을 프린트하기 위한 장비가 필요하지 않으며 체크인 할 때 좌석배치를 확인하지 않아도 된다. 결과적으로 종업원들에게는 절차가 단순화되고 창구에서 보다 빠른 서비스를 제공할 수 있으므로 비용을 줄일 수 있다.

Southwest®

3. 식사 제공 폐지

국제선의 일등석과 비즈니스석의 기내 서비스 광고를 보면 보통 푸짐한 식사를 보여주지만 사실 대부분의 국내선 이코노미석 음식은 그저 그런 수준이다. 그러나 음식을 저장하고 보온해 제공하려면 대형 취사실과 무거운 음식 카트가 필요하게 되고 때에 따라서는 안전 기준이 요구하는 것보다 많은 기내 승무원이 필요하게 된다. 비행기가 이륙하기 전 음식을 준비하려면 시간이 걸리며 착륙지에 가서도 그만큼 내려야 할 물건들이 많아진다. 이 모든 것에 많은 비용이 든다. 기껏 해봐야 평범한 음식인데 불필요하게 경쟁할 필요가 없다. 또한 기내 승무원은 간단한 음료와 스낵만을 제공하므로 승객을 돌보아 줄 시간을 더 갖게 된다.

4. 중심기지 시스템보다는 공항 기점 간 시스템

거대한 중심기지 방식(hub-and-spoke) 시스템을 운영함으로써 항공사들은 중심기지에서의 연결노선을 통해 탑승객들에게 다양한 노선을 제공해 준다. 중심도시 공항에서 많은 비행기들이 떼를 지어 활주로에 착륙하고 나면, 탑승객들은 비행기를 갈아탄다. 탑승이 끝나고 나면, 항공기들은 차례대로 이륙하기 시작한다. 그러나 지상서비스 수행능력, 비행장 탑승구, 현장 인부, 이동 트랩이 한창 분주한 성수기를 기준으로 하여 결정된다는 점이 취약점이다. 비행기 한 대가 지연 도착될 경우 이륙 예정이었던 나머지 모든 비행기들은 환승하는 고객들을 위해 출발시간을 늦춰야 한다. 결과적으로, 인력과 장비가 모두 낭비된다. 반면에 사우스웨스트 항공이 채택한 기점과 기점을 연결하는 방식은 하루 종일 보다 균일하게 운항할 수 있으며 이에 따라 어느 한 항공편으로 인하여 다른 항공편이 묶여 있는 경우를 피할 수 있다.

5. 소규모 공항

크고 혼잡한 공항은 대개 북새통을 이루기 마련이다. 이착륙 시간이 지연되기도 하고 공항이나 활주로에서도 지연되는 경우가 많다. 사우스웨스트 항공은 소규모 공항을 이용하기 때문에 정시에 출발하며 비행기가 활주로에서 이동하기에도 수월하다. 따라서 공항이 혼잡하다는 이유로 대형 공항 이용을 기피하는 고객을 끌어들이고 있다.

서비스 프로세스의 분류

서비스 프로세스는 노동집중도와 고객과의 상호작용/개별화 두 개의 축으로 하는 매트릭스로 분류할 수 있다.

노동집중도(labor intensity)란 서비스 제공에 필요한 장치나 설비 등 자본에 대한 의존도와 사람에 의존하는 정도인 노동에 대한 의존도의 상대적인 비율을 말한다. 따라서 노동집중도가 높다는 말은 기계나 설비에 대한 의존도가 낮고 종업원의 근무시간이나 노력 등이 상대적으로 높다는 것이다. 예를 들어, 변호사, 회계사 등의 전문서비스는 대표적으로 노동집중도가 높은 것이다. 노동집중도가 낮은 경우는 그 반대의 경우로 상대적으로 기계나 설비에 대한 의존도가 높은 것을 말한다. 여기서 중요한 것은 '상대적'이란 용어이다. 예컨대 병원 같은 경우에는 의사, 간호사, 직원 등 수많은 사람이 있다. 하지만 이 많은 사람들도 병원의 고가 기계나 설비 등에 비해 상대적인 비중이 작기 때문에 병원은 노동집중도가 낮은 쪽에 속한다.

또 다른 차원인 고객과의 상호작용(interaction)/개별화(customization)의 정도는 혼동하기 쉬운 개념인데, 전자는 고객이 서비스 프로세스와 상호작용하는 정도이고 후자는 서비스가 고객에 따라 개별화되는 정도이다. 두 가지를 함께 고려한 결합척도(joint measure)의 값은 상호작용과 개별화의 정도가 둘 다 높은 서비스에 대해서 높게 나타난다. 마찬가지로 두 요소의 정도가 모두 낮을 때 결합척도의 값은 낮게 나타난다. 만일 둘 중 어느 하나가 높고 다른 것은 낮다면 결합척도는 그 중간 정도의 값을 갖게 될 것이다.

서비스 팩토리 어떤 서비스 프로세스는 낮은 노동집중도를 갖고 고객과의 상호작용과 개별화의 정도도 낮은 경우가 있다. 이것을 서비스 팩토리(service factory)라고 한다. 대부분의 대중 운송업이나 호텔, 리조트 등이 서비스 팩토리에 속하는 것이다.

서비스 샵 노동집중도는 낮지만 고객과의 상호작용/개별화의 정도가 높은 경우에는 서비스 샵(service shop)이라고 분류된다. 이것은 제조업에서 개별화의 정도가 높

표 6-1 | 서비스 프로세스 매트릭스

		고객과의 상호작용/개별화	
		낮음	높음
노동 집중도	낮음	서비스 팩토리(Service Factory) 예) 운송업, 호텔, 리조트	서비스 샵(Service Shop) 예) 병원, 수리 센터
	높음	대중서비스(Mass Service) 예) 소매 금융업, 학교 등	전문서비스(Professional Service) 예) 의사, 변호사, 컨설턴트

은 프로세스를 공정 중심의 작업장(job shop)이라 부르는 것과 같은 것이다. 병원과 대부분의 수리 센터들이 이러한 분류의 프로세스를 가지고 있다.

대중서비스 대중서비스(mass service)는 노동집중도는 높고, 고객과의 상호작용이나 개별화의 정도는 낮은 프로세스를 말한다. 소매 금융업, 학교, 도매업 등이 대중서비스의 대표적인 예이다.

전문서비스 노동에 의존하는 정도가 상대적으로 높고 고객과의 상호작용이나 개별화의 정도도 높은 프로세스는 전문서비스(professional service)라고 분류된다. 의사, 변호사, 컨설턴트, 건축가 등이 그 예이다.

서비스 프로세스 모델

[그림 6-1]의 서비스 프로세스 모델은 서비스 프로세스를 분석하고 계획할 때 사용되는 모델이다. 중앙의 가장 큰 사각형은 고객입장에서 바라보는 서비스 생산구조를 의미한다. 서비스에서 고객은 생산 프로세스에 참여하기 때문에 서비스 생산구조 안에 포함되게 된다. 많은 서비스 기업들이 제조업 중심의 사고방식으로 인하여 고객을 외부 요인으로 인식하지만 실제로 고객은 서비스 생산구조 내에 포함되어야 한다.

서비스 생산구조는 고객에게 보이는 부분과 보이지 않는 부분으로 나누어진다. 사

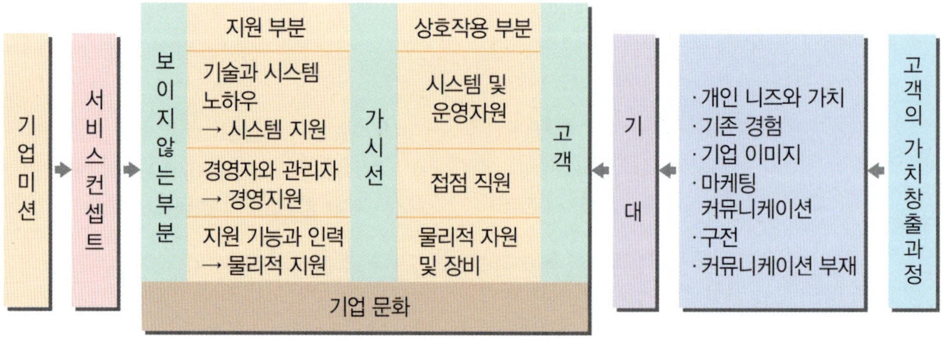

그림 6-1 | 서비스 프로세스 모델
자료원: Grönroos, C.(2007), *Service Management and Marketing*, 3rd ed., Southern Gate, Chichester: John Wiley & Sons, Ltd.

각형 오른쪽은 고객의 기대와 이에 영향을 미치는 요소들을 의미하며 왼쪽은 서비스 시스템의 계획과 운영에 영향을 주는 기업 미션과 서비스 컨셉트를 의미한다. 서비스 생산구조 내의 조직원들이 공유하고 추구하는 기업문화가 사각형의 아랫부분을 차지하게 되는데, 만약 고객지향적 문화가 성립되지 않은 경우 조직이 훌륭한 서비스를 제공하기 어렵게 된다.

고객에게 보이는 부분

서비스 프로세스 모델에서 고객의 눈에 보이는 부분, 즉 전방부서 혹은 고객과 상호작용하는 부분은 고객이 서비스 조직과 만나는 접점을 의미한다. 접점에서 서비스 품질에 영향을 미치는 요소로는 1) 고객, 2) 시스템과 운영자원, 3) 접점 직원, 4) 물리적 자원과 장비가 있다.

1) 고객은 수동적으로 서비스를 받는 사람이 아니라 서비스의 공동 생산자로 서비스 과정에 참여하여 서비스 품질에 영향을 미치게 된다. 2) 시스템과 운영자원은 조직의 일상적 업무를 포함하여 모든 기능적 시스템을 포함한다. 대기관리시스템, 콜센터 시스템, 웹사이트의 구매 시스템 등이 여기에 해당한다. 3) 서비스 기업에서는 고객과의 상호작용이 모든 분야에서 이루어질 수 있기 때문에 접점 직원들의 행동이 중요하다. 4) 물리적 자원과 장비는 서비스 시스템 내에서 사용되는 모든 자원을 의

미하는 것으로 고객과 직원에게 영향을 미친다.

고객에게 보이지 않는 부분

고객 접점 뒤에는 보이지 않는 부분, 즉 후방부서가 있다. 고객은 대부분 가시선 뒤에서 어떤 일이 벌어지는지를 보지 못하며 그 중요성을 인지하지 못한다. 이로 인하여 두 가지 문제가 발생하게 된다.

첫째, 가시선 뒤에서 훌륭한 서비스가 제공되더라도 접점에서의 서비스가 나쁘면 고객은 서비스 품질을 나쁘게 인식하게 된다. 둘째, 접점에서의 서비스가 간단하고 보이지 않는 부분의 서비스가 복잡할 경우 고객은 눈에 보이는 부분만을 고려하여 서비스 가격이 지나치게 높다고 생각하게 된다. 반대로 서비스 제공자는 보이지 않는 부분에서 얼마나 많은 가치가 창출되는지 고객이 잘 알 것이라고 가정하는 우를 범하곤 한다.

가시선 뒤의 서비스 시스템 구성요소로는 1) 시스템 지원, 2) 경영지원, 3) 물리적 지원이 있다. 1) 시스템 지원은 정보기술, 건물, 사무실, 차량과 같은 시스템에 대한 투자를 의미한다. 적절한 시스템 지원이 이루어지지 않을 경우 시스템의 잦은 충돌이나 직원에 대한 불충분한 지원으로 이어져 고객의 품질 인식에 부정적 영향을 미치게 된다. KOREAN AIR 대한항공의 경우 예약, 발권, 운송, 운송 후 고객관리 등을 효율적으로 관리하는 예약발권시스템이나 고객관리시스템을 갖추고 있다. 2) 경영자는 경영지원으로 조직 내의 가치와 사고방식에 영향을 미쳐 직원들이 서비스 지향적 행동을 보이도록 유도해야 한다. 3) 지원부서의 직원들은 접점 직원을 내부고객으로 여기고 지원하여야 한다.

6.2 서비스 프로세스와 고객참여

고객참여의 중요성

서비스의 비분리성 특성 때문에 고객들은 서비스 과정에 참여하여 일정한 역할을 하고 있다. 서비스 전달과정에서 고객의 중요성은 연극공연에서 잘 나타난다. 관객은 희곡, 배우와 함께 연극을 구성하는 3요소이다. 아무리 멋진 희곡과 배우가 있더라도 관객이 없으면 연극은 존재할 수 없는 것이다. 배우들은 자신과 같이 생각하고 느끼는 관객들과 함께 호흡할 때 연기에 더욱 몰입할 수 있으며 그렇게 함으로써 관객들은 카타르시스를 느낄 수 있다. 만일 진지하고 엄숙한 연극 상황에서 하품을 하거나 휴대전화를 받는 관객이 있다면 다른 관객은 물론이고 연기를 하는 배우들도 흥이 깨져 버릴 것이다. 그렇게 되면 그 관객은 성공적인 서비스(연극공연)를 받지 못하게 될 것이다.

서비스를 받는 고객

바이올린 연주를 들으려는 고객은 단지 연주회에 참석하면 서비스를 받을 수 있으며 서비스 생산(연주)에는 거의 참여하지 않는다. 비행기 여행이나 패스트푸드 식당에서의 식사 등도 고객의 단순참여만을 필요로 하는 경우이다.

이와는 달리 고객의 노력이 어느 정도 투입되어야만 서비스가 효과적으로 생산·전달되는 경우도 있다. 예를 들어, 고객이 원하는 헤어스타일을 얻기 위해서는 미용실에 직접 가는 행위 외에 미용사와 상의를 하여 부분적인 염색, 펌, 자를 머리카락의 길이 등의 정보를 제공해야 한다. 이 경우는 고객의 참여 정도가 중간 정도인데 회계사에게 회계보고를 준비시키는 경우나 고급 레스토랑에서 식사를 하는 경우 등도 여기에 포함된다.

한편 고객의 적극적인 참여가 있어야 하는 서비스가 있는데 체중을 조절하려는 다이어트 프로그램이 그런 예이다. 이러한 경우에는 원하는 결과를 얻기 위해 고객이 공동으로 생산을 하게 되는 것이다. 결혼을 주선해 주는 이벤트 회사의 서비스나 학생들의 과외지도의 경우도 비슷한 예로 소개를 받고 교제를 이어가지 않으면 결혼을 할 수 없고 가정교사의 지시대로 예습, 복습을 하지 않으면 성적이 오를 수 없다. 마찬가지로 각 라디오 방송들은 청취자가 보내오는 사연들과 신청곡 등으로 코너를 진행한다.

다른 고객

많은 경우에 서비스를 받는 고객은 다른 고객들과 함께 서비스를 받거나 다른 고객이 서비스를 받는 동안 대기해야만 한다. 따라서 다른 고객들은 서비스 환경 내에 함께 존재하고 서비스의 결과나 과정에 영향을 미친다.

가령 어린이날 테마파크에 놀러 가면 무수히 많은 다른 고객들로 인해 괴로움을 겪을 수도 있다. 또한 레스토랑에서 꼬마 아이들이 시끄럽게 떠드는 경우에는 고객의 경험에 부정적으로 작용하게 된다. 다양한 국적 및 연령대의 승객들이 10시간 이상을 함께 지내야 하는 장거리 비행을 생각해 보라.

반면 스포츠 센터나 교회에서는 기존고객들이 신참들의 '사회화(socialization)'를 돕는 등 긍정적인 영향을 줄 수도 있다. 수영장에서 같이 수영을 배우는 회원들이 자발적으로 친목회 회장, 총무 등을 선출하여 출석을 체크하고 격려하거나 회식을 통해 신입회원들이 서먹서먹하지 않게 하고 서로의 건강이나 사업 등에 대해 격려하는 활동은 개개인들이 즐겁게 수영을 배울 수 있게 할 뿐 아니라 수영장에 대한 충성도를 높일 수도 있다.

INSIGHT

게임이 현실이 되는 세상

극심한 경쟁으로 고객이 품질 차이로 브랜드를 구별하는 일이 점차 어려워짐에 따라, 관심을 끄는 독특함과 고객을 참여시키는 것이 점점 더 중요해지고 있다. 이를 위해 게임에 활용되던 레벨(level), 리워드(reward), 매치(match) 등의 게임 메커니즘들을 활용해, 고객이 재미를 느낌으로써 자발적으로 참여하고 몰입하게 만드는 기법인 'Gamification', 게임화가 주목받고 있다. 핵심은 보상과 경쟁. 게임은 뚜렷한 목표를 설정하고, 이를 도달하기 위한 경로를 체계적으로 제시한다. 경쟁과 협력을 수반하는 이 과정에서 성장과 성취를 보상으로 제시한다. 이러한 게임적 재미를 통해 고객은 서비스에 더욱 몰입하고 반복적으로 사용하여 자발적인 참여로 이어진다.

대표적인 사례는 바로 포스퀘어(Foursquare). 자신이 방문한 곳에 스마트폰으로 체크인해 흔적을 남긴다는 간단한 개념의 위치기반 소셜 네트워크 서비스이다. 포스퀘어는 지극히 단조로운 이 서비스에 '배지(badge)'와 '시장(mayor) 쟁탈'이란 간단한 게임 요소를 집어넣어 글로벌 서비스로 만들었다. 특정 장소나 가게에 가장 많이 체크인한 사람, 혹은 친구들 중 가장 먼저 체크인한 사람 등으로 배지를 부여하고 공유할 수 있게 하고, 특정 장소에 가장 자주 체크인한 사람을 뜻하는 '시장' 자리를 서로 빼앗을 수 있도록 해 묘한 경쟁심을 불러일으키고 지위를 통한 성취감과 자기표현의 욕구도 충족시킨다.

센서가 장착된 운동화를 신고 달리면 달린 거리나 소모 칼로리를 계산해 애플 워치(Apple Watch), 아이폰 등으로 전송하는 '나이키+'도 대표적 성공 사례이다. 목표를 달성하면 축하 음악을 틀어주고 운동 데이터를 온라인에 올려 서로 경쟁하거나 비교하는 등의 경쟁 요소를 접목했다. 또한 닛산의 친환경 자동차에는 차내 에코시스템으로 차량 배기가스를 적게 내고 이를 주변 사람들과 경쟁하는 시스템이 탑재돼 있다. 단순히 수치만 표시됐다면 동기부여가 적었겠지만 이 정보는 타인과 경쟁을 유도하고 소비자에게 자긍심을 부여한다. 이외에도 기능성 게임 제작으로 행동 교정이나 사회 참여, 기부 활동을 독려하는

경우도 있다. 국내 기업 중에서는 카카오게임즈가 카카오모빌리티와의 공동출자를 통해 신사업 자회사 '라이프 엠엠오(Life MMO)'를 출범시키고, 위치기반서비스 기술, AR, VR 기술 등을 활용하여 경쟁과 재미, 보상, 성취감을 유저들의 삶에 녹여내기 위한 연구를 진행 중이다. 그 시작으로 걷기, 자전거 등 야외 이동 활동의 즐거움을 극대화할 '프로젝트R'을 개발하고 있으며, 이후 남녀노소를 폭넓게 아우를 수 있는 다양한 일상 영역으로 확장해 나갈 계획이다.

애플 워치용 '나이키 +' 앱(출처: ndolson.com)

'게임화'는 간단히 말하면 게임 디자인 원리를 일상생활에 적용, 이용자나 소비자라는 용어 대신 '플레이어'라는 개념을 적용해 어떤 경험이나 서비스를 마치 게임처럼 상상해 구성하게 만든다. 반복적인 패턴을 인식시키고, 자발적으로 고객들이 자신의 정보를 입력하게 만들고 다시 성취감과 명예 등의 보상을 제공한다. 이는 일상적 과제나 일을 즐거움으로 대체하게 만드는 작업이자, 참여와 몰입을 극대화할 수 있는 방법이다.

자료원: 에너지 경제, "카카오게임즈, '일상을 게임처럼'…자회사 라이프엠엠오 설립," 2019.03.08; 전자신문, 2012.03.07.

고객참여의 유형

기업과의 관계에서 고객은 다양한 행동을 보이는데, 이는 넓은 의미에서 고객의 참여행동이다. 이러한 참여행동을 크게 2가지 기준으로 나누면 다음과 같다. 하나는 고객의 행동이 기업에 미치는 영향이 순기능적인가, 역기능적인가 여부이며, 다른 하나는 고객의 행동이 서비스 제공 프로세스상에서 기대되는 고객의 역할 내 행동인가 아니면 그것을 넘어서는 역할 외 행동인가이다. 이 같은 기준을 통해 고객의 참여행동을 4가지 형태로 나누어 생각해 볼 수 있다.

참여행동 앞서 밝힌 넓은 의미의 고객 참여행동과는 구분된 좁은 의미의 참여행동으로 음식점에서 음식을 주문하거나 택시를 타고 행선지를 말하는 행위처럼 서비스를 받기 위해서는 필수적으로 요구되는 행동이다. 이 때 고객이 요구사항에 적절하게 응하지 않을 경우 서비스가 성공적으로 전달되지 않게 된다.

시민행동 단순히 서비스를 제공받기 위한 소극적 참여행동을 넘어서 능동적으로 기업 활동에 협조하고, 건의사항을 제공하거나 다른 고객에게 도움을 주어 궁극적으로 기업과 다른 고객에게 긍정적인 기여를 하는 행동이다. 다만 고객의 이러한 자발적인 시민행동은, 그것을 수행하지 않는다고 해서 서비스 전달에 문제가 발생하는 것은 아니라는 점에서, 위의 참여행동과 다르다.

불평행동 고객이 불만족한 상황을 바꾸기 위해 행동을 취하는 것으로, 대표적인 예로 환불이나 교환요구 또는 컴플레인을 들 수 있다. 이는 소비에서 발생한 불만

표 6-2 | 넓은 의미에서 본 고객참여의 유형

	역할 내(in-role)	역할 외(extra-role)
순기능	참여행동	시민행동
역기능	불평행동	불량행동

자료원: 이유재, 허태학(2007), 고객 가치를 경영하라, 21세기 북스.

족을 사회적으로 허용되는 합법적인 방법으로 해소하는 고객의 역할 내 행동을 뜻한다.

불량행동 폭력, 기물파손, 절도처럼 기업과 다른 고객에게 직접적인 피해를 입히는 더욱 극단적인 형태의 역할 외 행동을 의미한다.

고객시민행동의 영역 확장과 의미

앞서 살펴본 다양한 고객행동 가운데 '시민행동'은 고객이 참여를 통해 기업이 제공하는 것 이상의 가치를 창출한다는 측면에서 중요한 의미를 가진다. 최근 고객에 의한 가치(value by the customer) 창조의 중요성이 높아지고 정보기술이 발전하면서, 기업과 고객 사이가 더욱 가까워지는 동시에 고객 간의 활발한 의견교환 속에서 고객 개개인의 정보전달의 속도나 범위가 확대되었다. 즉, 고객시민행동의 영향력이 이와 함께 증대되면서 시민행동에 대한 기업들의 관심이 높아졌고, 이제 시민행동은 기업 경쟁력의 중요한 부분으로까지 부각되고 있다.

특히 커뮤니티나 블로그, SNS와 같은 다양한 통로를 통하여 보다 많은 정보를 제공받게 되면서 고객들은 더 구체화된 요구를 가지게 되었고, 이러한 요구가 쌍방향 커뮤니케이션을 통해 서비스 제공자들에게 전달되고 있다. 그 결과 서비스 제공자들은 보다 낮은 비용으로 개별고객들의 요구를 반영하는 일이 가능해졌다. 즉, '시민행동'은 기업에게는 고객과의 가치공유를 통한 지속 가능한 발전 모델을 제시하고, 고객에게는 서비스의 생산 및 전달과정에 깊이 참여하고자 하는 욕구를 만족시켜 주는 역할을 하고 있다. 즉, '시민행동'은 고객에 의해 생산된 가치가 기업에게, 그리고 다시 고객에게 돌아오는 '가치 선순환 구조'를 형성하는 데 중요한 역할을 하고 있는 셈이다.

가령, IoT, 센서, 디지털 트윈(digital twin) 기술 등 첨단 ICT 기술을 적용한 스마트 시티(smart city)는 교통, 안전, 환경 등 복합적인 도시 문제들을 해결하여 지속 가능한 미래형 도시 및 공간 플랫폼으로서 기능하는 것을 궁극적인 목표로 하는데, 이 때 도시 구성원들은 스마트 시민(smart citizen)이 되어 가치 창조 과정에서 핵심적인 역할을 담당한다. 예컨대 암스테르담 시에서는 2009년부터 암스테르담 스마트 시티라는 전담기구를 운영하여 더 편리하고 안전한 도시를 만들기 위한 아이디어를 모집하고, 시민들의 책임감과 주인의식을 강조하는 매뉴얼을 제공하고, 시민들이 자유롭게 각자의 공간에서 날씨, 습도, 온도 등의 정보를 수집할 수 있도록 돕는 스마트 키트를 개발하여 시민들의 참여를 독려하고 있다. 실제로 다양한 프로젝트가 시행 중에 있는데, 길가에 차량이 10분 이상 주차되어 있으면 IoT가 장착된 태양광 센서가 이를 인식해 해당 차량에 경고한 후 주차관리요원에게 알리는 스마트 파킹 시스템 역시 지역 주민이 아이디어를 내고 시 정부의 펀딩을 받아 운영 중이며, 불법 주차와 도로 혼잡을 예방하는 역할을 톡톡히 해내고 있다.

스마트 시티 영상

YouTube

https://www.youtube.com/watch?v=FinLi65Xtik

제 목 _ Amsterdam Smart City
검색어 _smart city Amsterdam

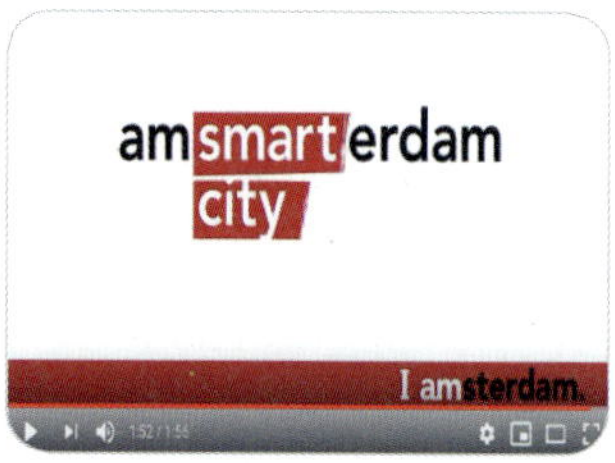

고객의 역할

준직원 고객은 기업의 준직원(partial employee)이라고 볼 수 있다. 즉, 고객은 직원과 마찬가지로 서비스의 생산과 전달과정에서 적극적인 역할을 수행할 수 있기 때문에 준직원으로 간주되는 것이 마땅할 것이다. 하지만 이 경우 반드시 유의해야 할 사항은 준직원인 고객이 야기할 수 있는 불확실성 문제이다. 직원이야 기업이 항상 관리하고 교육 훈련과정을 통해서 최상의 서비스를 생산할 수 있도록 적극적으로 관리되지만 고객의 경우에는 그렇지 못하다. 생산과정상에서 단지 잠시 직원의 역할을 수행하는 것이기 때문에 자사의 직원처럼 효과적으로 관리하는 데는 한계가 있을 수 있다. 그래서 항상 고객으로 인한 불확실성 문제를 고려해야만 한다.

인적자원 기업이 고객에게 적절한 역할을 부여하면 고객은 스스로 생산 역할을 더욱 더 적극적으로 수행하게 된다. 그 결과 고객은 생산성의 원천이요, 품질, 가치 및 만족에의 공헌자로 부상하게 된다. 예를 들어, 연말 정산 시에 세무사에게 필요한 정보를 충실하게 제공하는 고객은 자신이 원하는 절세와 세금 감면과 같은 혜택, 즉 서비스 품질에 직접적으로 공헌한다. 또한 Southwest 사우스웨스트 항공은 승객들이 직접 자신의 짐을 운반하게 하고 지정좌석 없이 자신의 자리를 직접 찾도록 하였다. 그 결과 승무원의 수를 줄여서 비용을 절감할 수 있었다. 결국 이런 생산성의 향상은 다시 고객에게 보다 높은 혜택으로 돌아가게 된다. 스웨덴 가구회사 IKEA 이케아(IKEA) 역시 경쟁사에 비해서 30% 이상 저렴하게 가구를 판매하고 있는데 이것은 고객들이 직접 가구를 조립하게 하는 회사의 방침 덕분이다. 고객을 생산시스템 내로 자연스럽게 유도함으로써 고객은 해당 기업을 더 잘 이해하고 자신의 원하는 만족을 얻을 수 있다.

특히, 3D 프린팅, 크라우드 소싱, 혁신 수단 플랫폼 등 창업 및 신제품 개발과 생산에 있어 필요한 인프라가 구축되어 있는 요즘, 전 세계적으로 1인 생산, 주문형(on-demand) 생산, 디지털 DIY(Do It Yourself) 활동을 강조하는 메이커스(makers) 운동이 확산되면서 고객은 수동적으로 서비스를 전달받는 역할에서 벗어나 서비스 프로세스에 직접적인 영향을 주는 생산자, 파트너로서의 능동적인 역할을 수행하고 있다. 가령, 미국의 화장품 회사 볼리션(Volition)의 경우, 고객의 의지가 담긴 제품을 제작하고 출시하는 것을 모토로 크라우드 소싱을 통해 신제품 아이디어를 모집한다. 고객들이 홈페이지에 아이디어를 제안하면, 사측의 전문가들이 모여 실현가능성을 검토한다. 검토 단계를 통과하면, 프로토타입을 제작하여 발안자의 신상정보와 아이디어를 제시하기까지의 이야기를 홈페이지에 게시하고 이에 대한 투표를 실시하여 선택된 아이디어를 제품화하게 된다. 이 때, 아이디어를 제안한 고객에게는 매출액의 일부가 인센티브로 지급되며, 투표에 참여하는 고객들에게는 해당 제품의 첫 구매에 사용할 수 있는 쿠폰이 제공된다.

혁신자(innovator) 고객은 새로운 서비스 개발의 전면에 나서고 있다. 즉, 서비스 기업에게 혁신자로서 역할을 수행하고 있다. 이른바 선도 이용자(lead-user)의 형태로 고객들은 적극적으로 기업의 혁신 프로세스에 참여하고 있는데, 이들은 시장에 있는 어느 고객보다도 먼저 서비스의 문제점을 발견하고 해결안을 제시함으로써 시장 내 다른 고객들에게 큰 혜택을 가져다 줄 수 있다. 이에 기업들은 적극적으로 고객들에게 새로운 환경과 설계를 할 수 있도록 도구를 공급하고 있다. 예를 들어, 소프트웨어 기업인 EA 일렉트로닉 아츠(Electronic Arts)는 직접 자사의 소프트웨어를 수정하고 제작할 수 있는 프로그래밍 툴을 고객들에게 제공하고 고객들이 스스로 새로운 게임을 만들고 수정할 수 있도록 독려하고 있다. 이러한 고객에 의한 소프트웨어 제작은 고객들이 자신이 가장 잘 즐길 수 있는 최상의 환경을 그대로 소프트웨어에 구현할 수 있기 때문에 그 결과 생산된 소프트웨어는 고객들의 니즈를 가장 잘 반영하게 된다.

셀프서비스 기술

고객참여의 궁극적인 형태는 고객이 직접 스스로 서비스 활동을 하고 서비스 기업이 제공한 시스템이나 장치들을 이용하는 것이다. 오늘날 고객들은 다양한 종류의 셀프서비스 기술(self-service technologies: SST)을 접하고 있다. 셀프서비스는 고객이 직원을 대면할 필요 없이 단지 기계나 장치만 잘 이용하면 된다. 이러한 셀프서비스 기술에는 셀프 주유소, 자동 호텔 체크아웃, 무인기나 키오스크를 통한 철도 및 항공 수속, 폰뱅킹, 그리고 온라인 및 모바일 기반의 전자상거래 등이 존재한다. 셀프서비스는 핵심 서비스라고 할 수 있는 금융, 연구조사, 엔터테인먼트 및 교육과 같은 측면과, 보조 서비스라고 할 수 있는 주문, 예약, 결제 및 정보 수집과 같은 차원에서 널리 사용되고 있다. 특히 금융서비

셀프서비스

스의 경우 인터넷 뱅킹 및 모바일 뱅킹과 같은 셀프서비스가 매우 대중적으로 사용되고 있는데, 기업에게는 서비스 직원의 업무를 고객의 시간과 노력으로 대체하여 인건비 절감이라는 혜택을, 고객에게는 직접 은행을 방문하여 오랜 시간을 기다리는 번거로움에서 벗어난다는 혜택을 제공한다. 또한 옥션과 같은 온라인 경매는 구매자와 판매자 간에 어떠한 형태로든 중개인이 개입되지 않는 혁신적인 서비스를 제공한다. 이러한 셀프서비스 기술의 대중화로 기업들은 고객들이 셀프서비스를 적극적으로 이용하도록 장려하고 있다. 기업이 셀프서비스 기술을 도입하기 전에 다음 질문을 생각해 보는 것이 필요하다: (1) 고객들이 셀프서비스 기술을 안정적으로, 편리하게 사용할 수 있는가? (2) 셀프서비스 기술이 고객들에게 어떤 이점을 제공하는가? (3) 셀프서비스 기술이 제대로 작동하지 못하는 경우에 이로 인한 서비스 실패를 회복할 수 있는 시스템이 갖춰져 있는가?

셀프서비스를 좋아하는 고객들은 여러 가지 면에서 셀프서비스의 장점을 이야기하는 것으로 나타났다. 예를 들어, 셀프서비스를 이용하면 더 상세한 정보에 신속하게 접근이 가능하다고 보고하였다. 경험 많은 여행자들은 여행사 직원을 통해서 호텔이나 항공권을 예매하기보다는 예매 사이트를 이용해 직접 예약한다. 반면에 셀프서비스를 싫어하는 고객 역시 그 나름대로의 이유가 있다. 우선 셀프서비스 사이트에 접속하기 위해서 아이디와 비밀번호를 입력해야 하는데 가끔은 잊을 때도 있고 사이트의 이용이 복잡하고 어렵거나, 결제 방식 역시 불편한 경우도 있다. 아마 기본적인 기기 사용이나 인터넷 사용이 익숙하지 않은 고객이라면 셀프서비스 자체가 싫을 수 있다. 이와 같이 고도화되는 셀프서비스 기술은 고객들에게 편리함이라는 혜택보다는 사용의 어려움, 기술에 대한 두려움 등에 따라 거부감을 야기할 수 있다. 따라서 고객의 기술 준비도(technology readiness)를 고려할 필요가 있다. 고객의 기술 준비도는 동기(왜 사용해야 하는가), 역량(셀프서비스 기술을 사용할 능력이 있는가), 명확한 역할(무엇을 해야 하는가)에 따라 결정되는 것으로, 기술 준비도가 높을 때 셀프서비스를 선호하게 된다.

어떻게 하면 셀프서비스가 성공할 수 있을까? 기업에 대한 고객의 신뢰를 제고하고, 고객의 기존 습관과 기대에 크게 어긋나지 않는 방향으로 서비스 프로세스를 설계하며, 셀프서비스 기술이 추가된 서비스 프로세스에 대한 사전 테스트를 시행하고, 셀프서비스 기술을 사용함으로써 얻을 수 있는 장점을 홍보하며, 고객이 새로운 셀프서비스 기술을 직접 시용해 보면서 사용방법을 학습할 수 있는 기회를 제공함으로써 고객들의 혼란과 반감을 줄일 수 있다. 이에 더해 셀프서비스 기술을 도입한 이후에도 서비스 프로세스를 꾸준히 모니터링하고 불만사항을 반영하여 개선하는 과정이 수반된다면 셀프서비스 기술을 성공적으로 안착시키는 데 큰 도움이 될 것이다.

최근에는 발전된 ICT 기술을 바탕으로 고객과 직접 소통하는 인공지능 서비스 로봇이 등장했는데, amazon 아마존이 개발한 인공지능 비서 알렉사(Alexa)가 탑재된 스마트 스피커의 글로벌 판매량이 2019년 1월 기준 1억 대를 넘어서고, 이니스프리와 OLIVE YOUNG 올리브영에서 인공지능 챗봇(chat-bot)을 통한 맞춤형 상담서비스를 제공하고 있으며, 피자헛의 일부 매장에서 휴머노이드 로봇 페퍼(Pepper)가 주문을 받고 카드 결제를 처리하는 등 서비스 로봇이 현장에서 적극 활용되고 있다. 서비스 로봇은 셀프서비스 기술에 비해 기술 준비도 수준이 낮은 고객들도 별도의 준비 없이 사용할 수 있고, 신선한 생김새로 고객의 이목을 끌고 흥미를 유발하며, 빅데이터를 기반으로 개별고객에 대한 1:1 맞춤 서비스를 제공할 수 있다는 장점을 가진다. 하지만 아직 복잡한 상호작용을 수행할 만한 기술력을 갖추지 못해 오작동의 위험이 있으며, 그 사용범위가 제한적이라는 한계가 있다. 향후 인공지능 기술이 더 발전하면 서비스 로봇을 보다 안정적으로, 광범위하게 활용할 수 있을 것이다.

아마존의 스마트 스피커, 에코(출처: 아마존)

피자헛에서 주문을 받는 서비스 로봇, 페퍼 (출처: 마스터카드)

고객참여 증대 방안

고객의 과업 정의 각 서비스마다 고객이 서비스 과정에 참여하는 수준이 다르기 때문에 고객의 과업 수준을 적절히 설정하는 것은 중요하다.

- 이케아(IKEA)의 경우처럼 재료를 직접 운반하고 스스로 자신의 가구를 조립 · 설치하는 경우처럼 고객 자신을 위한 과업
- 유치원에 새로 입학한 아이의 적응을 위해 짝꿍을 맺어주는 것처럼 사회화와 관련된 것으로 다른 고객을 위해 서비스를 수행하는 과업

적합한 고객의 유치 서비스에 적합한 고객을 유치하는 것이 필요하다. 이를 위해 기업에서 제공하는 서비스의 범위를 광고나 인플루언서 등을 통해 고객에게 알려야 하고 고객기대를 관리해야 한다. 나이트클럽의 경우 반바지 차림의 고객이나 나이가 많은 고객은 입장시키지 않는다든지, 입시학원의 재수생 반에서 작년도 수능 점수와 내신 성적을 제한해 일정 수준 이상의 학생들만 등록하도록 하는 것이 예이다.

고객의 교육 및 사회화 고객이 자신의 역할을 효과적으로 수행할 수 있도록 교육하거나 사회화를 할 필요가 있다. 대학교에서 신입생 오리엔테이션을 마련하거나 수영장에서 강습 첫날 수영장 사용에 관한 기본 에티켓을 알려 주는 것이 그러한 예다. 이렇게 공식적인 방법 외에 다른 고객들이 서비스를 이용하는 모습을 보고 배울 수도 있다. TARP 조사에 따르면 고객불만의 원인 중 1/3 가량은 고객 자신 때문에 일어나는 문제라고 한다. 즉, 급속히 발전하는 기술에 비해 제대로 교육을 받은 고객이 적기 때문에 발생하는 문제이다.

효과적인 보상 참여고객의 공헌도에 따라 금전적 · 시간적 · 심리적인 보상을 효과적으로 주어야 한다. 인터넷 뱅킹을 이용하여 은행 거래를 하는 고객은 시간이나 수수료를 절약하는 혜택을 볼 수 있으며 회계사에게 필요한 정보를 성실하게 제공하는 고객들에게는 할인을 해주는 경우가 있고, 이용 후기를 올린 고객들에게는 추첨해 경품을 주는 것이다. 항공사에서도 인터넷 예매에 대한 할인과 키오스크 체크인에 대해 추가 마일리지를 제공하는 등 고객참여를 유도한다.

INSIGHT

참여형 콘텐츠, 참여형 미디어의 확산

2009년을 시작으로 인기리에 방영되었던 '슈퍼스타 K'는 2016년 종영되기까지 동 시간대 공중파 시청률을 압도하는 방송 시청률을 자랑하고, 매 시즌 수많은 화제를 뿌리며 케이블 채널로서는 초대형 인기를 얻었다. 이러한 '슈퍼스타 K'의 성공에서 빼놓을 수 없는 것은 시청자들이 적극적으로 참여할 수 있도록 기획되었다는 점. 대국민 문자 메시지 투표 점수 60%, 인터넷 사전 투표 점수 5% 등 시청자 평가가 65%에 달해 시청자들의 영향력이 막대하고, 따라서 시청자들은 자신이 선호하는 출연자가 우승하도록 적극적으로 관여할 수 있다. '슈퍼스타 K'에서 시청자들은 방송국에서 제작한 콘텐츠를 일방적으로 받아들이는 단순한 구경꾼에 머무르지 않고, 적극적으로 참여하여 프로그램에 역동성을 더하고 극적인 경험을 소비한다.

공포영화 Last Call은 관객이 주인공을 조종하여 스토리의 결말을 정한다. 상영 전에 관객들의 휴대폰 전화를 접수받은 후, 주인공이 영화 장면 가운데 도움을 요청하는 전화를 걸고, 무작위로 선택된 관중은 "뛰어", "숨어", "위로 도망쳐" 등을 지시하여 실시간으로 선택한다. 이는 관객들로 하여금 보다 몰입하게 하여 더욱 흥미진진한 관람이 되도록 한 것이다.

미디어 환경 차원에서도, 스마트한 모바일 환경이 기술적 대세를 이루고 개방적이고 실시간으로 연결되어 있는 소셜 미디어 시대가 옴에 따라 기존의 B2B 또는 B2C가 아닌 '고객 대 고객', 즉 C2C 채널이 브랜드 인지도와 가치를 높이는 새로운 힘으로 급부상하고 있다. 이에 맞추어 기업들은 일관된 컨셉

트와 메시지 전달의 통합 마케팅 커뮤니케이션(IMC)의 패러다임에서 한 단계 더 나아가 소비자들의 네트워크 안에서 소비자에 의한 콘텐츠 생성, 공유 및 확산, 즉 소비자 참여에 의한 파급을 높이는 데 주력하고 있다.

이러한 트렌드는 온라인 환경에서도 구현되고 있는데, 일방적으로 콘텐츠를 전달하는 1인 매체 블로그에서 트위터, 페이스북 등 다자가 자유롭게 소통을 주고받는 네트워크 기반의 소셜 네트워크 서비스(SNS)로 대세가 이동하며 참여의 폭이 확대되고 있다. 실제로 네이버 웹툰은 첨단 ICT 기술을 웹툰에 적용하는 시도를 계속해왔는데, 2014년에 화면을 넘길 때마다 장면을 확대하거나 축소하여 생동감을 부여하는 스마트툰(smart-toon) 방식으로 성공을 거둔 '조의 영역'과 '하이브'를, 2015년에는 개별 컷과 댓글의 연계에 초점을 둔 컷툰(cut-toon)인 '유미의 세포들'을 선보였다. 특히, 2018년에는 하일권 작가와 협력을 통해 독자들이 웹툰의 주인공으로 직접 참여할 수 있는 인터랙션툰(interaction-toon), '마주쳤다'를 연재하여 좋은 반응을 얻었다. '마주쳤다'에 활용된 얼굴 인식, 머신러닝 기술을 통해 독자들의 얼굴은 하일권 작가의 그림체로 캐릭터화되고, 독자들은 웹툰의 주인공으로 참여하여 등장인물들과 대화를 나누고 주인공의 머리카락에 묻은 빵 가루를 털어주는 등의 모션을 취하며 이야기를 함께 만들어 나가는 특별한 경험을 하게 된다. 그 외에도 AR 기술, 360도 파노라마 기술 등이 활용되어 웹툰 속 캐릭터가 독자의 방에 등장하고, 웹툰 속 교실을 360도 회전시켜 둘러보는 등 다양한 경험이 가능하다.

자료원: 네이버 포스트, "웹툰의 새로운 세계 - 인터랙션툰 '마주쳤다'," 2018.02.23; 매일경제, "어, 웹툰 주인공 얼굴이 나랑 닮았네…네이버 인터랙션툰 '마주쳤다' 인기," 2018.01.16; 아시아경제, 2013.03.05; 머니투데이, 2012.08.03; 조선비즈, 2012.03.23.

6.3 서비스 구매과정에 따른 관리

구매 전 과정 – 대기관리

고객들은 서비스를 받기 위해서 종종 기다려야 한다. 즉, 서비스를 받고자 하는 고객은 많은 반면에 서비스를 제공하는 시설은 부족한 경우가 있다. 이 때 고객들이 기다리는 상황이 발생한다. 진료를 받기 위해 병원에 가면 단 몇 분의 진료를 받기 위해 이보다 훨씬 더 많은 시간을 대기하는 경우가 있다.

대기는 어쩔 수 없이 발생하는 것이지만 모든 고객들이 이러한 상황을 이해하고 받아들이는 것은 아니다. 많은 사람들은 서비스를 받기 위해 기다리는 것을 부정적으로 인식하고 있다. 따라서 고객의 대기시간을 효과적으로 관리하는 것은 고객에게 만족을 제공할 수 있고 재방문 여부에 큰 영향을 줄 수 있다.

대기관리의 기본원칙

고객의 대기를 효과적으로 관리하여 고객에게 만족을 주기 위해서는 다음 8가지 원칙을 알고 있어야 한다.

① 아무 일도 안 할 때 더 길게 느껴진다.
② 구매 전 대기가 더 길게 느껴진다.
③ 근심은 대기를 더 길게 느껴지게 한다.
④ 언제 서비스를 받을지 모른 채 무턱대고 기다리면 더 길게 느껴진다.
⑤ 원인을 모르는 대기는 더 길게 느껴진다.
⑥ 불공정한 대기는 더 길게 느껴진다.

⑦ 가치가 적을수록 더 길게 느껴진다.

⑧ 혼자 기다리면 더 길게 느껴진다.

대기관리의 첫 단계는 고객에게 허용할 만한 대기시간을 파악하는 것이다. 좋아하는 공연의 선착순 입장을 위해 일찍 줄을 서서 대기하는 것은 가능하지만, 패스트푸드 식당에서의 긴 대기는 허용하기가 어렵다. 이처럼 고객들은 그 상황과 서비스의 종류에 따라서 같은 시간도 다르게 인식한다.

대기는 실제의 서비스 운영을 조정해 관리할 수도 있겠고, 고객의 인식을 관리할 수도 있다. 서비스 운영(operation)의 관리는 서비스를 제공하는 방식을 바꿔 실제 대기시간을 감소시키는 것이고, 고객 인식의 관리(perception management)는 실질적인 대기시간의 변화는 없지만 고객의 인식을 변화시켜서 체감 대기시간을 줄이는 것이다.

대기관리를 위한 서비스 운영관리 기법

예약을 활용하라 고객에게 예약을 받아서 고객들이 도착하자마자 서비스를 제공할 수 있다면 좋은 방법이 될 것이다. 병원이나 극장의 경우 예약을 통해 고객의 대기시간을 크게 줄이는 데 성공한 바 있다. 예약을 활용할 때에는 초과예약에 관한 방침을 미리 정하는 것이 중요하다. 일반적으로 어느 정도 예약 불이행(no-show)이 발생하기 때문에 이를 감안해 넉넉하게 예약을 받는 것이 관례이다. 그런데 만일 예약했던 고객들이 가용능력 이상으로 오게 된다면 초과예약 문제가 발생한다. 항공사에서는 이런 경우에 다른 등급의 좌석이나 탑승거절에 따른 보상(denied boarding compensation)을 제공해 해결한다. 또한 예약 시 스케줄이 중복되지 않도록 하는 것도 중요하다. 법률상담을 하는 변호사가 고객과의 약속시간을 정확히 지키지 않는다면 고객은 불만족하게 될 것이다.

커뮤니케이션을 활용하라 고객을 비수기로 유도하기 위한 커뮤니케이션을 이용하는 것이 좋은 방법이다. 고객에게 혼잡한 시간과 한가한 시간을 알리는 것이다. 은행이나 보험사의 경우 혼잡 시간을 피하도록 안내하는 것이 그런 예이다.

INSIGHT

디즈니월드, 빅데이터를 활용한 마법 같은 대기관리

놀이공원은 북적대는 인파가 반가운 동시에 걱정거리이기도 하다. 한정된 수의 놀이기구와 이를 이용하려는 수많은 고객으로 인해 필연적으로 긴 대기 줄이 형성되기 때문이다. 모처럼 시간을 내어 놀러 온 이용객에게 긴 대기시간은 짜증을 불러일으키고 놀이동산에서 얻는 즐거움을 반감시킨다. 놀이공원 경영자들은 고객들이 긴 대기로 인해 받는 스트레스를 줄여주고 대기시간을 짧게 인식하도록 만들기 위한 다양한 방법을 고안했다.

어린이들의 꿈과 희망인 세계 최대 놀이공원 미국 올랜도의 디즈니월드 매직킹덤 한가운데 있는 신데렐라성의 지하에는 공주의 방이 없다. 대신 마치 우주선 조종실을 연상시키는 최첨단 시설이 갖춰진 지하 벙커 '운영통제센터'가 있다. 이곳에서 근무하는 수많은 전문가들의 목표는 단 하나. 연간 3천만 명 이상이 방문하는 놀이기구 이용객들이 좀 덜 기다리도록 하는 것이다.

이곳은 비디오 카메라와 컴퓨터 프로그램, 공원 내 사람들의 움직임을 보여주는 디지털 지도 등으로 가득 차 있다. 빨강, 초록, 노랑으로 구분된 대형 전광판에는 놀이기구별 대기하는 사람 수를 한눈에 볼 수 있다. 갑자기 정체가 발생하거나 줄이 길어지면 운영통제센터는 즉각 현장에 해결책을 제시한다. 예를 들어, '캐리비언의 해적' 기구의 대기자가 많은 것으로 파악되면 더 많은 사람들이 이용할 수 있도록 가동 보트를 늘리도록 지시하고 대기 줄 주변에 영화나 만화주인공 캐릭터를 내보내 기다리는 사람들이 지루해하지 않도록 조치를 취한다. 또한 미니 퍼레이드의 방향을 북적이는 구역에서 한산한 구역으로 설정하여 사람들을 자연스럽게 분산시킨다. 가령 인기 놀이기구 중 하나인 Space Mountain 앞에 나타난 금관 악기 밴드는 고객의 시선을 끌어 그들의 걸음 속도와 진행 방향을 유도하여 한 곳에 지나치게 많은 고객이 모이는 것을 막는 역할을 수행한다. 이에 더해, 2013년부터는 놀이공원 입장에서 카드 결제까지 다양한 기능을 갖춘 RFID칩을 내장한 매직밴드(MagicBand) 서비스를 도입하여 고객행동데이터를 실시간으로 수집하고, 이를 이용해 테마파크 내에 고객들의 분포를 효과적으로 파악하여 더욱 효율적으로 대기시간을 줄이고 혼잡성을 관리하고 있으며, 거래내역 데이터를 통해 보다 효과적인 판촉 전략을 제시하는 데 도움을 얻고 있다. 이러한 노력 끝에 방문객 평균 이용 놀이기구 수는 9개에서 10개로 개선되었고, 수입이 증가했으며, 고객들의 전반적인

디즈니 모바일 앱
(출처: 디즈니)

플레이 디즈니 파크 앱(출처: 디즈니)

만족도 역시 향상되었다.

디즈니랜드는 1999년부터 패스트패스(Fastpass) 제도를 만들어 고객들의 대기시간을 줄이기 위해 노력하고 있다. 패스트패스를 이용하면 이용자는 놀이기구 이용시간이 적힌 티켓을 발급받고, 그 시간에 맞추어 해당 놀이기구를 타러 와서 10분 내외의 짧은 대기시간을 거쳐 놀이기구를 이용할 수 있다. 패스트패스를 이용하게 되면, 대기시간의 감소와 함께 자신의 대기시간과 놀이기구 사용시간을 예측할 수 있으므로 놀이동산 내에서의 시간을 효율적으로 사용할 수 있다는 장점이 있다. 디즈니랜드 입장에서도 패스트패스 제도가 활성화되면 놀이동산 내의 고객을 다양한 놀이기구로 분산시킬 수 있다는 장점이 있다. 더불어 총 예상 대기시간을 알려 주는 안내판을 설치하여 각 놀이기구의 현재 대기시간을 알려주며, 각각의 놀이기구 대기 열에도 놀이기구를 이용하기 위하여 지금부터 기다려야 할 시간을 알려준다. 이 때, 예상 대기시간을 다소 여유 있게 안내판에 적어놓음으로써 나중에 고객들이 생각보다 빨리 서비스를 받게 되었다고 느끼게 한다.

최근 들어 ICT 기술이 발전하면서, 고객들은 디즈니 모바일 앱(Disneyland Resort App)을 통해 보다 간편하게 패스트패스를 발급받을 수 있을 뿐 아니라 각 놀이기구의 대기시간을 실시간으로 확인할 수 있으며, 더 나아가 디즈니월드에서 2018년 론칭한 플레이 디즈니 파크(Play Disney Parks) 앱을 통해 특정 놀이기구를 기다리는 동안 동행인들과 함께 간단한 게임을 즐기며 '대기시간을 놀이시간으로 바꾸는' 특별한 경험을 하게 된다.

자료원: USA Today, "Play Disney Parks app relieves boredom in line," 2018.09.07; Forbes, 2013.01.09; 연합뉴스, 2010.12.29.

공정한 대기시스템을 구축하라 공정한 대기시스템을 보유하는 것도 중요한 방법이다. 먼저 온 사람이 먼저 서비스를 받는 원칙이 지켜져야 한다는 것이다. '배고픈 것은 참아도 배 아픈 것은 못 참는다'는 말이 있다. 서비스를 받기 위해 10분 기다리는 것은 참을 수 있지만 5분을 기다리더라도 나보다 늦게 온 다른 손님이 먼저 서비스를 받게 되는 상황이 발생하면 분노하게 된다는 것이다. 은행이나 주민센터 등에서 번호표를 사용해 순번에 따른 서비스를 제공하는 것이 이런 이유에서 의미 있다. 병원의 경우에도 진료자 대기 명부를 제시하며 투명한 운영을 정착시키고 환자가 자기 순서를 파악하는 데 어려움을 줄여준다.

대기관리를 위한 고객의 인식관리 기법

기다리는 시간에 대한 인식(체감 대기시간)을 개선하는 것이 실제로 기다리는 시간(실제 대기시간)을 줄이는 것과 마찬가지의 효과를 나타낸다. 만일 고객이 만족하다고 느끼면 그들은 만족한 것이다. 마찬가지로 고객이 조금 기다렸다고 생각한다면 실제로 기다린 시간에 관계없이 조금 기다린 것이 되는 것이다.

디즈니는 대기관리의 마술사라고 볼 수 있다. 그리고 대기 경험을 덜 지루하게 만들기 위해 최선의 노력을 기울인다. 디즈니 테마파크의 대기선은 계속 움직인다. 비록 일련의 대기공간으로 고객들을 이끄는 것이지만 기다리는 사람은 계속 움직이기 때문에 지루한 줄 모르고 기다릴 수 있다. 또한 예상 대기시간을 다소 여유 있게 게시해 고객들이 조금이라도 빨리 서비스를 받게 되었다고 느끼게 한다. 예를 들어, 예상 대기시간이 50분이라고 했을 때 45분 만에 서비스를 제공받게 되면 생각했던 것보다 5분이나 빨리 서비스를 받게 되었다고 느끼는 것이다. 또한 스마트폰과 모바일 기술 등 최신 ICT 기술을 활용한 효과적인 대기관리 방법을 개

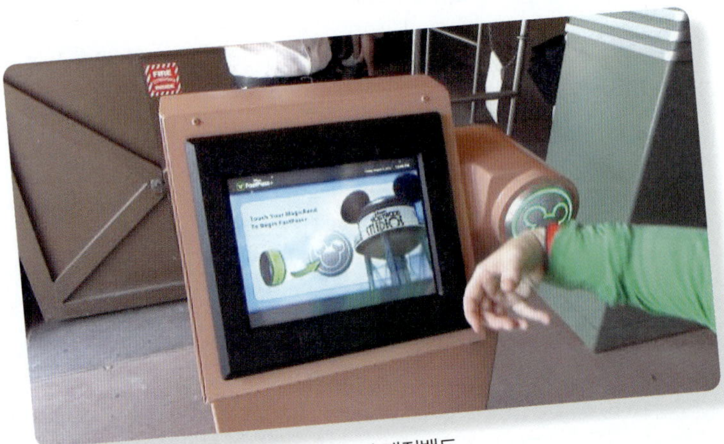

디즈니의 매직밴드

발하는 데 많은 노력을 기울이고 있다. 가령 디즈니랜드를 방문한 고객들이 RFID 기술을 적용한 웨어러블(wearable) 기기인 매직밴드(MagicBand)를 착용하게 되면 고객의 이동 데이터가 실시간으로 관리자에게 전달되는데, 관리자는 이러한 데이터를 기반으로 어느 지역에 얼마나 많은 고객들이 몰려있는지 파악하여 보다 효과적으로 혼잡성을 관리할 수 있다. 이들의 이러한 노력은 보상을 받아서 디즈니 테마파크의 대기선은 매년 길어지고 있지만 조사에서 나타난 고객만족은 오히려 높아지고 있다.

서비스가 시작되었다는 느낌을 주라 서비스 제공 이전의 대기가 과정 중의 대기보다 더 길게 느껴지기 때문에 고객에게 서비스가 시작되었다는 느낌을 주는 것이 필요하다. Ye 예치과 예치과에서는 다른 병원과는 달리 접수 시 먼저 의료보험증을 요구하는 것이 아니라 환자의 증상이나 필요한 것을 먼저 물어보고 의사에게 알린다. 즉, 서비스가 시작되고 있다는 느낌을 주는 것이다. 그러고 나서 진료과정에 대해서 설명을 해주고, 일반적인 접수를 한다. 이 사이에 해당되는 전공 의사가 환자를 보러 오게 된다. 은행에서도 업무집중일 및 집중시간대에는 청원경찰이 대기 중인 고객이 어떤 업무를 처리하러 왔는지 파악하고 도와주고 있다.

즐길 거리를 제공하라 마냥 우두커니 앉아서 기다리는 것이 뭔가를 하는 것보다 더 지루하므로 읽을거리나 볼거리를 제공하는 것이 필요하다. 특히 서비스의 내용과 관련이 있는 시청각 자료는 체감 대기시간을 줄이고 고객만족을 증가시키는 것으로 나타났다. 영화관에서 기다리는 동안 예고편을 보여준다거나 병원에서 치료와 예방에 관한 잡지를 비치하는 것이 그 예이다. 비행기 탑승 시 신문을 제공하여 이륙까지 기다리는 승객을 배려한다. Krispy Kreme DOUGHNUTS 크리스피 크림 도넛의 경우 고객이 주문을 위하여 줄을 서서 기다리는 동안에 도넛이 기름에 튀겨진 후 그 위로 시럽 폭포가 떨어지는 과정을 볼 수 있도록 도넛 극장을 설치하여 지루함을 덜어준다. 은행에서 대기고객의 의자를 창구가 아닌 TV 방향으로 바꾼 결과 대기에 따른 지루함이 줄어들었다는 결과도 있다. 프로야구 경기장에서도 경기 전이나 경기 중간의 쉬는 시간에 다양한 이벤트를 실시하고 있다. 디즈니의 경우 플레이 디즈니 파크(Play Disney Parks) 앱을 통해 동행인들과 함께 즐길 수 있는 게임을 제공하여 고객들이 대기시간을 놀이시간으로 인식할 수 있도록 하고 있다.

예상 대기시간을 알려 주라 미국 기업으로서는 최초로 일본의 최고 품질상인 데밍상(Deming Prize)을 수상한 플로리다 전력회사(Florida Power & Light)도 대기시간 관리의 중요성을 인식했다. 고객센터에 전화를 하게 되면 "잠깐 기다리세요"하며 무작정 기다리게 하는 대신 예컨대 "죄송하지만 앞에 전화한 분이 2명이니 50초만 기다리십시오"라는 응답이 나온다. '앞의 대기 손님이 ××명입니다. 00분만 기다리십시오' 같은 정보를 주면 고객들은 대기할 것인가를 선택할 기회를 갖는 셈이 된다. 테마파크에서는 예상 대기시간을 알리고 보험사의 경우 보험 지급일을 공지해 주며 긴급 출동 서비스 요청 시에 출동시간을 예고한다. 흥미롭게도 이렇게 안내를 받고 기다린 고객의 경우 대기시간에 대한 불만이 상대적으로 적게 나타났다.

이용되고 있지 않는 자원은 보이지 않도록 하라 대기고객들은 창구직원이 열심히 일하고 있는 것 같을 때는 오래 기다려도 그 기다림에 대해 별로 신경 쓰지 않는다. 반면 직원이 자리를 비운 창구를 보거나 직원이 있지만 일하지 않고 있는 것을 볼 때 화를 내는 경향이 있다. 이러한 고객 인식에 대응하기 위해 기업은 몇 가지 정책을 수립할 수 있다.

① 일을 하지 않고 있는 직원은 보이지 않게 하라.

② 고객과 상호작용하지 않는 활동은 고객이 볼 수 없는 곳에서 수행하라.

③ 대기선의 끝 지점과 가장 가까운 창구부터 우선적으로 처리하라. 이러한 노력은 고객의 첫인상을 좋게 만든다.

④ 사용되지 않는 시설은 보이지 않게 하라.

고객 유형별로 대응하라 고객을 성격에 따라 분류하여 차별적인 대응을 할 수 있다. 예를 들어, 은행에서는 품질선호자, 시간선호자, 중립자의 세 계층을 찾아볼 수 있다. 품질선호자(watchers)는 은행서비스의 질을 추구하며, 빠른 서비스보다는 친절한 직원을 선호한다. 시간선호자(impatients)는 짧은 대기시간을 가장 중요시한다. 따라서 대기 자체가 필요 없는 대체안(인터넷뱅킹, ATM)을 제공하거나 익스프레스 코너를 이용하도록 할 수 있다. 또한 업무 성격이나 중요도에 따라 대기관리를 차별화하기도 한다. 예를 들어, 보험사 영업소의 경우에 단순 지급 업무는 키오스크로, 절차가 필요한 업무는 창구로, VIP 고객은 소장실로 안내할 수 있다.

가상 대기를 활용하라 대기관리에 있어서 가장 큰 문제는 고객의 시간 낭비이다. 만약 한 고객이 서비스 과정에 참여하는 동안 다른 고객들은 다른 곳에서 다른 일을 할 수 있도록 한다면 시간 낭비를 줄일 수 있을 것이다. 가상 대기는 고객의 물리적 대기를 줄여주는 방법이다. 순서를 등록한 후 가상 대기 선상에서 자신이 서비스 받을 시간의 예측 정보를 보고 그 시간에 맞추어 서비스 장소에 나타나는 것이다. 디즈니와 식스 플래그(Six Flags) 테마파크의 경우 이렇게 가상 대기를 활용한다. 스마트폰을 활용해 영업점의 업무처리 상황을 알리는 것도 가능한 방법이다. 글로벌 레스토랑 체인 스시 테이(Sushi Tei)에서는 스마트폰을 활용한 가상 대기 시스템을 도입했는데, 셀프서비스 터치스크린을 통해 고객들이 직접 인원수와 핸드폰 번호를 입력하면 스마트폰으로 실시간 대기 상황을 확인할 수 있는 링크를 보내준다. 고객들은 테이블 준비가 완료되기 5분 전에 알림 메시지를 받고 1번을 눌러 예약을 확정하거나, 2번을 눌러 15분 안에 레스토랑에 도착하겠다는 의사표현을 할 수 있으며, 또는 3번을 눌러 예약을 취소할 수 있다.

구매과정 – MOT관리

"지난해에 1천만의 고객이 5명의 우리 스칸디나비아 항공(SAS)의 직원과 접촉을 했다. 이 접촉은 매번 평균 15초 정도이지만 1년 동안, 5천만 번의 접점을 통해 우리는 고객의 마음에 SAS항공의 이미지를 창조해냈다. 궁극적으로 이러한 5천만 번의 진실의 순간(Moments Of Truth)을 통해서 우리 회사가 성공할 것인지 실패할 것인지가 결정될 것이다."

– 얀 칼슨, 「고객을 순간에 만족시켜라: 진실의 순간(Moments Of Truth)」에서 –

INSIGHT

스마트 오더 시스템을 활용한 대기관리

최근 편리함과 매장 효율에 대한 효과가 검증되면서 커피업계는 물론 식품업계 전반에서 앞다퉈 스마트 오더 서비스를 도입하고 있다. 2014년부터 이미 사이렌 오더 시스템을 도입한 스타벅스뿐만 아니라 이제는 KFC, 롯데리아 등 식품 프랜차이즈 업계에서도 스마트 오더 시스템으로 고객 유치에 나서고 있는 것이다.

스마트 오더가 확대되는 이유는 비대면 서비스에 대한 긍정적인 반응과 기다리는 수고를 더는 소비자의 만족도 때문이다. 업계에서는 인건비 부담에서 자유로워진다는 점도 꼽을 수 있다. 이는 업체와 소비자의 '동반 윈윈'전략이라고 할 수 있다.

스마트폰 앱 주문 서비스를 가장 먼저 도입한 곳은 스타벅스다. 2014년 스타벅스 커피코리아가 세계 최초로 적용한 '사이렌 오더'는 서비스 프로세스의 효율성과 고객만족도를 높이는 효과를 인정받아 미국 현지까지 도입됐다. 더불어 스타벅스는 마이 드라이브 스루 패스를 도입했는데, 차량 번호판 정보를 선불식 충전카드와 연동시켜 신용카드나 현금 등 결제단계를 없애 곧바로 출차할 수 있게 했다. 드라이브 스루 패스는 론칭 9개월 만에 50만 명을 넘어섰다.

투썸플레이스도 사전 주문과 결제가 가능한 '투썸오더'를 도입하여 고객이 현재 위치와 가장 가까운 매장을 선택해 원하는 메뉴를 주문 · 결제할 수 있는 스마트 오더 시스템을 구축하고, 사전 등록한 선불카드를 통해 이전에 주문한 메뉴 또는 미리 등록한 메뉴를 주문 · 결제할 수 있는 '원터치 오더' 기능도 추가해 편리함을 더했다. 이외에도 이디야와 탐앤탐스도 스마트 오더 서비스를 도입했다.

스마트폰 앱 주문 시스템은 패스트푸드 매장으로도 확대되고 있다. KFC는 공식 앱을 이용해 배달 주문 서비스는 물론, 가까운 매장을 찾아

카카오 챗봇 주문(출처: 롯데 GRS)

미리 주문 및 결제 후 매장을 방문해 음식을 찾는 '징거벨 오더' 시스템을 도입했다. 소비자 편의성을 위해 도입한 징거벨 오더는 많은 매장에서 사용할 수 있는데 매출 증대에 긍정적인 효과를 주고 있다.

이에 더해 카카오 역시 모바일로 음식을 미리 주문하고 테이크 아웃하는 서비스 '챗봇 주문'을 시작했다. 자사의 모바일 결제 시스템인 카카오페이와 결합하면 막대한 시너지가 발생할 것으로 예상되면서 스마트 오더 시장의 신흥강자로 떠오를 전망이다. 카카오에 따르면 챗봇 주문은 메뉴 안내부터 주문, 결제, 스탬프 적립까지 카카오톡 채팅창 안에서 한 번에 이뤄지는 스마트 오더 서비스이다. 카페를 운영하고 있는 업체라면 누구나 신청이 가능하고 프랜차이즈 카페도 본사의 신청이 있을 경우 챗봇 주문 서비스 이용이 가능하다. 실제로 롯데리아와 엔제리너스커피가 '카카오톡 챗봇'을 활용해 스마트 주문 서비스를 제공하고 있는데, 플러스친구에서 '챗봇으로 주문하기'를 누르거나 '롯데리아 챗봇', '엔제리너스 챗봇'을 검색해 손쉽게 햄버거와 커피를 주문할 수 있고, 현재 위치에서 가장 가까운 매장에서 대기시간 없이 픽업이 가능하다.

이렇듯 이제는 일상이 된 스마트 오더 시스템으로 편의성은 높아졌지만, 그에 따른 단점도 존재했는데, 수령 장소를 잘못 지정하는 오류가 가장 많았다. 앱 내에서 자동으로 가까운 매장을 선택하는데 근접해 있는 매장을 잘못 지정하는 경우가 종종 발생했던 것이다. 하지만 대부분의 스마트 오더 시스템이 결제 · 주문 전송 이후에는 변경이나 취소가 불가능한 경우가 많고 취소하는 과정이 번거로워 이러한 점에 대한 보완이 필요해 보인다.

자료원: 스포츠한국, "스타벅스 '드라이브 스루 회원 가입 50만 명 돌파'," 2019.03.22;
컨슈머 타임즈, "몸집 커지는 카카오톡…스마트 오더 시장의 신흥강자?," 2019.03.02;
시장경제신문, "줄 서지 않아도 돼... 비대면 주문 '스마트 오더' 확대 도입," 2019.04.02.

MOT(Moments Of Truth)란?

진실의 순간(Moments Of Truth: MOT)은 고객이 기업의 종업원 또는 특정 자원과 접촉하는 순간으로 서비스에 대한 인식에 영향을 미치는 상황으로 정의할 수 있다. 진실의 순간은 서비스 품질에 대한 인식에 결정적인 역할을 하기 때문에 흔히 결정적 순간으로 부른다. 원래 스페인의 투우용어로 투우사와 소가 일대일로 대결하는 최후의 순간을 말한다. 이것은 매우 중요한 순간으로 투우 경기의 승패를 결정하게 된다. 결정적 순간은 서비스 제공자가 고객에게 서비스의 품질을 보여줄 수 있는 기회로서 지극히 짧은 순간이지만 고객의 서비스에 대한 인상을 좌우한다.

결정적 순간은 보통 종업원과 고객이 접촉하는 순간에 발생하지만 다음과 같은 상황에도 발생한다.

① 광고를 볼 때
② 기업의 건물을 볼 때
③ 주차장에 차를 세울 때
④ 로비에 들어섰을 때
⑤ 웹사이트를 이용할 때 등

서비스에서 결정적 순간의 개념을 도입해 성공적으로 사용한 사람 중의 하나는 스칸디나비아 항공의 얀 칼슨(Jan Carlson) 사장이었다. 그는 「고객을 순간에 만족시켜라: 진실의 순간」이라는 책에서 한 해에 천만 명의 승객이 각각 5명의 스칸디나비아 항공의 종업원과 접촉했다는 것을 강조한다. 1회의 접촉시간이 평균 15초였다. 이 한 순간 한 순간이 결국 스칸디나비아 항공의 성공을 좌우하게 되기 때문에 종업원들이 이 결정적 순간이 항공사 전체 이미지를 결정한다는 사실을 인식해야 한다고 역설하였다. 이 결정적 순간의 개념을 도입한 칼슨은 불과 1년 만에 스칸디나비아 항공을 연 800만 달러의 적자로부터 7,100만 달러의 이익을 내는 흑자경영으로 전환시켰다.

따라서 서비스에서는 결정적 순간을 파악하고 그 결정적 순간에 발생하는 임팩트(impact)를 이해하고 대응방안을 연구해야 한다. 실제로 서비스를 이용하는 고객으로서는 일련의 결정적 순간들을 경험하게 된다. 이와 같이 고객이 서비스를 받는 과정에서의 결정적 순간의 흐름을 서비스 사이클(service cycle)이라고 한다. [그림 6-2]는

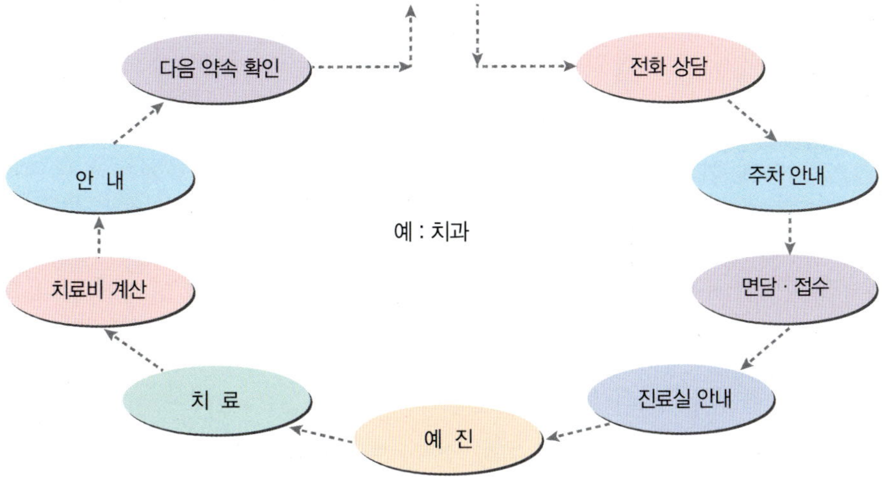

그림 6-2 | 치과의 MOT 예시

치과의 예를 통하여 서비스 제공과정에서 나타나는 MOT를 보여준다.

고객과의 접점에서 발생하는 결정적 순간이 중요한 것은 고객이 경험하는 서비스 품질이나 만족도는 소위 곱셈의 법칙이 적용된다는 것이다. 여러 번의 결정적 순간 중 한 가지가 나쁜 경우 한 순간에 고객을 잃어버릴 수 있기 때문이다. 서비스 관리의 입장에서는 일선 종업원들의 접객태도에 신경을 써야 할 것이다. 흔히 무시되고 있는 안내원, 경비원, 주차 관리원, 상담 접수원 등 일선 서비스 종업원들의 접객태도가 회사의 운명을 좌우할 수 있다. 사실 결정적 순간 하나 하나가 그 자체로서 서비스 상품인 것이다. 따라서 서비스 생산 및 제공에서 결정적 순간들이 제대로 다뤄지도록 계획하고 관리해야 한다. 결정적 순간을 제대로 관리하지 않으면 서비스의 품질이 평범하거나 보잘것없는 것으로 전락하는 것이다.

MOT 대응 유형과 고객만족

직원이 고객에 대응하는 여러 유형의 MOT에서 고객이 갖게 되는 인상은 서비스에 대한 고객만족에 영향을 준다. MOT 대응 유형을 다음의 CARS 모형(Coping, Adaptability, Recovery, Spontaneity)에 따라 살펴본다.

Coping(문제에 대한 대처) 서비스 제공에 있어 고객이 직면하는 문제 또는 불만사항을 해결하기 위해 직원이 대처하는 것을 뜻하는데, 보통 고객 자신이 문제의 원인이지만 이를 인지하지 못하거나 인정하지 않는 경우에 해당한다. 이러한 문제 고객들은 규범과 원칙에 어긋난 행동을 하거나 직원 및 다른 고객들과 비협조적인 입장을 취하는데, 이러한 상황에서 직원은 문제를 해결하고자 최선을 다하지만 고객이 쉽사리 받아들이지 않는 어려움이 있다. 하지만 직원의 대처 방식에 따라 고객만족 또는 불만족을 야기할 수 있다. 가령, 기내에서 술에 취해 큰 소리로 떠들어 다른 고객에게 피해를 주는 고객에게 승무원은 착륙 후 피곤한 상태에서 운전을 해야 하는지 질문하며 자연스럽게 커피를 권할 수 있다. 이에 고객은 목소리를 줄이며 차분해 질 수 있다. 그러나 동일한 상황에서 술에 취한 고객의 언행을 제압하기 위해 무력으로 다스리는 것은 불만족스러운 경험으로 남을 수 있다.

Adaptability(고객 니즈에의 적응) 고객의 특별한 니즈나 요구에 대해 얼마나 적응적인지 또한 고객만족에 영향을 준다. 고객은 자신의 요구사항에 대해 직원이나 시스템이 유연성을 발휘하여 니즈를 충족시켜 주기를 기대하는데, 이것이 직원 행동에 반영되면 만족을 느낀다. 반면 직원이 노력을 보이지 않으면 불만족, 좌절과 분노를 느끼게 된다. 예를 들어, 갑작스러운 알레르기 증상으로 예약 없이 나타난 환자를 위해 간호사가 일정 조율을 통해 당일 진료를 가능하게 해주는 것은 고객에게 만족스러운 경험이다. 그러나 동일한 상황에서 예약한 후 방문이라는 기존 원칙만을 고수한다면 고객에게 불만족스러운 경험으로 남을 수 있다.

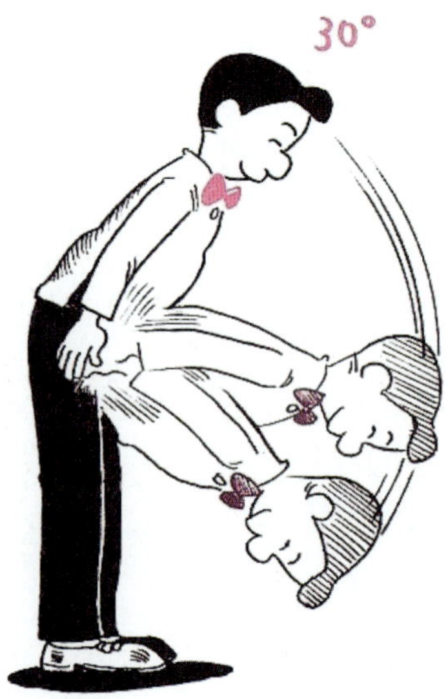

Recovery(서비스 실패에 대한 대응) 서비스 실패 상황에서 직원이 어떻게 행동하고 어떤 조치를 취하는가에 따라 고객 경험은 달라진다. 가령, 초과예약으로 인해 객실을 받지 못한 고객에게 동일한 가격에 스위트 룸을 제공하는 것은 만족스러운 경험이 되고, 어떤 조치나 설명을 제공하지 않는 것은 불만족스러운 경험이 된다.

Spontaneity(직원의 자발적 행동) 직원의 자발적 행동에 따라 고객은 만족 또는 불만족을 느낄 수 있다. 직원이 능동적으로 고객에게 관심을 가지고 신경을 써주거나, 요구하지 않은 사항에 대해서도 나서서 제안을 해주는 경우 고객은 예상치 못한 기쁨을 느낀다. 반대로, 무례하거나 고객을 차별하거나 무시하는 직원의 행동은 고객불만을 야기한다. 예를 들어, 호텔 투숙객이 소지한 곰 인형을 방 청소 시 세탁해 주는 것은 예상치 못한 즐거움이 될 수 있지만, 프론트 데스크 직원이 SNS에 열중하여 투숙객의 질문이 마치 자신을 방해하는 것처럼 여기는 행동은 고객불만을 야기한다.

MOT와 서비스 품질

기술적 품질(technical quality) 기술적 품질은 고객이 서비스를 받는 동안에 얻게 되는 것이나 혹은 서비스가 끝났을 때 남아 있는 결과물(outcome)들을 말한다. 예를 들어, 렌터카를 사용하거나 하룻밤 호텔에서 숙박한 것, 혹은 식사를 한 후 느끼는 포만감 등이 그것이다. 종종 고객들은 객관적으로 서비스의 결과물–기술적 품질–이 약속된 허용치 안에 있는지 측정한다. 예를 들어, 렌터카가 원하는 상태로 준비되었는지, 이발이 완벽하게 되었는지, 계산서가 적절하게 산출되었는지를 살펴본다.

기능적 품질(functional quality) 고객은 종종 서비스 프로세스를 직접 관찰하거나 능동적인 참가자로서 개입하기 때문에 서비스를 제공하는 과정(process) 또한 서비스의 품질에 관한 전체적인 인상에 강한 영향을 미친다. 이것을 기능적 품질(functional quality)이라고 한다. 예를 들어, 종업원의 무례함, 고객을 불안하게 하는 회계사의 어설픈 태도, 웨이터의 너절한 복장 등이 기능적 품질을 떨어뜨리는 것들이다.

서비스 제공과정이나 기능적 품질을 잘 관리하는 것은 열악한 기술적 품질 때문에 발생한 부정적인 인상을 극복하는 데 도움을 줄 수 있다. 예를 들어, 식당에서 음식에 만족하지 못한 고객이라도 고객을 만족시키기 위해서 열심히 노력하는 종업원을 목격한다면 불만이 줄어 들 수 있다. 서비스의 제공과정에는 여러 사람들이 관여하기 때문에 품질을 통제하는 것은 매우 복잡한 문제이다. 예를 들어, 애가 아플 때 부모는 병원 원무과에 전화를 해서 진료 예약을 하고, 의사와 간호사 등에게 진료를 받고, 진료비 영수증을 가지고 보험을 청구하는 등 관여하는 사람과 프로세스의 수가 많기 때문에 품질에 대한 인식이 접촉하는 사람과 단계에 따라 다르게 된다. 따라서 고객에게 중요한 MOT를 제대로 인지하고 주의 깊게 관리하는 것은 고품질을 유지하는 데 큰 도움을 준다.

구매 후 과정 – 피쉬본 다이어그램

피쉬본 다이어그램(fishbone diagram)은 일본의 품질 전문가인 카오루 이시가와(Kaoru Ishkawa)에 의해서 개발된 것으로 잘못된 결과에 대해 원인을 찾아서 연결하는 것이다. 따라서 인과관계도표(cause – and – effect diagram)라고도 한다. 피쉬본 다이어그램은 기업이 고객의 불만을 직접 추적하는 데 도움을 준다. 특정한 불량에 영향을 끼치지 않는 작업은 그 불량에 대한 피쉬본 다이어그램에는 나타나지 않는다. 뿐만 아니라 이것은 특정 불량의 증상만을 고치는 것이 아니라 그것의 근본원인을 알아내는 데에도 기여한다.

피쉬본 다이어그램을 사용했던 지역 항공사를 살펴보자. 이 항공사의 비행시간은 대부분 2시간 이하이며, 목표대상은 비즈니스 업무를 위한 여행객이다. 이 항공사는 대부분의 항공기가 목적지에 늦게 도착하는 문제를 갖고 있었다. 이를 조사해 본 결과 대개 항공기의 이륙이 늦어지기 때문에 그러한 문제를 야기한 것이다. 따라서 이륙 지연에 대한 원인을 조사한 결과 인력, 시설, 장비, 원자재 공급, 절차, 기타 요인 등 다섯 가지가 중요한 요인들로 파악되었다. 이 중 인력을 전방인력(front–stage personnel)과 후방인력(back – stage personnel)으로 나누고, 절차에서 정보를 분리시켰으며, 고객이라는 새로운 범주를 추가시켜 피쉬본 다이어그램에 표현하였다.

먼저 물고기의 머리에 해당하는 부분에는 직면하고 있는 문제점을 기술한다. 이 항공사의 경우 이륙 지연이 파악된 문제이다. 다음으로 머리에서 꼬리로 중심 뼈가 그려졌고, 여기서 갈라져 나온 뼈들에는 문제를 일으키는 중요한 요소들(절차, 정보,

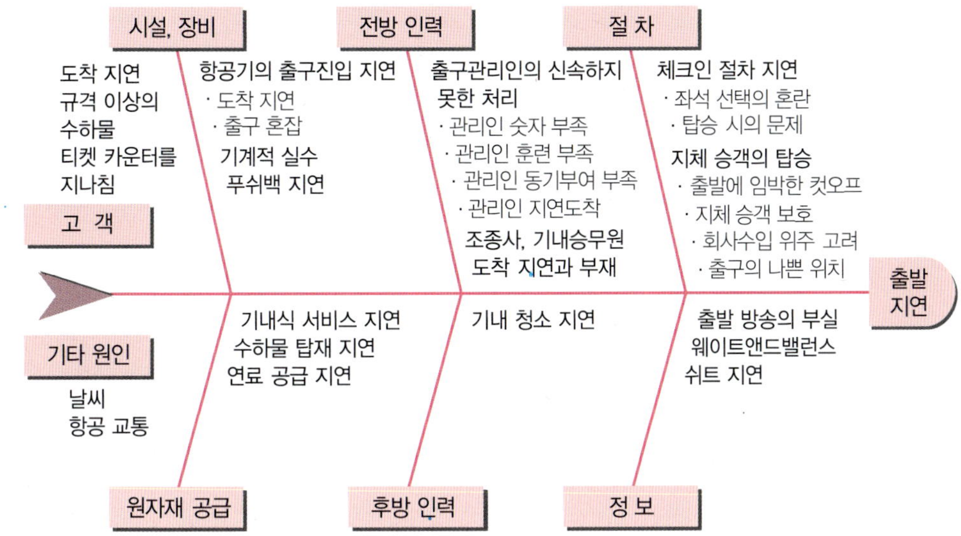

그림 6-3 | 항공기 출발 지연 분석을 위한 인과관계 도표

전 · 후방 인력, 시설/장비, 원자재 공급, 고객, 기타원인 등)을 표시하였다. 그리고 난 후 각 원인에 대한 상세한 이유들을 가지 치듯이 기술한다. 예를 들어, 절차의 이유에는 체크인 절차 지연, 지체 승객의 탑승 등이 포함될 수 있고, 지체 승객의 탑승 원인에는 출구의 위치가 나쁘다든지 지체한 승객을 지나치게 보호하려 한다는 등의 문제를 찾을 수 있다.

이처럼 피쉬본 다이어그램을 이용하면 품질 문제를 일으킨다고 의심이 되는 요인과 그에 관계되는 부수적인 요소들을 함께 검토하여 이 중 어떤 것이 문제를 야기하고 있는가를 확인할 수 있다. 게다가 파레토 분석(Pareto analysis)과 함께 사용하면 피쉬본 다이어그램을 통해 확인한 개별 문제 요인이 서비스 품질에 미치는 효과의 크기를 비교 분석할 수 있다. 파레토 법칙은 동명의 이탈리아 경제학자에 의해 발견된 것으로 일명 80/20 법칙이라고도 불린다. 이에 따르면, 20%의 원인 변수에 의해 문제적 현상의 80%가 설명될 수 있다. 서비스 기업은 피쉬본 다이어그램 작성 후, 추가적인 파레토 분석을 통해 품질 문제를 발생시키는 가장 중요한 원인을 파악하고, 한정된 자원을 보다 효율적으로 활용하여 문제를 해결할 수 있다.

6.4 서비스 프로세스 개선을 위한 기법

서비스 청사진

서비스 청사진(service blueprinting)은 핵심 서비스 프로세스를 그 특성이 나타나도록 알아보기 쉬운 방식의 그림으로 나타낸 것이다. 직원, 고객, 기업 측에서 서비스 전달 과정에서 해야 하는 각자의 역할과 서비스 프로세스와 관련된 단계와 흐름 등 서비스 전반을 이해하도록 묘사해 놓은 것이다.

제조업이나 건설업에서는 엔지니어링과 디자인에 관한 오랜 전통을 가지고 있다. 세부적인 설계도 없이 집을 짓는다는 것은 상상도 할 수 없는 일이며, 자동차나 컴퓨터 등은 물론이고 작은 장난감을 만드는 데에도 구체적인 계획과 설계도, 명세서 등이 필요하다. 그런데도 서비스의 경우에 과거에는 종종 어떤 공식적인 혹은 객관적인 프로세스 없이 제공하기도 했다.

대부분의 서비스는 동태적 시스템이기 때문에 서비스에서의 생산은 미리 정의된 순서대로 전달되어야 한다. 따라서 서비스 시스템이 잘못 설계되면 서비스 실패나 커뮤니케이션 장애가 발생할 수 있다. 이것을 방지하기 위해서 청사진법을 사용한다.

청사진은 구체적으로 서비스 상품 개발의 설계와 재설계 단계에서 유용하다. 서비스 청사진은 서비스 전달의 프로세스와 고객과 종업원의 역할, 가시적인 서비스 구성요소 등을 동시에 보여줌으로써 서비스를 시각적으로 제시한다. 청사진은 서비스를 논리적인 구성요소들로 나누어 프로세스의 각 단계와 과업, 과업을 수행하는 수단, 고객이 경험하는 서비스의 물리적 환경 등을 보여준다.

고객의 행동 고객의 행동은 구매, 소비, 평가의 프로세스에서 고객이 수행하는 단계, 선택, 활동, 상호작용 등을 포함한다. 병원의 예를 들면, 고객은 병원의 선택,

예약 전화, 주차, 예진, 의사와의 만남, 처방전 받기, 진료비 수납 등의 행동을 한다.

종업원의 행동 종업원의 행동은 두 가지로 분류할 수 있는데, 일선 종업원의 행동(onstage contact employee actions)은 고객의 눈에 보이는 종업원의 활동을 말한다. 병원의 경우에는 주차관리인의 주차안내, 안내직(receptionist)의 상담, 의사와 간호사의 진료, 진료비 계산 등이 그 예이다. 다른 하나는 후방 종업원의 행동(backstage contact employee actions)으로 고객에게 보이지는 않지만 일선 종업원의 행동을 지원하는 행동을 일컫는다. 예약 전화를 받는 직원, 진료를 준비하는 의사, 주사와 약을 준비하는 간호사 등은 일선 종업원의 행동을 돕는 것이다.

지원 프로세스 이것은 서비스를 제공하는 종업원들을 지원하기 위한 내부 서비스이다. 의사의 정확한 진료를 돕기 위한 임상병리센터나 직원의 친절 교육을 위한 교육센터 등이 그 예이다.

청사진의 구성이 다른 다이어그램과 차별화가 되는 부분은 고객의 행동을 포함시키고 서비스 프로세스에 고객의 관점을 반영한다는 것이다. 이러한 행동들은 [그림 6-4]에서처럼 3개의 수평선으로 나누어진다.

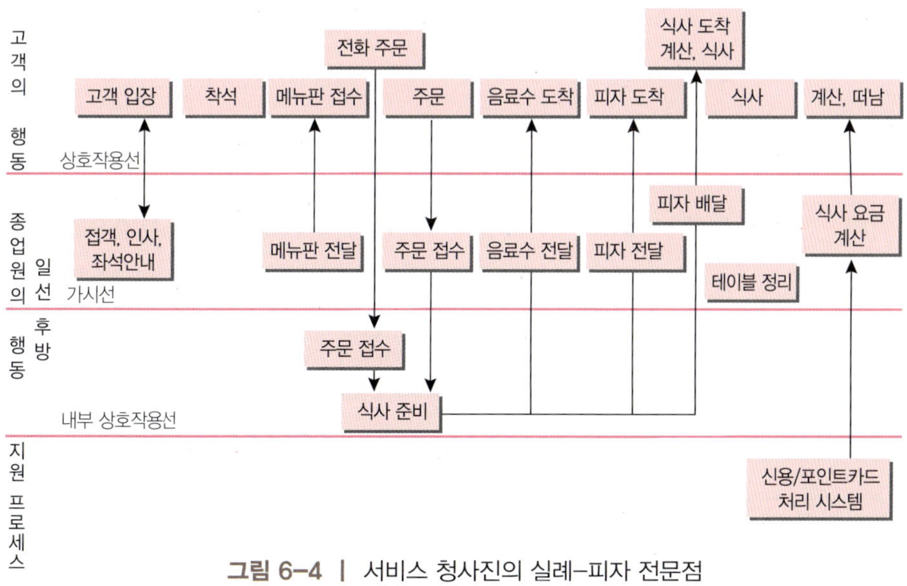

그림 6-4 | 서비스 청사진의 실례–피자 전문점

상호작용선(line of interaction) 고객과 기업 간의 직접적인 상호작용이 발생하는 것을 기준으로 한다. 고객과 기업이 상호작용할 때는 수직선을 내려 고객과 종업원의 관계가 성립한다는 것을 표시한다.

가시선(line of visibility) 가시선은 고객에게 보이는 활동과 그렇지 않은 활동을 구분한다. 청사진을 볼 때, 이 선을 기준으로 하여 서비스의 물리적 증거를 제공받는지 여부를 바로 알 수 있다. 또한 이 선을 기준으로 종업원의 일선활동과 후방활동으로 나눌 수 있다. 예를 들어, 환자의 증세를 묻고 진료하는 행위는 의사의 일선활동이고, 미리 X-ray 검사 결과나 환자의 차트를 읽고 준비를 하는 것은 후방활동이다.

내부 상호작용선(line of internal interaction) 서비스를 지원하는 활동과 종업원의 후방활동을 구분한다. 이 내부 상호작용선을 가로지르는 수직선은 내부 서비스 접점을 나타낸다.

서비스 청사진, 어떻게 작성하는가?

기업은 청사진을 이용하여 특정 서비스를 생산하고 관리하는 데 따른 모든 이슈를 확인할 수 있다. 청사진을 작성하기 위해서는 다음의 몇 가지 단계를 거쳐야 한다.

과정의 도식화 첫 번째 단계는 서비스를 구성하고 있는 과정을 그림으로 나타내는 것이다. 전체 과정에 포함되는 단계들과 각 단계에서 요구되는 투입요소를 파악할 수 있게 해주고 각 단계에 대한 통제와 분석, 그리고 개선을 가능하게 해준다. 이 단계에서 고객들이 볼 수 없는 부분을 주의해서 살피는 것이 중요하다. 은행에서 컴퓨터 프로그램을 변경하면 고객들은 거래내용에 대해 변경 전과 다른 형태로 통보를 받게 되고 그로 인해 은행에 대한 새로운 이미지를 형성하는 것처럼, 보이지 않는 부분을 변경하면 고객이 서비스에 대해 느끼는 방식이 변할 수 있기 때문에 보이지 않는 부분도 주의해서 살펴야 한다.

실패 가능점의 확인 서비스 디자인 단계에서 서비스 실패가 일어날 수 있는 지점을 확인함으로써 서비스 실패가 실제로 발생하는 것을 줄일 수 있다. 서비스를 디자인하는 사람이나 경영자가 발생 가능한 문제점을 미리 생각할 때, 서비스 품질은 더욱 높아질 수 있다.

경과시간의 명확화 대부분의 서비스에 있어서 시간은 중요한 원가요소이기 때문에 청사진을 작성할 때 경과시간을 명확히 정의하는 것이 필요하다. 표준작업시간과 함께 편차까지 허용되어 있어야 한다. 따라서 표준실행시간뿐 아니라 총 허용가능시간을 고려해야 하는 것이다.

수익성 분석 그 원인이 무엇이건 간에 서비스 지연은 이익에 많은 영향을 끼친다. 서비스 디자인을 하는 사람은 서비스 실행의 표준시간을 정해야 한다. 그러한 표준은 성과평가를 도울 뿐 아니라 품질의 일관성을 달성하는 데도 도움이 될 것이다.

청사진의 수정 시장조사를 통해 서비스 청사진을 수정할 수 있다. 새로운 서비스를 공식적으로 시장에 도입하기 전에 청사진을 작성하는 데 더욱 많은 노력을 기울임으로써 서비스 실패의 가능성을 줄일 수 있다.

서비스 프로세스 감사

서비스 프로세스 감사(service process audit)란 현재 운영되고 있는 서비스 프로세스를 이해하고 파악하는 과정을 의미한다. 모든 시스템이 그러하듯이 서비스 프로세스 또한 변화하는 환경에 따라 적응하고 적절하게 변화해야 할 필요성이 있다. 이러한 변화가 제대로 이루어지기 위해서는 먼저 현존하는 서비스 프로세스의 장·단점에 대한 명확한 이해와 파악이 이루어져야 할 것이다. 이를 위해서 기업은 서비스 프로세스 감사를 시행하여 직원과 고객에게 그들이 경험한 서비스 프로세스에 대해 인터뷰하고 정보를 수집할 수 있다. 감사 인터뷰를 통해 (1) 프로세스 전반에 대한 설명, (2) 고객이 가치 있게 생각하는 부분, (3) 문제가 될 수 있는 부분에 대한 정보를 얻는 것이다.

구체적으로 살펴보면, 먼저 인터뷰에 응하는 직원 및 고객에게 서비스 프로세스를 단계별로 묘사하게 함으로써 가장 대표적으로 인식되는 프로세스 경로를 파악할 수 있다. 이 때, 묘사해야 하는 서비스 프로세스의 범위, 즉 시작과 끝에 대한 정보를 제공함으로써 응답자의 혼란을 줄이고 답변의 정확성을 높일 수 있다. 가령, 병원에 예약하기 위한 프로세스를 묘사할 것을 요청할 경우, '예약의 필요성 인식' 단계로 시작해 '예약 마침'의 단계로 끝나야 한다는 단서를 제시하는 것이다. 다음으로, 응답자는 프로세스 단계 중에서 고객에게 특별히 가치 있게 인식될 수 있는 부분과 문제의 소지가 될 수 있는 부분을 평가한다. 서비스 프로세스에 고객에게 불필요한 수고를 하게 만드는 불편한 부분, 고객과 직원의 혼란을 야기하는 불명확한 부분, 서비스 실패가 발생할 가능성이 높은 부분 등이 존재할 때 고객은 서비스 프로세스를 따라가기가 어렵고, 직원은 서비스를 효율적으로 제공하기 어려워지는데, 이러한 어려움은 결국 고객불만의 원인이 된다. 따라서 서비스 프로세스 감사를 통해 고객불만의 소지가 될 수 있는 부분을 파악하는 것은 매우 중요하다.

서비스 프로세스 재설계

서비스 프로세스 재설계(service process redesign)란 낡은 서비스 프로세스에 새 생명을 불어넣는 과정이다. 기술과 고객 니즈가 변하거나 새로운 서비스 특성이 등장하면 기존의 서비스 프로세스가 제 기능을 발휘하지 못하게 된다. 혹자는 이를 조직의 부식(institutional rust)이라고 표현하였다. 서비스 프로세스를 재설계하는 데 가장 중요한 것은 생산성과 서비스 품질을 동시에 향상시킬 수 있는 기회를 찾는 것으로, 서비스 실패의 감소, 총 서비스 시간의 최소화, 생산성 향상, 고객만족도 향상 등을 고려해야 한다.

서비스 실패의 감소를 위한 구조적 해결책을 서비스 프로세스 재설계에 반영하는 한 가지 방안은 실패 방지(fail-proofing)다. 즉, 서비스 프로세스 안에서 직원들이 지켜야 하는 특정 규칙, 정확하게 고객의 요구사항을 수행할 수 있도록 실패를 방지하는 단계를 설정하는 것이다. 가령, 수술실에서 외과 기구 트레이는 각각의 기구에 맞는 자국이 있어 수술 후 모든 기구들이 환자의 몸이나 엉뚱한 곳에 자리하지 않고 제자리에 있도록 한다. 은행에서 고객과의 아이 컨택을 장려하기 위해 창구 직원으로 하여금 고객의 눈동자 색을 기록하도록 한 것과 고객과의 만남에 있어 깔끔한 용모를 유지하도록 직원실 문에 거울을 설치한 것 등은 실패 방지의 사례이다. 패스트푸드 식당에서 트레이까지 쓰레기통에 버리는 실수가 종종 일어나는 것도 쓰레기통 구멍을 트레이보다 작게 함으로써 구조적으로 예방할 수 있었다.

KOREAN AIR 대한항공의 경우 소아식 주문 고객에게 성인식이 제공되어 불만이 반복적으로 발생하였는데 예약변경 과정에서 주문내역이 취소되고 재입력하지 않아 발생한 오류라는 것을 확인했다. 개선방안으로 특별 기내식 주문 고객이 예약을 변경하는 경우 경고 문구를 보여주는 절차를 추가하였으나 100% 근절되지 않았다. 따라서 특별 기내식 요청내역이 삭제된 상황에서는 예약이 종료되지 않도록 시스템을 재수정해 문제를 근본적으로 해결할 수 있었다.

더불어 서비스는 고객참여가 필수적인 만큼 고객에 의한 실패를 예방하는 것도 중요하다. 예컨대 회원제 쇼핑몰 COSTCO WHOLESALE 코스트코(Costco)의 경우, 입구에서 멤버십 카드 소지 여부를 확인하는 절차를 통해 나중에 계산대에서 멤버십 카드를 잊고 가져오지 않은 고객들에 의해 발생할 수 있는 문제를 미연에 방지하고 있다. 물론 ICT 기술이 발달한 만큼, 멤버십 정보를 디지털화하여 멤버십 카드를 물리적으로 소지할 필요가 없게 한다면 고객은 더욱 편리하게 서비스를 이용하고 서비스 실패 역시 원천 차단할 수 있을 것이다.

서비스 프로세스 재설계를 위한 방안의 유형은 다음과 같다.

① 가치창출에 기여하지 않는 단계의 제거 : 서비스의 과정 내의 가치창출에 집중함으로써 서비스 과정을 간소화할 수 있다. 예를 들어, 렌터카 이용 고객은 차량 대여 시의 문서 기입 절차나 반환 차량의 점검 등을 성가신 과정으로 생각한다. 서비스 프로세스 재설계는 이런 가치창출에 도움을 주지 않는 과정을 제거하는 과정이다.

② 셀프서비스로의 전환 : 셀프서비스의 도입은 생산성을 향상시키고 서비스 품질 향상에도 기여할 수 있다. FedEx Corporation 페덱스(FedEx)의 경우 전화 주문의 절반 이상을 인터넷 홈페이지 주문으로 유도하여 2만 명 이상의 고용 절감을 이룰 수 있었다.

③ 서비스를 고객에게 직접 전달 : 고객이 서비스 기업을 찾아오게 하는 것이 아니라 서비스를 고객에게 직접 전달한다면 고객의 편의성을 증대시킬 뿐 아니라 점포

표 6-3 | 서비스 프로세스 재설계의 5가지 방안

	기업 혜택	고객 혜택	한계점
가치창출에 기여하지 않는 단계의 제거	효율성 증가 생산성 증가 고객별 서비스 제공	효율성과 속도 증가 고객으로부터 기업으로 업무 전가 고객별 서비스	원활한 실행 위해 고객과 직원의 교육 필요
셀프서비스로의 전환	비용 감소 생산성 감소 기술에 대한 평판	서비스 속도 증가 접근성 향상 비용 감소 통제력 증가	고객 역할 수행을 위한 준비 필요 관계 형성을 위한 대면 기회 부족 피드백 부재
서비스를 고객에게 직접 전달	위치적 한계 극복 고객 기반 확장	편의성 증가 접근성 증가	물류 부담 비용 증대 신뢰도 필요
일괄 서비스	고객 유지 고객당 서비스 이용 증대	편의성 증가 고객별 서비스	고객에 대한 광범위한 이해 필요 비경제적으로 인지될 수 있음
물리적 측면의 재설계	직원만족 증가 생산성 증가	편의성 증가 기능의 향상 흥미 유발	모방이 쉬움 많은 비용 소요 고객의 기대 상승

비용을 제거하여 생산성을 높인다. 일례로, NETFLIX 넷플릭스(Netflix)는 1997년 설립 당시, 고객이 오프라인 가게를 직접 방문해서 빌리고 반납해야 했던 기존 방식에서 벗어나 가볍고 부피가 작아 배송에 적합한 DVD의 특성을 반영한 새로운 모델, 즉 고객이 우편을 통해 DVD를 배송받고 반납할 수 있는 서비스를 제공했고, 그 결과 블록버스터(Blockbuster)가 지배하고 있던 비디오 렌탈 시장에서 성공적으로 기반을 구축할 수 있었다.

④ 일괄 서비스 : 고객에게 다양한 서비스를 하나로 묶어 제공하는 것이다. 일괄 서비스는 특정 고객 집단에게 맞추어진 서비스로 거래비용을 줄이고 신속한 거래를 가능하게 하여 생산성을 향상시킨다.

⑤ 물리적 측면의 재설계 : 서비스 프로세스의 물리적 측면에 집중하는 것으로 고객 경험을 향상시키기 위하여 서비스 설비와 기구를 정비하는 것이다. 이를 통하여 편리성과 생산성을 향상시키고 고객만족을 높인다.

도서관의 변신은 무죄
- 싱가포르 국립 도서관

INSIGHT

낡은 책으로 가득 찬 책장, 불친절한 직원의 이미지로 대변되는 전통적인 도서관은 오늘날의 디지털 환경에서 외면을 받고 있다. 하지만 최신 기술을 활용한 서비스 프로세스 재설계를 통해 싱가포르 국립 도서관(National Library Board of Singapore: NLB)은 도서관의 이용을 높이고, 이용객들의 평생 교육을 도모하는 동시에 운영 효율성을 높인 성공 사례이다.

싱가포르 국립 도서관은 RFID(Radio-Frequency Identification, 전자태그)에 기반을 둔 전자 도서관 운영 시스템을 전 세계 도서관 최초로 도입하였다. 천만 권이 넘는 보유 서적에 RFID 태그를 부착하여 도서관 이용객들은 무인 키오스크를 통해 셀프서비스로 책을 빌리고, 마찬가지로 도서관 곳곳에 놓인 회수기를 통해 책을 반납하고 RFID 식별로 회수의 전산 처리를 할 수 있다. 뿐만 아니라 '스마트 책장'이 책의 RFID를 식별하여 잘못된 위치에 놓인 경우 이를 직원에게 알려 직원 또는 고객이 책을 빠르고 쉽게 찾을 수 있도록 운영 효율성을 더했다. 전자책과 전자 매거진을 다수 확보하여 이용객들에게 다운로드 서비스도 제공한다.

이러한 혁신적인 기술을 활용해 서비스 프로세스를 재설계한 싱가포르 국립 도서관은 세계적인 도서관으로 거듭날 뿐 아니라 싱가포르 품질대상을 수상하고 많은 대학에서 벤치마킹하고 있다.

CHAPTER

07

서비스 사람관리

7.1 서비스 기업에게 사람이란?

7.2 내부 마케팅: 직원을 보는 새로운 시각

7.3 관계 마케팅의 이해와 실천전략

PROLOGUE

직원의 행복과 기업의 성장을 위한 정책, 워라밸의 실현

많은 현대인들은 바쁜 직장생활, 잦은 야근 등을 경험하며 직장에 많은 시간과 열정을 쏟는다. 그에 비해 직장인이 아닌 개인에게 할애하는 시간, 휴식의 시간이 부족하다는 점을 많은 직장인들은 공감할 것이다. 이런 상황에 대해 떠오른 키워드는 '워라밸'이다. 영어 work-life balance의 앞글자를 딴 줄임말로 '일과 삶의 균형'을 뜻한다. 이에 따라 기업에서도 직원의 행복을 위한 노력과 워라밸을 실천하고 있다.

한국은 2019년에 1인 국민소득이 3만 달러 이상이고 인구 5천만 명 이상인 국가를 뜻하는 '3050클럽' 조건에 해당되는 나라가 되었다. 일본, 독일, 미국, 영국, 프랑스, 이탈리아에 이어서 일곱 번째로 3050클럽에 진입한 국가가 됐다. 하지만 경제적인 경쟁력은 인정받았지만 행복 관련된 지표는 세계에서 최하위권에 속해 있는 '해피니스 헝그리' 국가이다. 행복도나 삶의 질이 최하위권 수준으로 나오는 것이다. 유엔이 발표한 '삶의 질 지수' 조사 대상 135개국 중 한국은 75위를 기록하였다. 세계의 10대 경제대국에 포함하지만 행복지수는 최하위권인 행복이 부족하다는 결과가 개개인의 행복을 우선시하는 워라밸이나 소확행 같은 키워드의 중요성을 보여준다.

기업에서 대표적으로 실천하고 있는 워라밸 정책은 근무시간 단축이다. 또한 출퇴근 유연근무제 혹은 자율근무제를 도입하여 직원 개개인이 자유롭게 시간을 운용할 수 있는 환경을 만들어 가고 있다. 그 외에도 휴가를 보장하는 등 다양한 복리후생을 강화하는 추세이다. 하지만 무조건 직원의 행복만을 추구하는 것은 아니다. 이런 정책이 도입되는 이유는 일하기 좋은 직장을 만들어서 직원 스스로가 자발적으로 일에 몰입할 수 있는 환경을 제공함으로써 직원과 회사의 성장이 동반 상승하고 조직경쟁력을 갖추기 위해서다. 즉, 직원의 '자발적 몰입'이 행복으로 연결되어야 한다.

아모레퍼시픽의 경우 2017년 18만 평 규모의 신사옥을 건립하면서 사옥 컨셉트를 워라밸과 연결로 내세웠다. 모든 사무공간은 열린 공간으로 구성되었고 칸막이 없는 넓은 책상과 자세를 안정적으로 받쳐주는 의자로 꾸며졌다. 사무실인 6~21층에는 층마다 개인이 혼자 일할 수 있는 1인 공간도 제공된다. 사무실에도 자연 채광이 들어오고, 조도에 따라 자동센서로 조명 밝기가 바뀌는 등, 세심한 부분에도 신경을 썼다. 그 외에는 직원식당과 카페, 피트니스센터, 힐링존, 그리고 세 개의 공중정원이 포함되었다. 이는 아모레퍼시픽과 전 계열사 임직원에게 제공되는 복지시설이다. 서경배 아모레퍼시픽 회장은 이를 "사원증 하나로 모든 것이 가능한 스마트 공간"이라고 말했다.

사무공간 외의 1층의 넓은 아트리움은 많은 사람들이 자유롭게 다닐 수 있는 공간으로서, 직원들뿐만 아니라 주민들과의 교류와 같은 다양한 기능을 할 수 있는 사회적 공간으로 설계되었다. 지하 1층은 신용산역과 연결되어서 근처의 시민들도 신사옥에 자연스럽게 들어올 수 있도록 설계되었다. 연결이라는 컨셉트는 열린 공간에서 직원들 사이의 연결과 기업과 근처의 도시, 시민들과의 연결도 의미한다.

이들의 워라밸 보장은 신사옥의 철학에서 끝나지 않았다. 워라밸을 보장하는 방법 중 하나는 육아 지원이다. 아이가 있는 근로자들은 업무 시간 중에 아이를 맡겨야 하는데, 아이를 맡아줄 마땅한 기관과 육아 인프라가 부족하니 근무 시간 중에도 육아 부담을 떨치기 어려운 점이 있다. 아모레퍼시픽은 '아모레퍼시픽 어린이집'을 운영하여 직원의 육아 부담을 덜고 있다. 임신 12주 이내 또는 36주 이후의 예비맘은 일 6시간 단축 근무를 하도록 지원하고 있다. 임신부 전용 의자와 다리 붓기 방지용 발받침대, 전자파 차단 담요로 구성된 '예비맘 배려 3종 세트'도 지원한다. 업무 시간 동안 다른 걱정 없이 최대한 업무에 집중할 수 있는 환경을 만들어 주는 것이다. 또한 시차 출퇴근제인 'ABC 워킹타임' 제도를 운영하여 출근을 오전 7시에서 10시 중 1시간 단위로 선택하게 하였고, 영업사원은 '현장 출퇴근제'를 시행하고 있다. 직원들의 성장을 위해 다양한 교육 기회 역시 제공하고 있다.

직원들이 업무에 집중할 수 있는 환경을 조성하고, 건강을 챙기고 자기개발을 할 수 있는 시설을 제공해 주어서 원활한 근무 조건을 가능하게 하고 직원의 성장을 장려하는 것이 워라밸의 정신이다.

자료원: 아시아투데이, "[행복한 일터] 아모레퍼시픽, 성장동력 '인재의 힘'… 임직원 '워라벨' 실현 위해 앞장서," 2018.05.30;
HR Insight, "워라밸 기업문화 확산, 자발적 몰입이 만들어지다," 2018.01.29;
한국경제, "'美의 전당' 용산 신사옥…서경배 '층마다 워라밸로 꾸며라'," 2017.11.13.

7.1 서비스 기업에게 사람이란?

서비스 기업이 성공적으로 운영되려면 고객과 직원 모두를 잘 관리해야만 한다. 이것이 서비스 기업의 사람관리이다. 서비스를 제공받는 고객을 외부고객이라고 한다면, 직원은 내부고객이다. 외부고객을 대상으로 하는 마케팅을 외부 마케팅 또는 관계 마케팅이라고 한다면, 내부고객을 대상으로 하는 마케팅은 내부 마케팅이다. 또한 기업과 고객이 만나는 접점을 외부시장이라고 한다면, 기업과 직원이 만나는 접점은 내부시장이다.

내부 마케팅과 외부 마케팅의 관련성은 다음과 같은 세 가지 측면에서 찾아볼 수 있다.

시장 고객과 기업이 형성하는 외부시장이 존재하듯이 기업 내부에는 내부시장(internal market)이 존재한다. 그리고 기업의 서비스는 내부시장에서 먼저 경험된 후에 외부시장에서 경험되므로, 내부시장을 1차 시장, 외부시장을 2차 시장이라고 볼 수 있다. 서비스 기업이 제공하는 모든 것은 이것을 제공하는 당사자들에게 우선적으로 인식되며 평가된다. 만약 직원들이 외부 마케팅 활동과 캠페인에서 약속하는 것들을 믿지 않거나, 그들 스스로도 어떻게 서비스를 제공할지 잘 모르거나, 필요한 기술들을 가지고 있지 않다고 생각한다면, 직원들은 자신이 제공하는 서비스를 구입하지 않을 것이다. 서비스 제공자 스스로도 구입하지 않는 서비스라면, 고객들의 반응도 뻔할 것이다.

고객 비용을 지불하고 서비스를 구입하는 사람들만 기업의 고객이 아니다. 서비스 제공 주체인 직원들도 기업입장에서는 고객으로 봐야 하며, 실제로 그들은 중요한 고객이다. 내부고객인 직원들도 외부고객과 동일하게 대해야 한다. 만약 이들이

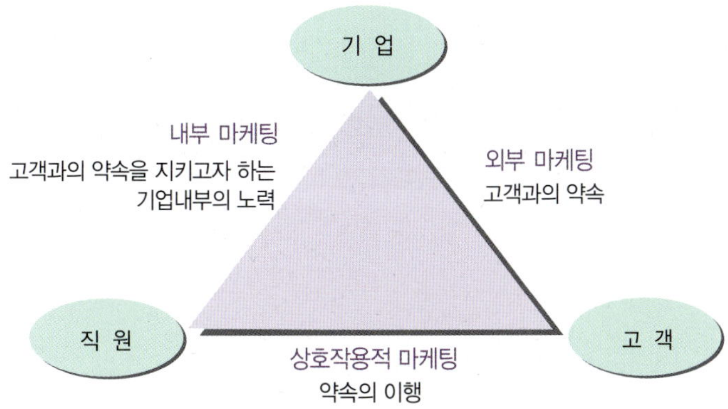

그림 7-1 | 기업–직원–고객의 관계에 따른 마케팅 개념

느리고 무관심한 서비스를 받는다면, 최종고객들에게 좋은 서비스를 제공할 수 없다. 기업이 외부고객들에게 좋은 서비스를 제공하고 높은 품질의 서비스를 만들어내기 위해서는 직원들의 능력이 필수적인데, 좋은 서비스를 받지 못하면 내부고객의 능력은 저하된다.

성과 기업의 모든 내부적 노력은 그 기업의 외부적 성과를 유지하고 향상시키기 위한 방향으로 움직여야 한다. 인적자원의 관리는 단지 내부적인 문제로 끝나지 않는다. 인적자원의 관리는 서비스 제공이라는 외부적 성과에 공헌할 수 있어야 한다. 따라서 내부직원의 관리는 외부 마케팅처럼 적극적이고, 목표지향적이며, 모든 것이 조화를 이룬 마케팅 활동이 되어야 한다.

이제부터 서비스 기업의 사람관리인 내부 마케팅과 외부 마케팅을 살펴보자. 이를 통해서 서비스 기업에서 사람의 중요성을 이해하고 효과적인 관리방안들을 습득할 수 있을 것이다.

7.2 내부 마케팅: 직원을 보는 새로운 시각

서비스 기업은 두 종류의 고객을 갖고 있다. 하나는 통상적 의미의 고객으로 외부고객이고, 다른 하나는 기업의 직원인 내부고객이다. 서비스 기업은 외부고객에게는 상품을 판매하고 내부고객에게는 내부상품(internal product)으로서의 업무를 판매한다. 내부 마케팅이란 직원을 1차 고객으로 보고 그들에게 서비스 마인드와 고객지향적 사고를 심어주며 좋은 성과를 낼 수 있도록 동기부여하는 활동이라고 정의할 수 있다.

서비스 제공에서 직원은 매우 중요하다. 그 이유는 1) '그들 자체가 서비스'이기 때문이다. 2) '그들은 고객의 눈에 비치는 조직 그 자체'이기 때문이다. 그들은 기업 이미지를 형성하는 데 매우 중요한 역할을 한다. 3) '그들은 마케터'이기 때문이다. 비록 본인이 의식하지 못하더라도 직원 모두가 은연중에 마케팅 활동을 수행하고 있다.

이러한 내부 마케팅은 직원을 고객으로 대하자는 경영철학이자 일종의 경영전략으로 볼 수 있다. 직원들이 제대로 훈련받지 못하고 자신의 직무와 내 · 외부 고객에 대해서 긍정적인 태도를 갖지 못한다면 그 기업은 성공하지 못할 것이다. 따라서 최고경영자는 이러한 내부 마케팅의 중요성을 제대로 이해하고 적극적으로 예산과 인력을 투입해야 할 것이다.

내부 마케팅의 목표

서비스 문화의 개발

서비스 문화란 내부고객과 외부고객에 대해 좋은 서비스를 제공하는 것을 당연하고 가장 중요한 것으로 여기는 기업문화라고 볼 수 있다. 제조기업에 비해 서비스 기업의 경우에는 무엇보다도 잘 확립된 서비스 문화가 중요하다. 보통 서비스 기업의 경우에는 서비스의 생산과정이 표준화되기 어렵고 구매자–판매자 간의 상호작용이 필수적이므로 예기치 못했던 상황에 어떻게 대응해야 하는가를 제시하는 서비스 지향적 문화가 필요하다.

서비스 문화가 약한 기업의 경우에는 공통적인 가치나 규범이 없거나 명확하지 않다. 따라서 여러 가지 상황에 어떻게 반응해야 하는지, 다양한 고객 니즈에 어떻게 대응해야 하는지가 분명하지 않다. 예를 들어, 고객이 뜻밖의 요구를 했을 때 직원은 어떻게 해야 할지를 모르고 경직된 행동을 하게 되며 고객을 오래 기다리게 만들거나 화나게 할 수 있다. 반면에 서비스 문화가 강한 기업의 경우에는 직원이 다양한 상황에 처해도 일관성 있게 행동할 수 있다. 가치나 규범이 명확하기 때문에 직원들이 어떤 행동을 취해야 하는지를 알고 있는 것이다. 따라서 서비스 기업은 고객을 대하는 직원들이 긍정적인 태도와 행동을 개발하도록 분위기를 조성해야 한다.

월트디즈니사, 스칸디나비아 항공, NORDSTROM 노드스트롬 백화점 등은 서비스 문화가 잘 확립된 기업으로 볼 수 있다. 노드스트롬 백화점의 한 판매원이 “어느 때 화가 나는가?”라는 질문을 받고 “첫째는 고객에게 도움을 주지 못했을 경우, 둘째는 물건을 도난당한 경우”라고 대답했다고 한다. 이와 같은 서비스 문화가 정착된 기업에서는 초일류 서비스를 기대할 수 있다.

서비스 문화의 유지

서비스 문화가 확립된 후에는 서비스 문화를 유지하기 위한 내부 마케팅이 필요하다. 서비스 문화 확립의 측정지표는 다음과 같다.

① 서비스에 대한 명확한 사고방식이 확립되어 있다.

② 경영자가 서비스의 중요성을 계속 직원에게 교육시키고 있다.

③ 고객중심적 사고가 관리자 사이에 정착되어 있다.

④ 모든 직원이 서비스 품질의 중요성을 알고 있다.

⑤ 양질의 서비스가 실현될 때마다 적절한 보상이 주어진다.

확립된 서비스 문화를 적극적으로 유지하지 않으면 직원의 태도나 기업 내 규범이 쉽게 이전의 방식으로 돌아가게 된다. 서비스 문화를 유지하는 데 관련된 내부 마케팅 목표는 다음과 같다.

① 관리방법이 지원적이며 직원의 서비스 마인드와 고객지향성을 향상시킨다.

② 직원들에게 지속적으로 정보와 피드백을 제공한다.

③ 새로운 제품, 서비스, 마케팅 캠페인 등을 시장에 도입하기 전에 직원들에게 먼저 판매한다.

내부 마케팅의 성공요건

내부 마케팅은 직원의 역할과 중요성을 인식하는 것에서 시작된다 미국 시어즈(Sears)는 고객만족과 직원 이직률 간에 높은 상관관계가 있다는 것을 발견한 바 있다. 최고경영자에서부터 실무자에 이르기까지 '직원이 행복하지 못하면 고객만족은 이루어질 수 없다'라는 사실을 인식하는 것이 중요하다. 서비스 기업의 고객만족은 [그림 7-2]와 같은 순환 고리를 갖는다.

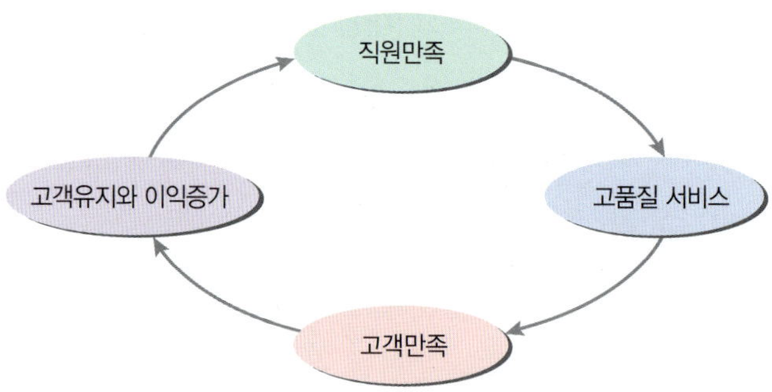

그림 7-2 | CS의 선순환

만약 내부 마케팅 활동이 그저 캠페인으로서 또는 다른 관리활동과 관련없이 개별적인 활동으로서만 실시되게 되면 그 효과는 작을 것이다. 내부 마케팅이 성공적이기 위해서는 조직구조나 기업의 전략이 서비스 문화의 확립을 지지해야 한다. 또한 고위관리자나 중간관리자들이 내부 마케팅에서 제대로 역할을 수행하기 위해서는 그들의 관리방법이나 지도방식이 지원적이어야 한다.

내부 마케팅 상품의 개발도 중요하다 외부고객이나 외부시장이 반응하도록 하기 위해서는 좋은 제품이나 서비스가 필요하다. 마찬가지로 내부시장에 있어서도 좋은 상품이 필요하다. 내부상품은 고객지향적으로 좋은 성과를 내도록 직원에게 동기를 부여하는 작업환경이다. 게다가 훌륭한 직원을 유치하고 보유할 수 있도록 하는 직무나 환경도 포함한다. 그리고 관리방법, 인사정책, 직무 자체의 성격, 계획 및 실행과정 등이 포함될 것이다. 외부고객에게 판매하는 제품이나 서비스처럼 시장지향적으로 내부상품을 개발해야 할 것이다. 〈표 7-1〉에 내부 마케팅을 외부 마케팅과 대비시켜 정리하고 있다.

표 7-1 | 외부 마케팅과 내부 마케팅의 비교

구분	외부 마케팅	내부 마케팅
대 상	소비자(외부고객)	직원(내부고객)
제공물	상 품	직무 및 작업환경
가 격	상품의 대가	직무의 대가
목 표	고객만족	직원만족

내부 마케팅의 목표는 직원만족의 향상이다. "직원만족 없이 고객만족은 없다"라는 말을 종종 듣는다. TOYOTA 도요타 자동차에서도 고객만족의 기본전제는 직원만족이라고 강조한다. 스스로 만족하는 직원이 고객을 만족시킬 수 있으며 친절도 자연스럽게 고객에게 전달된다는 것이다. 일방적으로 고객만족을 강요하여 직원이 불만을 느낄 때 진정한 의미의 고객만족은 불가능하다.

예를 들어, 고객을 만족시키기 위해서 근무시간이 8시간에서 11시간으로 늘어나 부담으로만 느껴지면 어느 직원도 고객만족을 실천하려고 하지 않을 것이다. 소위 WIIFM(What's In It For Me?: 내게 무슨 도움이 되는가?)라는 질문에 대한 답을 직원들이 이해하고 받아들여야 직원의 자발적 참여를 통해 지속적인 고객만족이 가능한 것이다.

고객지향성을 잊지 말라 내부 마케팅을 강조하다 보면 직원의 복지나 만족 그 자체가 최종 목적인 것처럼 착각할 수 있다. 그렇지만 그 궁극적인 목적은 고객에 대한 긍정적인 태도와 서비스 마인드를 높여 고객을 만족시키겠다는 것임을 잊지 말아야 할 것이다.

내부 마케팅의 실천방안

적합한 사람을 채용하라 우수한 직원을 채용하는 것은 매우 중요하다. 그저 빈자리를 채우려고 열등한 직원을 뽑는 것보다는 차라리 공석으로 가는 것이 좋을 수 있다. 직원을 한 명 잘못 채용하면 팀 전체의 분위기를 해치고 팀 성과를 낮추기 때문이다. 그리고 낮아진 팀 성과에 불만을 가진 유능한 직원이 회사를 떠날 수도 있다. Marriott 메리어트 호텔 부사장 로저 다우(Roger Dow)는 "우리는 직원이 어떤 직무든 수행할 수 있도록 훈련시킬 수 있다. 그러나 친절한 태도를 갖게 하기 위해서는 채용 및 선발부터 시작되어야 한다"고 말하고 있다. 직원의 선발이 그만큼 중요하다는 것이다.

직원 채용 시 서비스 능력뿐만 아니라 서비스 성향을 고려해야 한다. 서비스 능력이란 소위 스펙이라고 하는 기술이나 지식 또는 학력 등을 의미하지만, 서비스 성향이란 가치관, 태도 등을 의미하는 것으로서 남을 기꺼이 도우려는 자세, 공감능력, 사려 깊음, 팀 지향성, 사회성 등이 이에 속한다.

Zappos 자포스는 업무에 맞는 기술과 능력을 보는 1차 면접(Skill Fit Interview)과, 기업문화에 대한 일종의 적성 검사인 2차 면접(Culture Fit Interview)을 통해 최종 합격자를 선발한다. 이 두 종류의 면접 중에서 자포스가 더욱 중요하게 여기는 것은 2차 면접으로, 구직자가 아무리 뛰어난 기술과 경력을 갖추었다 하더라도, 자포스 문화에 맞지 않다고 판단되면 자포스인이 될 수 없다. 예컨대 "회사 밖에서 동료와 만난 적이 있나요?"라는 질문에 "아니오"라고 답한 사람은 자포스에서 강조하는 핵심가치인 '확고한 팀워크와 가족애를 지닌' 인재가 아니므로 기업의 일원이 되기엔 부적합하다고 판단하는 것이다.

이렇게 까다롭게 선발한 인재들이지만, 그럼에도 불구하고 자포스 문화에 적응하지 못하거나 단순히 '돈 때문에' 일하는 신입사원이 발생할 것을 대비해 이들은 기발한 인사정책을 제도화하였다. 이는 4주간의 신입사원 트레이닝 중 일주일이 지난 시점에서 퇴사를 원하는 경우 월급에 더해 3천 달러의 '퇴사 보너스'를 지급해 주는 제도이다. 이는 적합한 인재를 유치하여 그들과 함께 기업문화를 만들고 가꿔 나가는 것이 자포스가 추구하는 가치임을 알리는 상징적인 제도라고 볼 수 있다. 이 제도를 악의적으로 활용할 수 있다는 우려에도 불구하고 트레이닝 참가자 중 이 제도를 선택하는 신입사원의 비율은 1% 정도로 매우 작다. 이러한 사실은 자포스의 채용 시스템이 얼마나 정교하고 많은 공을 들였는가를 증명해 준다. 더불어 자포스는 자포스만의 기업문화에 걸맞은 인재의 확보를 위해, 본사를 샌프란시스코에서 라스베이거스로 옮기는 선택을 주저하지 않았다. 즉, 최고의 컨택센터를 만들고 유지하기 위해서는 고객서비스에 열정과 자부심을 갖고 일할 최고의 인재를 유치해야 한다는 일념하에, 이러한 인적자원이 풍부한 곳으로 이동한 것이다. 일찍이 USAA의 회장이 "우리 사원을 우대하지 않는 한 고객들이 우대될 수 없다"라고 말한 바 있듯이, 자포스의 사례는 지원자들이 선망하는 회사가 되는 것이 얼마나 중요하고 의미 있는 일인가를 보여주는 좋은 예라 하겠다.

훌륭한 서비스 기업들은 지원자들 중에서 최고의 후보를 선별해내기 위해 다양한 선발 도구를 활용한다. 몇 가지 직원 선발의 원칙을 살펴보도록 하겠다.

① 구조화된 인터뷰 : 면접관 여러 명이 자격 요건과 관련된 구조화된 인터뷰(structured interview)를 수행하는 것이 중요하다. 다른 면접관도 지원자를 평가한다고 할 때, 면접관도 평가에 더욱 신중을 기하게 된다. 또한 복수의 면접관이 평가를 해야, 자신과 비슷한 지원자에 대해 우호적 평가(similar to me bias)를 내리는 것을 방지할 수 있다.

② 후보자의 행동 관찰 : 지원자의 말뿐만 아니라, 관찰할 수 있는 행동을 바탕으로 채용 결정이 이루어져야 한다. 행동은 행동 모의 면접이나 평가 센터를 통해서 직·간접적으로 관찰할 수 있으며, 지원자의 과거 행동을 바탕으로 미래의 행동을 예측하는 것도 큰 도움이 된다. 즉, 서비스 우수상을 수상하였다든지, 좋은 추천서를 받았다든지, 과거 직원들로부터 좋은 평가를 얻은 사람을 채용하는 것이 보다 안전한 결정이 될 것이다.

INSIGHT

에어비앤비의 사원 선발

능력이나 기술적인 면에 더불어 기업문화와 얼마나 잘 맞는지를 면접에서 알아보는 기업이 많아지고 있다. 이는 기업들이 자신만의 핵심적 가치를 확립하며 이 가치관에 맞는 인재를 뽑기 위한 절차로 기존의 기업문화와 핏(fit)을 확인할 수 있는 면접을 따로 진행하기도 한다. 소위 인성 면접이라고 불리는데, 인성을 확인하는 과정에서 기업의 문화와 가치관과 얼마나 잘 맞는지도 확인하는 과정이다. 특별한 질문을 물어보는 경우도 있고, 지원자의 사고 방식이나 대처 능력을 알아보기도 한다.

에어비앤비의 경우, 직무에 관한 기술과 능력을 보는 면접 후에 핵심적 가치에 대한 인터뷰를 진행한다. 이 핵심적 가치 인터뷰는 에어비앤비의 설립자들이 지정한 면접관들로 이루어지는데, 면접자의 경험과 에어비앤비에 대한 이해도와 마음가짐에 대해 대화를 나눈다고 한다. 첫 번째의 기술적인 면접을 통과하여도 에어비앤비의 핵심적 가치에 맞지 않는 사람이라면 기업의 일원이 되기엔 부적합하다고 판단된다.

인터뷰 과정에서도 에어비앤비의 문화를 경험하게 되는데, 면접자와 면접관이 아닌 사람으로서 서로와 서로의 가치관에 대해서 알아가는 과정이다. 에어비앤비가 강조하는 핵심적 가치 중의 하나인 "Be a Host: Care for others and make them feel like they belong"(호스트가 되자: 다른 사람들을 위해 배려하고 그들이 소속감을 느끼게 하라)을 면접 과정에서도 실천하는 것이다.

면접을 합격하고 출근을 하면 첫 일주일 동안 에어비앤비의 가치관, 경영전략, 각 직무의 소개, 그리고 업무를 하는 방식에 집중하는 체크인 과정을 거치게 된다. 새로운 팀 멤버들은 이 과정을 최근에 고용된 다른 직원들과 함께 이수하게 되는데, 입사 동기라는 그룹을 만들어 직장에서의 첫 소속감을 만드는 것이다. 다양한 종류의 점심과 회의를 진행해서 직장 동료들이 다양한 상황에서 만나고 서로에 대한 이해도를 쌓게 한다.

사진 제공: https://medium.com/espanol/reserv%C3%A9-mis-vacaciones-en-airbnb-5b03f6224ab4

직원 경험 담당자(Head of Employee Experience) 마크 레비는 새로 입사한 직원들에게 본인에 관한 흥미로운 점, 관심사, 그리고 왜 에어비앤비에 오게 되었는지를 물어본다고 한다. 이 때 에어비앤비에 어떻게 오게 되었느냐는 질문은 직무에 관한 질문이 아니라 직원 개인에 대한 질문이라고 한다.

이러한 절차로 꼼꼼하게 인재를 선발하고, 회사의 가치관에 대해서 강조를 하며 기업 문화에 대한 안내를 하여서 에어비앤비의 직원뿐만이 아니라 에어비앤비 문화는 유지되고 성장하는 것이다.

자료원: Culture Amp Blog, "How Airbnb is Building its Culture Through Belonging."

③ 성격 검사 : 성격 검사는 특정한 직무와 관련해 측정 가능한 특성들, 이를테면 고객과 동료들을 정중하고, 사려깊고, 재치있게 대하는 능력이라든지, 정확하고 유쾌하게 소통하는 능력들을 알아보는 데 도움이 된다. 이러한 성격 검사에 기반을 둔 채용 결정은 특히 부적절한 후보자를 걸러내고 탈락시키는 데에 있어 상당히 정확한 편이다.

④ 현실적 직무 소개 : 채용 과정 동안 서비스 기업들은 후보자들에게 실제 직무에 대한 정보를 제공하여, 실제로 경험을 해보고 그 직무가 자신에게 잘 맞는지 그렇지 않은지에 대해 판단할 수 있는 기회를 주어야 한다. 한편으로 채용 담당자들은 후보자들이 실제 직무에 어떻게 반응하는지를 관찰할 수도 있다. 이런 과정에서 일부 후보자들은 그 직무가 자신에게는 잘 맞지 않다고 판단하여 지원을 취소할 수도 있다.

최근에는 인공지능을 직원채용에 활용하는 기업이 늘어나고 있다. IBM IBM의 경우 인공지능 왓슨을 이용해 수백만 명의 지원서 중에서 회사가 원하는 1차 면접대상자를 1분 이내 추려낸다. 게다가 인공지능 채용관은 회사의 요구에 따라 지원자가 페이스북, 트위터, 인스타그램 등 SNS에 남긴 자료를 분석해 지원자의 성격, 친화력, 스타일까지 분석해 직원채용에 걸리는 시간을 절반 가까이 줄였다. 소프트뱅크도 왓슨을 도입해 서류 심사에 드는 시간을 획기적으로 줄이고 인간형 로봇 페퍼를 실제 면접관으로 투입하고 있다. 인공지능의 장점은 지원자에게 아무 편견도 갖지 않고 일관성 있는 잣대를 적용하기 때문에 공정성에 대한 논란 여지가 없다는 것이다. 물론 인공지능이 인성이나 역량을 제대로 평가할 수 있는가에 대해서는 이견이 존재한다.

인공지능은 직원의 채용만이 아니라 관리와 해고에도 활용되고 있다. amazon 아마존에서 인공지능을 통해 직원의 생산성을 체크하고 해고한 사실이 알려졌다. 인공지능으로 물류센터 직원의 동선과 생산성을 추적하고 오랜 시간 자리를 비우는 직원에게는 경고를 발령하였다. 감독관의 개입 없이 인공지능이 축적된 데이터를 바탕으로 진행한 해고가 연간 전 직원의 10%를 넘기는 것으로 추정됐다.

교육훈련을 실시하라 채용한 직원에 대해서는 강력한 오리엔테이션을 해주는 것이 중요하다. 오리엔테이션에서는 실무적 지식만이 아니라 핵심적인 서비스 원칙, 기업의 가치관, 기업 미션과 직원의 역할 등을 다루는 것이 필요하다. 가능하면 고위 경영진이 해주는 것이 이상적이다. 실제로 홀스트 슐츠(Horst Schulze)는 리츠칼튼 회장으로 재직하는 동안 새로운 호텔을 오픈할 때마다 직접 오리엔테이션에 참석해 기업 가치와 직원의 중요성을 설파했다.

물론 직원에 대한 교육훈련은 지속적으로 이루어져야 한다. 기업의 전략이나 자신의 중요성에 대한 직원의 이해가 부족한 경우가 종종 있다. 즉, 전략적 사고뿐만 아니라 운영수준에서의 서비스 노하우가 부족한 것이 현실이다. 이것은 서비스 전략의 내용에 대한 지식이 부족하거나 서비스 분야에서 마케팅의 역할에 대해 잘 모르기 때문에 발생하는 문제일 수도 있지만 한편으로는 태도의 문제일 수 있다. 직원의 무관심하거나 부정적인 태도는 바뀌어야 한다.

맥도날드 햄버거대학은 직원 교육훈련의 사례로 유명하다. 우수한 훈련프로그램은 조직을 고객지향적으로 바꾸는 데 유효한 방법이다. 스칸디나비아 항공(SAS)은 조직 재활성화 노력의 일환으로 2만 명 이상의 직원 훈련을 실시했고, 영국 항공(British Airways)도 3만 7천 명 이상의 직원 훈련을 실시했다. 특히 영국 항공은 2019년부터 견습생을 위한 12개월 동안의 새로운 집중적 수습 제도를 실시하고 있다. 영국 항공의 글로벌 러닝 아카데미는 전문 항공사 교육을 제공하면서 직원들에게 향상된 기술과 전문 자격 요건을 제공한다. 이 프로그램을 통해서 객실 승무원의 경험이 없는 사람들도 교육과 훈련을 받은 후 승무원으로 근무를 할 수 있다.

2007년 스타벅스는 경영위기에 봉착하게 된다. 수많은 경쟁자들의 등장에다가 컨슈머리포트에서 발표한 블라인드 시음 테스트 결과 맥도날드 커피와 스타벅스 커피를 맛본 많은 평가자들이 맥도날드를 선택한 것이다. 유명커피숍도 아니고 맥도날드와의 경쟁에서 이런 결과가 나오자 스타벅스의 주가는 42% 폭락했다. 맥도날드는 기세를 몰아 그 다음해 1만4천여 개 맥도날드에 맥카페(McCafe)를 출범시키며 "4달러짜리 커피를 마시는 것은 바보짓이다(Four bucks is dumb)"라는 광고를 하며 공략했다. 이런 위기에 하워드 슐츠가 스타벅스 회장으로 복귀하고 그는 2008년 2월 26일 3시간 30분 동안 미국 전역의 7천 개 매장을 닫고 13만 5천 명의 바리스타에게 에스프레소

추출방법과 고객서비스 개선을 교육하는 '에스프레소 엑설런스 트레이닝'을 실시했다. 600만 달러 매출을 포기하고 모든 매장을 닫으며 대대적으로 진행한 '초심으로 돌아가자'는 노력은 창립 이후 최고매출을 기록하고, 쓰러져가던 스타벅스는 다시 일어서게 되었다.

최근 가상현실(virtual reality: VR) 혹은 증강현실(augmented reality: AR) 기술이 발전하면서 교육훈련에 본격적으로 활용되고 있다. 항공사에서는 조종사의 기초 훈련뿐만 아니라 한 기종에서 다른 기종으로 바꾸는 훈련에서도 증강현실을 적용한 시뮬레이터를 사용한다. 훈련을 위해 비행기를 사용하는 데 들어가는 비용도 크지만 훈련 중 실수로 발생할 수 있는 사고를 고려하면 가상현실 훈련이 매우 유용하다. 의료분야와 같이 정밀한 기술이 요구되는 분야에서도 증강현실이나 가상현실이 효과적으로 쓰일 것이다. 예를 들어, 가상현실을 사용해 다양한 상황에서의 수술과 처치방법을 실습할 수 있을 것이다.

이러한 인적자원 개발에 대한 대규모 투자의 배후에는 직원들의 마인드와 업무능력을 개발하는 것이 중요하다는 확신이 숨어 있는데, 대부분의 초우량 서비스 기업들은 효과적인 교육프로그램을 가지고 있다. 교육에서 중요한 것은 반드시 경영진도 함께 교육을 받아야 한다는 것이다. 만약 서비스를 친절이라고 보면 접점 직원만 교육하면 될 것이다. 그러나 서비스를 솔루션으로 보게 되면 접점 직원뿐만 아니라 지원 부서와 경영진이 교육을 받아야 한다는 견해를 쉽게 이해할 수 있다. 서비스 직원은 물론 모든 부서 직원과 경영진이 하나가 되어 서비스 품질을 향상시키려는 노력을 기울여야 하기 때문이다.

경영지원 및 내부 커뮤니케이션을 강화하라 경영지원은 여러 가지 형태로 이루어질 수 있다. 예를 들어 다음과 같은 유형이 있다.

- 공식적 훈련프로그램
- 부하직원에 대한 적극적 격려
- 기획 및 의사결정에 대한 부하직원의 참여
- 개방적이고 지원적인 내부 분위기의 형성

흔히 보면 교육프로그램을 마치고 돌아온 직원을 그냥 방치하고 있거나 상사는 그

INSIGHT

인사부를 바꾼 넷플릭스

넷플릭스의 CEO 리드 헤이스팅스와 CTO(Chief Talent Officer)이었던 패티 맥코드는 다른 직원들과 함께 어떻게 넷플릭스의 문화를 가꾸고 업무 성과를 격려하는지를 설명하는 127장의 파워포인트를 만들었다. 기업의 형식적인 면을 없애고 대신 직원들의 어른스러운 행동을 신뢰한다는 당시에는 충격적인 내용이었다. 이러한 놀라운 접근 방식이 큰 호응을 얻었던 이유는, 일단 넷플릭스가 굉장히 성공적이기 때문이다.

맥코드는 자신이 다른 넷플릭스의 직원들과의 대화에서 넷플릭스를 어떻게 바꿀지에 대한 아이디어를 얻었다고 한다. 첫 번째 다짐은 최상급의 직원만 뽑는 것이다. 실력이 부족한 동료와 일하는 것은 시간적으로 효율적이지 않고, 다른 직원에게는 업무부담을 가중시킬 수 있다. 섣불리 채용을 하여 역량이 부족한 직원을 뽑는 것보다 시간을 더 들여서 최상급의 직원을 채용하는 점이 중요하다. 두 번째는 원래는 좋은 성과를 보여주던 직원이 해당 업무가 바뀌면서 해고 과정을 감당하는 것에 대한 대화였다. 해고를 하기 위해서 3개월 동안 큰 이득 없이 자리를 지키게 하는 것은 생산성이 없다. 이런 경우, 3개월을 기다리기보다, 해당 직원과 직접 만나서 이에 대해서 대화를 진행한다. 그 대신 이 직원이 다른 좋은 직장으로 이직할 수 있도록 풍족한 퇴직금을 제공하는 것이다. 이를 통해 보여주는 점은, 직원을 선

사진 제공: Fortune, "Netflix CEO Reed Hastings Says the Movie Industry is Broken," 2016.10.07.

발할 때는 최상위급의 직원을 뽑기 위해 노력하고, 한 직원이 얼마나 좋은 성과를 보여주었느냐를 떠나서 기업에서의 적합한 역할이 없으면 해고를 해야 한다.

현존하는 넷플릭스를 유지하고 더 성장시키기 위해서는 어른스러운 직원들을 선발하고, '넷플릭스에 가장 이득이 될 것을 하라'라는 말을 따르는 직원의 어른스러운 행동을 믿어야 한다. 이런 직원에 대한 신뢰도는 다양한 부분에서 보여지는데, 하나는 휴가와 연차를 형식적인 시스템으로 옮겨가는 대신에 각 직원 위의 직원과 조율하는 것이다. 또 하나로 업무 여행과 비용 측면에서도, 형식적인 리포트를 쓰는 대신에 직원들의 어른스러운 행동에 의존한다. 가끔 문제를 일으키거나 굉장히 비싼 저녁을 먹는 직원이 있지만, 대부분은 새로운 규칙에 적응하며 여행사 등의 외부 서비스를 사용하니 비용 역시 감소하게 된다.

형식적인 업무 평가 대신에 360도 평가를 진행한다. 다른 기업들이 매년 업무 평가를 실행하는 것과 다르게 넷플릭스에서는 직원들이 규칙적으로 서로 간단하고 진솔하게 업무 실적에 대해서 공유하면 좋은 결과를 얻을 수 있다. 이 360도 평가에서는 직원들이 자신의 동료가 그만해야 할 점, 시작해야 할 점, 그리고 계속 해야 할 점들을 찾아서 보고한다. 전에는 익명의 시스템을 사용하였지만, 점점 실명의 피드백으로 바뀌었고, 많은 부서들은 이 360도 평가를 직접 대면하며 진행한다.

이런 형식적인 부분이 줄어들고, 직원의 임파워먼트가 활성화되면 자유로운 분위기에 직원들이 느슨해지고 직무에도 게을러진다는 편견이 있다. CEO 리드 헤이스팅즈는 넷플릭스는 직원이 속한 스포츠팀이라고 한다. 동료들과 경쟁을 하기 위해서 넷플릭스에 출근을 하는 것이고, 팀의 성공을 위해서 기여를 하며 매일 최선을 다 해야 한다. 더불어 지속적으로 더 좋은 선수를 스카웃하고 성적이 부진한 선수들은 해고하는 스포츠팀처럼 넷플릭스의 팀 리더들도 같은 방식으로 유능한 직원을 고용하고 팀과 맞지 않은 직원은 해고를 해야 한다.

기업에서의 업무 중에 불필요하고 형식적인 부분을 최소화하는 대신에 직원들 간의 소통을 통해서 효율성을 높이고 비용도 절감하였다. 결과적으로 인사부에 대한 넷플릭스의 파격적이었던 접근 방식은 성공적이었고, 넷플릭스의 성공 요인 중의 하나가 되었다.

자료원: Forbes, "Incubating the War: How Netflix is Winning the Talent War," 2018.04.30;
Harvard Business Review, "How Netflix Reinvented HR," 2015.

들이 무엇을 배웠는지 또는 새로운 아이디어나 지식을 어떻게 이용할 것인지에 대해 별 관심이 없는 경우가 많다. 따라서 직원들은 상사를 포함한 모두가 자신들이 배운 것에 대해 전혀 관심이 없다는 사실을 깨닫게 된다. 때로는 교육을 받는다고 자리를 비운 것이 오히려 문제만 야기했다고 생각하게 된다. 예를 들어, 일손을 부족하게 만들었다는 것이다. 이렇듯 어느 누구도 교육프로그램의 긍정적 효과에 대해서 신경을 쓰지 않는 것처럼 보이는 것이다. 이런 경우 교육을 통해 얻은 새로운 아이디어나 호의적 태도는 무용지물이 되어버리는 것이다.

경영자나 중간관리자는 직원들이 새로운 아이디어를 실천하도록 적극적으로 권장하고 업무에 어떻게 응용할 수 있는가를 깨닫도록 도와주어야 한다. 교육과정이나 프로그램의 연장선상에서 현장교육의 역할은 직원들에게 도움을 주고 격려를 제공하는 것이다.

임파워먼트하라 리츠칼튼 호텔은 직원이 하인이 아니라 주인이 되어야 한다고 본다. 그래야 자기가 대접받고 싶은 대로 고객을 대할 수 있다는 것이다. 이를 위해 직원에게 권한을 부여하고 있는데, 예를 들어 고객의 문제를 해결하기 위해 언제든 2천 달러를 사용할 수 있다. 흔히 "우리 직원은 주인의식이 없어 큰일이야"라고 말하지만 그 이전에 우리는 직원에게 주인의식을 가질 수 있는 권한을 부여했는가를 생각해 보는 것이 필요하다.

일반적으로 직원들이 고객의 니즈에 맞추고 문제 발생 시 빠른 대응을 하기 위해서는 재량권이 필요하다. 즉, 상황을 즉각적으로 판단하고 융통성 있게 문제를 해결하기 위해서 직원들의 자발적인 의사결정을 지원해야 한다. 이처럼 직원에게 의사결정 권한을 부여하는 것이 임파워먼트의 핵심이다.

임파워먼트는 직원이 스스로 결정하고 스스로 관리하도록 하는 것이다. 자발적인 사람은 부서나 조직 간의 벽을 효과적으로 허물 수 있고 고객만족을 방해하는 조직상의 장애를 제거한다. 이러한 임파워먼트가 효과적으로 기능하기 위해서는 직원들에게 적절한 지원을 해야 한다. 그러한 지원으로는 세 가지를 언급할 수 있는데 먼저 경영지원이다. 이것은 관리자가 임파워먼트에 필요한 사내 정보를 직원과 공유하고 해당 의사결정권을 인계하는 것을 의미한다. 그 다음으로는 지식지원이다. 직원은 적절한 기술, 지식을 가지고 주어진 상황을 정확히 분석하고 이해한 뒤 그에 따라 적절한 의사결정을 내릴 수 있어야 한다. 마지막으로는 기술지원이다. 사내 정보시스템 담당자로부터 기술적 측면에서 지원을 받을 수 있어야 더욱더 효과적으로 임파워먼트를 행사할 수 있을 것이다.

PG&E(Pacific Gas & Electric Company)사는 직원 임파워먼트를 통해 엄청난 조직변화를 가져왔다. 직원들의 각종 제안을 환영하게 되었으며 직원들에게도 업무 재량권을 크게 부여한 결과, 계층이 축소되어 연 800만 달러의 경비절감, 높은 직무만족, 고객만족의 증대를 가져왔다. 이 프로그램이 실시되기 전에는 고위층의 승인 없이는 계량기 설치 경로도 변경할 수 없을 정도로 직원의 권한이 제한적이었다고 한다. 그러나 상사를 만족시키기보다는 고객을 만족시키는 데 주력하도록 강조하고 많은 권한이 위임되었다.

Zappos 자포스는 고객을 만족시키기 위해서라면 뭐든지 해도 좋다고 할 정도의 엄청난 권한과 책임을 직원들에게 주고 있다. 자포스에서는 컨택센터를 고객충성도팀(customer loyalty team: CLT)이라고 부르며 직원에게는 보통의 콜센터 직원 레벨에서 상상하기 힘든 다양한 권한을 부여한다. 더욱 놀라운 것은 고객을 응대함에 있어 정해진 매뉴얼이나 스크립트가 없다는 점이다. 자포스는 400명 직원이 근무하는 컨택센터에는 400가지의 '개성'이 있어야 한다고 굳게 믿고 있으며, 다음과 같이 이야기한다. "자포스는 직원의 개성을 존중하고, 또 적극 권장하고 있습니다. 그것이 자포스가 다른 회사와 크게 다른 점이며, 자포스 성공의 비결이라고 생각합니다." 직원들은 이러한 임파워먼트 문화가 자포스를 특별한 회사로 만든다는 데에 이견이 없다.

노드스트롬 다운타운 시애틀

미국 NORDSTROM노드스트롬 백화점은 자사의 판매직원들에 대한 임파워먼트로 널리 알려져 있다. 특히 직원들에게 권한, 정보, 지

INSIGHT

노드스트롬 경영진 위에 판매직원 '막강 권한'

노드스트롬의 성공 비결을 딱 한 가지만 꼽는다면 '직원의 파워(Power)'이다. 회사 경영진은 고객과 직접 만나는 직원들이 행복한 마음으로 고객과 관계를 맺어 나가야 기업이 성장할 수 있다고 확신한다.

"우리는 직원들에게 딱 두 가지 원칙만 지켜달라고 강조합니다. 첫째, 모든 상황에서 스스로 판단을 믿고 진행하라. 둘째, 첫째 원칙으로 돌아가라." 블레이크 노드스트롬 최고경영자(CEO)가 직접 밝힌 경영철학이다.

이것 말고는 별다른 규칙이 없어 직원들은 규칙을 위반할까, 책임을 떠안게 될까 걱정할 필요가 없다. 노드스트롬이 '조건불문'하고 철저한 환불 정책을 실행할 수 있는 것도 직원에게 막대한 결정권을 주기 때문이다. 이러한 결정권은 고객이 도움이 필요하거나 불만족한 상황이 일어났을 때 직원이 빠르게 행동하여 서비스 회복을 실행할 수 있게 만든다. 다른 기업의 경우 직원은 직원 안내서에 쓰여있는 규칙을 철저히 따라야 하고, 안내서에 쓰여있지 않은 행동은 금한다. 하지만 노드스트롬의 경우는 스스로 판단하여 진행하라는 기본적인 원칙으로 직원이 해당 상황에 맞게 유동적으로 판단하고 진행하여 고객만족을 높인다.

블레이크 CEO가 직원들에게 "직원처럼 굴지 말라"고 하는 말은 빈말이 아니다.

실제 이곳 직원들은 고객을 만족시켜야 돈(판매 수당)을 벌 수 있고 일하는 보람, 삶의 기쁨도 따라온다고 믿는다. 회의실에는 '한 번에 한 분의 고객만을 모신다', '고객 관계는 영원한 것이 아니다(그러므로 끊임없이 노력하자)', '고객이 정말로 만족스러운 경험을 했는지 항상 자문해봐야 한다'는 슬로건이 붙어 있다.

시애틀 다운타운 본점에서 만난 판매직원 린다 씨는 "노드스트롬에서 고객을 만나 일하면서 어떤 한계나 장애물도 느껴본 적이 없다"며 "단순히 물건을 파는 게 아니라 고객을 행복하게 하는 의미 있는 일을 하고 있다는 느낌"이라고 말했다.

또한 "대고객 업무를 잘할수록 회사가 내 가치를 인정해 주고 성장 기회를 제공해 주기 때문에 소속감도 더욱 강해진다"고 덧붙였다. 직원들의 만족감과 소속감은 자연스럽게 판매 실적 증가, 기업 성장으로 이어진다.

직원들은 고객이 어떤 질문을 해도 척척 대답할 수 있도록 제품에 대한 지식을 쌓고 '손님에게 적합한 제품을 신속하게 찾는' 연습을 한다. 고객마다 어떤 스타일을 좋아하는지, 생일은 언제인지, 어떤 제품을 사려다가 망설였는지 등을 기록하고 관리한다. 고객이 좋아하는 품목이 세일에 들어가면 귀띔(?)

해 주는 센스도 발휘한다. 노드스트롬 내부 설문조사에 따르면 직원들은 전체 판매의 약 70%를 기존고객과의 거래에서 달성하고 있다.

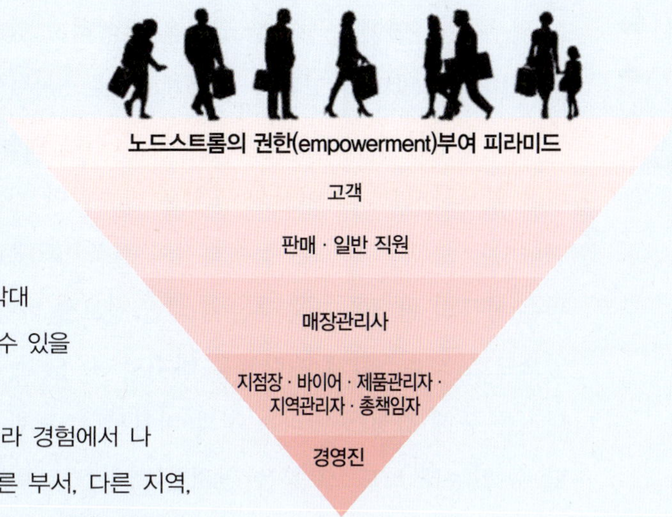

기업에서 직원이 가지는 권한과 역할이 막대한 상황에서 경영진은 어떤 리더십을 가질 수 있을까?

블레이크 CEO는 “리더십은 지위가 아니라 경험에서 나오는 것”이라며 “경영진 역시 끊임없이 다른 부서, 다른 지역, 다른 고객들 사이를 돌아다니면서 고객이 최고 경험을 할 수 있도록 노력해야 한다”고 강조했다. 실제 그 역시 미국 주마다 어떤 소비 · 유통 트렌드가 있는지 알아보기 위해 일주일에 3~4일은 출장을 간다고 했다. 그는 “출장지에 가면 직원이든 고객이든 항상 그들의 이야기를 듣는다”며 “직원들이 저마다 다양한 방법으로 자기 능력을 키우고 앞으로 나아갈 수 있는 환경을 제공하는 것도 경영진의 중요한 임무”라고 말했다.

노드스트롬은 최근 다양한 새로운 서비스를 제공하고 있다. 미국 시애틀 공항 근처에는 ‘경험 컨셉트 스토어(Experience Concept Store)’를 운영하는데, 이 지점은 다양한 새로운 컨셉트의 서비스를 먼저 제공하여 피드백을 받을 수 있는 살아있는 실험 공간이다. 이전에 진행했던 서비스로는 매장에서 입어볼 옷을 온라인으로 먼저 예약하는 선 예약제, 그리고 매장에 들어갈 필요 없이 차에서 제품을 받을 수 있는 curbside pickup 등이 먼저 도입된 매장이다.

노드스트롬의 주요 목적은 온라인 쇼핑으로 제품을 구매하는 고객들을 실제 매장으로 다시 연결시키는 것이다. 그래서 미국 할리우드에 로컬(local)이라는 새로운 컨셉트의 매장을 개방했다. 백화점에 가지 않고 온라인을 통해 쇼핑을 하는 새로운 소비 현상을 고려하여 만들어진 매장이다. 이 매장에는 제품이 거의 없어서 고객이 온라인으로 주문한 상품을 픽업하거나 근처에 있는 다른 노드스트롬 매장에서 공급된 제품들을 실제로 사용해볼 수 있는 공간이다. 스타일리스트와 만나거나 수선받을 수도 있고, 그냥 음료를 마시기 위해 방문해도 된다. 더 이상 백화점에 가는 것을 즐기지 않는 소비자들을 위해 노드스트롬을 소개하는 새로운 방법이다. 이러한 다양한 실험이 가능한 이유는 직원의 임파워먼트를 통해 노드스트롬이 쌓아온 고객 로열티 덕분이다.

자료원: Fortune, “Why Nordstrom is Betting on High-Touch Tech,” 2018.05.25; 매일경제, 2011.07.29.

식 및 보상 측면에서 상당한 권한을 부여하고 있다. 먼저 권한 측면에서 이들 직원들은 한마디로 말해서 고객을 즐겁게 할 수 있는 일이라면 어떠한 일이라도 재량권을 가지고 수행할 수 있다. 그래서 백화점 직무 매뉴얼에는 "모든 상황에서 건전한 판단력을 활용하시오. 더 이상의 규칙은 없습니다"라고 기술되어 있을 정도이다. 정보 측면에서는 모든 직원들에게 백화점의 상품 및 매출에 관한 정보를 공개하고 있다. 직원은 상품의 원가와 고객 분류에 대한 정보를 바탕으로 책임한계를 명확하게 인식하고 있으므로 자유스럽게 재량권을 발휘할 수 있다. 다른 백화점에서 문제가 생기면 매니저를 통해 결정을 내리는 것과 비교된다. 또한, 지식 측면은 곧 교육훈련으로 이해할 수 있는데 노드스트롬은 철저한 서비스 교육과 강도 높은 현장 훈련을 통해서 직원의 능력을 향상시키고 있다. 보상 측면에서는 직원들에게 동종 업계보다 높은 급여와 '이 달의 직원상'과 같은 심리적 보상을 제공하고 있다. 재량권을 발휘해 문제를 해결한 직원의 경험은 본인뿐만 아니라 다른 직원의 근무의욕을 높이게 된다.

우수 직원을 유지하라 많은 경우 고객과의 접촉이 많은 직책은 신입 직원들에게 맡겨진다. 예를 들면, 패스트푸드식당의 카운터 보는 사람, 항공사 승무원, 버스 기사, 사무실 안내원 등이다. 이런 직책에서 일을 잘하게 되면 승진되어 고객과의 접촉이 적은 직책으로 가는 것이 보통이다.

여기서 두 가지 위험을 발견할 수 있다. 1) 기업이 서비스의 성공 여부를 좌우하는 고객 접점을 훈련이 덜된 신참직원 손에 맡겨 두는 것이다. 2) 이런 직책에서 훌륭하게 해낸 직원은 종종 승진되어 현 직책을 떠나게 되고 결국엔 능력이 부족한 신참 직원들에게 그 일이 남겨진다는 것이다. 이외에 기업이 최고의 직원을 유지하지 못해 경쟁사에 뺏기는 경우 남은 직원들의 사기가 저하되고 결과적으로 고객만족이 감소할 수 있다.

직원에게 동기를 부여하는 환경을 구축하는 것이 필요하다. 실제로 어떤 기업은 활력이 넘치고 성취감이나 일에 대한 기대감과 열정까지 느낄 수 있다. 반면 어떤 기업에서는 전반적으로 권태감이나 무관심을 발견할 수 있다. 동기부여 환경이 존재하는가를 평가할 수 있는 지표로는 다음과 같은 것이 있다.

첫째, 직원이 인식하는 '직장생활의 질'이다. 이는 직무 만족도, 직무 안정성, 승진

기회, 유능한 상사, 공정한 행동 등이 포함된다. 직장생활의 질이 높다고 인식할수록 직원의 동기는 강할 것이다.

둘째, 전반적인 근로의식이다. 근로의식이 낮은 직원이 강한 의욕을 가지고 일하기를 기대할 수 없다.

셋째, 일반적인 활력수준으로 개인의 건강상태 및 심리적 안정도로 볼 수 있다. 피로에 찌든 직원이 의욕적으로 일할 것이라고 기대할 수 없다. 직원에게 업무에 대한 동기를 부여하기 위해서는 성과를 정확하고 객관적으로 측정해 보상하는 것이 필요하다. 보상시스템은 기업의 비전과 일치되도록 하며 실적과 연관시키는 것이 중요하다.

매스 커뮤니케이션을 활용하라 대부분 관리자들은 부하직원에게 새로운 서비스 전략과 새로운 사고방식에 대해 알려주려고 하지만, 그 방법을 모르는 경우가 많다. 그러므로 다양한 종류의 보조물을 개발하는 것이 중요하다. 각종 시청각물, 인쇄물을 이용해 직원들에게 설명을 하는 방법이 있다. 사내 메신저, 사내보, 업계관련 소책자, 내부 메모, 잡지 등 여러 매스 커뮤니케이션 수단을 사용하여 정보를 제공할 수 있다.

직원들은 광고캠페인, 홍보 및 기타 매스 커뮤니케이션 수단에 대해 매우 관심 깊게 반응한다. 외부에 대한 광고 및 커뮤니케이션 전략은 사내보 등과 마찬가지로 직원의 동기부여, 교육, 커뮤니케이션을 위한 수단이 된다. 즉, 직원들은 광고의 제2 청중이 되는 것이다.

5G세대가 진행되며 모든 것이 실시간으로 연결되는 세상이 다가오고 있다. 이에 따라서 사내의 소통도 큰 변화를 겪을 것이다. 이런 연결 세대에서는 웨어러블 기기를 포함한 새로운 기술로 인해 기존의 업무환경과 생산설비가 모두 바뀌는데, 한국에서 빠르게 진행되고 있다. 특히 스마트 팩토리를 구축하고 있는 산업 현장에서는 5G 네트워크를 활용한 현대중공업 울산조선소의 스마트 팩토리가 화제이다. 현장 직원들은 실시간으로 소통하며 생산 효율을 높이며, 증강현실(AR) 안경과 지능형 폐쇄회로(CCTV)를 이용해 설계도면을 보며 현장에서 작업하고, 실시간으로 전문가에게 조언을 구해 문제를 해결할 수 있다.

'5G 스마트 오피스'는 사람과 공간, 디바이스와 사물인터넷(IoT) 센서가 연결되어 데이터를 주고받는 새로운 형태의 사무공간을 의미한다. SK telecom SK텔레콤에서 고정 좌석이나 칸막이 등이 사라진 열린 공간을 만들어서 스마트 오피스를 실험 중이다. 직원이나 부서 사이에 공간을 나눈 기존의 사무공간에서 벗어나 협업과 소통이 가능한 라운지와 집중업무실을 중심으로 만들었고, 오피스 외부에 있는 직원과 대용량 데이터를 주고받으며 실시간으로 소통할 수 있는 가상회의실도 있다. 더불어 모든 곳에 센서를 설치하여 다양한 데이터를 수집하고, 인공지능 딥러닝 기술로 분석하여 최적의 업무환경을 만든다. 이런 정보를 통해 최적의 온도, 습도와 조명을 조절해 주고, 공간을 더 효율적으로 쓸 수 있는 방안도 제안한다. 5G 스마트 오피스는 단순 공간 혁신이 아니다. 5G와 ICT가 시장 변화에 신속하게 대응하는 민첩한 조직 형태를 의미하는 '애자일 방식'과 결합해 조직의 유연성을 극대화하면서 생산성을 높이고 워라밸을 지킬 수 있게 도와주는 솔루션이라고 볼 수 있다.

내부고객 시장을 세분화하라 외부 마케팅에서 소비자를 상대로 시장조사하고 시장세분화를 하듯이 내부고객에 대해서도 직원들의 개인적 욕구나 라이프스타일 등에 따라서 시장세분화 전략을 활용할 수 있다. 내부시장에서의 유용한 세분화 전략으로 연동근무시간제, 카페테리아식 후생제 등을 들 수 있다.

연동근무시간제(flexible time)는 직원에게 출퇴근 시간에 대한 선택권을 제공하는 제도이다. 예를 들어, 전원이 회사에 출근해야 하는 시간대(필수근무시간)와 각 직원이 자유롭게 선택할 수 있는 시간대(연동근무시간)를 설정하여 직원 스스로 근무시간 관리를 할 수 있게 하는 제도이다. 예를 들어, 10시부터 4시까지는 필수적으로 근무해야 하나 출근시간은 7시부터 10시 사이에서 선택하고 퇴근시간은 4시부터 7시 사이에서 선택할 수 있게 하는 것이다.

카페테리아식 복지(cafeteria benefit)는 서비스 기업이 여러 개의 복지 대안을 제시하고 각 직원이 그 가운데 일부를 배합해서 선택할 수 있도록 하는 제도이다. 예를 들어, 연금이나 보험 등을 일괄적으로 제공하지 않고 다양한 수준으로 제공하여 선택하도록 한다.

이와 같은 제도는 기업과 직원 모두에게 이익을 준다. 기업의 입장에서는 직원의 만족도 및 생산성의 증가, 직무시간 중 개인적 용무의 감소, 상습적 결근과 전직의 감소, 단위당 인건비의 절약 등이다. 직원의 입장에서는 개인적 욕구의 효율적 충족, 업무 만족도 증가, 우선순위에 따른 복지의 선택 등이다. 결국 직원을 동질적인 집단으로 보는 것이 아니라 다양한 욕구를 지닌 이질적 집단으로 보며 세분화를 통해 대응하는 것이다.

감정노동을 관리하라 감정노동(emotional labor)이란 업무상 요구되는 특정 감정 상태를 연출하거나 유지하기 위해 자신의 감정을 억누르고 통제하는 일을 일상적으로 수행하는 것을 말한다. 항공사 승무원, 은행 창구직원, 간호사, 콜센터 상담원, 백화점 점원 등 대인서비스를 주된 업무로 하는 접점 직원들이 해당된다. 감정노동은 자신이 실제로 느끼는 감정과 고객에게 보여야 하는 감정 사이에 괴리가 있을 때 나타나며, 마치 배우가 연기를 하듯 타인의 감정을 맞추기 위해 자신의 감정을 관리해야 하는 것이다. 일반적으로 고객은 직원이 명랑하고, 친절하고, 진실하며, 겸손할 것으로 기대한다. 하지만 직원들이 언제나 긍정적인 감정을 느낄 수는 없으므로, 고객의 기대를 충족시키기 위해서는 실제 감정을 숨겨야 한다. 밝은 모습을 보여야 한다는 생각으로 얼굴은 웃고 있지만 마음은 우울한 상태인 '스마일 마스크 증후군(smile mask syndrome)'이라는 용어도 생겼다.

흔히 고객 접촉이 적고 따라서 갈등을 겪을 일도 적은 업무에는 감정노동이 없을 것으로 생각하지만, 간단한 접객 업무에도 감정노동은 존재한다. 단순히 전화로 접촉하는 것도 상당한 스트레스를 유발할 수 있다. 감정노동을 지속적으로 하는 감정노동자는 상당한 피로감과 스트레스를 느끼게 된다. 각각의 한 건은 작은 것이지만 전체적으로 봤을 때 유사한 업무를 대량으로 처리하기 때문이다. 이를 '대인접촉과잉 증후군(contact-overload syndrome)'이라고 부르는데, 많은 사람과 일대일로 접촉하는 업무에 종사하는 사람이 빠지기 쉽다.

감정노동이 초래하는 부작용은 다음과 같은 것이 있다.

- 무력감, 권태감, 의욕감퇴, 현실도피, 육체적 피로, 긴장, 스트레스, 조급함, 적대감
- 업무와 고객에 대한 관심의 저하, 고객에 대한 무례한 행동, 업무의 질에 대한 무관심, 자존심 및 성취의욕 감퇴

– 기계적인 대응

감정노동이라는 개념을 파악하면 왜 일선직원이 때로는 고객에게 적대적인 행동을 보이는지를 이해할 수 있게 된다. 보통 게으르고, 무관심하고, 의욕이 없어 보이는 직원들은 대인접촉과잉으로 인한 의욕감퇴의 증상이 있다. 따라서 이러한 문제가 구조적으로 있다는 사실을 이해하고 관심을 갖고 직원을 관리해야 한다.

감정노동의 문제는 여러 측면에서 대응해야 할 것이다. 첫째, 직원의 선별 및 직무 배치에서 고려해야 한다. 누가 감정노동에 대해 저항력이 있는가를 확인하는 방법을 연구해야 한다. 저항력이 상대적으로 약한 사람에게 적합한 업무를 찾을 필요가 있다. 장애인들에게 다양한 서비스를 제공하는 Dungarvin Dungarvin은 회사 웹사이트를 통해서 자사의 직원들에게 특별히 요구되는 감정노동이 어떠한지를 알려주고 있다. 그렇게 함으로써, 장애인을 일상적으로 상대해야 하는 업무에 잘 맞는 지원자를 선발하는 데 도움을 얻고 있다. 중소기업의 임금서비스를 대행하는 PAYCHEX Paychex사는 회사 내 다양한 부서에서 요구되는 감정노동에 적합한 직원을 뽑기 위해서 실제적인 직무를 시연하고 있다. 이러한 절차들은 모두 감정노동에 요구되는 배경, 개성 등을 직원들이 가지고 있는지를 확인하는 데 도움을 준다.

둘째, 직원의 훈련을 통해 고객접촉에서 생기는 스트레스를 완화해 나가는 방법을 가르치고 열의와 의욕을 지니고 업무를 볼 수 있도록 도와주어야 한다. GM GM은 고객서비스 담당 직원을 교육할 때, 전화 응대 시 화를 참는 법을 가르치고 있는데, 이 교육의 결과 고객만족도가 증가하였다. 아메리칸 익스프레스 트래블 서비스에서는 어려운 상황에 처해 있기 때문에 화나고 이성을 잃은 사람들을 다루는 법을 특별 훈련시키고 있다. citibank 씨티은행은 기본적인 업무교육, 응대요령 교육에 그치지 않고, 화난 고객이나 문제가 있는 고객을 응대하는 법을 교육하고 있다.

셋째, 직원의 행동과 감정에 직접적인 영향을 미칠 수 있는 업무 환경을 전략적으로 설계함으로써 직원의 감정노동을 감소시킬 수 있다. 비행 중 의료 응급상황 발생 시 기내에 전화 상담 서비스를 제공하는 MedAire MedAire사 직원들은 생명이 위급한 비상 상황에 자주 노출될 수밖에 없고, 따라서 많은 스트레스를 경험한다. 그래서 메드에어(MedAire)사는 사무실을 개조하여 모든 직원들이 창문을 통해서 나무 및 잔디와

아마존 스피어스(Spheres)

같은 자연 경관을 마음껏 감상할 수 있도록 각 층을 설계하였다. 시애틀에 위치한 아마존은 T자형 건물을 통해서 더 많은 창문을 설치하였고 이를 통해서 직원들은 시내와 호수 같은 좋은 전망을 즐길 수 있다. 또한 스피어스(Spheres)라는 새로운 건물을 지어 여러 종류의 열대식물로 형성되어 있는 작은 열대우림과 같은 공간을 조성하여 직원들에게 다양한 사무공간을 제공한다. 바깥의 좋은 풍경을 감상할 수 있게 많은 창문을 제공한 것을 넘어서, 직원들이 직접 경험할 수 있는 친환경적인 사무공간을 제공한다.

넷째, 직원이 감정노동에 능숙하게 대처할 수 있도록 지원 시스템을 만드는 것이다. 한 가지 방법은 직원들의 친목 도모를 위한 동호회 활동을 지원하는 것이다. 현장에서 겪은 감정노동에 관한 경험을 공유함으로써 그러한 어려움이 자신만이 직면하는 것이 아니라는 점을 이해하게 된다면 여러 면에서 위로가 될 것이다. 또한 이러한 활동을 근무시간 내에 허락함으로써 직원들은 회사가 자신들을 깊이 배려하고 있음을 느끼게 된다. 리츠칼튼, 월마트와 같은 기업들도 이러한 직원 활동

INSIGHT

GS칼텍스 '마음이음 연결음' 캠페인

전화상담원들은 대표적인 감정노동 직군이다. '마음이음 연결음'은 전화를 통해 고객의 폭언과 욕설에 시달리는 고객센터 상담원들을 위해 통화연결 전에 '상담원 또한 누군가의 소중한 가족', '누군가의 소중한 사람'임을 인식시키는 캠페인이었다. 통화연결음이 흐르는 시간에 아이가 "제가 세상에서 제일 좋아하는 우리 엄마가 상담드릴 예정입니다. 잠시만 기다려주세요"라고 하는 이미지가 인상적이다. 부모의 입장에서는 "착하고 성실한 우리 딸이 상담드릴 예정입니다. 잠시 기다려주세요"라고 상담원 가족의 음성 메시지를 담았다.

실제로 통화연결음이 바뀐 후에 설문조사 결과 상담원들의 스트레스가 54.2% 감소하고, 고객의 친절한 한 마디는 8.3% 증가했다. 상담원들이 느끼는 '존중 받는 느낌'과 '고객의 친절에 대한 기대감'도 25% 정도 상승한 것으로 보인다. 전화상담원들의 고충을 강조한 기존 캠페인들에 비해서 고객의 폭언과 욕설을 줄일 수 있는 실질적인 해결 방안을 제시한 인상적인 캠페인이었다.

캠페인 영상 역시 많은 공감을 이끌어냈다. 3개월 간 1천3백만 이상의 조회수를 기록하고, 19~24세 연령층의 약 43.5%가 자발적인 영상 공유로 광고를 접하였다고 한다.

GS칼텍스는 이 캠페인 광고 영상으로 2017년 대한민국 광고대상 5개 부문을 수상하였다. 또한 광고를 기획한 종합광고대행사 애드쿠아 인터렉티브는 '클리오 어워드(CLIO Awards) 2018'에서 동상을 수상했다. 클리오 어워드는 세계 3대 광고제 중 하나로, 애드쿠아는 '마음이음 연결음' 캠페인으로 국내외 총 30개 부문에서 수상 이력을 달성했다.

LG유플러스, 롯데백화점, 세종시 민원콜센터를 포함한 19개 이상의 기업과 지자체에서 '마

마음이음 연결음 영상

YouTube
https://www.youtube.com/watch?v=J5TYcGGIvoU

제 목 _ [세상을 바꾸는 Energy] 마음이음_연결음_GS칼텍스
검색어 _마음이음 연결음, GS칼텍스

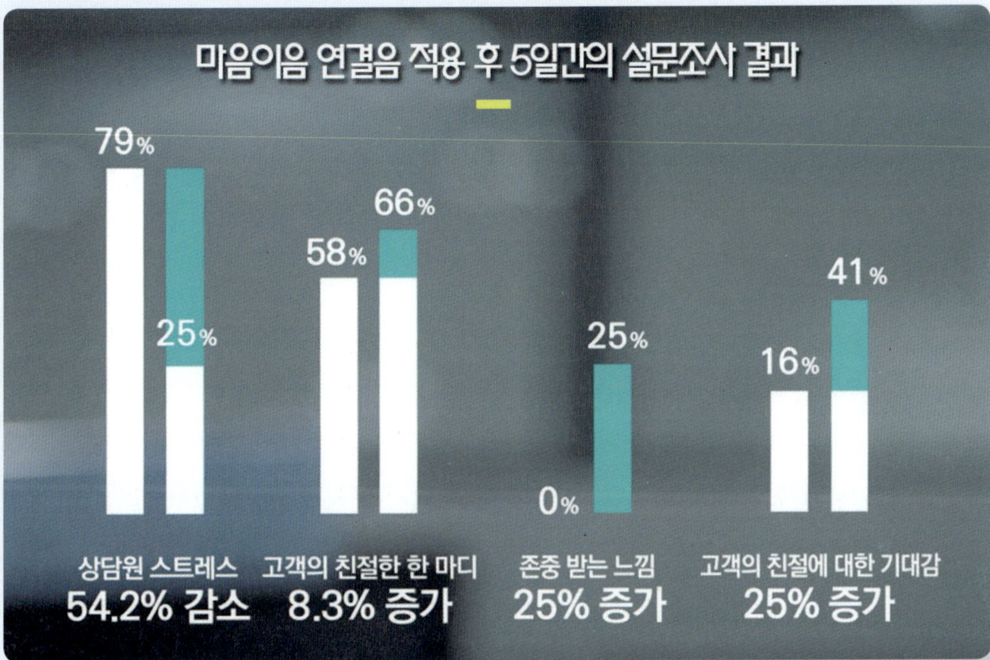

음이음 연결음' 캠페인에 참여하였다.

자료원: 뉴데일리경제, "애드쿠아 인터렉티브 '통화연결음 캠페인,' 클리오 광고제서 동상 수상," 2018.10.04; 국민일보, "[영상] '우리 엄마가 상담해요' 보는 순간 울컥한 공익 광고," 2017.07.31.

에 별도의 시간을 할애하고 있다.

다섯째, 경영진을 일선에 내보내서 고객을 직접 대면하게 해야 한다. 일선 직원의 불만사항 중 하나는 경영진이 자신들이 겪는 감정노동을 제대로 이해하지 못한다는 것이다. 관리자는 정기적으로 고객을 상대함으로써 이러한 오해를 불식시켜야 한다. jetBlue 젯블루 항공은 콜센터에 임원들을 파견하여 상담 직원들과 함께 일하게 한다. 관리자들은 직원이 겪는 감정노동이 무엇인지를 이해하는 것에 더 나아가 직원을 진심으로 배려하는 태도를 보일 필요가 있다.

여섯째, 직원들이 휴식을 취할 수 있는 기회를 주어야 한다. 직원들이 빈번하게 고객을 접촉하면서 감정노동에 오랫동안 노출될 경우 교대근무나 부서 이동을 통해서 쉴 수 있는 기회를 제공해야 한다. 여러 기업에서는 콜센터 직원들을 다른 부서로 순환 근무시키고 있다. 또는 하루 종일 고객과의 전화 응대에 시달리지 않도록 몇 시간 동안이라도 다른 업무를 보도록 한다. 이를 통해서 고객을 상대하는 직원들이 다시 활력을 되찾고 기운을 회복하여 감정노동에 더 잘 대처할 수 있게 될 것이다.

마지막으로, 일부 고객의 경우 일선 직원이 감당하기에 매우 버거울 수 있다. 이럴 때는 관리자가 나서서 처리해야 한다. 레스토랑 체인점 WING ZONE 윙존은 불량고객이 직원들에게 무례하게 하는 행동을 잘 이해하고 있기 때문에 상대하기 어려운 고객은 바로 관리자가 대신 응대하도록 한다. 또한 담당 관리자 역시 경험이 부족하고 상황 수습 처리 능력이 미흡할 경우에는 본사가 직접 처리할 수 있도록 고객들에게 해당 전화번호를 안내해 주고 있다.

서비스 사보타지를 예방하라 서비스 사보타지(service sabotage)는 직원이 서비스를 방해하거나 파괴하는 행위이다. 고객을 직접 대하는 직원에게서 많이 나타나는 행동이다. 전형적인 예는 식당에서 고객이 무례하거나 까칠한 행동을 보이면 웨이터가 음식에 침을 뱉어 주는 것이다. 물론 농담으로 많이 쓰인 예지만 만약 이런 행동을 해도 고객은 당하고 넘어갈 수밖에 없다. 과거에는 서비스 사보타지가 종종 있었다고 알려져 있다. 서비스 사보타지에는 남이 모르게 몰래 하는 은밀한(covert) 유형과 다른 직원이나 고객에게 일부러 보여주는 공공연한(overt) 유형이 있다.

내부 마케팅을 위한 조직관리

피라미드를 거꾸로 세워라 [그림 7-3]의 과거 조직구조는 최고경영자가 제일 상단에 위치하고 그 밑에 관리자, 그리고 맨 하단에 직원들이 위치한다. 이러한 조직을 피라미드형 조직이라고 하며 권한, 책임 및 명령 전달 계통 시스템 확립 면에서 효과적이다. 하지만 직원을 피라미드의 가장 하부에 위치시키는 것은 직원을 중요하지 않다고 생각하는 것을 시사하는 것이다. 즉, 직원이 기업 활동에 별 영향을 미치지 않는다고 생각하는 것이다. 또한, 전통적인 피라미드 조직에는 고객이 없다. 이는 조직을 내부지향적으로 만들고 조직중심적 사고를 하게 만드는 문제가 있다.

따라서 고객중심적인 조직으로 거듭나기 위해서는 [그림 7-3]의 새로운 조직구조에서와 같이 고객을 조직도 내에 추가해야 할 것이다. 그도 그럴 것이 서비스 조직에서 고객은 기업 활동을 결정하는 출발점으로 보아야 하기 때문이다. 고객이 서비스 프로세스에서 가장 중요한 요인이며 따라서 역피라미드 구조 속에서 고객은 최상부에 위치한다. 그래서 고객이 최우선으로 여겨지고 그 다음으로 고객을 직접 대하는 일선 직원들이 중요하게 여겨져야 옳다. 실제로 일선 직원들에 따라 고객의 인식하는 서비스 품질이 달라진다. 그리고 그 다음으로는 이들 직원들을 관리하는 관리자가 위치해야 한다. 관리자의 역할은 일선 직원들을 지원하고 격려하는 것이다. 이렇

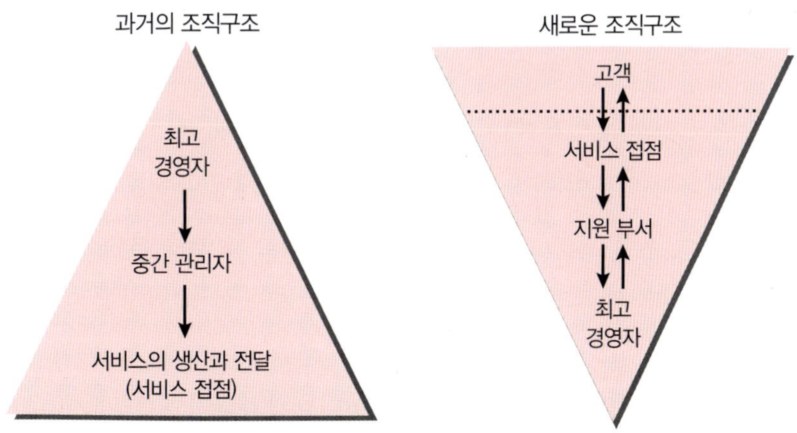

그림 7-3 | 서비스지향적인 조직구조

게 역으로 설정된 관계는 관리자가 직원을 대하는 방식에 대해 다른 시각을 제공한다. 서비스 관리자는 일선 직원의 고객지향 활동을 지원하는 역할을 수행해야 하는 것이다. 한걸음 더 나아가 고객 관련 업무는 관리자로부터 일선 직원에게 위임되어야 한다.

적절한 조직 규모를 찾아라 조직에 대한 중요한 결정 중 하나는 바로 조직의 규모를 정하는 것이다. 조직 규모가 작은 경우는 시장지향적으로 신속한 의사결정을 내릴 수 있고 고객 니즈에 대한 이해를 높일 수 있다. 반면에 조직 규모가 큰 기업의 경우에는 자원이 풍부하기 때문에 규모의 경제를 실현하여 비용을 절감할 수 있다. 즉, 생산성을 늘릴 수 있다. 따라서 고객지향적인 서비스 조직은 큰 조직의 장점을 살리면서 더욱 중요한 작은 조직의 장점을 잃지 않도록 노력해야 한다. 전사적으로는 중앙화를 통해서 대규모 조직의 장점을 얻고 동시에 지역단위로는 소규모의 이점을 살려 유연성이나 창의성을 유지하는 것이 소위 대기업병에 걸리지 않으며 성장하는 비결이라고 하겠다.

마케팅 부서가 조직함정이 되지 않도록 관리하라 마케팅 활동을 전담하는 마케팅 부서의 설치는 직원 및 관리자들로 하여금 마케팅 활동의 중요성에 대해 관심을 불러일으키기 때문에 긍정적인 역할을 수행한다. 하지만, 때로는 독립적인 마케팅 부서가 고객중심적 조직구조에 장애물, 즉 '조직함정(organizational trap)'이 되기 쉽다. 타 부서에 근무하는 사람들은 의당 마케팅 부서에서 고객관련 업무를 담당해야 한다고 생각하고 자신의 업무에만 신경 쓰게 되는 경향이 생길 수 있다. 결국 전사적으로 마케팅 활동이 이루어져야 함에도 불구하고 "마케팅 부서에 마케팅 전문가들이 있는데 왜 우리가 고객 업무를 신경 써야 하나?"라는 반응을 보이게 될 수 있다. 그렇게 되면, 조직 내에서 모든 직원들이 함께 제공해야 할 고객지향적 서비스는 힘들게 될 것이다.

이처럼 마케팅 부서가 전 조직 구성원들이 고객지향적으로 생각하고 행동하는데 걸림돌이 된다면 조직함정에 빠진 것이다. 원래 의도는 마케팅의 전사적 중요성을 인식하여 별도로 운영하였으나 결국에는 당초 목표와는 상반되게 고객지향성을 되레 악화시키는 역기능을 수행할 수 있음을 의미한다. 이러한 조직함정이 미치는 부정적 효과는 특히 성과측정이나 보상제도가 고객관계 이외의 다른 측면에 집중될 때 더욱 심각해진다. 고객관계보다는 업무의 기술적 측면에 집중하는 것이 더 중요한 일이라고 여기지 않도록 관리자들은 주의 깊게 직원들을 평가해야 할 것이다.

내부 서비스 제공자와 내부고객을 관리하라 양질의 서비스를 제공하기 위해서 접점 직원과 부서는 기업 내의 다른 직원과 부서로부터 지원을 받아야 한다. 모든 서비스 운영은 이러한 내부 서비스 기능으로 뒷받침되어야 한다. 내부 서비스가 제대로 제공되지 않으면 외부제공 서비스가 타격을 받게 된다. 그러므로 내부 서비스가 외부 고객서비스에 미치는 영향을 간과해서는 안 된다. 따라서 내부고객 개념을 도입해야 한다. 즉, 고객과 서비스 제공자의 관계를 조직 내부로 도입하는 것이 절실히 필요하다. 내부고객 역시 외부고객이 기대하는 만큼의 서비스를 제공받아야 한다. 그렇기 때문에 좋은 서비스를 생산하는 일은 조직 전체가 관련되는 문제로 이해할 필요가 있다.

조직의 마케팅 책임자는 CEO이다 그렇다면 과연 고객중심적 조직구조에서 마케팅은 누가 책임을 져야 하는가? 마케팅은 단순히 마케팅 부서나 마케팅 전담 직원에 의해서만 이뤄지는 것이 아니고, 조직 전체가 관련된 문제이다. 마케팅이 조직 전체의 문제라면 책임 소재 역시 특정 부서만의 문제가 아니기 때문에 자칫하면 아무도 책임질 필요가 없다는 의미로 받아들여질 수 있다. 그러나 마케팅이 조직 전체에 있다는 의미는 모든 직무나 모든 부서에 각기 나름대로의 마케팅 역할이 스며들어 있다는 뜻이며 전 조직이 마케팅에 집중해야 한다는 의미이기도 하다. 이러한 맥락에서 한 조직의 총괄적인 마케팅 활동에 대한 책임은 CEO에 있다고 할 수 있다. 그러므로 최고경영자는 구호로만 그칠 것이 아니라 실질적인 행동으로서 고객지향적 조직을 이끌고 책임을 지는 자세를 보여야 할 것이다.

INSIGHT

‘꿈의 직장’ 구글 사내복지 또 변신

‘꿈의 직장’으로 꼽히는 구글이 또 한번 변신에 나섰다. 원래의 우수한 사내복지 프로그램을 더 업그레이드시키고 있는 것이다. 구글은 10년 동안 7번 미국 경제전문지 포춘의 최고의 직장으로 선정되었다.

구글은 무엇보다 사내에서 다양한 무료 음식을 제공하는 것으로 유명하다. 직원 수는 증가하고 있지만 음식은 여전히 공짜다. 구글러들의 다양한 배경을 고려한 만큼 다양한 종류의 음식이 제공되어서 다른 배경의 직원들도 서로를 더더욱 이해할 수 있는 계기가 되기도 한다. 원하는 음식을 골라서 먹을 수 있도록 뷔페식으로 제공되고 레스토랑 부럽지 않을 정도의 맛과 품질을 자랑한다. 본사 내 카페테리아만 11곳에서 25곳으로 늘어났다. 사내 영양사들 권고로 직원들이 인근 어촌 협회에서 싱싱한 해산물을 공급받고 있다. 드라이클리닝 시설을 갖춘 세탁시설도 제공하고 있다. 운동이나 오락시설도 다른 기업들이 흉내 내기 어려울 정도이다.

이런 서비스는 구글에서 일상에 해야 하는 작은 고민을 해결해 주면서, 구글러들이 업무에 더욱 집중할 수 있도록 도와준다. 공짜인데 맛있고 건강한 음식이 제공되는 점 자체도 정말 큰 장점이지만, 이 음식을 캠퍼스 내에서 제공하고 다양한 옵션을 제공함으로써 직원들이 매일 점심이나 저녁에 ‘무엇을 먹어야 할까’라는 고민을 하지 않게 만든다. 이러한 사소하지만 필요한 의사결정에 대한 고민을 제거해 줌으로써 직원들이 모든 에너지를 업무에 집중할 수 있는 공간을 만들었다. 또한 이런 서비스를 제공함으로써 사람들이 일하고 싶은 기업이라는 인식을 만들어서 리크루팅 과정이 더 치열해지며 기업은 최고의 인재만 선발할 수 있다.

건강한 음식에 이어 직원들의 건강에 중점을 둔 시설들도 있다. 바로 대형 야외 스포츠시설인데, 이 시설에는 축구장, 야구장, 테니스코트, 롤러하키장 등이 설치돼 있다. 회사 실내에는 볼링장을 갖췄다. 댄스 스튜디오도 설치해 브라질 춤인 카포에이라 등 31개 댄스교실도 운영한다.

직원들 책상도 맞춤형이다. 건강을 감안한 것이다. 직원들이 다양한 책상 모델을 고를 수 있도록 했다. 구글은 특히 직원들의 개인별 신체조건에 맞도록 개조해 주기도 한다. 일부 직원은 서서 일할 수 있도록 책상 높이를 높이기도 했다. 계속 앉아서 일하는 것보다 서서 일하는 게 건강에 좋다는 점 때문이다.

구글은 다양한 안드로이드폰을 공짜로 지급한다. 구글은 가족친화적 경영으로도 유명하다. 엄마에게는 18주, 아빠에게는 12주의 육아휴직을 주고 있다. 미래 부모를 대상으로 한 교육도 실시하고 있다. 출산 직후 세탁이나 청소대행을 위한 보너스도 지급된다. 구글은 직원들이 유명 작가나 음악인 등 유명 인사들을 접할 수 있도록 지원하고 있다.

캘리포니아 마운틴뷰에 있는 구글 본사에서는 다양한 이동 수단도 제공된다. 구글 색으로 칠해진 자전거, 인터넷 연결된 셔틀 버스, 전동 스쿠터, 그리고 자율주행 자동차 웨이모도 볼 수 있다.

래리 페이지 구글 최고경영자(CEO · 사진)는 "직원들이 회사를 가족처럼 느끼고, 회사의 구성원이란 것을 알게 하는 것은 중요하다"며 "이는 생산성과 관련이 높다"고 말했다. 실제 그는 직원들의 건강을 위해 지원한 결과 다른 회사보다 건강 관련 비용이 더 적게 증가하고 있다고 전했다. 반면 직원들의 생산성은 더 향상되고 있다고 덧붙였다.

페이지는 "직원들에게 존경심을 갖고 대하면 직원들도 회사에 최선을 다하고, 결국 가족이 된다"고 강조했다.

자료원: Forbes, "Are Google Employees More productive Because of Company Perks?" 2018.07.09; 매일경제, 2012.01.31.

7.3 관계 마케팅의 이해와 실천전략

관계 마케팅이란?

경쟁우위를 확보하기 위한 수단으로서 많은 관심을 받고 있는 개념이 관계 마케팅이다. 과거의 마케팅은 일회적 거래(transaction)나 교환(exchange)이 중심이었다. 일회적 거래나 교환은 거래당사자 A, B가 있을 때 A가 B에게 무엇인가를 제공하고 이에 대해 반대급부로 무엇을 받는다는 개념으로 1회에 그치는 경우가 대부분이다. 이에 비해 관계 마케팅이란 거래당사자 A, B의 관계를 중심으로 이러한 거래나 교환이 장기적으로 지속되도록 해서 당사자 A, B 모두 이익을 보도록 한다는 개념이다. 요컨대 관계 마케팅이란 고객 등 이해관계자와의 강한 유대관계를 형성하고 유지하며 발전시키는 마케팅 활동으로서, 장기간에 걸친 이익을 확보하기 위해 고객과의 관계를 통해 더욱 좋은 서비스를 제공하려는 것이다.

모든 관계의 기본은 신뢰라고 볼 수 있다. 에어비앤비의 성공은 신뢰를 최우선으로 하며 고객과의 관계구축을 위해 노력한 결과라고 볼 수 있다. 에어비앤비의 경우 집을 제공하는 호스트(host)와 이용자(guest)가 모두 고객이다. 상세한 프로필 작성으로 책임감을 부여하고 공식 신분증 확인으로 안전장치를 도입하며 각 예약 건을 평가해 신뢰점수를 부여하는 것이 신뢰를 구축하는 데 크게 기여한 것이다. 미국 내 테러사건을 수사하던 FBI가 용의자 아이폰의 잠금해제를 요청했을 때 애플은 고객 사생활 보호를 내세우며 협조를 거부한 바 있다. 비록 사생활 보호냐 국가

애플 vs. FBI

안보냐 많은 논란을 초래했지만 한 가지 확실한 점은 애플이 개인정보 보호에 있어서 신뢰할 수 있는 기업이라는 인식을 심는 데 성공했다는 것이다.

관계 마케팅은 기존의 마케팅과 비교해 다음과 같이 여러 측면에서 차이가 있다.

고객을 보는 시각 기존의 마케팅에서는 일단 팔고 보자는 식의 판매와 매출극대화에 목표를 두기 때문에 고객이란 단지 판매의 대상일 뿐이다. 반면 관계 마케팅에서는 고객과의 장기적 관계를 유지함으로써 자연스럽게 수익이 창출될 수 있도록 하므로 고객을 기업의 동반자로 본다. 따라서 단기적 거래실적보다는 장기적인 고객 생애가치에 중점을 둔다.

고객과의 소통 기존의 마케팅이 대중매체를 통해 기업이 고객으로 보내는 일방적 메시지에 의존했다면, 관계 마케팅은 다양한 수단을 통한 양방향 커뮤니케이션(two-way communication)을 강조한다. 기업이 제공한 정보에 대해 고객이 직접 반응할 수 있으며 기업과 고객의 직접 커뮤니케이션이 가능하다. 따라서 고객으로부터의 정보 흐름이 중요시되며 이는 고객에 대한 서비스 차별화의 기초가 된다.

경제 패러다임 규모의 경제(economy of scale)에서 범위의 경제(economy of scope)로의 전환이다. 기존에는 가능한 한 많은 고객에게 많은 제품을 판매하는 대량생산, 대량판매에 의한 규모의 경제를 지향했다. 반면 관계 마케팅은 한 고객에게 다양한 제품을 판매하거나 거래기간을 장기간 유지하는 범위의 경제를 도모한다.

마케팅 성과의 지표 관계 마케팅에서는 마케팅 성과 측정의 지표가 시장점유율에서 고객점유율로 바뀐다. 고객점유율은 한 고객의 생애가치 중에서 특정 회사가 차지하는 비중을 의미한다. 종래에는 불특정다수의 고객을 하나의 동질적 시장으로 보고 이 시장에서의 점유율을 높이는 것이 주 목표였다. 따라서 상품을 가능한 한 많은 고객에게 판매하는 것을 강조했다. 그러나 관계 마케팅에서는 고객 개개인을 하나의 독립된 시장으로 보고 개별 고객당 관련 부분 지출액에서 자사 상품 매출의 비중, 즉 고객점유율 또는 지갑점유율(wallet share)을 높이려고 한다.

차별화 및 관리의 초점 관계 마케팅에서는 차별화나 관리의 초점이 상품뿐만 아니라 고객으로 확산된다. 이제 상품차별화 못지않게 고객을 차별화하는 것이 중요해지고 상품만이 아니라 고객도 관리해야 한다. 기업의 이익은 상품에서 나온다기보다는 고객에서 나오기 때문이다. 예를 들어, 상품이 고장난 경우 관리자는 그 손상된 상품을 수리해 주는 것에만 신경을 쓸 것이다. 그러나 고객관리자는 상품을 수리해 주는 것은 물론 그 고객의 만족도나 재구매 가능성을 유지하고자 노력할 것이다. 즉, 손상된 상품 못지않게 손상된 고객 마음을 복구한다는 관점이 필요하다.

관계 마케팅의 목표

관계 마케팅의 목표는 단계에 따라 세 가지로 나눌 수 있다.

고객의 유치 신규고객을 유치할 때 기업은 장기적인 고객이 될 가능성이 있는 고객을 선별적으로 유치하는 것이 필요하다. 예를 들어, 기존의 우량고객이 추천해 준 신규고객은 장기고객이 될 가능성이 높을 것이다. 즉, 관계 마케팅을 잘 수행하고 있는 기업에게는 구전효과에 의한 신규고객의 유치가 용이해지며 이들 고객은 장기고객이 될 가능성이 높다. 이 때 구전에 의한 신규고객의 유치를 도모하기 위해 기업은 기존고객이 신규고객을 추천할 때 인센티브를 주는 것도 필요하다. 많은 기업들이 이와 같은 인센티브 제도를 실행하고 있는데, 이를 'MGM(Members Get Members) 제도'라 한다.

고객의 유지 관계 마케팅의 두 번째 목표는 고객의 유지에 있다. 한 번 찾아 온 고객을 떠나 보내지 않고 유지할 수 있는 방법은 '고객만족'밖에 없다. 고객만족의 궁극적 목적은 반복구매를 유도하는 것이다. 즉, 점포 또는 브랜드에 충성적인 고객을 얻기 위해 고객을 만족시켜야 한다. 고객만족을 위해서는 고객에게 가치를 증대시키지 않는 요소는 제거하고 가치를 증대시켜 주는 요소들을 모아 제공하는 것이 중요하다.

관계 제고 세 번째 목표는 관계를 제고하는 것이다. 보통 개인적인 인간관계와 마찬가지로 고객과의 관계에서 친밀성을 증가시킴으로써 시간이 지남에 따라 새로운 국면으로 접어들게 하는 것이 필요하다. 관계 마케팅을 흔히 '결혼'에 비유하기도 한다. 처음엔 친구로 만나 지내는 '친구단계', 그 후의 '연인단계', '결혼단계', '부부단계'로, 시간이 지남에 따라 새로운 국면에 접어들 듯이 기업과 고객도 이와 같은 단계를 거치면서 친밀하고 견고한 관계를 이루어 가는 것으로 본다. 충성적인 고객은 기업에게 견고한 사업기반이 될 뿐 아니라 성장 잠재력이 된다.

관계 마케팅의 혜택

이러한 목표들이 제대로 성취된 관계 마케팅은 많은 혜택을 준다. 비단 기업뿐만 아니라 고객도 관계 마케팅의 수혜자가 된다. 기업입장과 고객입장에서의 혜택을 각각 살펴보도록 하자.

기업입장에서의 혜택

이익 증가 신규고객을 획득하기 위해서는 광고비, 판촉비 등의 비용이 들게 된다. 신용카드 회사를 예로 들어 설명하면, 신규고객을 유치하는 데 평균 51달러의 비용이 든다고 한다. 이 신규고객은 첫해에는 신용카드 사용량이 많지 않고 따라서 기업의 수익 또한 크지 않고 고객 1인당 이익이 30달러 정도라고 한다. 만약 신규고객이 1년 만에 이탈하게 되면 최초 고객확보비용 11달러에서 1년째 이익 30달러를 제외한 금액인 21달러의 손해를 보게 된다. 만약 대부분의 고객들이 1년 만에 떠나간다면 신규고객의 유치는 '밑 빠진 독에 물 붓기'가 될 것이다. 새로운 고객을 유치할 때마다 손실은 더욱 증가하는 것이다. 항아리에 구멍이 있다면 새로 물을 긷는 것보다는 구멍을 막아 빠져나가는 물을 막아야 할 것이다.

그러면 새나가는 물을 막는 것, 즉 고객이탈을 방지하면 어떤 효과가 있는지 살펴보자. 만약 고객이 1년 만에 떠나지 않고 계속 거래를 하는 단골이 되는 경우, 고객당 이익은 2년째 42달러, 3년째 44달러, 4년째 49달러, 5년째 55달러가 된다. 둘째

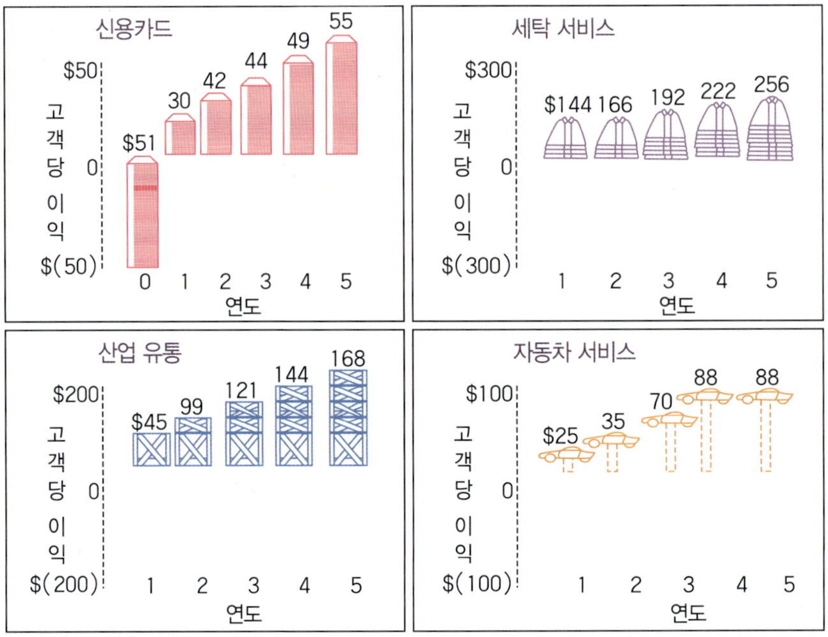

그림 7-4 | 거래기간에 따른 고객 1인당 이익 변화

해부터는 각 고객으로부터 순이익을 얻게 되고 고객 1인당 이익은 증가할 것이다. 즉, 시간이 지남에 따라 고객의 구매횟수와 구매량이 증가하게 되어 궁극적으로는 기업의 이익이 증가하는 것이다. 따라서 고객과의 관계를 유지 · 향상시키는 것은 장기적인 수익성을 확보하는 데 필수적이다. [그림 7-4]는 관계 마케팅을 실행함으로써 발생하는 고객 1인당 이익 증가를 나타내고 있다.

운영비 감소 고객의 과거 신용조사, 고객의 데이터베이스화는 비용이 많이 들지만, 이러한 것들은 한 번으로 족한 것이다. 기업은 고객들과의 경험이 축적됨에 따라, 고객을 효과적으로 대할 수 있게 된다. 즉, 기업과 고객 양자에게 학습효과가 생기므로 비용이 감소하게 된다. 예를 들어, 재무문제를 상담해 주는 컨설팅회사의 경우 고객과의 관계를 기초로 사업을 하는 데 둘째 해의 비용은 첫 해의 2/3에 불과했다. 왜냐하면 둘째 해에는 고객들이 컨설턴트로부터 무엇을 얻을 수 있을지를 알고 있기 때문에 문의가 줄었고, 게다가 컨설턴트들은 고객의 재무상황과 투자 선호를 파악하고 있어 업무효율이 높았기 때문이다.

구전효과 충성고객은 자신이 애용하는 기업을 다른 사람에게 소개할 것이다. 즉, 만족한 고객은 최선의 광고로 볼 수 있다.

이직률 감소 직원의 이직률 감소는 관계 마케팅의 간접적인 결과라고 볼 수 있다. 만족한 고객이 많은 회사에서 일하는 직원들은 자부심이 생기고 애사심이 증대하여 쉽게 이직하지 않을 것이다. 서비스 기업에서는 접점 직원들이 매우 중요하기 때문에, 이직률 감소는 기업과 고객에게 큰 장점이 된다. 직원이 쉽게 바뀌지 않으므로, 고객과 직원과의 친밀감이 더해지고 고객정보가 유실될 확률이 낮아진다.

고객생애가치 증가 관계 마케팅의 여러 가지 혜택을 계량적으로 정리하는 개념으로 고객생애가치(customer lifetime value)를 들 수 있다. 고객생애가치란 한 고객이 특정 기업과 거래하는 기간 동안 그 기업에게 얼마나 수익을 가져다 주는가를 의미한다. 만약 한 고객이 2년간 거래한다면 그 고객으로부터 얻을 수 있는 첫 해의 수익과 둘째 해의 수익을 합계하는데, 둘째 해의 수익은 인플레이션을 감안해 현재가치로 할인하여 합하게 된다. 즉, 고객생애가치란 한 고객이 평균적으로 기업에게 기여하는 미래수익의 현재가치라고 볼 수 있다.

과연 고객과의 관계유지가 기업의 수익성을 높이는지를 고객생애가치를 통해 조사한 연구결과로 살펴보자. 한 신용카드사의 경우 고객이탈률이 10%일 때 고객생애가치는 300달러였다. 즉, 그 고객으로부터 향후 벌어들이는 수익을 현재가치로 환산해 보면 300달러라는 것이다. 그런데 고객들이 만족하여 이탈이 줄게 되면 기업의 수익은 어떻게 변할까? 고객만족이 높아져서 이탈률이 5% 줄어들게 되면 고객의 생애가치는 300달러에서 525달러로 증가한다. 다시 말해 고객가치가 75%나 증가한 것이다. 고객만족을 통한 이탈방지가 기업의 미래 수익성에 막대한 영향을 미치고 있는 셈이다. 고객과의 관계를 유지함으로써 고객이탈률이 5% 줄 때 고객생애가치가 얼마나 증가하는지를 산업별로 조사한 결과, 자동차서비스 체인은 30%, 보험회사는 50%, 그리고 은행은 85%의 증폭효과를 가져오는 것이 발견되었다. 따라서 기존고객의 유지율을 높이는 관계 마케팅이 기업의 미래수익 증대에 극적인 영향을 끼친다는 사실을 입증한 셈이다.

고객입장에서의 혜택

고객입장에서도 한 기업을 계속 이용할 경우 장점이 있다. 기업이 제공하는 서비스를 통해 본연의 혜택을 얻는 것 외에도, 고객들은 기업과의 장기적 관계를 통해 또 다른 종류의 혜택을 누릴 수 있다. 때로는 핵심적 서비스 속성보다도 이러한 관계적 혜택이 고객을 유지하는 데 있어 더 큰 기여를 하기도 한다. 고객이 기업과 장기적 관계를 유지할 때 누리는 관계적 혜택은 신뢰 혜택, 사회적 혜택, 특별대우 혜택의 세 가지가 있다.

신뢰 혜택 신뢰 혜택(confidence benefits)은 서비스 제공자에게 무엇을 기대해야 하는지를 알고 있기 때문에 서비스에 대한 불안감이 감소하고 편안함을 느끼게 되는 신뢰와 확신의 감정이다. 이러한 신뢰 혜택은 고객에게 매우 중요한 것으로 여겨진다. 대부분의 고객들은 기존에 이용하고 있던 기업을 쉽게 바꾸지 않는데, 특히 관계에 상당한 투자를 하였을 경우에 더욱 그러하다. 이는 서비스 제공자를 바꿈으로써 발생하는 전환비용(switching cost)이 상당하기 때문이며, 이러한 전환비용은 금전적 비용은 물론이거니와 심리적 · 시간적 비용까지도 수반한다. 따라서 고객들은 서비스 제공자와 신뢰관계를 형성함으로써 불필요한 우려에 낭비되는 시간을 줄이고, 그들의 삶의 질을 향상시킬 수 있는 간결한 의사결정을 할 수 있게 된다.

사회적 혜택 고객들은 서비스 제공자에게 친밀감을 느끼고 사회적 관계를 형성하게 된다. 이러한 관계는 비록 경쟁업체가 서비스를 더 낮은 가격에 제공한다 할지라도 고객들로 하여금 쉽게 기존 관계를 이탈하지 못하게끔 한다. 예를 들어, 오랫동안 한 헤어 디자이너에게 서비스를 받았던 사람은 그 디자이너와 친구처럼 친밀하고 익숙해져 좀처럼 다른 미용실에 가지 않을 것이다. 이러한 개인적 관계는 개인 고객을 대상으로 하는 서비스 기업뿐만 아니라 B2B 산업에서도 마찬가지로 형성될 수 있다. 이와 같은 사회적 혜택(social benefits)은 제공된 서비스의 기술적 혜택에 더하여 고객의 삶의 질에 있어 매우 중요하며, 서비스 제공자와 고객 간의 긴밀한 관계야말로 고객 충성심의 가장 근본이 된다.

특별대우 혜택 특별대우 혜택(special treatment benefits)은 특혜 대우를 제공함으로써 고객이 특별한 대접을 받는 것으로 느끼게 하는 것이다. 이러한 특별대우 혜택은 많은 서비스 산업에서 중요하지만, 앞서 소개한 다른 종류의 혜택에 비해서는 그 중요성이 덜하다고 보는 의견이 많다. 이를테면, 항공사의 마일리지 프로그램과 같은 경우에는 이 특별대우 혜택이 고객 충성도에 있어 매우 중요하다고 여겨지지만, 의료서비스나 법률서비스를 이용하는 고객들에게는 이 혜택이 그다지 중요하게 여겨지지 않는다.

관계 마케팅의 양면성

관계 마케팅의 관점으로 보면 대개의 경우 장기적 관계는 양쪽 상대방에게 이익을 가져다 줄 것으로 기대된다. 하지만, 때로는 관계기간이 오래될수록 부정적인 결과를 초래하는 경우도 있어서 주의가 요망된다. 고객은 태만하게 되고 시장에서 일어나는 일에 대해서 무관심하게 된다. 즉, 경쟁관계에 있는 공급자들이 새롭고 더 나은 기술을 개발하고 있는 와중에도 기존 공급자와의 안정적인 거래에 익숙한 나머지 이러한 변화에 주의를 기울이지 못한다. 한편으로 공급자는 기존 거래 고객과의 안정적인 거래로 인하여 새로운 기술이나 변화에 소홀하게 된다. 결국 양 당사자들의 이러한 태만은 결국에는 치명적인 결과를 가져오게 된다. 따라서 장기적 관계에 있어서의 '어두운 측면'을 조기에 인식하고 상생관계로 나아갈 수 있도록 주의를 기울여야 할 것이다.

관계 마케팅의 실천단계

고객 유치 단계

고객 유치 단계에서는 고객 포트폴리오를 최적으로 구성할 필요가 있다. 또한 기업에게 장기적인 이익을 제공하고 지속적인 만족과 신뢰를 쌓아갈 수 있는 올바른 고객을 유치 단계에서부터 선별하는 것도 중요하다. 따라서 이 절에서는 고객 포트폴리오 관리와 올바른 고객 유치 방법에 관해 살펴보고 마지막으로는 기업이 회피하여야 할 불량고객들에 대해 알아본다.

● 고객 포트폴리오 관리

포트폴리오란 여러 종목으로 구성되는 주식 또는 자산의 집합을 나타낸다. 일반적으로 투자자는 하나의 자산에만 투자하지 않고 여러 개의 자산에 동시에 투자하여 포트폴리오를 구성하는데, 투자를 분산시킴으로써 각 투자에 따른 위험도 분산시킬 수 있기 때문이다. 사업단위를 선정하는 데도 포트폴리오를 이용하여 위험분산 및 자원의 효율적 배분을 기하는 것이 보통이다.

이 개념을 서비스 기업에 적용할 수 있다. 고객 포트폴리오는 서비스 기업이 거래하고 있는 모든 고객들의 구성을 나타낸다. 만약 특정 형태 고객의 가치와 각 고객형태가 차지하는 비율을 안다면 이 고객들의 가치를 미래 수익 흐름의 관점에서 예측할 수 있다. 많은 서비스 기업이 아직도 고객의 수익성에 대해 관심을 두지 않고 고객의 수만을 강조하고 있다. 거래 고객의 수는 서비스 생산 또는 운영관리상 중요하지만 기업의 입장에서는 수익성에 영향을 미치는 고객의 믹스가 더 중요하다고 볼 수 있다. 실제로 일부 서비스업에서는 (예를 들어, 회계법인이나 의료서비스) 그 기업의 처분시에 기존고객의 가치를 평가하여 기업가치를 결정한다. 즉, 고객이 많고 높은 수익을 보장하는 경우 그 기업의 가치는 높아진다.

고객은 상품의 일부분이다. 특히 고객이 다른 고객과 같은 시설을 공유해야 하는 경우, 고객은 상품의 일부로 작용하게 된다. 예를 들어, 극장, 식당, 호텔, 항공, 소매업 등이 이에 해당된다. 이런 서비스 기업에서는 고객의 구성이 기업의 이미지와 서비스 경험을 결정한다. 고객층이 서비스의 분위기를 결정하기 때문에 기업은 적절한 고객을 확보하고 또 이 고객들이 적절한 행동을 하도록 해야 한다.

● 올바른 고객의 유치

장기적으로 이익을 주는 고객을 유치하는 것이 중요하다. 여기서 간과해서는 안 되는 것이 재무적 이익만이 이익이 아니라는 것이다. 유용한 아이디어를 제공하는 고객도 중시해야 한다. 기업에게 정문일침을 가해주는 고객이나 신상품 아이디어 또는 개선점 등을 제공하는 고객은 장기적인 이익창출에 기여하는 올바른 고객(right customer)이다. 올바른 고객을 유치하기 위해 다음과 같은 방법을 활용할 수 있다.

관계 마케팅은 올바른 고객을 선별 유치하는 것에서 시작한다. 올바른 고객을 판별하는 기준으로는 다음과 같은 세 가지가 있다. 이 세 가지 기준 중 하나 이상에 해당되는 고객을 유치하는 것이 좋다.

- 선천적 로열티가 높은 고객 : 어떤 고객은 어느 기업과 거래하든 간에 예측 가능하고 충성스럽다. 그들은 안정되고 장기적인 관계를 선호한다.
- 수익성이 높은 고객 : 어떤 고객은 다른 고객보다 기업의 수익에 더 기여한다. 그들은 많이 구매하고, 신속하게 청구금액을 지불하며, 서비스에 대해 까다롭지 않다.
- 적합성이 높은 고객 : 어떤 고객은 기업이 제공하는 서비스가 경쟁사보다 가치 있다고 느낄 것이다. 모든 고객으로부터 선호되는 기업은 없다. 한 회사의 능력이 특정 고객의 요구에 더 적합한 경우가 있는 것이다.

선천적 로열티가 높은 고객의 유치 선천적 로열티를 가진 고객은 타고난 성향 자체가 다른 사람보다 더 충성적이다. 우리가 제공하는 서비스와 상품을 선호해 주는 세분시장을 찾는 것도 중요하지만 충성스런 속성을 가진 고객집단을 발견하고 그 집단의 충성도 경향을 알아내는 것도 중요하다. 충성도 경향을 로열티 계수라는 용어로 표현하는데, 이는 고객들을 경쟁사로 전환시키는 데 필요한 경제적 인센티브를 말한다. 예를 들어, 어떤 고객은 2% 할인만으로도 경쟁사로 이탈할 수 있는 반면, 다른 고객은 경쟁사가 20% 할인을 해도 그대로 남아 있으려 한다면 이 경우 후자 고객의 로열티 계수가 더 높다고 말할 수 있다.

장래성이 없는 고객의 포기 올바른 고객을 유치하기 위해서는 수익성이나 적합성이 높은 고객을 유치해야 한다. 이 때 단순히 현재의 수익성이나 적합성이 아니라 장기적 관점에서 이익에 기여하거나 적합해 상호 도움이 될 가능성이 있는 고객을 유치해야 할 것이다. 반면 장래성이 없는 고객은 전략적으로 포기하는 것이 필요할 수 있다. 그렇다면 장래성이 없는 고객을 어떻게 구분할 수 있을까? 다음과 같은 고객은 포기하는 것이 더 좋을 수 있다.

① 상품과 고객과의 부합도가 낮은 경우 : 핵심상품과 보조 서비스가 고객의 니즈와 부합되지 않으면 고객은 실망하게 된다. 따라서 모든 고객을 만족시키려고 고전하기보다는, 고객의 니즈와 상품이 부합되지 않는 세분시장은 포기하는 것이 좋다. 예를 들어, 기업이 충족시킬 수 없는 서비스를 요구하는 고객은 포기하는 것이 현명할 것이다.

② 고객과 기업의 관계가 서로에게 가치를 못 주는 경우 : 상품이 고객과 부합되더라도 만약 고객이 금전적 · 비금전적으로 발생하는 비용을 지불할 용의나 능력이 없는 경우에는 장기적으로 관계가 지속될 수 없다. 즉, 고객이 비용 대비 충분한 효과를 느끼지 못하는 경우 떠나갈 것이다. 마찬가지로 기업이 고객이 원하는 서비스를 제공할 수 있더라도 고객의 수가 충분하지 않거나 서비스를 제공하기 위한 비용이 높아서 장기적으로 이익을 얻을 수 없다면 고객을 포기할 수 있다.

③ 고객이 가지고 있는 자원이 충분하지 않은 경우 : 많은 고객과의 관계가 고객이 재정난에 봉착하거나 원가절감 수단으로 활동을 감소시킴에 따라 중지될 수 있다. 물론 고객의 자원은 금전적인 것뿐만이 아니다. 예를 들어, 대학교에서는 지원자들의 지적 능력을 보고, 특정 조직에서는 사상이나 신체적 요소를 보기도 한다. 신속한 탈장 치료로 유명한 숄다이스 병원(Shouldice Hospital)은 외과 의사들이 선호하는 저위험 고수익 환자들을 선별적으로 유치함으로써 예측 가능한 업무 환경을 구축했다. 만약 다양한 증상을 지닌 환자들을 모두 받아들였다면 이 병원의 신속하고 정밀한 의료서비스는 불가능했을 것이다.

④ 고객수요의 주기가 기업과 다른 경우 : 가용능력이 한계에 도달하는 시기에 새로운 고객과 거래를 시작하는 것은 문제를 야기하게 되는데, 이는 마치 음식을 너무 많이 먹어 배탈이 나는 것과 같다. 성수기 때 고객을 과도하게 많이 유치

하게 되면 서비스 질이 저하되고 설비의 과도한 사용으로 인해 후유증이 발생할 수 있다.

⑤ 고객이 필요한 기술을 가지고 있지 않은 경우 : 고객과 서비스 제공자가 함께 협력해야 되는 경우 서비스 제공자뿐만 아니라 고객도 필요한 기술을 가져야 한다. 고객이 서비스를 이용하는 데 필요한 최소한의 기술도 없는 경우 서비스 질이 기준 이하로 떨어질 수 있다.

역선택 위험 회피 기업에서 가장 유치하고 싶어 하는 고객이 가장 최악의 고객인 경우가 종종 발생한다. 이것을 역선택 현상이라고 한다. 역선택이 발생하는 이유는 고객은 최대한 유리한 조건의 계약을 추구하는 반면 회사는 위험측정이나 가격설정을 평균에 근거해서, 특정 고객의 실제 위험과 비용에 대해 낙관적인 가정을 하기 때문이다. 보험회사의 예를 들어 보자. 가입자들은 자신들의 위험 상황에 대해 잘 알고 있으며 여러 회사가 제시한 보험료들을 비교하고 가장 낮은 회사를 선택할 것이다.

역선택을 최소화하기 위해서 Amica 아미카 뮤츄얼사는 기존고객들로부터 추천을 받아 신규고객을 유치하고 있다. PROGRESSIVE 프로그레시브 보험사는 대리점으로 직접 찾아오는 사람들 중에 최악의 고객이 많다는 사실을 발견하고 이런 고객을 피하기 위해 찾아오기 불편할 수도 있는 한적한 곳에 대리점을 설치했다. 또한 언제나 최저가를 담보하는 것은 아니라는 정책을 통해, 비교견적서비스를 제공함으로써 기업이 원하지 않는 고객(예를 들어, 난폭운전으로 위험이 높은 고객)은 더 낮은 가격을 제시하는 경쟁사로 보낸다. 보험가입 거절에 따른 고객의 반발을 최소화하면서도 역선택의 위험을 회피하는 현명한 방식이다. 물론 이것은 고객들의 행태와 위험에 대한 체계적인 분석결과가 있어야 가능할 것이다.

● 불량고객 관리

불량고객의 유형 서비스나 상품을 잘못 이용하는 고객을 불량고객(dysfunctional customer) 또는 블랙컨슈머(black consumer)라고 부르고 있다. 이러한 불량고객은 기업에게 득보다는 해가 되는 경우가 많다. 따라서 고객을 유치할 때 불량고객들과는 관계를 맺지 않는 것이 더 좋다.

불량고객의 행동은 직원, 다른 고객, 그리고 기업에게 나쁜 영향을 미칠 수 있다. 고객불량행동(dysfunctional customer behavior)은 직원에게 정신적, 정서적, 행동적, 그리고 물리적 피해를 줄 수 있다. 서비스 제공 중에 고객의 위협적인 행동과 욕설을 경험하는 직원은 기분, 동기, 사기에 부정적인 영향을 받게 된다. 고객불량행동은 다른 고객에게도 부정적인 영향을 미치는데, 다른 고객이 받는 서비스 경험을 망칠 수 있고, 이 고객불량행동을 보고 다른 고객들이 모방할 수 있다. 또한 고객불량행동은 기업에게 직 · 간접적인 비용을 유발할 수 있다. 직접적인 비용은 실질적 피해를 복구하는 비용, 불량고객으로 인해 높아진 보험료, 불량고객에 나쁜 영향을 받은 다른 고객에 대한 배상 등이 있다. 간접적인 비용은 불량고객에 대응하는 직원들의 업무 증가와 스트레스, 이직 증가, 이에 따른 신규 직원 채용 비용 등이 있다.

'고객은 항상 옳다' 또는 '고객은 왕이다'라는 슬로건을 자주 접한다. 그러나 사실 '고객이 언제나 옳은 것은 아니다. 때로 고객이 틀린 경우도 있다'라는 사실도 염두에 두어야 할 것이다. 불량고객의 유형을 살펴보고, 각 유형별 대응방법을 생각해 보기로 한다.

① 도둑형(thief) : 도둑형은 서비스에 대한 대가를 지불하지 않는 사람을 말한다. 가장 흔한 유형의 도둑은 가게 좀도둑(shoplifter)이다. 어떤 사람들은 심리적 충동인 도벽 성향을 가진 사람들도 있고 어떤 사람들은 빈곤 때문에 도둑질을 하기도 한다. 훔친 신용카드를 사용하는 고객이다. 불법 다운로드, 소프트웨어나 교재의 무단복제도 지적재산권을 무시하는 도둑질이다. 상품에 전자 태그(tag)가 붙어있어 계산을 하지 않고 몰래 들고 나간다면, 전자 감식기가 작동되어 소리가 난다. 이는 도둑을 퇴치시키면서 대다수의 정직한 고객들을 존중하는 방법의 하나라고 할 수 있다.

② 규칙 위반형(rule breaker) : 기업은 시설을 원활하게 작동하기 위해서, 또는 고객이 무리한 요구를 하지 않도록 하기 위해, 또는 시설을 잘못 사용하지 않도록 하기 위해, 또는 업체 자신을 법적으로 보호하기 위해, 또는 고객이 다른 고객들에게 부정적 영향을 끼칠 수 있는 여지를 제거하기 위해서 규칙을 만든다. 그

렇다면 규칙 위반 고객들을 어떻게 처리해야 좋을까? 가장 좋은 방법은 사전 교육과 위험에 대한 상기 또는 경고이다. 이러한 조치를 취함으로써 고객들은 올바른 행동을 취할 수 있고, 직원과 기업 측은 잘못된 결과를 수정하는 불필요한 절차를 거치지 않을 수 있다. 규칙을 정할 때 주의해야 하는 것은 그 서비스를 이용하는 고객들에게 안전과 즐거움을 지켜줄 수 있어야 한다는 사실이다. 규칙은 너무 많게 되면 고객들의 주의를 끌지 못하고, 적을수록 그 중요성이 부각된다는 사실도 명심해야 할 것이다.

③ 호전형(belligerent) : 상점, 공항, 호텔, 식당 등 어느 곳에서든 얼굴을 붉히면서 직원에게 고함을 질러대고 욕을 하고 삿대질을 해대는 고객들을 종종 본다. 기계가 갑자기 고장 날 수도 있고, 비행기가 악천후 때문에 지연될 수도 있고, 배달이 늦을 수도 있으며, 고객들이 몰려 대기시간이 길어질 수도 있다. 이러한 경우 어떤 고객들은 화를 내고 그 화를 눈에 보이는 직원들에게 풀어 버린다. 따라서 일선 직원들은 고객들로부터 욕을 얻어먹거나 심지어는 육체적인 폭력도 당할 수 있다. 화난 고객을 적절히 대하기 위해서 일선 직원들을 교육하는 것이 필요하다. 일선 직원들은 그들이 마주치는 어려운 상황을 해결하는 데 필요한 여러 가지 기술을 습득해야 한다. 이러한 기술은 역할극(role-playing) 방법을 통해서 훈련할 수 있다. 직원들은 화를 누그러뜨리는 방법, 걱정이나 근심을 완화시키는 방법 등을 배워야 한다.

④ 내분형(family feuders) : 다른 고객들과 싸우는 고객들을 내분형이라고 부른다. 예를 들어, 함께 온 가족들과 싸우는 사람들이 있는가 하면 다른 고객들과 분쟁을 일으키는 고객들도 있다. 운동경기 중에 관람객들 간에 싸움이 일어나고 레스토랑에서도 시끄럽게 뛰어다니는 아이 때문에 손님들 간에 말다툼이 발생하기도 한다.

⑤ 파괴형(vandal) : 서비스 시설이나 장비가 물리적 가해를 받아 손상되는 일은 상당히 많다. 예를 들면, 은행의 ATM에 콜라를 엎지른다거나, 벽에 낙서를 한다거나, 노래방이나 방탈출 카페 같은 공간에 있는 물건을 파손하는 행위들이 그것이다. 최선의 처방은 이러한 행위를 미연에 방지하는 것이다. 밝은 조명이나 CCTV를 사용하는 것도 좋을 것이다. 고객을 교육시키는 것도 필요하다. 즉,

고객들에게 시설을 적절히 사용하는 법을 가르치는 것이다. 쉽게 손상되는 시설인 경우에는 조심해서 다루라는 경고를 미리 해두는 것도 필요하다. 때로는 파손 시 비용을 고객에게 부담시키는 것도 필요하다. 시설의 파손이나 파괴가 고객의 책임인 경우 규정이나 계약에 의해 마땅한 부담을 하도록 하는 것도 좋다.

⑥ 신용불량형(deadbeat) : 거래 후 대금 지급이 제대로 이루어지지 않는 경우 불량 채무자가 발생하는 경우가 많다. 역시 좋은 해결방법은 사후조치보다 사전예방이다. 예를 들어, 선불제를 생각할 수 있다. 점점 더 많은 서비스 기업들이 선불제를 택하고 있다. 그 다음으로 좋은 해결방법은 서비스 전달이 완성되는 시점에 고객에게 청구서를 보여주는 것이다. 이 때 주의해야 할 것은 불량 채무자라 해서 반드시 가망 없는 거래자인 것은 아니라는 점이다. 고객에게 제때 지불할 수 없는 불가피한 상황이 생겼을 수도 있고 실수로 잊었을 수도 있다. 따라서 함부로 관계를 끊는 것은 기업에 장기적 이익이 안 될 수도 있으니, 고객에게 세심하게 정황을 묻고 방법을 강구하는 것이 필요하다.

불량고객 대처방안 불량고객에 대한 인식이 증폭되면서 "불량고객을 해고하라!"는 구호가 등장했다. 2007년 미국 Sprint 스프린트(Sprint)사는 천여 명의 고객에게 서비스 중지를 통보해 세상을 놀라게 했다. 그 대상은 이상한 행동을 보인 불량고객으로 예를 들어 시도 때도 없이 업무를 방해하는 고객, 상습적으로 직원을 모욕하는 고객, 해결된 문제에 대해서도 반복적으로 문제를 제기하는 고객, 다른 고객정보를 불법적으로 요구하는 고객 등이었다. 이는 6개월간 내부 심사 후 결정한 것으로 퇴출고객들에게는 한달 이전에 통보하고 마지막 달 요금은 무료로 하며 조기 해지에 따른 벌금은 면제하고 타사 가입 안내를 도와 주는 등 최대한 정중한 절차를 밟으며 진행한 바 있다.

그러나 아무리 불량고객이라 할지라도 퇴출만이 능사는 아닐 것이다. 불량고객도 그 형태나 원인이 다양하기 때문에, 그에 따른 대처방안 역시 달라야 할 것이다. 경우에 따라서는 불량고객을 정상고객으로 전환시키는 방안도 생각해 볼 수 있을 것이다. 그리고 만약 퇴출하기로 결정하였다면 스프린트사의 경우처럼 적절한 절차와 방법을 사용해야 할 것이다. 기업은 다음과 같은 방안들을 사용하여 불량고객을 줄이기 위해 노력할 수 있다.

첫째, 신중하게 고객을 선별해야 한다. 지속적 성장과 이윤 극대화를 추구하는 기업이라면 좋은 직원을 선발하는 데 들이는 노력 못지않게 바람직한 고객을 선별하는 데에도 노력을 기울여야 한다. 불량고객들의 특성을 미리 파악하고 신규고객 유치 시 이 같은 특성을 가진 고객을 받지 않는 것이 필요하다. 최근 금융회사들은 각자 전산화된 고객의 신용정보를 공유하여 고객 유치 시 적극적으로 활용하고 있다. 미국의 뮤추얼펀드 회사인 Vanguard 뱅가드 그룹은 자사에 맞는 고객을 선별하여 성공한 대표적인 경우이다. 인덱스 펀드에 장기적으로 투자를 하는 고객이 아니라면 받아들이지 않는다. 어떤 투자자가 이에 대한 이의를 제기했을 때 뱅가드 그룹의 회장은 이것이 좋은 선택이라고 인정하였고 오히려 이 상황을 이용해 직원들에게 올바른 고객 선별의 중요성을 명시하였다.

둘째, 회사 내부에 '불량규정'이 있는지를 확인해야 한다. '불량고객은 없다. 회사의 정책이 불량일 뿐이다'라고 하는 견해가 있다. 회사의 잘못된 정책이 고객을 불량으로 만든다는 것이다. 그렇다. 불합리한 규칙과 제도가 선량한 고객을 불량고객으로 몰고 갈 수 있다. 따라서 고객의 잘못된 행동을 유발할 가능성이 있는 규정이나 정책이 있는지를 지속적으로 점검해야 할 것이다. 불합리한 정책이나 규정은 과감히 수정해야 불량고객을 양산하는 불행한 사태를 막을 수 있다.

셋째, 고객정보시스템을 활용할 수 있다. 어떤 고객이 불량고객인지, 대처방안에는 어떤 것이 있는지, 관련 정보를 공유함으로써 모든 고객을 의심의 눈초리로 바라보게 될 위험을 회피하고, 다양한 유형의 불량고객에 대해 최적화된 대응을 할 수 있을 것이다.

넷째, 고객에게도 최소한 의무와 행동지침에 대한 교육과 안내를 해야 한다. 저자는 '고객도 고객다워야 고객이지'라는 말을 자주 한다. '좋은 고객이 좋은 서비스를 만든다'는 신념도 가지고 있다. 너무 고객의 권리만 강조되다 보니 소위 '갑질고객'이 양산되는 세태가 안타깝다고 생각한다. 얼마 전 스노우폭스 코리아는 전 지점에 공정서비스 권리선언을 붙이며 화제의 중심에 오른 바 있다. "우리 직원이 고객에게 무례한 행동을 했다면 직원을 내보내겠습니다. 그러나 우리 직원에게 무례한 행동을 하시면 고객을 내보내겠습니다", "우리 직원들은 언제 어디서 무슨 일을 하든지 항상

INSIGHT

인플루언서 마케팅의 폐해와 거짓 후기의 문제성

소셜 미디어의 유명인 인플루언서의 영향이 커지면서 이들의 고객불량행동이 주목을 받았다. 과거의 파워블로거를 생각하면 된다. 유튜브, 인스타그램과 페이스북 등에 수만~수십만의 팔로워를 보유한 인플루언서들의 영향력은 대단하다. 특히 이 영향은 유튜브로 모든 것을 해결하는 젊은 세대에서 더 많이 보이는데, 극단적인 예로는 초등학생들 사이에서는 유명 연예인은 모르지만 유튜버는 안다는 농담이 있을 정도이다.

하지만 인플루언서 마케팅에도 폐해가 있다. 악성 인플루언서들이 직접 다양한 서비스업체에 연락을 해 여러 가지를 요구하고 본인의 요구가 충족되지 않을 경우 막무가내로 나쁜 후기를 퍼트리는 것이다. 과거 파워블로거들이 맛집에 찾아가서 음식을 요구하고 거절당했을 시에 블로그에 안 좋은 내용을 올릴 것이니 각오하라는 협박을 하던 것과 비슷하다. 한 호텔 관계자는 "악성 인플루언서 때문에 골치가 아프다"고 고충을 토로하며 인플루언서가 막무가내로 호텔 홍보를 해줄 테니 스위트룸을 예약해달라고 요구했다고 한다. 이에 대해서 이미 마케팅을 담당하는 인플루언서가 있다고 설명하였으나 인플루언서는 이 답변을 받아들이지 않고 무조건 호텔에 대해서 안 좋게 이야기하겠다고 했다.

특정 기업과 계약한 연예인이나 광고 모델과는 다르게 개인이 행동하는 이미지가 강한 인플루언서에게는 보다 솔직한 제품리뷰를 기대하는 심리가 작용한다. 기존의 글과 이미지에서 발전하여 실시간 스트리밍과 영상을 통해서 양방향으로 소통하기 때문에 거부감 없이 자연스러운 홍보가 가능하다는 점도 장점이다.

미디어킥스(Mediakix)는 SNS를 이용한 인플루언서 마케팅 규모가 2016년의 10억 달러에서 2019년에는 20억 달러로 3년 만에 두 배 성장할 것으로 예상했다. 하지만 과거 파워블로거의 영향력이 많이 사라졌듯이 인플루언서 마케팅도 비슷한 순서를 밟을 수 있다. 업체 측에 무리한 요구를 하는 파워블로거들이 많아지면서 과대/허위 리뷰를 작성해 문제가 되자 네이버 측에서 파워블로거 제도를 폐지하였다. 과거의 파워블로거들은 돈벌이에 나서면서 정보 공유의 기능을 잃었기 때문이다. 실제로 맛집과 같은 키워드를 검색하면 업체에서 지원을 받아서 작성한 홍보성 글들이 넘쳐나 진정한 맛집을 찾기 어려워 유저들은 각종 은어들을 함께 검색해 광고성 글들을 걸러 내기도 한다. 이탈리아에서는 맛집 리뷰를 허위 작성한 남성에게 실형 판결을 내리기도 하였다.

이러한 인플루언서 마케팅에 소비자도 피해를 입는다. 업체의 지원을 받고 SNS에 제품을 홍보할 경우 '돈을 받고 광고한다'는 사실을 반드시 알려야 하지만 이를 지키지 않는 경우가 있어서 문제가 된다.

공정거래위원회가 실제로 인플루언서 마케팅을 실시하고 있는 업체들을 조사한 결과 상당수 업체는 '대가성 게시물'이라는 사실을 알리지 않고 있는 것으로 확인됐다. 일부 광고주들은 협찬 사실을 알리지 않고 인플루언서가 자연스럽게 제품을 소개했을 때의 홍보 효과가 더 높다고 판단하여 알리지 말라고 한 것이다.

자신이 팔로우하는 인플루언서를 믿고 그가 광고하고 판매하는 상품을 구매하고 피해를 본 소비자들의 불만이 폭주하고 있다. 이처럼 영향력이 높지만 폐해도 심각한 인플루언서 마케팅에 대해 근본적인 대책 마련이 필요하다.

자료원: Metroseoul, "홍보 효과 좋지만… '인플루언서 마케팅' 폐해도 심각," 2019.01.02.

존중을 받아야 할 훌륭한 젊은이들이며 누군가에게는 금쪽같은 자식이기 때문입니다", "직원에게 인격적 모욕을 느낄 만한 언어나 행동, 큰 소리로 떠들거나 아이들을 방치하여 다른 고객들을 불편하게 하는 행동을 하실 경우에는 저희가 정중하게 서비스를 거부할 수 있음을 알려드립니다" 등의 문구로 고객에게 정중하게 행동해 주실 것을 부탁한 것이다. 신세계백화점은 "고객의 따뜻한 말 한마디가 더욱 친절한 신세계를 만듭니다. 고객님의 아름다운 미소와 배려가 행복한 일터를 만들어 줍니다. 마주하고 있는 직원을 존중해 주세요"라는 문구를 담은 고객선언문을 매장, 엘리베이터, 앱 등에 제시하며 고객들의 공감대를 이끌어내고 있다.

다섯째, 선량한 고객을 불량고객으로 몰아서는 안 된다. 불량고객을 발견하고 대처하는 것이 필요하다. 하지만, 고객은 기업과 가치를 공유하는 소중한 자산이다. 그러므로 선량한 고객들에게 불량고객처럼 취급받는 느낌을 주는 일은 절대로 없어야 할 것이다.

마지막으로, 때로는 아름다운 이별을 해야 한다. 자사의 서비스와 고객의 부합도가 현저히 낮고 기업과 고객이 추구하는 가치가 다를 경우, 고객에게 다른 기업을 소개해 줌으로써 이별고객의 불만을 최소화하고, 미래에 다시 고객으로 유치할 때 소요되는 비용을 최소화할 수 있을 것이다. 고객과 이별을 한다는 것은 매우 어려운 일이다. 이에 대해서 Uber 우버, lyft 리프트, airbnb 에어비앤비 같은 회사들은 서비스를 제공하는 운전사나 호스트들이 고객을 리뷰하고 평점을 남길 수 있게 하여서, 여러 차례 나쁜 평가를 받은 고객의 서비스 사용을 제한하거나 자사 서비스를 제공받지 못하게 한다. 식당 예약 서비스를 온라인으로 제공하는 오픈테이블도 회원인 식당들이 고객에 대해서 메모를 남길 수 있는 공간을 제공한다. 또한 고객이 몇 개의 예약을 하는가를 추적하고 1년에 4번 이상의 예약부도를 내면 웹사이트를 더 이상 사용하지 못하게 한다.

고객 유지 단계

고객 유지에서 근본이 되는 전략은 관계의 모니터링과 평가이다. 관계 마케팅을 위한 준비단계가 끝나고 고객과의 관계를 구축하게 되면 관계의 질을 모니터링하고 평가해야 한다. 매년 서비스 품질이나 고객만족도 조사를 시행하거나, 정기적으로 전화나 대면으로 우량고객과 접촉을 하거나, 고객불평 모니터링, 이탈고객 조사 등을 실시하여 계속 모니터링하고 그 결과를 고객 데이터베이스에 추가·갱신해야 한다.

잘 설계된 고객 DB는 고객 유지전략을 위한 기초로 사용될 수 있다. 우리 회사의 고객이 누구인지(이름, 주소, 전화번호 등), 그들의 구매행동, 수입, 그들에게 서비스하는 데 드는 비용, 기호 및 관련 시장정보(인구통계자료, 라이프스타일, 사용 패턴)는 고객 DB를 구성하는 주요 요소들이다. 고객이 이탈하는 경우, 거래 종료에 대한 정보도 DB에 올려야 한다. 아메리칸 익스프레스는 이와 같은 상세한 고객 DB를 이용해 고객의 기호와 니즈에 따라 천여 개 버전의 뉴스레터를 제작·발송할 수 있었다. NETFLIX 넷플릭스의 경우 평소 고객이 즐겨보는 종류의 콘텐츠를 단순히 추천해 주는 것을 넘어서 고객이 영화를 고를 때 중요한 요소로 여겨지는 포스터 역시 고객 성향에 맞춰 제공하고 있다. 예를 들어, 같은 영화를 추천하더라도 액션물을 즐겨보는 고객에게는 전투 장면이 노출되고 로맨스를 즐겨보는 고객에게는 커플이 함께하는 장면이 노출된다.

● 서비스 실패 및 회복

서비스 실패 고객이 언제나 서비스에 만족하는 것은 아니다. 때로는 불만족하게

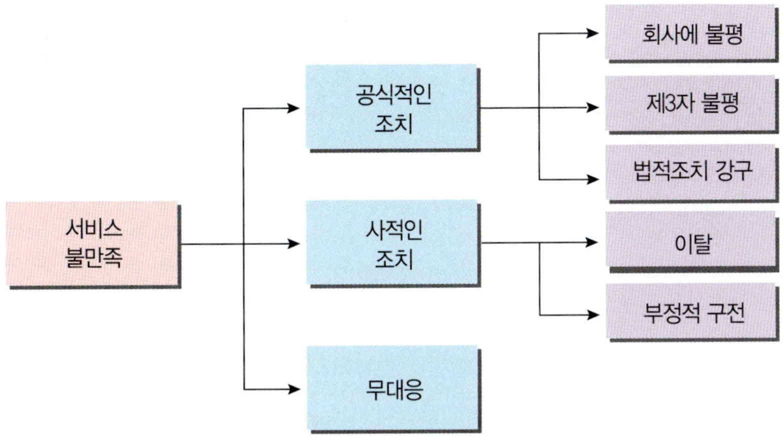

그림 7-5 | 서비스 실패에 대한 고객의 다양한 반응

되며 이러한 경우 어떻게 반응할 것인가가 중요하다. 예를 들어, 직원에게 항의를 하거나 아니면 관리자를 찾아가 문제에 대해서 상의할 수 있을 것이다. 하지만 이러한 방식이 부담스럽다면 그저 가족이나 친구들에게 이야기를 늘어놓고는 다음부턴 절대 다시 이용하지 않겠노라고 결심할지 모른다. [그림 7-5]는 고객들이 서비스 실패 시 반응하는 유형들을 정리해 놓았다.

서비스 실패 시 고객은 기업에 불평하거나 소비자원, 시민단체와 같은 기구를 통해서 공식적인 조치를 취하거나, 심한 경우 소송을 제기할 수 있다. 또는 더 이상 그 회사를 이용하지 않고 다른 회사로 이탈하거나 주위 사람들에게 부정적인 구전을 할 수 있다. 물론 아무런 조치를 취하지 않고 대응하지 않을 수도 있을 것이다. 고객들은 여기에 제시된 여러 가지 방법들을 조합해서 사용할 수도 있다. 이 때 관리자들이 주목해야 할 점은 이런 서비스 실패로 인해 고객 한 명만 잃는 것이 아니라는 점이다. 화가 난 고객은 많은 사람들에게 회사의 문제점을 이야기할 것이다. 이에 더해서 소셜 미디어에 불평을 게시할지 모른다. 이러한 불평은 다양한 소셜 미디어를 통해 불특정 다수의 사람들에게 순식간에 확산된다.

서비스 실패에 대한 고객 반응을 이해하고 효과적으로 대응하기 위해서 관리자는 고객이 왜 불평하는지를 파악할 필요가 있다. 일반적으로 고객은 네 가지 목적으로 불평하는 것으로 알려져 있다.

① 보상받기 : 많은 고객들은 환불, 보상 및 서비스 재이용과 같이 경제적 손실을

INSIGHT

"당신네 호텔은 엉망진창이야!"

두 사업가 Tom과 Shane은 미국 남서부에 있는 호텔에서 형편없는 서비스를 경험하고는 그들의 불만을 해소하기 위해 파워포인트 슬라이드를 만들었다. 그들은 출장 중 더블트리 호텔(DoubleTree Inn)에서 받았던 '부당한 대우'에 대해서 낱낱이 기록한 파워포인트 자료를 해당 호텔의 두 매니저와 그 호텔이 있는 도시 출신의 두 클라이언트, 그리고 장모님에게 보냈다. 한 달 내에, "당신네 호텔은 엉망진창이야!"라고 이름 붙여진 이 자료는 전 세계 곳곳으로 퍼져나갔다. 그들은 6개 대륙으로부터 9천 통 이상의 이메일을 받았고, 그 경험은 USA 투데이에 기재되기도 했다.

사건의 경위는 이러하다. 두 사업가는 비행기 연착으로 더블트리 호텔(힐튼 호텔 소유)에 새벽 2시가 되어서야 도착하게 되었다. 불행히도 호텔은 초과 예약으로 만실이었고, 그들이 예약한 방은 다른 여행객들에게 내어준 상황이었다. 낙담했음에도 종종 일어날 수 있는 일로 여기고 이해하고 넘어가려 했지만, 문제는 호텔 측의 태도였다. 사과와 즉각적인 해결을 기대했던 그들에게 돌아온 건 '건방지고 모욕적인' 언사였으며, 심지어 다음날 오전 미팅이 있는 시내로부터 15분 거리에 있는 허름한 호텔로 떠넘겨졌다.

그들은 시애틀로 돌아와 그들의 분노했던 경험을 막대 도표, 그래프, 통계적 분석으로 상술했다. (일생 동안 욕조에서 죽을 확률: 1/10,455, 영국 복권에 당첨될 확률: 1/13,983,816, 더블트리에서 우리를 돌려보낼 확률: 그 어떤 것보다 최악) 그들은 호텔 매니저에게 파워포인트 파일을 보내고, 3명의 사람들에게 '몇몇의 친구들과 공유할 것'을 부탁했다. 그리고 이 자료는 놀라운 속도로 퍼져나가 월스트리트저널, 포브스지 등에서도 다루어졌다.

Tom과 Shane은 '끔찍한 고객서비스'의 사례로 이 일화를 소개하도록 경영대학원과 호스피탈리티 기업들에게서 수백 건의 강연 요청을 받았다. 그들은 힐튼 호텔에서 이틀간의 투숙을 제안받기도 했지만, 지역 자선단체에 1,000달러를 기부하는 것으로 대신하였다. 또한 호텔 경영진들은 직원 훈련 및 초과 예약 정책을 개선하기 위한 조치들을 그들에게 제시하였다. 이 모든 변화들은 두 사람이 단지 그들의 불쾌했던 경험을 문서화하고, 친구들을 통해 인터넷상에 확산시킨 것만으로 가능했던 일이었다!

이는 잘못된 고객서비스에 대해서 불만을 느낀 두 명의 고객이

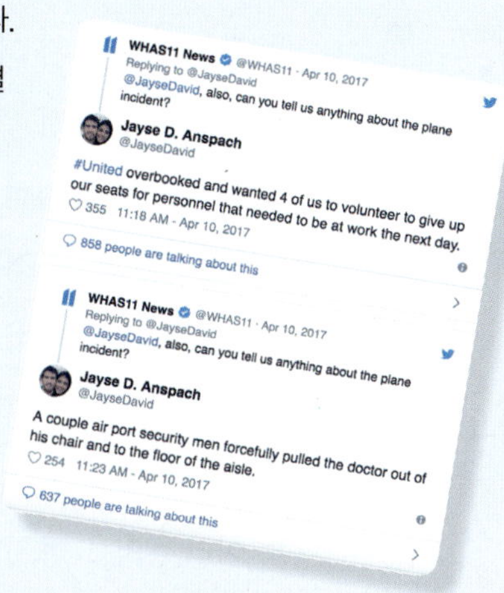

파워포인트를 만들어 공유한 것이 빠른 속도로 퍼져나가 이루어진 사례이다. 하지만 소셜 미디어가 활성화되고 어디서든 인터넷에 접속할 수 있는 초연결 시대에서는 이 정도의 정성과 노력이 없이도 빠르게 부당한 서비스를 당한 상황을 공유할 수 있다.

소셜 미디어 중에서의 대표적인 예로서는 트위터, 페이스북과 인스타그램 등이 있다. 트위터는 하나의 트윗당 단어 수에 제한이 있고, 해당 트윗에 사진이나 영상을 함께 게시할 수 있다. 트위터와 같은 경우에는 '실시간 트렌드'라는 기능으로 실시간으로 가장 많이 게시되는 해시태그를 집계해서 보여준다. 검색창의 실시간 검색과 같은 기능이라고 볼 수 있다. 차별적이고 잘못된 고객 응대에 대한 내용이 올라오는 순간 이 이슈가 전 세계적으로 퍼져나갈 수 있다.

대표적인 예로 유나이티드 항공사의 잘못된 고객 응대가 있다. 4월 9일 예정된 유나이티드 항공 비행기에 승객이 전원 탑승한 후에 자리가 부족하여 4명의 승객이 자리를 양보해야 한다는 방송이 있었다. 자리를 포기할 네 번째 승객으로 중국인 의사인 David Dao가 호명되었는데, 그는 다음날 아침 환자를 진찰해야 하기 때문에 자리 양보를 거부했다. 문제는 여기서 발생하는데, David Dao가 자리 양보를 거부하자 그는 무력적으로 좌석에서 끌려나갔다.

이 상황이 발생한 후 다른 승객이 스마트폰을 통해서 촬영한 영상이 트위터에 공유되며 많은 리트윗과 주목을 받았다. 그가 부상을 입어 피를 흘리며 끌려나가는 영상은 순식간에 미국 내 퍼져나갔고, 다른 승객들도 영상을 올리며 페이스북에 게시된 영상은 단기간에 1,900만 조회수를 기록하였다. 이 상황에서 유나이티드 역시 트위터로 영상을 올리고 리트윗한 유저들에게 답변을 보내기 시작했고, 다음날 유나이티드 항공사의 트위터 계정을 통해 CEO 무노즈(Munoz)가 올린 답변에서는 승객들을 재배치하는 것에 대한 사과 외에 피해자인 Dao에 대한 사과는 없었다. 무노즈가 사내 전체 메일을 통해 승객의 잘못이 크며 항공사 직원들의 대응은 적절했다는 내용을 보내며 다시 한번 논란이 증폭되었다. 4월 11일 다시 사과문을 올리지만 이미 늦었다는 의견이 상당수였다. 실제로 4월 11일 아침 유나이티드 항공의 시가총액은 하루에만 2억 5,500만 달러(약 3천억 원)가 줄었다.

이와 같이 소셜 미디어를 통한 정보의 확산은 더욱 더 빨라지고 있다. 특히 자극적인 스토리가 많은 관심을 받는 만큼 잘못된 서비스 응대에 대한 피해도 더욱 빠르고 강력하게 나타날 것이다.

자료원: The Washington Post, "The full timeline of how social media turned United into the biggest story in the country," 2017.04.11; L. Bly, "Online Complaint about Bad Hotel Service Scores Bull's-eye," *USA Today* – (Academic Permission), January 4, 2002, p. D6.

만회하기 위해서 불평을 한다.

② 감정 다스리기 : 일부 고객들은 서비스 실패로 인한 낮아진 자존심이나 화난 감정을 다스리기 위해서 불평한다. 서비스 프로세스가 비합리적이거나, 직원이 무례하거나 고의적으로 질 나쁜 서비스를 제공하거나, 건성으로 대한다면 고객의 자존심이나 공정성 인식이 손상을 입게 될 것이다. 그 결과 고객은 분노하고 감정적으로 반응하게 된다.

③ 서비스 개선 : 고객이 서비스에 대한 관여도가 높은 경우라면 서비스 실패가 다시 발생하지 않도록 서비스가 개선되기를 바라는 마음에서 불평을 제기할 것이다.

④ 이타주의 : 마지막으로 고객은 이타주의(altruism)를 나타낼지 모른다. 자신이 겪은 문제를 다른 고객들이 겪지 않게 하기 위해서 문제를 해결하려고 노력하는 것이다. 이러한 이타주의적 성향의 고객은 서비스 실패 상황을 그대로 방치하게 하는 것은 다른 고객들에게 피해를 입히게 하는 것이라고 생각하고 불평을 통해서 문제를 해결하려고 노력한다.

TARP 보고서에 의하면, 서비스 실패를 경험한 고객의 일부(45%)만이 해당 서비스를 제공한 직원에게 불평을 하고, 극히 일부의 고객들(1~5%)만이 경영진이나 기업의 본사에 불평하는 것으로 나타났다. 이러한 현상은 종종 '빙산의 일각'으로 언급되며, [그림 7-6]과 같이 표현될 수 있다. 이처럼 고객불평률은 놀라울 정도로 낮은 수준이다. 그렇다면 왜 고객들이 이처럼 불평행동에 소극적인가? TARP 보고서는 대부분 고객들이 항의편지를 쓰거나 서류 양식을 기입하거나 또는 전화하거나 하는 등의 활동에 시간을 들이는 것을 원치 않는다고 이야기한다. 즉, 고객 대부분은 서비스 실패가 그러한 노력을 감수할 정도로 중요하다고 여기지 않거나, 불평을 하더라도 노력 대비 성과를 확신할 수 없다고 생각한다는 것이다. 또한 자신의 불평 상황을 정확히 전달하는 데 어려움을 겪거나, 당시의 불쾌한 상황을 떠올리기 꺼리는 것 또한 불평 행동을 억누르는 이유가 될 수 있다. 불평은 역할 인식이나 사회적 규범에 의해서도 크게 영향을 받는다. 고객들은 자신들이 서비스 제공자에 비해서 힘이 없다고 생각하면 쉽사리 불평하지 못하는 경향이 있다. 가령 의사, 변호사 등으로부터 서비스를 제공받는 상황이라고 할 때 이들의 전문성에 압도되어서 혹은 주눅이 들어

그림 7-6 | 불평하는 고객: 빙산의 일각
자료원: TARP Worldwide Inc.

서 웬만하면 불평하지 않으려고 할 것이다.

그렇다면 어떤 고객들이 불평을 하는 경향이 있을까? 연구에 의하면 사회경제적 환경이 좋은 고객들이 불평률이 높은 것으로 나타났다. 즉, 교육 수준이 높을수록, 소득 수준이 높을수록, 사회적 지위가 높을수록 고객들은 자신감과 지식이 많으며 그 결과 문제에 직면해서 자신의 목소리를 낼 확률이 높은 것이다.

고객불평의 중요성 조용한 고객에는 두 가지 종류가 있다. 하나는 정말로 만족한 고객이고 다른 하나는 불만족했으나 단지 불평을 하지 않는 고객이다. 이미 언급한 바와 같이 많은 불만족 고객들이 불평을 토로하지 않는다고 한다. 따라서 기업은 고객이 조용하다고 해서 그 고객이 만족했다고 생각하는 착각에서 벗어나야 한다. 그렇다. '무소식이 희소식'이 결코 아닌 것이다. 또한 하버드 대학교 교수 테드 레빗(Ted Levitt)은 "고객과의 관계가 나빠졌다는 가장 확실한 표시는 아마도 고객이 더 이상 불평하지 않는 것이다"라고 이야기하였다. 또한, 레빗 교수는 "어느 고객도 그처럼 만족하지 않았다. 단지 고객은 솔직하지 않았을 뿐이고 아니면 만나서 이야기를 들어볼 기회가 없었을 뿐이다"라고 말한다. 고객불평은 다음과 같은 이유에서 중요하다.

① 문제점의 조기 파악 및 해결 : 고객불평은 상품의 문제점을 조기에 파악하여 그 문제가 확산되기 전에 신속히 해결할 수 있게 해준다. 실례로 P&G P&G사의 경우를 보면 고객불평을 통해 큰 도움을 받았다는 것을 알 수 있다. P&G사의 제

품들 중에 다우니(Downy)란 세탁 세제가 있는데 이 세제의 용기에 대해 여러 소비자가 불평을 해왔다. 용기를 열고 닫을 때 손가락을 다친다는 것이었다. 부랴부랴 그 원인을 찾고자 납품업체에 문의해 보니 얼마 전에 용기의 제조성분을 변경했다는 것이었다. 조사결과, 이 새로운 성분으로 만든 뚜껑은 시간이 지나면 갈라지기 쉽고 이것이 소비자의 손을 다치게 한다는 점을 알게 되었다. 다행히 아직 적은 수의 용기가 납품된 상황이어서 P&G사는 손쉽게 용기 뚜껑만을 교체함으로써 큰 손실을 막을 수 있었다. 이 경우 P&G사는 고객불평을 적극적으로 수용하고 그 원인을 조기에 파악하여 재정적으로나 기업 이미지 면에서 치명적인 타격이 될 수 있는 전 제품 회수라는 극한 상황을 피할 수 있게 되었다.

② 부정적인 구전의 최소화 : 불만고객은 흔히 친구, 이웃, 친지 등에게 자신의 불만스러운 경험에 대해 이야기하곤 한다. 기업에 대한 부정적인 견해가 여러 입과 귀를 통해 전해지는 것은 해당 기업에게는 그다지 바람직스러운 일이 아니다. 이렇게 불평하며 다니는 고객은 테러리스트에 비유될 수 있다. 여기 저기 다니며 기업의 이미지를 엄청나게 망가뜨리지만 기업으로서는 찾아내기 어려운 존재라는 것이다. 소셜 미디어가 활성화되며 구전도 더욱 빠르게 확산된다. 고객의 불만스러운 경험에 대한 글이 더 빨리, 더 많은 사람들에게 퍼져나간다. 이런 부정적인 구전을 최소화하기 위해서는 불만고객이 직접 기업에게 불평하도록 유도해야 한다.

일반적으로 구전효과에는 두 가지 부정성 편향(negativity bias)이 있다. 첫째, 사람들은 무엇인가를 전하는 입장에 서면 좋은 경험보다 나쁜 경험에 대해 더 많은 이야기를 하는 경향이 있다. GM에 따르면, 만족한 고객은 평균 8명에게 말하는데, 불만족한 고객은 평균 25명에게 말한다고 한다. 따라서 불만족 고객 1명의 구전효과를 만회하기 위해서는 3명의 만족고객이 필요한 셈이다. 둘째, 듣는 입장에 있는 사람도 좋은 이야기보다는 나쁜 이야기에 대해 더 솔깃해하는 경향이 있다. 즉, 어떤 서비스에 대해서 좋은 이야기를 10번 들었더라도 나쁜 이야기를 한 번이라도 들으면 그것이 그 서비스의 평가에 결정적인 영향을 미친다. 이와 같이 전하는 면에서나 듣는 면에서의 부정적 구전효과를 최소화하기 위해서는 고객이 직접 기업에게 불평을 토로하도록 해야 한다.

③ 유용한 정보 제공 : 고객불평은 기업에게 유용한 정보를 제공한다. 고객불평을 통해 기업은 고객의 미충족 욕구를 파악할 수 있으며 서비스를 어떻게 개선할 수 있는가에 대한 중요한 정보도 얻을 수 있다. 많은 기업들이 고객의 욕구나 문제를 파악하기 위해 많은 비용을 투자하고 있다. 그런데 이런 업무는 마케팅 부서나 R&D에서만 하는 것으로 국한해서 생각하고 실제 사용자인 고객들이 토로한 불평은 그저 별개의 일로 여기는 경향이 있다. 고객의 불평자료를 유용한 정보가 담겨 있는 자료로써 적극적으로 이용하는 것이 필요하다.

고객불평에의 대응 기업은 고객불평에 어떻게 대응해야 하는가? '고객불평의 악순환'은 기업이 고객불평을 어떻게 관리해야 하는가를 단적으로 보여주는 현상이다. 예를 들어, A라는 부서에 고객불평이 많이 접수되었다고 가정하자. 그런데, 최고경영자나 관리자들은 흔히 고객불평의 빈도를 업무실적의 평가기준으로 사용한다. 따라서 고객불평이 많았던 부서에 대해 나쁜 평가를 할 뿐만 아니라 그 나쁜 실적에 대한 벌로써 그 부서에 대한 인적 · 물적 지원을 줄이게 된다. 그러면, 그 부서는 자원의 부족으로 활동상 더욱 어려움을 겪게 될 것이며 고객서비스는 악화되고 고객의 불만은 자연히 더욱 커질 것이다. 사실 이미 고객불평이 많았다는 것은 그 부서에 여러 자원이 부족했다는 것인데, 지원이 줄어들게 되니 더욱 문제가 커지는 셈이며, 불만이 증가하고 불평이 더욱 늘어나는 것은 자명한 이치이다.

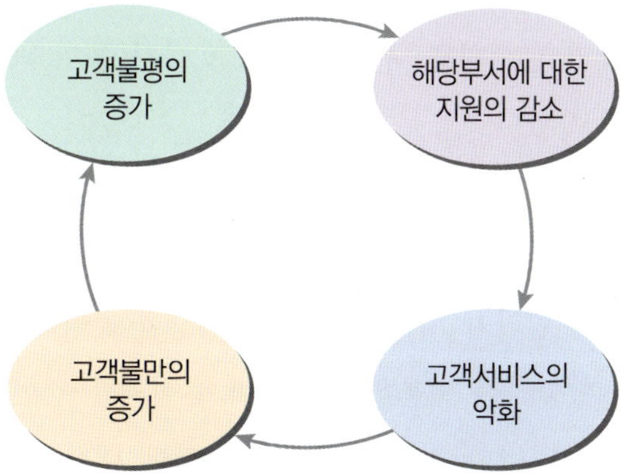

그림 7-7 | 고객불평의 악순환

그러면 이런 악순환은 어떻게 줄여야 할까? 이는 기본적으로 경영자들이 고객의 불평을 그저 귀찮은 것이나 문제로만 인식하는 태도에서 과감히 탈피하는 것에서부터 시작된다. 이런 소극적인 태도를 고치지 않는 한 고객과의 관계는 계속 악화될 것이기 때문이다. 기업의 올바른 자세는 고객불평이 많았던 부서에 오히려 물심양면으로 많은 지원을 하는 것이다. 그럴 때 비로소 고객불평의 악순환 고리는 끊어지고 근본적으로 고객이 가지고 있는 불만을 해소해 결국에는 고객불평을 줄일 수 있는 것이다. 에버랜드에는 러닝 파티(learning party)라는 제도가 있다. 한 주간 고객불평이 많이 접수된 부서를 대상으로 다과파티를 열어 함께 개선방안을 논의하는 것이다.

서비스 회복에 대한 고객의 반응 서비스 실패로 인한 문제를 해결하려는 기업의 체계적인 노력을 서비스 회복(service recovery)이라고 한다. 효과적인 서비스 회복을 위해서는 문제를 해결하기 위한 잘 고안된 절차와 화가 난 고객을 적절히 응대할 수 있는 기술이 필요하다.

여기서 서비스 회복 패러독스(service recovery paradox)라는 개념을 이해할 필요가 있다. 서비스 회복 패러독스란 서비스 실패가 발생했다가 잘 회복된 경우 애당초 실패가 없었던 경우보다도 오히려 고객만족도나 재구매율이 더 높게 나타나는 것을 의미한다. 사후처리를 잘하면 서비스 실패에 대한 불만을 효과적으로 극복할 수 있는 것은 물론 고객 로열티까지 높이는 기회가 될 수 있다는 면에서 중요하다. 그런데 안타까운 것은 서비스 회복의 기회가 주어졌는데도 불구하고 많은 기업들이 이 기회를 놓쳐버린다는 것이다. 실제로 많은 기업들이 처음에 제공하는 서비스 품질에만 초점을 맞추고 있으며 실패가 발생하면 '우유 엎지르고 나서 울어 봐야 소용없다'는 식으로 소극적 대응에 그치고 있다.

최근 연구에 따르면 서비스 회복 패러독스는 기업 간에도 발생하는 것으로 나타났다. 예를 들어, A 항공사를 이용하고 나서 B 호텔에 숙박하는 여행자를 생각해 보자. B 호텔의 서비스에 대한 평가가 A 항공사 서비스 경험에 따라 달라지는 것이다. 구체적으로 살펴보면 A 항공사를 이용하면서 서비스 실패를 경험했던 경우가 A 항공사를 이용하면서 문제가 없었던 경우에 비해 B 호텔에 대한 만족도가 더 높게 나타났다. 이전에 이용한 서비스 기업의 실패가 이후에 이용하는 기업에게는 기회로 작용하는 것이다. 한 기업의 서비스 실패를 다른 기업의 좋은 서비스로 회복하는 것이 되므로 외부 서비스 회복(external service recovery)이라고 부르고 있다. 고객이 연속적으로 서비스를 이용하는 경우가 많기 때문에 외부 서비스 회복 현상은 예상보다 빈번하게 발생할 수 있다고 보인다.

물론 서비스 회복 패러독스가 모든 상황에서 나타날 것이라고 기대하는 것은 무리이다. 우선 그 효과는 서비스 실패의 심각성에 따라 달라질 것이다. 게다가 서비스 실패가 반복해서 발생하게 된다면 이런 서비스 회복 패러독스는 나타나지 않게 된다. 고객이 회사를 한 번 용서해 줄지는 모르지만 반복된 실패는 허용하지 않는 것이다.

서비스 회복 요건 서비스는 이질성이 높고 인적 접촉이 많으므로 각 접점마다 실패의 가능성이 내재되어 있다. 그런데 실패한 서비스라 하더라도 회복조치를 잘하면 오히려 고객들이 더욱 만족하고 결과적으로 단골고객이 될 수 있는 경험으로 전환할 수 있다. 따라서 위기를 기회로 만들 수 있다는 마음으로 서비스 회복방법을 찾는 것이 중요하다. 다음은 효과적인 서비스 회복을 위한 지침이다.

① 서비스 회복기회 추적 : 불평하는 고객은 아직 그 회사에 기대하는 것이 있기 때문에 불평하는 것이다. 오히려 침묵하는 고객이 기업에겐 더 큰 위험일 수 있다. 불평을 모니터링하고 잠재적 실패 포인트를 발견하기 위해 고객의 소리를 잘 들어야 한다. **E-satisfy.com**e-Satisfy.com의 연구 결과에 의하면 한 기업에서 고객센터에 수신자 부담 전화 서비스를 실시한 결과 불평 접수가 약 두 배로 증가한 것으로 나타났다. 이런 수신자 부담 전화 서비스 이외에도 고객 건의함, 웹사이트 게시판, 고객 초청 간담회 등도 불만고객이 불평을 토로하도록 유도하는 것이며, 심지어는 화난 고객들이 그들의 불평을 터뜨릴 수 있는 비디오카메라가 설치된 부스도 있다.

② 문제가 발생한 일선 현장에서 처리 : 일선 현장에서 고객 문제를 다루는 것은 고객의 관점에서 가장 효과적인 서비스 회복이 될 수 있다. 고객들은 문제를 즉석에서 해결받기 원하기 때문이다. 수많은 불평 전화를 건 후에야 겨우 문제가 해결되는 서비스 회복은 바람직하지 못하다. 문제를 해결하는 방법으로는 환불, 교환 등이 있으며, 때로는 문제의 서비스보다 한 단계 더 업그레이드 서비스로

보상해 주거나 해당 고객에게 개별화된 맞춤 서비스를 제공하는 방법도 있다.

③ 권한위임 : 현장에서 문제를 해결하기 위해서는 일선 직원들이 서비스 실패나 고객불평에 즉시 대처할 수 있는 권한과 재량권을 가지고 있어야 한다. 효과적인 서비스 회복은 고객의 소리를 듣고, 해결책을 찾아 즉석에서 해결해야 하는데, 때로는 규정에서 벗어날 수도 있기 때문이다.

④ 신속한 해결 : 즉각 해결되지 않으면 문제는 더욱 더 큰 문제로 변하기 쉽다.

⑤ 직원 훈련과 보상 : 효과적인 서비스 회복을 위해 직원에게 실제적이고 구체적인 훈련이 필요하다. 특히 효과적인 서비스 회복을 장려하기 위해서는 직원에게 인센티브를 제공하는 시스템이 필요하다.

⑥ 경험으로부터 학습 : 일단은 서비스 실패점과 회복기회를 추적함으로써 문제 유형을 발견하되, 근본 원인 분석을 통해 문제의 원천을 발견, 프로세스를 수정하여 문제원천을 사전에 제거할 수 있으면 가장 이상적이다.

⑦ 감정이입 : 서비스 실패로 고생하는 고객에게 감정이입을 통해서 접근하는 것은 매우 중요하다. 무엇보다도 고객의 문제를 실제적으로 시정하려고 하기 전에 고객을 잘 이해하고 있다는 표현을 나타내야 한다. 감정이입이란 "고객님이 어떻게 느끼시는지 잘 알고 있습니다. 진심으로 고객님을 걱정하고 있습니다. 그리고 고객님에게 무슨 일이 일어났는지도 잘 알고 있습니다"와 같은 표현을 사용하는 것이다. 서비스가 실패하면, 먼저 고객을 상대하라. 그리고 나서 문제를 해결하라.

⑧ "고객이 항상 옳지는 않다" : 연구 결과에 의하면 서비스 실패의 40%는 고객 자신의 실수로 인한 것이라고 한다. 하지만, 이러한 상황일지라도 서비스 회복을 담당한 직원의 목적은 고객에게 책임을 묻고 잘잘못을 가리는 것이 아니라 무엇이 일어났는지를 분명하게 하고 어떻게 하면 문제를 해결할 수 있는지를 고객과 함께 고민하고 해결하는 것이다. 그리고 이러한 일이 다시 발생하지 않도록 조치를 취하는 것이다.

서비스 회복 보상의 정도 서비스 실패가 있을 때 어느 정도 보상을 하고, 어느 상황에서 사과를 하는 것으로 충분할까? 다음 질문을 고려해 보는 것이 도움이 될 것이다.

① 우리 기업의 포지셔닝은 무엇인가? : 뛰어난 서비스로 알려져 있고 품질 높은

서비스를 제공하면서 프리미엄 가격을 받는 기업이라면 고객들은 서비스 실패가 굉장히 드물 것을 기대할 것이다. 따라서 실패를 회복하기 위해서 많은 노력을 보이고 상당한 보상을 제공해야 할 것이다.

② 서비스 실패가 얼마나 심각한가? : 일반적인 지침은 '범죄에 맞는 형벌을 내려라'는 것이다. 사소한 불편함에 대해서는 큰 기대가 없을 것이고 이런 경우에는 진심 어린 사과를 하면 될 것이다. 그러나 많은 시간, 노력, 짜증과 초조함을 유발했다면 더 큰 보상을 기대할 것이다.

③ 영향을 받은 고객이 누구인가? : 단골로 이용하는 고객들이나 많이 지출하는 고객들은 더 많은 기대를 할 것이고 이들과의 관계를 유지하기 위해서 노력을 할 가치가 있다. 일회성인 고객들은 대부분 요구사항이 많지 않은 편이다. 그래서 보상은 덜 해도 되지만 공정성은 유지되어야 한다.

서비스 회복과 공정성 관리 서비스 실패가 발생하면, 고객들은 공정한 방식으로 문제가 해결되기를 바란다. 하지만 아쉽게도 많은 경우 고객들은 자신들이 의당 받아야 할 문제해결을 적절히 받지 못하고 있는 것으로 나타났다. 서비스 회복과정에서 불공정한 대우를 받았다고 생각하는 고객은 분노하고 기업에 대해 보복행동을 보일 수도 있다. 서비스 회복과정에서 고객은 다음과 같이 세 가지 차원의 공정성을 경험하게 된다.

① 절차 공정성 : 서비스 회복과정에서 나타난 기업의 정책과 규정이 공정한가를 나타내는 개념이다. 고객은 당연하게도 기업이 자신의 책임을 분명히 인식하고 서비스 회복을 실행하는 면에서 절차적으로 편리하고 신속하게 응답해 주기를 기대한다. 여기에는 시스템의 유연성과 회복과정에서 고객이 들인 노력에 대한 고려가 포함된다.

② 상호작용 공정성 : 서비스 회복을 담당하는 직원이 고객에게 보이는 태도와 행동과 관련된 공정성 개념이다. 서비스 실패에 대해서 상세하게 설명하여 주고 문제의 원인이 무엇이었는지를 정확히 파악하고 어떻게 이 문제를 해결할 것인지를 친절하게 고객에게 설명해 준다면 고객은 공정한 대우를 받았다고 느낄 것이다. 또한 이러한 직원의 회복 노력에는 직원의 진실하고 정직하며 예의 바른

태도가 포함되어야 한다.

③ 결과 공정성 : 결과 공정성이란 서비스 실패로 인해서 고객이 감수해야 했던 경제적 손실과 심리적 불편에 대해서 고객이 실제로 보상받은 것과 관련되는 개념이다. 따라서 서비스 실패에 대한 보상은 물론이거니와 고객이 서비스 회복과정에서 소모한 시간, 노력, 에너지도 포함된다.

무엇이 공정하고 좋은 서비스 회복방법인지는 문화마다 다를 수 있다. 연구에 따르면 서양에서는 서비스 실패가 기업의 통제 밖에 있는 외적 요인에 의해 발생하였고 또 기업에서 이유를 설명했다면, 고객은 실패에 대한 책임을 주변 환경과 상황에 돌린다고 한다. 즉, 서비스 실패의 원인을 서비스 제공자의 무능함과 게으름이 아닌 주변 환경으로 보는 것이다. 이런 행동은 기업과 직원에게 가는 책임과 비난을 줄이며 서비스 품질 인식을 덜 낮춘다. 하지만 동양의 경우 서비스 실패에 대한 기업의 설명은 고객들이 책임과 비난을 어디에 돌리는지에 별 영향을 못 미친다고 한다. 동양권의 고객들은 문제에 대한 빠른 해결과 진심이 담긴 사과를 통해 체면을 회복하는 방향을 선호한다. 이 고객들은 애매하고 불확실한 상황을 잘 허용하지 못하는 것이다. 따라서 문제가 해결되는 과정에서 정확히 어떤 조치가 취해지는지 등을 알려서 고객에게 이 상황을 통제하고 있다는 느낌을 주는 것이 더 효과적일 것이다.

공정성에 대해서 서양권 소비자들은 할인 같은 유형적인 보상을 받는 것을 선호한다고 한다. 미국 고객들의 경우 결과 공정성을 특히 중요하게 여기고 있으며 보상이 공정성을 복원하는 데 효과적이다. 일반적으로 서양권 소비자들이 보상을 더 단호하게 요구한다. 그에 반해 동양권 소비자들은 불확실함을 피하려는 성향이 더 높고, 개인적인 이득을 취하기보단 손실을 피하는 데 집중하는 성향이 있어서 서비스 실패 상황에서 다른 해결방안을 더 선호한다고 한다. 이들은 남들과 어울리는 것에 큰 의미를 두고 충돌이나 대치 상황을 피하려고 한다. 상호작용 공정성을 중요시 여기는 만큼 예의 바른 태도로 응대하는 것이 보상을 제시하는 것보다 더 중요하다.

연구에 따르면 동양권 소비자들은 서비스 실패나 안타까운 서비스 회복에 대해서 화를 내는 속도는 느렸지만 분노를 느끼기 시작하면 서양권 소비자들보다 더 공격적이고 강한 복수심을 보였다. 동양인들은 비언어적인 의사소통을 사용하는데, 소비자가 말하고자 하는 점은 대부분 상황이나 그 사람 안에 내면화되어 있지, 문장을 통해서 직접 전하는 점이 많지 않다. 하지만 서양권 문화에서는 의사소통이 직접적이고 대부분 말을 통해서 전달되므로 분노가 차오르는 것을 쉽게 알아볼 수 있다. 그러므로 동양권의 소비자들과 소통할 때는 고객의 얼굴 표정과 자세 같은 비언어적 요소를 살펴보아야 할 것이다.

● 서비스 보증

보증의 정의 보증(guarantees)이란 만족하지 못한 고객에게 상품을 교환해 주거나 수리를 해주는 것이다. 대부분의 기업들은 소비자가 원하는 것을 얻지 못할 때를 대비해 보증을 제공하고 있다. 자동차 회사들은 예컨대 2년, 4만 킬로미터 이내로 주행한 차의 문제에 대해서 무상으로 수리해 주고 있으며 엔진이나 브레이크의 결함 등 결정적인 문제가 있을 경우에는 새 차로 교환해 주기도 한다. 그러나 서비스의 경우에는 교환을 하거나 수리를 해주기가 매우 어렵다. 왜냐하면 서비스는 무형적이며, 일정한 시간이 지나면 소멸되기 때문이다. 따라서 서비스의 만족스런 보증을 위해서는 제품의 보증보다 좀 더 창의적인 발상을 해야 한다. 이를 위해 어떤 기업은 환불을 하고, 그렇지 않으면 추후의 서비스를 제공하는 방법을 도입하고 있다.

보증의 효익 보증제도는 마케팅 도구일 뿐만 아니라 서비스 질을 향상시키고 조직에 자극을 줄 수 있다. 효과적인 서비스 보증제도를 통해 기업이 얻을 수 있는 이익은 다음과 같다.

① 좋은 보증제도는 기업으로 하여금 고객에게 신경을 쓰게 한다.
② 효과적인 보증제도는 기업에게 뚜렷한 기준을 만들어 준다.
③ 효과적인 보증제도를 통해 고객에게서 즉각적이고 적절한 반응을 얻는다.
④ 보증제도를 통해 퍼진 정보는 지속적인 개선의 노력으로 조정될 수 있다.
⑤ 서비스 보증은 직원들의 사기와 충성도를 높이는 결과를 가져온다.
⑥ 서비스 보증은 고객들의 인식된 위험을 낮춘다.

INSIGHT

BBBK의 놀라운 서비스 보증, 모든 것은 고객과 함께!

The Original Pest Elimination Company™

"BUGS" BURGER BUG KILLERS, INC.

미국 마이애미를 거점으로 한 BBBK(Bugs Burger Bug Killers)라는 해충방제회사의 경우를 통해 보증의 중요성을 점검해 보자. 대부분의 해충방제회사들이 적정수준으로 해충을 없애주겠다고 약속하는 데 반해 BBBK사는 주요 고객인 호텔이나 식당에 대해 해충을 완전히 없애주겠다는 보증을 다음과 같이 하고 있다.

① 해충을 모두 없애기 전에는 한 푼의 요금도 받지 않을 것입니다.

② 만약 BBBK사의 서비스가 불만족스럽다고 생각하시면 12개월분의 요금을 환불해드리고 귀하가 새로이 선택한 해충방제회사의 1년치 요금도 드립니다.

③ 만약 귀사의 고객이 해충을 발견한다면 레스토랑의 경우에는 식사요금, 호텔인 경우에는 숙박요금 등을 BBBK사에서 지불하고 해당 고객에게 사과의 편지를 보내고 다음 번의 식사나 숙박요금까지 보상할 것입니다.

간단히 말해서 BBBK사의 보증은 '고객이 100% 만족하지 않으면 단 한 푼도 받지 않겠다'는 것이다. 과연 이와 같은 보증이 효과가 있었을까?

BBBK사는 경쟁사에 비해 6배에 달하는 요금인데도 불구하고 많은 지역에서 높은 시장점유율을 보이고 있다. 또한 서비스 질이 좋기 때문에 보증으로 인한 비용도 크지 않다. 예를 들어, 1986년의 경우 매출액이 3천 3백만 달러였으나 보증으로 인한 지불액은 12만 달러에 불과했다. 이와 같은 성공의 원인은 창업자인 Al Burger가 무조건 보증의 개념을 우선 내세우고 그에 맞도록 전체 조직을 바꾸어 갔다는 데서 찾을 수 있다.

대부분의 경우에는 기업에서 현재 어느 정도 수준의 서비스를 제공할 수 있는가를 판단하고 거기에 서비스 보증을 맞추는 데 반해 이 회사의 경우에는 거꾸로 이상적인 수준으로부터 출발하여 거기에 서비스 수준을 맞추고자 한 것이다.

이와 같이 놀라운 서비스를 제공하는 데 있어서, BBBK는 자사의 철저한 해충방제 솔루션의 까다로운 단계를 고객도 함께 수행할 것을 요구했다. 첫 번째 서비스 방문이 있기 전에 고객들은 엄격한 청소 규약에 동의해야 하며, 만약 동의하지 않으면 계약은 성사되지 않는다. BBBK는 매우 관대한 서비스 보증을 핵심으로 하지만, 그만큼 뛰어난 서비스를 제공하기 위해 고객의 선별적 유치에도 각별한 노력을 기울였던 것이다. 이러한 절차를 거쳐 BBBK와 계약을 맺은 고객은 기업이 제공하는 구체적인 액션 플랜에 적극적으로 협조해야 한다. 만약에 협조를 하지 않으면 벌금을 내야 하고, 지속적으로 비협조적인 태도로 일관할 경우 내쳐지게 된다. 또한 서비스 전문가들의 역할에 있어서 핵심적인 부분이라 할 수 있는 고객 훈련 측면에서도 BBBK는 남다른 원칙을 가지고 접근한다. BBBK 직원들은 그들이 제시한 프로토콜을 확실히 지키고자 하는 고객들에게는 고객이 필요로 하는 만큼의 시간을 투여한다. BBBK가 고객들에게 요구하는 것은 해충방제 사업은 물론 다른 어떤 사업에서도 전례 없는 일이었지만, 최고가 되고자 하는 고객들은 기꺼이 그 몫을 해내며 BBBK의 탁월한 서비스를 경험할 수 있었다.

자료원: http://www.bugsburger.com/index.php.

서비스 보증이 필요한 상황 서비스 보증의 가장 큰 위력은 경쟁사와는 한 차원 다른 경쟁을 할 수 있도록 하는 것이다. 보증을 통한 혁신적 서비스를 제공한다고 해서 비용만 증가하는 것이 아니다. 보증은 궁극적으로 불량서비스를 줄이게 되므로 보증에 대한 지출은 단순한 비용이 아니고 투자로 보아야 할 것이다. 시장 내 강력한 경쟁적 위치를 확보하고, 많은 시간을 허비하게 만드는 불량서비스를 줄이며, 기업의 가치를 직원들에게 재확인시킬 수 있는 수단이 보증인 것이다. 여기에 소요되는 비용은 장기적으로 보면 매출액의 증대로 보전된다.

서비스 보증은 특히 다음과 같은 상황에서 중요하다.

① 상품의 가격이 높은 경우

② 고객의 자아 이미지가 관련된 경우

③ 문제 발생 시 피해가 심각한 경우

④ 해당 산업의 전반적 품질에 대해 나쁜 이미지가 형성되어 있는 경우

⑤ 상품구매에 대해 고객의 지식이나 자신감이 적을 경우

⑥ 고객의 반복구매가 기업에 중요한 경우

⑦ 사업이 구전에 의해 영향을 많이 받는 경우

성공적인 보증의 조건 서비스의 보증은 필요하고 고객과 직원에게 긍정적인 영향을 주지만 모든 서비스 보증이 성공하는 것은 아니다. 다음과 같은 조건이 충족될 때 보증은 그 역할을 충실히 수행할 수 있을 것이다.

① 무조건적이어야 한다 : 최상의 서비스 보증은 고객만족을 무조건적으로 보장하는 것이다. 서비스 보증의 효력은 그것에 부수된 조건이 많아질수록 감소하게 된다. 깨알같이 많은 단서들이 존재하고 환불을 받기 위해서는 무수히 많은 조건과 심사를 거쳐야 되는 경우 보증의 효과는 반감된다.

② 이해하기 쉽고 설명하기 쉬워야 한다 : 보증은 단순하고 명확한 언어로 약속해야 한다. 그래야 고객이나 직원이 무엇을 기대할 수 있는가를 정확히 알게 된다. 예를 들어, '빠른 서비스'보다는 '5분 내 서비스'가 명확한 기대를 형성하는 것이다. 간단하면서도 명료한 메시지가 전달하거나 기억하기 쉽다.

③ 고객에게 중요하고 적정해야 한다 : 좋은 보증은 고객에게 중요한 측면을 다루어야 한다. WARBY PARKER 와비 파커(Warby Parker)는 온라인 안경 판매 웹사이트다. 인터넷으로 이미지만 보고 안경을 고르는 것이 어렵다는 점을 감안하여 고객에게 안경을 5개까지 무료로 배송하는 무료 시험 보증(free trial guarantee)을 제공한다. 안경의 경우 직접 써보고 얼굴의 모양과 잘 맞는지, 색이 잘 어울리는지, 무게는 가벼운지 등을 고려한 후에 고르게 된다. 온라인으로 안경을 고르지만 안경점에 갔을 때와 비슷한 경험을 제공하기 위해서 5개의 안경을 집에서 직접 써보고 결정을 할 수 있다. 무료 배송과 무료 반송을 통해 소비자에게 무료로 안경을 써보고 구매할 수 있다는 보증을 제공한다. 그리고 좋은 보증은 적정수준이어야 한다. 즉, 약속을 지키지 못했을 때 지불하는 금액이 상당 정도는 되어야 한다. 그 수준은 어느 정도이어야 하는가? 이에 대한 답은 서비스의 원가, 서비스 실패의 심각성, 고객이 공정하다고 느끼는 정도 등에 따라 달라질 것이다. 도미노피자의 경우 초창기에 '30분 이내 배달, 만약 늦으면 피자는 무료'를 보증한 적이 있었다. 그러나 고객들은

이 보증내용이 너무 지나치게 관대하다고 생각한다는 것이 발견되었다. 조금 늦었다고 해서 피자를 무료로 먹는 것에 대해 불편하게 여기는 것이었다. 그 결과 도미노피자는 보증내용을 '30분 이내 배달, 만약 늦으면 3달러 할인'으로 바꾸었고 고객들은 이를 합리적인 수준이라고 여기게 되었다. 하지만 배달원의 입장에서는 시간이 부족하여 속도 위반 등 난폭운전을 하게 되어 위험한 상황을 만들게 됐다. 결국 미국의 도미노피자는 30분 이내 배달 보증을 취소하고 피자의 질에 대한 보증만 유지하였다. 도미노피자는 빠른 배달을 보증하려고 하였지만 적정수준을 맞추지 못하고 배달 시간에 대한 보증을 미국에서는 취소하게 되었다.

④ 이용하기 편해야 한다 : 보증을 이용하기 위해서는 여러 명의 직원을 만나야 되고 서너 개의 양식을 기입해야 하고 여러 장소에 가야 되고 두세 번 전화하는 등 복잡한 절차를 거쳐야 되는 경우가 종종 있다. 그런데 이와 같이 여러 절차를 거치는 동안 불만고객은 더욱 화가 나게 될 수 있다. 따라서 복잡한 서류나 절차를 없애고 불만고객이 보증을 이용하는 데 겪는 어려움을 줄여 주어야 한다. 보증을 이용하는 데 오랫동안 기다리게 하거나 복잡한 절차를 거치도록 하면 고객에게 모욕감까지 줄 수 있다. 따라서 우수기업의 경우 즉각적인 보증을 제공하고 있다. 일단 서비스에 문제가 생긴 경우에는 신속하게 해결하는 것이 고객이나 기업에게 효율적인 것이다. 그렇게 함으로써 일선 직원들과 고객 간의 불필요한 갈등을 최소화시킬 수 있다.

⑤ 신뢰성이 있어야 한다 : 보증 자체는 잠재고객이 믿을 수 있는 것이어야 한다. '2주 내 20kg 체중 감소, 아니면 환불' 등의 보증은 많은 사람들에게 신뢰를 주지 못하고 오히려 그 서비스를 무시하게 한다. 아울러 서비스를 제공하는 직원도 신뢰할 수 있어야 한다. 얼핏 보면 BBBK사가 '해충 박멸'의 보증을 하는 것이 그 직원들에게 믿지 못할 것일 수 있다. 그러나 최고경영층의 주도 면밀한 배려와 적극적인 지원 등으로 모든 직원이 이를 믿게 되고 보증이 그저 구호로 끝나는 것이 아니라 실제로 가능하다는 생각을 하게 되었다.

관계 제고 단계

기업과 고객의 관계는 단계적으로 발전한다고 볼 수 있다.

① 예상고객(prospect) : 이 단계는 아직 기업과 첫 거래를 하지 않은 상태에서 상품 구입가능성이 높거나 스스로 정보를 요구하는 가망고객이다. 이 때는 개인적인 접촉이나, 이메일, 텔레마케팅 등을 통해 첫 거래를 성사시킬 수 있다.

② 고객(customer) : 고객 단계는 예상고객이 첫 거래를 한 이후의 단계이다. 이 단계에서 고객은 주로 금전적 인센티브로 예를 들면, 수량할인 등에 의해 재구매 동기를 갖게 된다. 이 단계에서는 구매횟수에 따른 할인쿠폰이나 마일리지 프로그램이 유효하다. 그러나 이 전략은 경쟁사가 모방하기 쉽고 고객을 뺏기기도 쉽다.

③ 단골(client) : 이 단계에서 고객은 단골로 발전한다. 고객 단계까지의 소비자들은 동일한 상품을 여러 군데의 점포에서 또는 동일한 상품을 여러 브랜드별로 구매할 수 있다. 그러나 단골 단계가 되면, 불만족이 생기지 않는 한 한 점포 또는 한 브랜드만을 이용하는 성향을 갖게 된다. 이 때 기업은 고객과 금전적인 유대 이외에 사회 심리적인 유대감을 통한 장기적인 관계를 구축할 수 있다. 고객과 고객 간의 유대관계도 단골로 발전하는 주요 동기가 된다. 따라서 기업은 관리적 측면에서 고객 간의 관계를 발전시키는 것이 좋다.

④ 옹호자(advocate) : 이 단계의 고객은 상품의 지속적 구입을 넘어 다른 사람에게

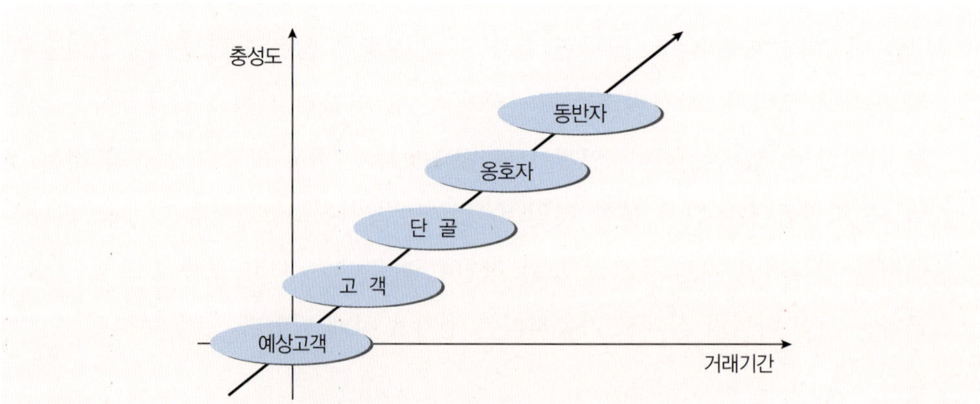

그림 7-8 | 기업-고객 간의 관계 발전 모형

적극적으로 권유하게 된다. 예를 들어, 좋은 구전을 전파함으로써 간접적인 광고효과를 발생시키기도 하고 경쟁사의 고객을 끌어 오기도 한다. 그리고 이탈하려는 고객이나 이탈한 고객을 다시 불러오기도 한다. 심지어 기업이 재무적 어려움에 빠지거나 여론의 지탄을 받는 경우가 생길 때에도 기업을 변호하고 옹호하는 역할을 하기도 한다. 유명 연예인의 팬클럽이나 할리 데이비슨의 HOG 등이 좋은 예이다.

⑤ 동반자(partner) : 동반자 단계란 기업과 고객이 함께 완전히 융합된 상태이다. 즉, 고객이 기업의 의사결정에 참여하고 함께 이익을 나누는 고도화된 단계라 할 수 있다.

● 우량고객 관리

20/80 법칙에서 가치창출에 기여하는 상위 20%의 고객을 보통 '우량고객'이라고 부른다. 이 법칙에 따르면 기업이 이익을 증대시키기 위해서는 우량고객을 찾아내 이들의 충성도를 높이는 데 우선적으로 노력을 기울여야 한다.

미국 주요 은행의 경우를 살펴보자. First Manhattan 컨설팅 그룹이 실시한 조사에 따르면 평균적으로 상위 20% 고객이 전체 매출액의 60%를 차지하며 이익의 100%를 기여하고 있는 것으로 나타났다. 반면에 하위 60% 고객은 매출액의 24%를 차지하고 있으나 이익은 오히려 잠식하고 없는 것으로 나타났다. 미국이 극심한 불황을 겪고 있던 80년대 후반에는 전체 은행 고객의 75%가 적자를 끼치는 고객이었다고 한다. AT&T의 경우에도 상위 10% 고객이 전체수익의 절반 이상을 점하고 있다.

이처럼 '고객이라고 다 같은 고객은 아니다.' 기업에게 많은 이익을 가져다 주는 고객이 있는 반면 별 도움이 안 되거나 오히려 손해를 끼치는 고객도 있다. 예를 들어, 홈쇼핑의 경우 수시로 반품을 요구하는 고객의 경우 물건을 판매해 얻는 이익보다는 주문처리, 배달, 반품 등에 드는 비용이 훨씬 클 수 있다. 통신회사의 경우에도 몇 개월씩 요금을 지불하지 않는 이용자는 기업에 손해를 미친다. 취급고 경쟁으로 치닫던 국내 광고대행사들도 IMF 위기 후 광고주들의 부도로 어려움을 겪으면서 우량고객의 중요성을 인식하게 되었다. 따라서 무조건 고객이 많으면 많을수록 좋다는 생각보다는 고객의 구성, 즉 고객 포트폴리오를 최적으로 구성하는 것이 중요하다.

이하에서는 이를 위해 다루어야 할 몇 가지 이슈들을 살펴보도록 한다.

우량고객에 대한 명확한 선별기준을 설정한다 국내 한 은행의 경우 고객 수익성 분석을 실시한 결과 재미있는 사실을 발견하게 되었다. 우량고객에 대한 기존의 인식과는 완전히 다른 결과가 나왔기 때문이다. 과거 이 은행이 우량고객으로 대우해 온 고객들은 단기 거액 수신 고객들이었는데 이익기여도에 대한 분석 결과 이들의 대부분이 실제로는 적자고객인 것으로 나타났다. 한편 과거에는 무시했던 소규모 기업이나 자영업자들이 오히려 이익기여도가 높은 것으로 나타났다. 정작 소중히 대해야 할 우량고객들은 소홀히 대한 반면 기여도가 낮은 고객은 많은 대우를 함으로써 마케팅 자원을 비효율적으로 사용한 셈이다.

이처럼 아직도 많은 기업에서는 우량고객을 선정할 때 고객들의 실질적 기여도보다는 매출액이나 거래액, 잔고규모 등 양적 지표만을 사용하고 있다. 그러나 진정한 우량고객을 가리기 위해서는 이러한 양적 지표에서 탈피하여 이익기여도에 따른 질적 평가로의 전환이 필요하다. 한편 항공사와 같은 경우 서비스가 비교적 단순하기 때문에 이익기여도를 적용하지 않고도 고객의 이용실적(탑승거리)이라는 양적 지표를 사용할 수 있다. 또한 이익기여도만으로 우량고객을 판단하기 어려운 경우가 있다. 예를 들어, 신용카드사나 보험사와 같이 리스크에 대한 고려가 중요한 업종에서는 우량고객의 선정기준으로 이익기여도뿐 아니라 리스크도 함께 고려해야 할 것이다.

이익기여도를 평가하는 경우에도 현재 시점에서의 기여도로 볼 것인가, 아니면 미래의 잠재적 기여도까지 포함시켜 볼 것인가 하는 문제가 야기된다. 이미 실현된 고객의 이익기여도를 사용하는 방식은 기준이 명확하고 보상이 직접적이라는 장점이 있으나 잠재적으로 우량성이 높은 고객을 효과적으로 관리할 수 없다는 단점이 있다. 반면 잠재적 기여도까지 고려하는 방식은 우량고객의 선정기준을 정하는 것이 어렵게 된다. 잠재적 기여도를 정의하는 것이 간단하지 않기 때문이다. 잠재적 기여도를 나타내는 변수로는 소득, 자산규모 같은 인구통계적 속성, 최근 거래일, 거래빈도, 거래기간(Recency, Frequency, Monetary value: RFM) 등의 이용속성, 로열티, 리스크 등이 있다. 고객의 잠재적 기여도는 궁극적으로 고객생애가치에 관련된 것이다.

우량고객의 규모와 관리기간 단위를 결정한다 우량고객의 규모를 너무 크게 잡으면 관리비용이 많이 든다. 반면 우량고객의 규모를 너무 작게 제한하면 전체 수익에서 우량고객이 차지하는 비중이 낮아져 우량고객 관리의 의의가 줄어든다. 따라서 여러 비용을 감안하여 관리할 우량고객의 적정 규모를 결정해야 한다. 우량고객을 어떤 기간단위로 평가하고 관리할 것인가도 중요하다. 년 단위로 고객을 평가할 것인가? 아니면 분기별로, 혹은 월 단위로 평가할 것인가? 평가기간이 짧을수록 우량고객들의 거래실적 변화를 신속히 파악하여 이탈 가능성이 있는 고객을 대상으로 효과적인 유지전략을 실행할 수 있다는 장점이 있다. 반면 기업입장에서는 관리비용이 높아지고 고객입장에서는 너무 단기간에 지위가 바뀌어 혼란스럽다는 단점이 있다. 반면 평가기간이 길어지면 관리비용이나 고객의 혼란은 줄어 들게 되지만 시장 상황 변화에 대한 신속한 대응이 어렵다. 이런 장단점을 고려하여 적정한 기간단위를 결정해야 할 것이다.

우량고객에 대한 차별적 보상 프로그램을 설계한다 우량고객의 효과적인 관리를 위해서는 고객이 가치를 느끼는 보상 프로그램을 설계해야 한다. 효과적 보상 프로그램을 설계하기 위해서는 우선 고객이 가장 선호하는 혜택이 무엇인지를 정확히 파악해야 한다. 어떠한 혜택을 제공하는 것이 효과적인가는 업종에 따라 다를 것이다. 현재 대부분의 항공사가 상용고객 우대제도를 실시하고 있다. 증권사의 경우는 우량고객을 위해 정보지의 제공, 상담을 위한 VIP룸의 설치, 개인자산의 관리 등 여러 가지 편의를 제공한다. 또 같은 우량고객이라도 고객유형에 따라 선호하는 보상 프로그램이 다를 수 있다. 따라서 여러 개의 보상 프로그램을 개발해 고객이 원하는 것을 선택하게 하는 방법도 유용하다.

효과적 보상 프로그램은 심리적 보상도 포함해야 한다. 많은 고객들이 물질적 보상 못지않게 심리적 보상을 중요시하기 때문이다. 예를 들어, sears시어즈의 SBC (Sears Best Customer)프로그램에서는 여러 차례에 걸친 조사결과 우량고객들이 단순한 경제적 보상보다는 의외로 작은 배려에 더 많은 관심을 가지고 있다는 것을 발견했다. 즉, 할인 혜택이나 무료 쿠폰보다는 수리 우선권 부여 등 서비스의 차별화에 더 높은 가치를 부여하고 있었다. 따라서 시어즈는 경제적 보상과 심리적 보상을 결합

INSIGHT

스포티파이와 빅데이터

스포티파이는 2006년에 스웨덴에서 시작되어서 2008년에 론칭한 음악 스트리밍 서비스이다. 프리미엄(freemium) 서비스 모델로 공짜로 서비스를 사용하는 유저들은 인터넷에 연결되어 있을 때 낮은 음질의 음악을 광고와 함께 들을 수 있다. 스포티파이 프리미엄(premium)에 가입된 유저는 고음질의 음악을 언제나 들을 수 있고 앱이 있는 기기에서 음악을 다운받을 수 있다. 스포티파이는 빠르게 성장하였고 구독자 수가 가장 많은 음악 스트리밍 플랫폼이 되었다.

매년 데이터를 기반으로 한 다양한 광고 캠페인을 선보이며, 2016년부터는 'global ad campaign'이라는 광고 캠페인을 진행해왔는데, 유저들이 들은 음악을 통합한 데이터를 기반으로 플랫폼 광고를 구성하는 것이다. 예를 들어서 "발렌타인데이에 'Sorry'를 42번 들으신 분, 무슨 일을 한 건가요?"와 같이 유저 데이터를 기반으로 재미있게 스포티파이를 홍보한 성공적인 캠페인이다. 매년 이어가며 연초에는 올해의 목표에 대한 캠페인을 선보이고 연말에는 '올해의 마무리'라는 기능을 사용해서 각 유저가 그 해에 몇 분의 음악을 들었는지, 들은 곡의 개수, 가장 많이 들은 아티스트와 장르 등을 알려준다. 모두 스포티파이를 사용하면서 축적된 데이터를 통해서 나온 통계이다. 이는 한 유저의 음악적 정체성을 나

Me, Also Me 캠페인

타내는 정보가 되고, 많은 유저들이 이를 자신의 소셜 미디어에 공유하면서 더 많은 사람들이 스포티파이에 대해 알게 되고 새로운 음악을 접하게 되며 음악과 정체성에 대한 대화로 이어질 수도 있다. 또한 다양한 소셜 미디어가 사용되고 있는 시대인 만큼 자기 자신을 더 구체적으로 정의하고 알리고 싶은 유저들의 심리도 이런 정보를 자동으로 제공하고 쉽게 공유할 수 있게 함으로써 충족시킬 수 있다.

최근에는 데이터를 기반으로 한 새로운 캠페인을 선보였는데 새로운 음악을 발견하는 것에 대한 스포티파이의 편재와 헌신을 강조하였다. 이 캠페인의 첫 번째 전략은 'Me, Also Me'라는 meme(짤)을 사용해서 여러 종류의 기분을 느낄 때에도 모든 감정에 대한 음악을 제공할 수 있다는 점이었다. 나는 현재 이런 감정을 느끼지만 또 이런 감정을 느끼기도 한다는 점을 두 개의 이미지가 합쳐진 짤로 보여준다. 위 사진에서의 '나'는 이별을 했지만 쌍방이었기에 괜찮다고 느끼는 반면에 또 다른 '나'는 슬픈 인디 음악을 듣고 있다는 점을 보여주면서 나 자신의 이중성을 보여준다. 자신의 기분이나 감정을 한 가지로만 정의하기 어렵다는 점에 많은 사람들이 공감을 할 텐데, 스포티파이에서는 이런 이중적인 상태에도 알맞은 음악과 플레이리스트를 찾을 수 있다는 점이 부각된다.

자료원: Billboard, "Spotify Launches New Meme-Inspired Global Ad Campaign," 2019.05.01;
Medium,"How Spotify Used Big Data for Their Global Outdoor Ad Campaign," 2018.02.23.

한 보상 프로그램을 개발하여 운영함으로써 고객유지율을 증대시킬 수 있었다.

우량고객 프로그램은 회원제형, 정보제공형, 포인트형으로 분류할 수 있다. 회원제 프로그램은 최우량 고객을 대상으로 차별화된 서비스를 제공하는 것으로 아메리칸 익스프레스의 플래티늄카드를 예로 들 수 있다. 정보제공 프로그램은 기업의 성격과 고객의 니즈에 부합하는 정보를 고객에게 제공하는 것으로 증권사의 VIP 대상 투자 정보 등이 그 예이다. 포인트 프로그램은 사용금액이나 이용실적에 따라 다양한 사은품을 제공하는 것으로 항공사의 마일리지 프로그램이나 해피포인트, 엘포인트와 같은 앱을 통해 적립하는 프로그램이 이에 해당된다.

고객에 대한 데이터를 수집하고 활용한다 고객에게 제공하는 상품이 여러 개인 경우에는 고객별 종합 기여도를 평가하기 위해 상품별 거래실적이 고객별로 통합이 가능한 데이터베이스 구축이 필요하다. 고객 DB는 개인별 거래실적뿐만 아니라 가구별 거래실적을 평가할 수 있도록 설계하는 것이 바람직하다. 이는 특히 금융기관처럼 가구단위로 관리하는 것이 적정한 경우나 우편이나 전화 등 DM의 중복비용이 발생하는 경우에 효과적이다. 대부분의 선진 금융기관들의 경우 가구단위로 고객정보 파일을 구축하고 있다. 최근 빅데이터와 사물인터넷은 고객에 대한 데이터의 수집과 활용의 새로운 지평선을 열고 있다. 고객 데이터의 활용은 사실 우량고객의 관리뿐만 아니라 관계 마케팅을 실천하는 중요한 수단이다.

관계 마케팅의 실천전략

관계 마케팅은 다양한 데이터를 바탕으로 고객에 대한 통찰력을 도출하고 고객과의 장기적인 관계를 구축하는 활동이다. 여러 가지 데이터를 잘 활용하면 고객에게 가치 있는 서비스를 시의적절하게 제공할 수 있다. 즉, '적절한 고객(Right Person)'에게 '적절한 시점(Right Time)'에 '적절한 장소(Right Place)'에서 '적절한 상품(Right Offer)'을 제공하는 것이다. 결국 관계 마케팅은 기존고객이나 잠재고객과의 관계를 장기적으로 발전시키는 것이다. 기존고객을 대상으로 한 실천전략에는 고객 활성화, 고객충성도 제고, 고객 유지, 크로스셀링, 업셀링, 맞춤형 서비스 등이 있다. 한편 잠재고객을 대상으로 한 전략에는 신규고객 확보, 휴면고객 재활성화 등이 있다.

고객 활성화 전략 고객 활성화는 고객과의 거래를 지속적으로 기록하고 구매액에 따라 인센티브를 제공함으로써 자사 상품의 구매빈도를 높이는 전략이다. 우량고객을 우대하는 것에 중점을 두는 것이 보통이다. 이 전략은 항공사, 호텔 등과 같이 고객 개개인을 상대하면서 고객의 거래기록이 업무 수행과정에서 자연스럽게 축적되는 업종에서 적극 활용되고 있다. KOREAN AIR 대한항공의 스카이팀이나 ASIANA AIRLINES 아시아나 항공의 STAR ALLIANCE THE WAY THE EARTH CONNECTS 스타 얼라이언스와 같은 마일리지 프로그램을 대표적인 예로 들 수 있다. Marriott 메리어트 호텔의 'Honored Guest Awards'라는 우량고객 우대프로그램은 고객 점수를 바탕으로 하고 있는데, 메리어트에 묵는 것은 물론 호텔 내의 시설(레스토랑이나 바)을 이용해도 점수가 가산된다. 이러한 점수가 일정 수준이 되면, 전 세계 메리어트 호텔체인 중 어느 곳에서든지 사용할 수 있는 무료 숙박권이 주어진다. 이 프로그램은 고객들이 호텔을 다시 찾아오도록 하며 호텔에 묵는 동안에는 호텔 내 시설을 이용하도록 유도하고 있다. 현재는 메리어트 본보이(Marriott Bonvoy)라는 새로운 이름으로 더욱 개선된 서비스를 제공하고 전용 앱을 통해서 모든 서비스를 접속할 수 있다.

고객충성도 제고 전략 이는 고객이 다른 기업의 상품으로 전환하는 것을 막기 위한 전략으로, 고객과의 관계를 강화하여 자사 상품에 대한 충성도를 높이는 것이 목적이다. 고객에게 물질적 혜택뿐만 아니라 심리적 혜택을 제공하여 유대강화를 통해 충성도를 제고하는 것이다. sears 시어즈는 우량고객을 대상으로 할인 등의 물질적 혜택만이 아니라 '24시간 내 서비스요청 해결 보증' 등과 같은 심리적 혜택을 제공해 충성도 제고에 성공한 바 있다.

고객 유지 전략 이는 구매 후 자신의 결정에 확신을 못 가지거나 불안감을 느끼는 고객에게 여러 가지 정보를 제공해 줌으로써 재구매를 유도하는 전략이다. 흔히 구매빈도가 낮고 지각된 위험이 커 고객들이 구매 후 인지 부조화를 겪기 쉬운 경우 많이 활용된다. GE사는 수백 개 품목과 수천 개 모델에 대한 방대한 데이터를 축적하고 고객의 어떠한 문의에도 즉각적인 처방을 제시함으로써 기존고객이 계속 자사의 고객으로 남아 있도록 유도하는 고객 유지 전략을 사용한다.

크로스셀링 전략 크로스셀링(cross-selling)은 한 상품을 구매한 고객에게 다른 상품을 추가로 판매하는 것이다. 이는 동일 상품에 대한 반복구매가 자주 일어나지 않는 경우 특히 유용할 수 있다. 메인 상품에 부가적인 상품을 함께 구매하게 하는 것도 빈번하게 사용된다. 양질의 고객 DB를 보유하고 있는 금융기관의 경우 자사의 금융상품을 보유하고 있는 고객의 특성을 분석한 다음, 가능성이 높은 고객을 대상으로 다른 금융상품을 추천하는 프로그램이 가능하다. 예를 들어, 적금가입 고객에게 신용카드 가입을 권유하는 것이다. 고객에게 다른 상품을 판매하면 추가적인 수익을 창출할 수 있고 고객생애가치도 역시 증가할 것이다. 게다가 고객이 여러 개의 상품을 이용하게 되면 고착화(lock-in) 가능성이 높아지게 된다. 예를 들어, 고객이 구글 캘린더, Gmail, 구글 닥스 등을 사용하는 경우 이탈가능성이 낮아질 것이다. 고객이 특히 관심을 가지는 상품이나 미처 생각하지 못했던 상품을 추천해 줌으로써 고객입장에서 도움이 되도록 하는 것이 관건이다. 특히 연관된 상품을 추천하는 것이 효과적으로 amazon 아마존의 추천시스템이 대표적인 예로 볼 수 있다. 아마존 추천시스템의 기반은 고객의 과거 구매 기록, 장바구니에 담겨있는 상품들, 고객이 평가하거나 좋다고 한 상품들, 그리고 다른 고객들이 최근에 보고 구매한 상품들이다. 실제로 아마존 매출 35%가 크로스셀링의 결과라고 제프 베조스 회장이 언급한 바 있다. 크로스셀링은 여러 상품라인을 보유한 기업에게 효과적인 전략이지만 그렇지 않은 기업도 각종 제휴프로그램이나 협력관계를 통해 사용할 수 있다.

업셀링 전략 업셀링(up-selling)은 기존에 이용하던 상품보다 품질이나 사이즈가 업그레이드된 상품을 판매하는 전략이다. 특정 상품 범주 내에서 고객의 구매액이 증가하고 고객생애가치도 함께 증가하게 되는 것이다. 웹사이트에서 항공권을 예약한 승객에게 "60만 원 추가로 항공좌석을 업그레이드 하시겠습니까?"라는 권유가 "편안한 여행의 시작, 항공좌석부터 업그레이드하세요"라는 메시지와 함께 유혹적일 수 있다. 통신사에서도 고객 사용 데이터에 따라 더 많은 무료통화나 데이터를 제공하는 요금제로 전환을 유도할 수 있다. 효과적인 업셀링 전략은 기업에게는 매출을 높이고 신규고객이 아니라 기존고객을 대상으로 하기 때문에 마케팅 비용을 줄여 주는 혜택을 주며, 고객에게는 업그레이드된 상품을 통해 삶의 질이 향상되는 혜택을 준다.

맞춤형 서비스 전략 전 세계적으로 빅데이터의 활용이 확대되는 가운데, 방대하고 복잡한 데이터에서 유용한 정보를 선별해 발굴하는 것이 기업의 핵심역량으로 부상하고 있다. 특히 빅데이터는 고객 개인별로 차별화된 분석을 가능케 함으로써 유용한 정보를 제공할 수 있게 한다. 따라서 빅데이터의 활용을 통한 맞춤 서비스의 제공은 고객관계 관리 차원에서 매우 의미 있는 발전이라 할 수 있다.

이러한 빅데이터 분석을 통해, 개별 상황에 대한 정확한 이해에 근거해 가장 적합한 방식과 내용으로 효과적인 메시지를 전달함으로써 서비스의 효용을 극대화할 수 있게 되었다. 즉, 다양한 경로를 통해 축적되는 고객정보로 연령, 성별 등 인구통계학적인 분류 외에 맥락 기반의 분류가 가능해졌다. 예를 들면, 위치기반서비스에 남겨진 위치정보, SNS에 올린 감정을 표현한 콘텐츠 등의 정보를 종합하여 상황에 따른 선호 경향을 파악하는 것 등이다. 이를 바탕으로 한 맞춤형 추천과 광고는 소비자를 스팸으로부터 해방시켜 주고 기업의 마케팅 효용을 증가시키는 등 사회적 비용을 경감시킨다.

신규고객 확보 전략 신규고객 확보는 자사의 상품을 구매해 본 경험이 없는 잠재고객을 자사 상품의 구매자로 유도하는 전략이다. 설문조사, 직접반응광고, 타사의 고객 데이터베이스 등을 이용해 잠재고객 리스트를 확보할 수 있을 것이다. 프로모션을 통해 관심을 가진 잠재고객들로부터의 반응을 이용하는 것도 전형적인 방법이다.

휴면고객 재활성화 전략 휴면고객 재활성화는 과거에는 우리 상품을 이용했지만 최근에 이용하지 않는 고객을 다시 고객으로 전환시키는 전략이다. 고객휴면의 이유를 분석하고 대처함으로써 과거의 고객을 현재의 고객으로 만드는 것이다. 카드회사 등도 개인정보를 활용해 휴면고객 활성화에 노력을 기울이곤 한다.

CHAPTER

08

서비스 물리적 증거관리

사옥의 변신은 무죄, 건물이 곧 브랜드

아모레퍼시픽그룹의 용산 신사옥은 브랜드 가치를 강조하고 공공성을 부여한 건축물로 평가받는다. 신사옥은 브랜드 이미지를 완벽하게 구현하고 있다. 'K뷰티'로 정의되는 여백, 조화, 아름다움이 사옥 곳곳에 녹아 있다. 백자 달항아리를 표현한 건물 외관부터 내부 공간까지 미학적, 실용적인 요소를 놓치지 않았다. 가운데 천장이 유리로 만들어져 채광이 쏟아지고 여백의 미가 느껴지는 내부는 아모레퍼시픽의 동양적 가치를 잘 나타낸다. 뷰티 브랜드의 이미지를 표현하기 위해 모든 안내판과 표지 등은 거울로 만들었다. 서경배 회장은 공공성과 연결성(connectivity)을 강조한 바 있는데, 사옥의 곳곳에 이러한 기업문화가 녹아 있다. 사옥은 지하 1층부터 3층까지는 모두 공용 문화 공간이며, 지하철 역과 이어진다. 1층에는 미술 전시 도록 전문 '오픈 라이브러리'와 미술관이 자리 잡고 있고, 2층에는 30여 개에 달하는 아모레퍼시픽 전 계열사 제품을 체험할 수 있는 체험 매장이 있다. 사무공간은 열린 소통과 직원 간의 원활한 소통을 위해 수평적이고 넓은 공간으로 이뤄져 있고, 상하 층을 자유롭게 이동할 수 있도록 건물 곳곳에 내부 계단이 있다. 또한, 어린이 90명을 수용할 수 있는 사내 어린이 집과 워킹맘을 위한 수유실은 직원들에게 큰 인기를 끌고 있다. 아모레퍼시픽은 신사옥을 통해 기업문화를 탈바꿈하고 브랜드 가치를 높이고 있다.

아모레퍼시픽 용산 사옥

물리적 환경에 기업문화가 적극 반영된 사례로 amazon 아마존의 미국 시애틀 신사옥을 빼놓을 수 없다. 혁신적 업무공간인 '더 스피어스(The Spheres)'는 아마존이 7년간 40억 달러(약 4조 2,820억 원)를 투자해 만든 '도심 속 열대우림'이다. 거대한 유리돔 3개가 연결된 모양을 하고 있는 스피어스는 최대 800명을 수용할 수 있고, 원형 내부에는 남미 등 전 세계에서 공수한 400여 종의 식물 4만 점이 자라고 있다. 가장 큰 원형 건물의 높이는 28미터에 달하며, 녹색 식물 벽이 계단을 따라 우뚝 솟아 있다. 온도와 습도를 자동 조절하는 기능도 탑재했다. 돔 내부는 섭씨 20~23도, 습도 60~65% 수준을 유지한다. 좌석 배치도 독특하다. 어떤 의자는 작은 뜰 속에 감춰져 있고, 회의실은 새 둥지처럼 생기는 등 층마다 독특한 좌석이 배치됐다. 이외에도 스피어스의 내부에는 나무로 된 회의실과 작은 강과 폭포 등 열대우림을 재현한 듯한 공간들이 자리 잡고 있다.

스피어스는 일반적인 사무실보다 식물로 가득 찬 일터가 직원들을 더 생산적이고 창의적으로 만든다는 연구를 기반으로 만들어졌다. 존 쇼틀러(John Schoettler) 아마존 부사장은 "직원들이 협력할 수 있는 독특한 만남의 장소가 필요했다"며 "스피어스는 업무에서 창의적 혁신을 이끌어 낼 수 있을 뿐 아니라 건축학적으로도 상징성이 크다"고 강조했다. 디자인을 중시하면서도 직원들의 편의와 편리를 고려한 기능적 특성도 놓치지 않는 시설을 구현함으로써, 물리적 환경을 통해 대내외적인 브랜드 이미지를 제고하고 있는 셈이다.

아마존 '스피어스(Spheres)'

자료원: 중앙시사매거진, "[글로벌 기업들의 혁신 오피스] 아모레퍼시픽," 2019.02.23;
매일경제, "서경배의 '주문'…아모레퍼시픽 신본사, 지역사회 소통 공간으로," 2018.06.14;
조선일보, "아마존이 7년간 4조 투자한 기묘한 건물," 2018.04.15.

8.1 물리적 증거란?

> 물리적 증거
> 1) 물리적 환경
> - 외부환경 : 시설의 외형, 간판 등 안내 표지판, 주차장, 주변 환경 등
> - 내부환경 : 내부 장식과 표지판, 벽의 색상, 가구, 시설물, 공기의 질/온도 등
>
> 2) 기타 유형적 요소
> - 직원 유니폼, 광고 팸플릿, 메모지, 입장 티켓, 탑승권, 영수증, 명함, 문구, 웹사이트, 사이버 공간 등

물리적 증거(physical evidence)란 서비스가 전달되어지고 서비스 조직과 고객의 상호작용이 이루어지는 환경을 말한다. 이는 무형적인 서비스를 전달하는 데 동원되는 모든 유형적 요소를 포함한다.

물리적 증거는 고객의 구매의사결정에 영향을 미친다. 또한 서비스 품질에 대한 단서로서 고객의 기대와 평가에 영향을 준다. 뿐만 아니라 이것은 서비스 직원의 태도와 생산성에 영향을 주는 요소로 작용한다. 물리적 증거는 물리적 환경(physical environment)과 기타 유형적 요소(other tangibles)로 구성된다.

물리적 환경

물리적 환경을 서비스케이프(servicescape)라고도 하는데, 이것은 경치, 풍경을 의미하는 '랜드스케이프(landscape)', 바다 경치를 의미하는 '씨스케이프(seascape)' 등에 붙이는 접미사인 스케이프(scape)를 서비스(service)와 합성한 것으로 인간이 창조한 환경을 의미한다. 물리적 환경은 외부환경과 내부환경으로 나눌 수 있다.

외부환경 외부의 물리적 환경은 특히 신규고객을 끌어들이기 위해서 중요하다. 싱가포르의 마리나 베이 샌즈 호텔(Marina Bay Sands Hotel)은 쌍용건설이 시공하여 2010년 완공된 이래로 이 도시의 랜드마크로 자리 잡았다. 57층에 달하는 3개 건물의 상층부를 거대한 배 모양으로 연결한 이 호텔은 고난이도의 설계 및 시공 기술을 요하는 혁신적인 디자인으로 주목받으며 싱가포르의 스카이라인은 물론 관광

마리나 베이 샌즈 호텔의 전경

마리나 베이 샌즈 호텔의 수영장

지형을 크게 바꾸어 놓았다는 호평을 얻었다. 특히 스카이 파크에 조성된 전망대, 정원, 수영장 등의 인프라는 다른 곳에서는 경험할 수 없는 독특하고도 이색적인 경험을 선사하고 있어 싱가포르를 방문하는 관광객들에게 꼭 한번쯤 이용하고 싶은 숙소로 각광을 받고 있다. 뉴욕의 하이라인(The High Line) 파크는 맨해튼에 버려진 폐철로에 시민들이 주도적으로 꽃과 나무를 심어 완성한 역사성과 독창성을 갖춘 공원이다. 산책로에는 구역별로 정원, 벤치 등을 배치했다. 공원 조성 이후 주변에 프랭크 게리, 장 누벨, 시게루 반 등 유명 건축가들의 빌딩과 렌조 피아노가 설계한 휘트니 미술관이 들어서고, 매년 4백만 명의 관광객들이 하이라인을 찾으면서 공원 주변은 뉴욕의 대표적인 상업지역으로 각광을 받고 있다. 뉴욕의 엠파이어스테이트 빌딩(Empire State Building)은 기념일에 따라 각각 다른 조명을 하는데, 예를 들면 크리스마스

홍콩의 야경

뉴욕 엠파이어스테이트 빌딩

시즌에는 빨강과 녹색 조명을 하고, 미국 독립기념일이나 메모리얼 데이, 프레지던트 데이에는 미국 국기의 삼색인 빨강, 하양, 파랑 조명을 하여, 건물을 훌륭한 광고물로 사용하고 있다. 또한 홍콩의 경우, '백만 불짜리 야경'을 가진 관광지로 만들어 많은 관광객들의 방문을 유도하고 있다.

시설의 외형이나 주변 환경 등의 외부환경은 서비스 기업의 차별화된 이미지를 확립하는 데 결정적인 역할을 한다. 특히 테마파크나 콘도 등 엔터테인먼트 산업의 경우 시설의 외형이 사업의 성패를 좌우한다. 또한 주차의 용이성이 음식점 선택의 주요 기준이 되기도 한다.

내부환경 내부 벽의 색상이나 장식, 의자나 책상 등의 가구, 서비스 제공에 필요한 시설물 등이 내부환경을 구성한다. 내부환경은 특히 고객과 직원의 만족과 생산성에 직결된다. 직원들이 고객의 생일에 노래하며 축하해 주는 사진이나 서비스 기업을 찾았던 유명인사들의 서명이나 사진 등은 고객으로 하여금 좋은 인상을 형성하게 하며 자신의 선택에 대한 인지부조화를 해소하게 한다. 또한 병원에 걸려 있는 의사의 학위증, 고객만족상 수상 상장 등은 고객들로 하여금 서비스 기업을 신뢰하게 만든다. 볼리비아 우유니 소금사막에 위치한 소금 호텔(Palacio De Sal)은 소금의 입자를 압출하여 만든 소금 블록 100만 개, 1만 톤의 소금으로 지어졌다. 호텔 벽, 천장, 바닥, 소파, 테이블, 가구 모두가 소금으로 되어 있다. 바닥이 전부 소금이라 조금 불편할 수 있으나 고객들은 이마저도 우유니 사막 관광의 일부로 생각하고 호텔서비스에 만족하며 재방문하고 싶어 한다.

우유니 사막의 소금 호텔

기타 유형적 요소

항공사, 자동차 정비업체, 병원 등은 직원에게 유니폼을 입도록 요구한다. 일하기에 편리하며 세련된 유니폼을 입은 직원은 자신의 일에 만족하고 고객에게도 깔끔한 이미지를 전달할 수 있다. 이러한 유니폼 외에도 기업을 알리는 광고 전단지, 운송차량, 영수증, 명함, 문구, 입장 티켓, 항공 탑승권, 식사 후 받는 계산서 등은 무형적 서비스 전달에 수반되는 유형적인 요소로 서비스의 품질이나 첫인상에 큰 영향을 미친다.

CGV의 포토티켓

FedEx 운송차량

기술이 발달하면서 기업은 스마트폰 앱이나 PC 홈페이지 등을 통해서 고객과의 접점을 찾는다. 그동안 디자이너의 주 업무가 그래픽 작업에 한정되어 있었다면, 이제는 사용자를 조사하고 데이터를 분석해 사용자의 숨겨진 의도와 니즈를 파악하는 것이 중요하다. 사용자 경험 디자인(UX-Design)을 통해 각 고객에 맞춰 그들의 서비스 경험을 최적화시키는 것이 중요하다. NETFLIX 넷플릭스는 빅데이터와 머신러닝 기술을 이용해 사용자 취향에 맞는 콘텐츠를 찾아준다. 때문에 넷플릭스의 메인 화면은 사용자별로 다르다. 1억 명의 넷플릭스 가입자가 있으면 1억 개의 넷플릭스 메인 화면이 존재하는 것이다. 또한, 넷플릭스는 고객이 시청 영상을 선택할 때 영상의 대표 이미지가 중요하다는 점을 파악해 고객별로 다른 영화 포스터를 보여준다. 예를 들면, 넷플릭스는 서로 다른 사용자에게 같은 영화 '펄프 픽션'을 추천하더라도 각 사용자가 이전에 감상한 영상 패턴에 따라 다른 포스터를 제시하는 것이다.

넷플릭스 추천 시스템(출처: 기업제공)

표 8-1 | 고객관점에서 본 물리적 증거의 예

서비스 기업	물리적 환경	기타 유형적 요소
보험회사	중요치 않음	보험증서, 보험료 청구서, 영수증, 상품 안내서 등
병원	건물의 외관, 안내 표지판, 주차장, 진료 대기실, 진료실, 회복실, 안내 데스크, 의료장비	의사, 간호사의 유니폼, 진료 차트, 진료비 명세서 등
항공사	공항라운지, 비행기의 외관, 기내 좌석과 안전벨트, 기내 엔터테인먼트 시스템, 실내 온도	탑승권, 기내 음식, 승무원 유니폼 등
화물 운송업체	중요치 않음	포장, 운송트럭, 직원 유니폼
어린이 놀이방	건물의 외관, 주차장, 놀이시설, 실내 분위기	안내문, 간식, 등록금 영수증

물리적 환경의 차원

물리적 환경은 앞에서 보았듯이 기본적으로 외부환경과 내부환경으로 분류할 수 있지만 다른 연구들에 따르면 다음과 같이 세 가지 차원–주변요소(ambient condition), 공간 배치와 기능성(spatial layout & functionality), 표지판, 상징물과 조형물(sign, symbol & artifacts)–으로 구성된다. 비록 이들은 각기 독립된 요소들이지만 사람들은 전체적으로 환경을 인식한다. 즉, 직원이나 고객은 물리적 환경의 여러 가지 요소들을 포괄적으로 인식하여 서비스의 질과 종합적 만족을 평가한다.

주변요소 주변요소(ambient condition)는 실내 온도, 조명, 소음, 음악, 냄새, 색상, 전망 등과 같은 환경의 배경적 특성들을 일컫는다. 일반적으로 주변요소는 인간의 오감에 영향을 미친다. 특히 주변요소가 극단적이거나 오랫동안 접하고 있는 경우에는 그 영향이 쉽게 인식된다. 그러나 사람들이 인식하지 못하는 경우에도 주변요소들은 무의식적으로 영향을 미친다. 이러한 주변요소는 특정한 환경에서 오랫동안 일을 하는 직원들에게 특히 중요한 영향을 미치며 소비자의 반응에도 영향을 미친다. 예를 들어, 슈퍼나 백화점에서 틀어주는 음악의 친숙성은 고객 자신들의 쇼핑시간이 얼마나 오래 걸렸는가에 대한 인식에도 영향을 미친다. 즉, 백화점의 고객들은 자신들에게 친숙하지 않은 음악을 들으면서 쇼핑할 때 쇼핑시간이 더 오래 걸리는 것처럼 느꼈다고 하였다.

공간 배치와 기능성 서비스 물리적 환경은 고객의 욕구를 충족시키기 위해 존재하기 때문에 물리적 환경의 공간 배치와 기능성은 매우 중요하다. 공간 배치(layout)는 기계나 장비, 사무기기를 배열하는 방법, 크기와 형태, 그리고 이들 간의 공간적 관계이다. 기능성(functionality)은 조직의 목적 달성과 성과 성취를 용이하게 하기 위한 위와 같은 품목들의 기능을 말한다. 공간 배치와 기능성은 특히 고객들이 직원의 도움을 못 받는 셀프서비스 환경에서 더욱 중요하다. 그러므로 무인화 기기가 성공하고 고객을 만족시키기 위해서는 기능성이 중요할 것이다. 최근 무인화 기기가 고기능화되고 있다. 은행권에 정맥, 홍채, 지문 등 바이오 생체 인증 서비스와 AI를 결합해 화상전화, 음성인식 기능까지 탑재한 '고기능 무인화 자동화 기기'가 설치되면서 편의성은 더욱 높아지고 있다. 은행들이 이러한 기기들을 영업점 밖에 배치해 고객들은 운영시간 제한없이 편리하게 서비스를 이용할 수 있다. 미국 아마존은 2018년 바코드를 찍고 계산대를 마주하는 과정이 전혀 필요 없는 무인 자동 결제 시스템 매장 amazon go 아마존 고(Amazon Go)를 오픈했다. 고객들은 아마존 고 앱에 회원가입을 하고 매장 입구에서 코드를 인식시킨 뒤 입장해 원하는 물건을 골라 나오면 된다. 아마존은 컴퓨터 비전, 딥러닝 알고리즘, 센서 융합 기술을 사용해 '저스트 워크 아웃 테크놀로지(Just Walk Out Technology)'를 개발했다. 매장 내에 있는 수백 대의 카메라가 실시간으로 고객들의 움직임과 행동을 파악해 결제 판단을 내린다. 덕분에 고객들은 빠르고 편리하게 물건을 구매할 수 있다.

또한 잘 설계된 공간 배치와 기능성은 고객과 직원 등 서비스 참여자들의 사회적 상호작용(social interaction)에 영향을 미친다. 서비스 기업은 공간의 접근 정도, 좌석의 배치, 크기 등을 관리함으로써 고객과 직원 사이 또는 고객과 고객 사이의 적절한 관계를 형성하도록 할 수 있다. 예를 들어, 세계적 휴양지인 Club Med 클럽메드는 이곳을 찾은 고객들끼리 자연스럽게 어울려 게임을 하거나 스포츠를 할 수 있도록 하였고, 직원들과 고객이 손쉽게 접촉할 수 있도록 숙박시설을 배치했다. 일본 교토의 HOTEL SHE, KYOTO 호텔 쉬(Hotel She, Kyoto)는 고객과 직원들이 상호작용을 통해 행복을 느낄 수 있는 소셜 호텔이다. 직원들에게는 고객의 얼굴과 이름을 기억하도록 교육하고 항상 고객의 이름을 불러 말을 건네는 원칙을 세웠다. 로비 라운지에는 조리기구와 식기류를 자유자재로 사용할 수 있는 공동 주방을 만들어 고객들끼리의 소통에 중점을 뒀다. 그리고, 고객들이 가장 많이 왕래하는 로비 라운지 중앙에는 큰 테이블을 배치해 자연스럽게 대화가 이뤄지도록 했다.

최근 기업들은 스마트 오피스를 도입하면서 5G, AI, IoT, VR, AR 등 첨단기술을 활용해 시공간 제약 없이 업무가 가능하도록 하고 있다. 휴대용 기기만 꽂으면 공용 컴퓨터를 개인 컴퓨터처럼 사용할 수 있는 사무자동화(office automation) 환경을 구축하고, VR과 AR 기술을 통해 현실 같은 가상회의를 구현할 수 있다. 이와 같은 공간 배치와 기능성으로 인해 직원들은 언제 어디서나 손쉽게 소통이 가능하다.

표지판, 상징물과 조형물 물리적 환경 내에 있는 많은 것들은 고객들에게 그 장소에 대해 명시적 또는 암묵적 정보를 제공한다. 특히 환경 내부와 외부에 부착된 표지판(sign)은 명시적 커뮤니케이션의 역할을 수행한다. 예를 들어, '금연'이나 '부모 동반'과 같은 행동 규칙을 알리는 수단으로서, 방향을 제시해 주는 수단으로서, 또는 기업명, 부서명을 알리는 안내로서 역할을 수행할 수 있다.

또한 상징물(symbol)이나 조형물(artifacts)을 이용하여 특정 상황에서 요구되는 행위 규범을 전달하는 암묵적인 단서들도 있다. 예를 들어, 말끔한 흰색 테이블 보와 은은한 조명을 갖춘 식당은 높은 가격과 고급 서비스를 제공하는 레스토랑이라는 상징적인 의미를 담고 있다. 반면에 카운터 서비스, 플라스틱 컵, 밝은 조명은 값이 싸고 간단한 식당을 의미한다. 마찬가지로 사무실에서 책상의 크기와 위치는 지위와 전문적인 이미지를 강화하기 위해 사용될 수 있다.

즉, 표지판, 상징물과 조형물 등은 광고처럼 첫인상을 형성하는 데 결정적인 영향을 미치고, 서비스 컨셉트를 전달하는 중요한 수단이다. 또한 이것들은 서비스를 재포지셔닝하거나 차별화하는 데 중요한 역할을 수행한다.

8.2 물리적 환경, 왜 중요한가?

물리적 증거는 물리적 환경과 기타 유형적 요소로 구성된다. 그러나 대부분의 경우 물리적 환경이 중요한 요소이기 때문에 본 장에서는 주로 물리적 환경에 초점을 맞추어 살펴보기로 한다.

한 조사에 의하면 레스토랑의 고객만족도에 가장 크게 작용한 요소 세 가지는 친절, 맛, 분위기로 나타났다. 고객들은 이제 맛과 가격뿐 아니라, 친절이나 분위기를 중요한 요소로 꼽는 것이다. 미쉐린 원스타 레스토랑 알라프리마에서는 예약 전날에 예약시간, 방문 목적, 알레르기에 대해 확인전화를 해서 물어보는 세심한 배려를 해준다. 만약 생일이나 기념일을 축하하는 식사라면 미리 확인해 마지막 코스에 초를 꽂아서 축하를 해준다. 또한, 오픈키친으로 고객들은 주방장이 요리하는 모습을 식사 처음부터 끝까지 지켜볼 수 있다. 다양한 방법을 통해 고급스러운 분위기와 섬세한 개별 맞춤 서비스를 제공하고 있다. 수제 화장품 제조업체 LUSH 러쉬(Lush)는 향이 매장 안에 은은히 퍼지도록 일부러 비누와 화장품을 포장하지 않은 채 진열하며, 미국의 시나몬롤 전문 체인점 시나본(Cinnabon)은 매장 문을 열 때마다 고소한 빵 굽는 냄새가 새어 나가게 매장 전면에 모든 오븐을 비치해 매출을 높이고 있다.

또한 백화점들도 철마다 인테리어와 상품의 진열상태를 바꾸고 있다. 백화점 내 의류매장들은 인테리어의 핵심을 그 철에 맞는 색깔에 맞추고 있으며, 현대백화점의 경우 각 층의 에스컬레이터 옆에 향수를 분사하는 기계를 설치하여 고급 백화점으로서의 이미지를 높이고 있다. 롯데백화점은 밀레니얼 고객을 유치하기 위해 빅데이터 기반의 맞춤정보와 고객후기를 활용한 고객 맞춤 서비스를 제공하는 화장품 편집숍을 운영하고 있다. 고객들은 매장 내 거울 모양의 디지털 기기를 통해 인기 상품을 검색하고 구매할 수 있으며, 이 기기는 실시간으로 판매 랭킹과 상품 위치도 안내해 준다. 상품을 찾은 고객은 무선주파수 인식(RFID) 기반의 디지털 서비스를 통해 상품 성분을 확인하고, 연관 상품도 검색할 수 있다. 현대자동차의 경우, 브랜드 체험을 위해 현대 모터스튜디오를 복합문화공간으로 운영하고 있으며, 현대카드는 디자인 라이브러리, 트래블 라이브러리, 뮤직 라이브러리, 쿠킹 라이브러리를 만들어 현대카드 소지자들에게 다양한 편의를 제공하고 있다. 이외에도 보험사들은 고객센터 공간을 안락하면서도 고급스러운 분위기로 리모델링하여 고객이 편안한 분위기에서 질 높은 서비스를 받게 한다.

현대카드 쿠킹 라이브러리

현대카드 트래블 라이브러리

애플 스토어는 휴대폰 매장에 대한 인식을 획기적으로 바꿔 놓은 곳이다. 고급호텔을 벤치마킹하며 만들어진 애플 스토어는 매장이지만 제품을 팔기 위한 공간이라기보다는 고객들의 놀이터이다. 많은 커플들이 데이트를 위한 만남의 장소로 애플 스토어를 선택하고 있다는 재미있는 취재결과도 있다. 다른

가로수길 애플 스토어

회사의 매장처럼 영업활동을 하지 않기 때문에 사람들은 휴대폰이나 기기를 마음껏 만지며 즐길 수 있다. 제품을 사든 안 사든 사람들에게 즐거운 경험을 선사하고 있는 것이다. 그런데도 놀라운 것은 매장 단위면적당 매출이 가장 높다는 사실이다.

물리적 환경의 영향

구매결정에 영향 서비스 물리적 환경 내에 있는 많은 요소들은 고객의 행위와 구매, 서비스 경험에 잠재적으로 영향을 미친다. 어떤 서비스 구매 상황에서는 분위기(atmosphere)가 상품 그 자체보다 구매결정에 더 큰 영향을 미치고, 고객의 태도와 이미지 형성에 직접적으로 영향을 미칠 수 있다. 즉, 매장의 음악, 향기, 인테리어와 머천다이징 등이 서비스 상품 자체보다 구매결정에 더 큰 영향을 미칠 수가 있다. 벨기에의 수도 브뤼셀에 있는 The Hotel. BRUSSELS 더 호텔(The Hotel)은 많은 사람들에게 사랑을 받는 4성급 호텔이다. 더 호텔은 고객 개개인의 취향을 존중하는 분위기를 중시하며, 시설에만 신경 쓰는 것이 아니라 섬세하고 수준 높은 개인 맞춤형 서비스를 제공해 고객만족도를 높이고 있다. 더 호텔은 브랜드 경험을 형성하기 위해 더 호텔의 시그니처 향기를 개발했다. 더 호텔만의 시그니처 향기를 개발하기 위해 직원들은 수십 가지의 향기를 시향하고 수정하는 긴 과정을 거쳤다. 투숙객들의 대부분이 더 호텔의 가장 큰 장점으로 깨끗한 시설, 기분 좋은 향기, 좋은 분위기를 꼽을 만큼 향기가 고객만족도에 미친 긍정적인 영향은 크다. 더 호텔의 향기는 곧 브랜드 이미지로 이어지며 방문하는 고객들에게 '기분 좋은 경험'을 선사하고 있다.

서비스의 무형성 극복 고객은 기업의 환경 내에서 서비스를 이용하기 때문에 서비스 기업의 물리적 환경은 중요한 영향력을 갖고 있다. 즉, 물리적 환경은 서비스나 그 품질에 대한 정보를 고객에게 커뮤니케이션하는 역할을 한다. 서비스는 무형적이므로 고객은 서비스 상품을 이해하거나 평가하는 데 어려움을 느끼는 것이 보통이다. 따라서 소비자는 종종 그 상품이 어떤가를 결정하는 데 도움이 될 수 있는 유형적 단서를 찾고자 한다. 이 때 서비스 제공자는 소비자의 이러한 요구에 부응하여 물리적 환경이라는 유형적 실체를 제공함으로써 소비자의 이해와 의사결정을 돕는 것이다.

이미지 형성 서비스 기업의 물리적 환경은 또한 그 기업에 대한 이미지를 형성하는 데 있어서도 매우 중요하다. 오일 교환과 광택 서비스를 제공하는 미국의 jiffylube 지피루브(Jiffy Lube)사는 직원들에게 깨끗하고 깔끔한 유니폼을 입게 하고 매장의 내부시설을 청결하게 꾸미는 등 물리적 환경을 개선하여 신속, 효율, 유능이라는 독특한 이미지를 형성할 수 있었다. SHINSEGAE 신세계백화점 본점의 경우 세계적 거장들의 작품을 전시한 조각공원을 통해 격조 높은 문화공간을 제공하고 있다. 색상, 조명, 음향, 실내공기, 온도, 공간 배치, 가구 스타일 등 서비스에 대한 고객의 인상에 영향을 미칠 수 있는 물리적 환경은 서비스에 대한 고객 감정을 형성하는 데 도움을 준다. Walgreens 월그린(Walgreen)의 경우, 화장품 매장은 기분을 젊게 하는 핑크색으로, 조제약 부문은 신뢰감을 높이는 백색, 건강식품 매장은 초록색, 헬스케어 코너는 진정 효과가 있는 파란색으로 색깔을 입힘으로써, 고객의 심리 상태와 잘 맞는 물리적 환경을 제공하고 있다. 물리적 환경의 이러한 측면이 실제로 아주 미묘한 것이기에 서비스 기업은 궁극적으로 서비스 자체에 대한 긍정적 인식을 창조하기 위하여 물리적 환경을 잘 조성해야 한다.

직원 행동에 영향 서비스 기업의 물리적 환경은 직원에게도 많은 영향을 미친다. 적절한 사무공간, 적당한 온도와 공기 등의 쾌적한 근무환경은 일에 대한 만족도에 영향을 미쳐, 직원의 생산성을 높이고, 동료 직원들과 조화롭게 지낼 수 있게 만들어 준다. 최근 기업들은 구성원들의 안정과 창의력 발산을 지원하기 위해 각종 편의 및 휴식 공간을 마련하고 있다. 특히, 밀레니얼 세대가 핵심 경제 인력으로 부상하면서, 기업에서는 이들의 특징 및 업무 스타일을 반영한 사무환경을 마련하고 있다. 밀레니얼 세대는 집단보다는 개인의 삶을 중요시하고 일을 통해 개인의 존재감을 표출하는 것을 선호한다. 많은 기업에서 사무환경의 변화를 통해 세대 간 차이로 인한 갈등을 해소하고 조직문화를 개선하고 있다. 기업들은 위계가 없는 수평적 레이아웃을 통해 수평적 조직문화에 기여하고 다양한 공간을 구성해 직원들의 자율성을 높이고 세대 간 소통의 접점을 늘려주는 허브 공간을 마련하고 있다.

아모레퍼시픽은 임직원 간 원활한 소통을 위해 사무실 내 칸막이를 없앤 개방형 책상을 설치하고 회의실은 모두 투명한 유리벽으로 구성했다. 또한, 개인 업무공간 외

아모레퍼시픽 사옥 내부

자포스(Zappos)의 라스베이거스 오피스

구성원 간 협업 시 활용하는 공용 공간을 확대하고, 집중해서 업무에 몰입할 수 있는 '워크 포커스 공간'을 만들어 업무공간을 자유롭게 선택할 수 있는 유연한 근무환경을 제공한다. 아모레퍼시픽 본사 내 어느 자리에서도 자연 채광이 들어와 직원들은 쾌적한 공간에서 근무한다. 또한 Zappos 자포스(Zappos)는 커뮤니티 조성 및 기업문화 정착과 유지를 위한 발상으로, 라스베이거스에 있는 본사의 출입문을 단 하나로 만들어 모든 직원을 한 장소로 지나가게 하였다. 또한 직원들에게 무료 점심을 제공하여, 한 공간에서 식사를 하면서 좀 더 자유롭게 서로의 의견을 제시하고 소통할 수 있는 물리적 환경을 제공하고 있다.

물리적 환경의 형태

물리적 환경의 형태는 그 대상과 복잡성에 근거하여 〈표 8-2〉와 같이 분류할 수 있다.

표 8-2 | 물리적 환경의 대상과 복잡성에 따른 서비스업체의 유형

물리적 환경의 대상	물리적 환경의 복잡성	
	복잡	단순
셀프서비스 (고객 대상)	테마파크	ATM, 티켓 자동발매기, 패스트푸드점 등
대인서비스 (고객과 직원 대상)	호텔, 병원, 레스토랑, 은행, 항공사, 학교	세탁소, 미장원 등
원격서비스 (직원 대상)	통신회사, 회계법인 대다수의 전문서비스	통신판매업체 자동 음성 메시지 서비스

물리적 환경의 대상

물리적 환경으로 인해서 영향을 받는 대상이 고객인지, 직원인지, 아니면 양쪽인지 여부에 따라 서비스업체의 유형은 달라진다.

셀프서비스 셀프서비스(self services)는 고객 스스로가 대부분의 활동을 수행하고 혹시 직원이 관여하더라도 많은 영향을 미치지 않는 것을 말한다. AI, IoT, 결제 시스템의 발달로 무인화 시스템이 패스트푸드점은 물론 식당, 은행, 호텔, 편의점, 택배 등 다양한 업종에서 도입되고 있다. 특히, 젊은 층일수록 무인 서비스에 대한 호응도가 높은 편이다. 이미 전국 곳곳에 무인 편의점이 손님을 맞이하고 패스트푸드점에 들어서면 제일 먼저 보이는 것은 직원이 있는 주문대가 아닌 무인 주문 키오스크(kiosk)이다. 강남에 위치한 한 식당은 주문은 물론 대기 손님까지 키오스크를 통해 관리하고 있다. 식당 입구에 마련된 태블릿형 키오스크에 휴대폰 번호를 입력하면 현재 내 앞에 몇 팀이 대기 중인지를 실시간으로 확인할 수 있는 링크를 메시지로 보내준다. 고객들은 매장 앞에서 기다릴 필요 없이 대기 시점에 맞춰 매장에 들어가 키오스크를 통해 스스로 음식을 주문한다. 또한, 은행은 기존 ATM기기를 한 단계 업그레이드한 고기능 무인 자동화 기기 서비스를 제공한다. 고기능 무인 자동화 기기는 신분증 스캔, 손바닥 정맥 바이오 인증, 화상상담 등을 통해 영업점 창구에서 가능한 업무를 고객이 직접 처리할 수 있게 한다. 이베이 코리아는 택배를 대신 받아주는 무인 서비스인 스마일박스를 제공 중이다. 키오스크의 소형화도 도입을 앞당기고 있다. 과거, 키오스크는 공간을 많이 차지해 설치하는 것이 어려웠지만 최근 제품은 벽걸이형, 태블릿 PC형 등으로 가격이 저렴하고 이동이 쉽다.

기업은 고객들이 편리하게 서비스를 받을 수 있도록 하거나 아니면 특정 세분시장 고객들만 이용할 수 있도록 물리적 환경을 설계하는 것이 좋다. 물리적 환경이 이렇게 조성되면 시장은 자연스럽게 세분화되고 기업의 포지셔닝도 효율적으로 이루어진다.

원격서비스 원격서비스(remote services)는 물리적 환경과 관련하여 고객의 참여가 거의 없는 경우를 말한다. 유무선 통신회사, 회계법인, 보험회사, 통신판매회사가 그러한 예로 고객들이 서비스 기업의 물리적 환경을 보지 않고도 서비스가 이루어진다. 통신서비스를 이용하는 고객들은 불만사항이나 서비스 관련 문의를 할 때 직접 회사에 방문하는 것이 아니라 전화나 인터넷을 통해 서비스를 받게 될 것이다. 따라서 이러한 상황의 물리적 환경은 서비스 직원의 니즈와 선호에 맞게 설계되어야 한다.

많은 보험회사들이 통화내용 자동분석시스템(VAS: Voice Analytics System)을 통해 고객 계약을 관리한다. VAS는 상담원과 고객과의 대화 내용을 저장하고, 이를 자연어 분석 기법으로 분석해 통화 내용의 키워드와 심리 상태를 파악하는 시스템이다. 보험회사들은 이 데이터를 실시간으로 활용해 상담원의 고객 응대를 관리하거나 추후에 고객서비스를 개선한다. VAS를 통해 보험회사는 상담횟수와 시간을 줄이고, 상담 프로세스를 개선해 비용절감뿐 아니라 고객에게 신속하고 정확한 서비스를 제공할 수 있다. 미국의 보험회사 MetLife 메트라이프는 더 월(The Wall)이라는 고객 통합정보 시스템을 구축해 고객들이 필요한 정보를 쉽게 찾을 수 있는 앱을 제공한다. 더 월 구축 이전에 고객들이 자신의 보험계약 정보를 확인하기 위해서는 직접 전화를 하고 기다려야 했다. 하지만, 더 월로 인해 메트라이프 고객들은 보험 관련 모든 정보를 신속하게 확인할 수 있게 되었고, 상담원들도 부담을 덜게 되었다. 제대로 설계된 물리적 환경은 직원의 생산성과 효율성을 증대시킬 수 있다.

대인서비스 대인서비스(interpersonal services)는 고객과 직원이 물리적 환경 안에서 같이 활동하여 서비스를 생산하는 것으로 원격서비스와 셀프서비스의 중간 형태라 하겠다. 호텔, 레스토랑, 병원, 은행 등 대부분의 서비스가 이에 속한다. 어떤 음식점은 주방에서 요리된 음식을 고객에게 제공하는 것이 아니라 셰프가 손님이 보는 앞에서 직접 고기를 불에 굽고, 양념하는 것을 마치 쇼처럼 보여주면서 고객과 접촉한다. 이 때 요리를 하는 셰프는 음식에 대해서 설명하기도 하고 고객의 관심사에 관해 대화하면서 단골고객으로 만든다. 때로는 식당의 다른 손님들과 자연스럽게 접촉하도록 유도하기도 한다. 이러한 경우 물리적 환경은 고객과 직원을 동시에 만족시키고 모두에게 편리함을 주도록 설계되어야 한다. 그러나 때로는 고객들에게 편리한 환경이 직원에게는 불편할 수도 있다. 예를 들어, 한 조사에 따르면 은행의 직원과 고객은 은행 내 시설에 대해 서로 다른 니즈를 갖고 있다고 한다.

물리적 환경의 복잡성

단순한 환경 ATM처럼 특별한 공간이나 여러 시설물이 존재하지 않는 것을 말한다. 이러한 상황에서 물리적 환경을 설계하는 것은 상대적으로 간단하다. 특히 셀프서비스이거나 원격서비스일 경우처럼 고객과 직원의 상호작용이 없는 경우 더욱 그러하다.

복잡한 환경 이와 달리 병원은 많은 진료실과 의료장비를 보유하여 다양한 기능을 수행한다. 이처럼 복잡한 상황에서는 물리적 환경을 세심하게 관리해야 기업의 목표를 달성할 수 있다. 예를 들어, 입원 병실은 환자들이 편안하게 치료를 받을 수 있도록 하는 동시에 간호사들이 효율적으로 일하도록 설계되어야 한다. 만약 환자들의 편리를 위해서 휠체어를 지나치게 많이 보유하여 간호사들의 통행을 막는다면 응급환자가 생겼을 때 대응이 늦을 수가 있다.

물리적 환경의 역할

패키지 마치 제품의 패키지처럼 서비스 물리적 환경은 본질적으로 서비스를 감싸며 내부의 것을 외부 이미지로 전달하는 역할을 한다. 제품의 패키지가 소비자의 감각적 반응에 호소하도록 고안된 것처럼 물리적 환경은 고객의 첫인상을 만들거나 고객의 기대를 설정하는 역할을 한다. 이것은 서비스의 무형성을 극복하고 서비스 내용을 시각적으로 제시하는 것이다. 특히 패키지로서의 역할은 특정한 기대와 문제해결 욕구를 갖고 있는 신규고객에게 더욱 중요하며 고유한 이미지를 형성하려는 서비스 기업에도 의미가 있다.

예를 들어, 호텔에서는 깨끗한 종이봉투에 음료수 컵을 놓아두고, 포장된 비누를 제공하며 화장실에 '청결 확인'이란 표를 붙임으로써 호텔 방이 깨끗하며 새로운 고객을 맞이할 준비가 되어 있다는 것을 보여주는 것이다. 이처럼 매장의 실내 장식, 직원의 옷차림, 영수증의 디자인 등 모든 서비스의 물리적 환경들은 유형적 단서로서 패키지의 역할을 한다.

편의 제공 물리적 환경은 환경 내에서 활동하는 사람의 성과를 돕는 역할을 한다. 여기서 사람은, 물론 고객과 직원 모두를 말한다. 초이스 호텔에서는 노년층 고객이 많아지는 추세를 발견하고 이들을 위한 객실을 특별히 마련하였다. 우체국에서도 눈이 어두운 노인을 위해 돋보기 등을 배치하였으며, 삼성서울병원의 경우 엘리베이터의 층을 표시하는 숫자 아래에 시각 장애인을 위한 점자를 추가해 놓았다.

극장들도 비좁고 불편한 기존의 좌석을 넓히고 앞사람으로 인해 시야에 방해를 받지 않도록 좌석을 설계하였다. 복합 영화관인 CGV는 일찍이 항공기의 퍼스트 클래스에서 착안한 골드클래스를 구현하여, 누워서 영화를 볼 수 있는 편안한 좌석과 전용 라운지, 영화관람 도중 음식을 먹을 수 있는 사이드 테이블 등을 마련해 관객들에게 최고의 환경을 제공한 바 있다. 또한 스타필드는 별마당 도서관을 통해 침체돼 있던 코엑스몰을 살리고 신규고객을 끌어들이고 있다. 수원KT위즈파크는 야구경기 관람객 정보와 좌석 점유율, 식음료와 상품 매출 등의 빅데이터 분석을 통해 성별, 연령별 맞춤 서비스를 제공해 질 높은 관람 서비스 환경을 조성하고 있다. 구글(Google)은 회사 내부에 다양한 음식을 파는 레스토랑이 있고, 회사 곳곳

스타필드 별마당 도서관

구글 오피스 내부

에 간식이 놓여 있으며, 회사 내부 공간 벽에 포스트잇에 아이디어를 써서 붙여놓도록 함으로써 직원들이 자유로운 분위기에서 일을 하고 휴식을 취할 수 있도록 하고 있다.

사회화 잘 갖춰진 물리적 환경은 고객과 직원으로 하여금 기대된 역할과 행동을 하도록 돕기 때문에 고객이나 직원을 사회화시키는 역할을 한다. 예를 들어, 회사에 갓 입사한 직원은 사무실 내의 자리 배치, 사무집기, 가구의 질 등을 보고 누가 부서장이고 자신의 지위는 어느 정도인지를 이해할 수 있다. 이것은 물리적 환경으로 인한 직원의 사회화라 하겠다.

물리적 환경의 설계는 고객에게 자신의 역할이 무엇인가, 어느 부분에 있어야 하는가, 어떻게 행동해야 하는가 등을 암시한다. 이것은 물리적 환경으로 인한 고객의 사회화이다. 예를 들어, 공항에서는 여행객들끼리 모여 앉아 시끄럽게 떠들지 않도록 대기실의 의자를 배치하고 있다. 또한 비행기 안에서는 안전벨트와 취침이 가능한 좌석 등을 통해 고객을 사회화한다.

차별화 물리적 환경을 통해서 기업은 경쟁자와 차별화할 수 있고, 이를 통해 의도된 고객 세분화가 가능하다. 레스토랑의 조명, 음악 등의 분위기를 보고 연인과 데이트하러 들어갈 것인가 아닌가를 판단할 수 있다.

서울 논현동에 위치한 CAPPUCCINO HOTEL 호텔 카푸치노는 나눔과 공유가치를 중시하는 밀레니얼 세대들을 위해 차별화된 서비스를 제공한다. 국내외 다양한 비영리단체들과 파트너십을 맺고 투숙객이 의도하지 않아도 자연스럽게 공유가치(Creating Shared Value)를 창출할 수 있는 프로그램을 호텔 곳곳에 배치해, 색다른 서비스 경험을 제공한다. 또한, 반려동물과 함께 투숙할 수 있는 '바크룸'을 제공하기도 한다. 반려동물들을 며칠 동안 맡길 수 있는 PETSMART 펫스마트의 펫스호텔(PetsHotel)의 경우, 기존 동물병원들과 달리 로비가 있고, 반려견들이 놀 수 있는 공간과 편안하게 잘 수

카푸치노 호텔 '바크룸'

있는 방, TV 등이 배치되어 있어 일반 반려견 위탁소보다 더 편안하고, 집 같은 분위기를 연출하고 있다.

8.3 물리적 증거관리의 전략적 이슈들

점포 내 혼잡성

혼잡성(crowding)이란?

밀도(density)가 환경의 물리적 · 공간적 측면, 즉 공간 면적당 사람의 수라고 한다면, 혼잡성(crowding)은 공간적 제한에 대한 사람들의 인식처럼 어떤 상황에 대한 사람들의 주관적 · 심리적 요소와 관련된 개념이다. 혼잡성을 생각할 때 가장 먼저 떠오르는 것은 많은 사람들, 지하철과 백화점의 인파, 제한된 공간 등일 것이다. 그러나 더 자세히 생각해 보면 혼잡성은 이보다 더 복잡한 뜻을 가지고 있다. 혼잡성이란 사람의 수나 제한된 공간과 직접적인 관련이 있는 것은 아니다. 엘리베이터 안의 10명이 혼잡하다는 식의 방법으로 야구장에서 30,000명이 혼잡하다고 할 수 있을까? 지하철에서 혼잡하다고 느낀 사람들이 파티에서도 혼잡하다고 느낄 것인가?

즉, 밀도는 혼잡성의 필요조건이지만 충분조건은 아닌 것이다. 음악회의 관객은 밀도 높은 공간에 있을지라도 혼잡하다고 인식하지 않을 수 있다. 이와 같이 높은 밀도 상황이 혼잡한 것으로 경험되기 위해서는 추가적인 개인적 · 사회적 요소가 필요하다. 즉, 환경에서 사람들 간의 경쟁과 같은 사회적 간섭, 주어진 상황에서 이동의 제한으로 인한 사회적 활동의 방해 같은 것 등이 있을 때, 혼잡성을 느끼게 된다. 이처럼 밀도는 이용 가능한 공간, 공간 내 사람의 수 등에 대한 객관적 인식인 반면 혼잡성은 공간 내 인식된 면적이 부적당하다는 주관적 평가이다.

혼잡성에 영향을 미치는 요소들

환경적 단서 기본적으로 서비스 시설 내에 있는 고객의 수를 비롯하여 시설 내의 음악이나 잡음, 무질서한 시설 등의 영향을 받는다. 즉, 소음이 심하고 시설물이 무질서하게 놓여 있다면 고객들은 더 혼잡하다고 느낀다.

구매동기 같은 수의 사람들이 모여 있더라도 구매동기가 강한 사람은 그렇지 않은 사람보다 더 혼잡하다고 생각한다. 예를 들어, 친구의 생일 선물을 구매하고자 하는 뚜렷한 목표를 가지고 백화점에 방문한 고객은 단순히 신상품을 구경하기 위해 백화점에 들른 고객보다 더 혼잡하다고 느낄 수 있다.

고객의 제약조건 서비스를 이용하려는 고객이 시간이나 위험에 대해 특별한 제약을 갖고 있다면 서비스 상황에 대해 더 혼잡하다고 느끼게 될 것이다. 약속시간을 30여 분 앞두고 생일파티에 가져갈 선물을 고르는 고객은 여유롭게 상품을 구경하는 사람들보다 같은 상황에 대해 더 혼잡하다고 생각한다.

혼잡에 대한 기대 미리 혼잡할 것이라고 기대한 고객은 상대적으로 혼잡성에 대한 불만을 덜 느낀다. 연휴기간의 극장가나 추석 전의 고속도로처럼 많은 사람들이 모일 것이라고 예상하는 경우에는 그것을 예상치 못하고 갑자기 닥친 상황보다 덜 혼잡하다고 느낀다.

혼잡성의 영향

혼잡성은 소비자의 정보처리과정에서 인식되며 소비자의 구매의사결정에 영향을 미친다. 특히 혼잡성은 구매의사결정 중 정보탐색단계에 많은 영향을 미쳐 다음 단계인 대안의 평가, 선택과 구매행동, 구매결과 등에도 차례로 영향을 미친다.

정보의 양을 제한 혼잡성은 소비자가 인식하고 처리할 수 있는 정보의 양을 제한한다. 이는 혼잡한 상황에서는 고객이 점포 내 판촉, 단위당 가격, 기타 서비스 제공과 관련한 자료, 점포 내 공간적 상징물 등에 대해 덜 몰입하게 되기 때문이다.

대인 커뮤니케이션 감소 혼잡한 상황에서 대부분의 고객은 바빠 보이는 직원에게 뭔가를 물어보고 상담하기를 꺼린다. 또는 다른 고객들끼리 대화하는 것도 싫어한다. 따라서 소비자는 내적 정보에 주로 의존하며 외적 정보의 탐색을 피한다.

구매 가능성 감소 혼잡하다고 느낀 소비자는 구매를 연기하거나 충동구매를 하지 않으며 한가한 시간을 이용하고자 한다. 여유 있게 서너 게임 정도 볼링을 치려고 했던 고객들이 혼잡한 볼링장에서는 한두 게임만 하고 나오려 할 것이다. 마찬가지로 혼잡한 백화점에 들어간 고객은 다른 쇼핑 장소로 이동하거나, 혼잡하지 않은 시간에 다시 찾아오려 할 것이다. 만일 이러한 대안적 상황이 여의치 않다면 물건을 고르는 시간을 줄이게 될 텐데, 그렇게 되면 추가구매로 이어지기 힘들뿐더러 맘에 들지 않는 물건을 쫓기는 기분으로 덜컥 구매한 후 나중에 불만을 갖게 될 수도 있다.

만족 감소 고객은 혼잡한 점포 내에서 만족을 적게 느끼며 구매한 상품에 대한 만족도 떨어지게 된다. 혼잡한 백화점에서 선택한 상품이 과연 최선의 선택이었는지 고객은 의심하게 된다. 특히 어쩔 수 없이 선택하게 된 경우에는 고객은 인지부조화를 느끼게 되어 불만을 갖게 된다.

점포 이미지에 영향 혼잡성을 경험한 소비자는 그 점포에 대해 나쁜 이미지를 갖게 될 가능성이 크다. 따라서 동일 점포에서 상품을 구매하고자 하는 의도가 감소하게 된다. 특히 혼잡한 것을 매우 싫어하는 고객들은 다시는 그 점포를 찾지 않으려 할 수도 있다. 단체 관광객이 바글거리는 호텔이나 백화점을 생각해 보라.

혼잡성 감소 전략

혼잡성은 도시화와 산업화에 따른 도시 인구 집중, 취업 주부의 증가에 따른 구매시간 집중, 대단위 아파트 단지 조성으로 인한 구매자의 집중 등과 같은 사회 환경변화의 한 현상이다. 따라서 기업은 혼잡성이라는 피할 수 없는 환경변화에 적절히 대응해야 한다. 혼잡성을 감소시키는 전략에는 혼잡성을 줄일 수 있도록 물리적 환경을 설계하려는 서비스 운영관리와 소비자들의 혼잡성에 대한 부정적인 감정을 완화시키는 고객 인식관리의 두 가지가 있다.

서비스 운영관리 혼잡성을 해소하기 위한 서비스 운영관리(operation management)는 서비스 시설의 변화나 프로세스 변화 등의 방법을 비롯해 기업이 제공하는 서비스를 관리하여 혼잡성을 감소시키는 것이다. 여기에는 시설의 재배치, 최대용량의 조절, 고객 수의 통제, 직원 수 변동 전략 등이 있다. Southwest 사우스웨스트 항공의 경우 자동 발권 시스템을 통해 창구의 혼잡성을 줄이며 효율적인 서비스를 제공한다. 스타벅스는 스마트폰 앱으로 원격 주문이 가능한 '사이렌 오더' 서비스로 주문 서비스의 상당량을 자동화했다. 모바일을 통해 음료와 음식 등을 주문, 결제해 혼잡한 시간대에도 기다림 없이 간편하게 서비스를 받을 수 있다.

일본의 스타벅스에는 혼자 커피를 즐기는 고객의 비율이 압도적이다. 하지만, 시부야, 롯폰기 등 번화가에 위치한 매장들은 다른 매장에 비해 혼잡하고 분위기가 어수선하다. 혼잡성을 해소하기 위해 스타벅스 재팬은 츠타야(Tsutaya)와 콜라보레이션을 했다. 츠타야는 일본의 대표적인 서점 브랜드 중 하나인데, 스타벅스와 츠타야는 일본의 번화가 지역에 카페와 서점을 함께 입점시켜 운영하는 시스템을 만들었다. 고객이 주문을 기다리거나 커피를 마시면서, 자유롭게 책을 가져다 볼 수도 있고 구매할 수도 있다. 매장 안에 200명의 고객이 있어도, 서점 특유의 여유 있는 공간 배치 덕분에 혼잡하다는 느낌을 거의 받지 않는다. 또한, 대부분의 사람들이 독서를 즐기다 보니 대화소리도 낮다. 이러한 시스템을 통해 스타벅스는 고객만족도와 브랜드 가치를 높이고 있다.

표 8-3 | 혼잡성 해소를 위한 서비스 운영관리

시설의 재배치	디스플레이나 가구 등을 재배치 예) 컬러 및 디자인을 고려한 의류 매장의 디스플레이
최대용량 조절	시설에 수용할 수 있는 인원을 줄임 예) 레스토랑의 테이블 수를 줄이고 테이블 간격을 넓힘
고객 수 통제	한 번에 수용하는 고객의 수를 통제 예) 테마파크나 워터파크에서 입장객 수를 제한
직원 수 조절	혼잡한 경우 직원의 수를 일시적으로 늘려 고객들에게 신속히 대응 예) 지하철이 붐비는 시간에 차량을 많이 투입하고 배차간격을 줄이는 것

고객 인식관리 고객 인식관리(perception management)는 혼잡성에 대한 고객의 인식을 변화시키는 것이다. 이를 위해 혼잡한 상황을 알리는 표지를 이용하거나 주변 요소들을 사용한다. 실내 기온이 높을 때 사람들은 더욱 혼잡하다고 생각하므로 시설 내 온도를 조절하여 쾌적하게 하는 것이 좋을 것이다.

HYUNDAI DEPARTMENT STORE 현대백화점에서는 에스컬레이터 앞에 패션쇼를 보여주는 비디오를 설치하여 고객들의 관심을 끌고 있다. 이처럼 소비자들의 주의를 환기시킬 수 있도록 벽에 흥미 있는 그림이나 대형 비디오 등을 설치하거나, 백화점 내에 고객들이 쇼핑 중에 휴식을 취할 수 있는 문화공간을 마련할 수 있다. 그리고 이동식 벽을 설치하여 하나의 공간을 몇 개로 구분할 수도 있다. 소비자들이 한 가정의 구성원 같은 일체감을 느낄 수 있도록 사람들 간의 응집력을 증가시키는 것도 혼잡성의 인식을 감소시킬 수 있다. ClubMed 클럽메드에서는 고객들이 서로 대화를 나누면서 관계를 맺어가기 좋은 환경을 만드는 데 많은 노력을 기울이고 있다.

외 관

인테리어

서비스 기업의 물리적 환경은 서비스 실패 상황에서도 소비자의 평가에 영향을 미치고 그 결과 서비스 만족에 영향을 미친다. 즉, 고객에게 제공한 서비스가 기대한 대로 이행되지 않은 경우라 할지라도 서비스 기업의 환경이 조직적이고 질서 정연한 것이었다면 고객은 서비스 실패의 원인을 다른 곳에서 찾는 경향을 보인다.

종래에는 점포의 입지, 상품의 질이나 다양성 및 가격과 같은 변수가 주로 점포 이미지에 영향을 미친다고 보았으나 이에 못지않게 점포의 물리적 환경이 많은 영향을 미친다는 것이 알려졌다. 즉, 고객들이 그들의 원래 예상보다 더 오래 점포 내에 머물지를 결정하는 등 구매와 관련된 행동을 결정할 때 점포환경에 대한 정서적 반응이 큰 영향을 미친다는 것이다. 스타필드는 깔끔한 인테리어와 쾌적한 환경을 조성하고 다양한 문화콘텐츠를 제공해 고객의 평균 체류시간을 늘리는 동시에 매출도 높이고 있다.

매장 자체뿐 아니라 매장의 주변 환경까지도 고객에게 영향을 미칠 수 있다. 맥도날드는 이미 오래 전에 자사 매장의 청소뿐 아니라 인근 도로의 쓰레기까지 제거하는 것이 중요하다는 교훈을 얻었다. 스타벅스의 경우, 유동인구가 많은 매장 주변에 1회용 컵 전용 수거함을 설치해, 고객에게 긍정적인 이미지를 심어주고 있다.

디자인 요소

두바이의 버즈 알 아랍 호텔

서비스 기업의 건물은 고객들에게 기업을 알리고, 기업이 지니고 있는 특유의 이미지를 명확하게 보여주는 수단이다. 최근에는 기능성과 심미성을 모두 갖춘 다양한 건축물들이 서비스 기업의 브랜드와 이미지를 강력하게 구축하기 위한 수단으로 사용되고 있으며, 고객들의 마음을 사로잡고 있다. 두바이의 버즈 알 아랍 호텔의 경우, 돛단배 모양의 고급스럽고 독특한 건물 디자인을 통해 7성급의 최고급 호텔이라는 인식을 고객들에게 심어주며 관광객들을 끊임없이 불러 모으고 있다. 또한 나이키 타운은 강력한 브랜드 구축을 위해 점포의 외부환경을 효과적으로 활용한 건물로, 소비자들이 건물에 들어섰을 때 숨이 막힐 정도로 수많은 나이키 제품 전 라인을 전시하고 있으며, 나이키가 후원하는 유명한 스포츠 선수들의 사진과 동상, 거대한 수족관, 마이클 조던의 사진 등으로 점포환경을 꾸며놓았다. 나이키 타운 건물 그 자체를 통해 소비자들은 브랜드를 효과적으로 느낄 수 있게 되는 것이다. 이외에도 남산N타워의 360도 회전 레스토랑과 배 모양을 한 대게 요리 전문점 등의 독특한 디자인은 고객에게 서비스 기업을 알리는 효과적인 수단으로 자리매김하고 있다.

이처럼 외관의 디자인 요소가 매우 중요한 수단이 되었지만 서비스 기업이 잊지 말아야 할 점은 '고객에게 편리한 환경'을 조성해야 한다는 사실이다. 몇몇 기업들은 건물 외관과 점포 디자인 요소의 미적 가치만 강조하다가 오히려 고객에게 불편함을 초래하는 실수를 범하기도 한다. 미국의 한 호텔의 경우 호텔의 고급스러운 분위기를 해치지 않기 위해서 어두운 기둥에 작은 금색 글씨로 연회장에서 화장실로 가는 길을 표시해놨다가 고객들의 불편을 초래하였다. 따라서 서비스 기업은 고객의 관점에서 편리한 환경인가를 면밀히 검토하며 외관의 디자인 요소를 조성해야 할 것이다.

점포 분위기

점포환경

서비스 점포환경(store environment)은 크게 외부환경과 내부환경으로 양분된다. 외부환경은 입지와 건물의 외관 등으로 이루어져 있다. 내부환경은 대체로 조명, 소음, 냄새, 배경음악, 온도, 진열, 색상 등의 점포 내 자극을 말한다. 서비스 기업은 고객이 점포에 대해 어떠한 이미지를 갖고 있는가를 고려하면서 고객에게 즐거운 환경을 제공해야 할 것이다.

점포 이미지(store image)란 특정의 점포에 대해 고객이 느끼는 바를 말하는데, 이는 고객이 오감을 통해 받아들이는 점포 관련 자극에 바탕을 둔 인식의 모든 측면을 말한다. 점포 이미지가 중요한 이유는 경쟁관계나 고객의 행동특성에 따라 이러한 점포 이미지를 기초로 하여 서비스 기업이 변화해야 하기 때문이다. 점포 분위기(store atmosphere)는 점포 이미지와 비슷하지만 고객 자신이 점포 내에서는 정확히 인식하지 못하지만 점포 내에서의 고객의 감정상태에 영향을 미칠 수 있는 영역을 포함한다.

점포환경과 관련이 있는 이러한 개념들이 중요성을 갖는 이유는 고객의 서비스 구매 행위가 대부분 고객의 정서적 반응이라는 점으로 설명이 가능한데, 점포환경이 바로 이러한 정서적 반응을 형성하는 데 많은 영향을 끼칠 수 있기 때문이다. 밀레니얼 세대는 경험을 남들과 공유하는 것을 의미있게 생각하고, 소셜 네트워크 서비스(SNS)에 공유할 수 있는 장소들을 찾아 다닌다. 최근 유명세를 타고 있는 카페들은 독특한 인테리어와 소품으로 공간을 개성 있게 꾸며, 사진을 찍으면 특이하고 분위기 좋은 장면이 연출돼 다른 카페들과 차별화된 이미지를 심어주고 있다. 이러한 예쁜 사진이 소셜 네트워크 서비스를 통해 많이 공유되면서 고객이 늘고 매출이 증가한다.

점포 내 자극

가속화되는 경쟁과 평가가 쉽지 않다는 서비스의 특징을 감안할 때 점포 내 자극(in-store stimuli)은 매우 중요하다. 점포 내 자극을 구성하는 항목은 매우 다양하나 여기서는 색상, 향기, 배경음악을 중심으로 살펴본다.

색상 색상은 점포 내에서 고객들의 인식에 중요한 영향을 미치는 것으로 알려져 있다. 즉, 노랑, 빨강, 오렌지 등의 따뜻한 색상은 쇼윈도나 입구에 적절한 색으로 충동구매를 자극하지만, 고객에게 불쾌한 기분을 유발함으로써 쇼핑을 빨리 끝나게 할 수 있다. 반면 파랑, 초록, 보라 등 차가운 색상은 반대의 효과를 나타낸다. 점포 내 조명의 강도 또한 고객의 행동에 영향을 주는 것으로 나타났다. 따라서 점포가 지향하는 분위기와 컨셉트에 따라 조명을 달리 해주는 것도 중요한 점포 전략이 될 수 있겠다. 일례로 레스토랑의 경우 조명이 강할수록 식사시간이 단축되는 것으로 밝혀져, 패스트푸드점인 경우에는 강한 조명을 사용하는 것이 전략적으로 유리하다고 볼 수 있다. 그러나 고급 레스토랑과 같이 고객이 오랫동안 머물기를 원한다면 은은한 조명을 사용하는 것이 좋은 전략이 될 것이다.

향기 점포 내의 향기도 고객의 행동에 영향을 주는 것으로 드러났다. 향기는 분위기, 느낌, 평가, 구매 의도와 점포 내 행동 등에 영향을 미칠 수 있다. 향기란 저마다의 독특한 특성을 지니며 특정한 정서적 · 생리적 · 행동적 반응을 가져오는 것으로 알려져 있다. 또한 음악과 향기가 조화를 이룰수록 만족도가 더 높아지는 것으로 나타났다. 즉, 고객의 각성 수준(arousal level)을 낮게(높게) 자극하는 향과 각성 수준을 낮게(높게) 자극하는 음악을 함께 제시할 때 만족도가 높아진다고 한다.

배경음악 서비스 환경 하에서 음악은 고객의 인식과 행동에 강력한 영향을 미친다. 사람들은 자발적이든 비자발적이든 음악의 템포에 맞춰서 자신의 행동을 적응시킨다는 사실이 많은 연구들에서 밝혀지고 있다. 대형마트들은 매장 선곡을 통해 소비자의 기분을 조절하고 매출을 증가시킨다. emart 이마트는 성수동에 국내 최고 수준으로 스튜디오를 만들고 유명 작곡가와 계약해 매장에 틀 음악을 따로 제작하고 있다. 이마트는 직접 제작, 녹음한 음원 '삼겹살 송', '복날송', '그린송', '피코크송' 등을 주요 이벤트마다 바꿔 튼다. 롯데마트 롯데마트는 다양한 음악을 시간대별로 돌려가며 튼다. 오전에는 활기찬 느낌의 노래를, 오후에는 잠을 깨게 하는 신나는 노래를, 저녁 시간에는 응원가와 비슷한 노래를 송출한다. 백화점의 경우 식당가는 회전율을 높이기 위한 최신 가요를, 명품관은 고급스러운 재즈음악, 문화센터와 지하 주차장에는 차분한 클래식을 송출한다. 이러한 경험의 차별화를 통해서 재방문을 유도하고 기업 이미지 상승효과를 누릴 수 있다.

배경음악 템포의 효과는 여러 학자들에 의해 조사되었는데, 슈퍼마켓에서 배경음악이 없는 상황, 느린 템포의 배경음악, 빠른 템포의 배경음악 등 세 가지로 실험을 한 결과, 점포 내 고객의 흐름은 느린 템포의 경우가 가장 느렸지만 매출액은 가장 높았다. 그런데 재미있는 사실은 정작

INSIGHT

스타벅스 – 디지털 트랜스포메이션

스타벅스는 디지털 및 매장경험을 한 단계 업그레이드시키는 뉴리테일(New Retail)전략을 추진하고 있다. 2009년 모바일 앱을 출시해 인앱결제를 도입하고, 2013년 업계 최초로 매장을 방문하지 않더라도 모바일로 간편하게 주문, 결제할 수 있는 스마트 주문 시스템인 '사이렌 오더'를 도입했다. 모바일 앱에 선불로 돈을 충전해 놓고, 원하는 음료를 사전에 주문할 수 있는 시스템이다. 사이렌 오더를 통해 매장 방문 전에 주문과 결제가 가능해 혼잡한 시간대에 대기시간을 줄일 뿐만 아니라, 음료가 준비되는 과정을 실시간으로 확인할 수 있다. 현재 한국 내 스타벅스 모바일 앱을 사용하는 고객은 500만 명이 넘으며 하루 평균 11만 건의 주문이 모바일 앱을 통해 이뤄지고 있다.

스타벅스는 이렇게 발생하는 데이터를 수집하고 분석해 데이터 기반의 개인화 서비스를 제공하고 있다. 미국 스타벅스의 CTO 제리 마틴–플릭잉거(Gerri Martin–Flickinger)는 "매주 9천만 건씩 발생하는 주문을 통해 누가 어디서 언제 커피를 주문하는지 알 수 있고, 이렇게 수집한 빅데이터를 날씨, 로케이션 등 상황 데이터(contextual data)와 조합하여 보다 나은 고객서비스와 경험을 제공할 수 있다"고 말한다. 또한, 스타벅스는 인공지능 채팅 봇 등의 새로운 기술을 도입해 고객과의 접점을 더욱 확대하려는 노력을 하고 있다. 매장 밖에서의 선 주문 및 결제기능과 개인화 추천 서비스 외에도 아마존의 음성인식 서비스인 '알렉사'를 활용한 음성 주문 서비스 등의 편의 기능을 지속 업그레이드하고 있다.

한국 스타벅스는 자체 빅데이터 분석과 '마이 스타벅스 리뷰' 설문을 통해 드라이브 스루 대기시간 단축 및 결제 편리성에 대한 고객 의견을 반영해 '마이 DT 패스'를 개발했다. 차량 정보를 사전에 등록하면 드라이브 스루 매장 진입 시 자동으로 인식하고, 별도의 과정없이 자동 결제가 이뤄진다. 고객들은

스타벅스 사이렌 오더 영상

YouTube
www.youtube.com/watch?v=T9x16By_xD0&feature=youtu.be

제 목 _ 새로워진 사이렌 오더 사용법
검색어 _Starbucks Korea, 사이렌 오더, 스타벅스

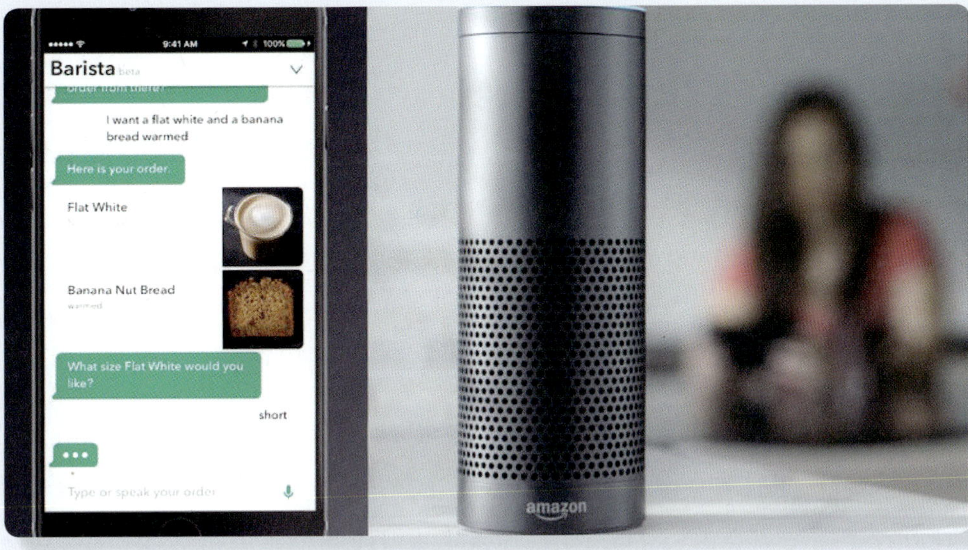

차량 정보 등록 이후 사이렌 오더로 주문 시 대기시간을 더욱 단축할 수 있다.

스타벅스는 다양한 내외부 데이터를 활용한 개인화 서비스 외에도 매장 입지 분석과 디자인에도 디지털 기술을 활용하고 있다. 상업 지구와의 거리, 인구통계 정보, 일일 교통량, 대중교통수단 등의 빅데이터를 분석하여 매장의 입지를 선정하는 데 활용하는 매장 개발 앱 아틀라스(Atlas)를 구축했다. 이 시스템을 통해 기존 매장의 실적에 영향을 미친 다양한 요소를 파악하고 새 매장의 입지를 선정하는 데 참고한다. 또한, 매장위치에 따른 고객행동 빅데이터를 분석하여 맞춤형 매장을 개발 중이다. 미국 뉴저지 글렌리지(Glenridge)에서 실시한 고객 인사이트 마이닝(Customer insights-mining)을 기반으로 시간대에 따라 매장을 방문하는 고객 유형과 고객별 매장 이용방식이 다르다는 것을 파악했다. 편리함, 편안함, 연결에 중점을 두고 오전에는 매장 주문의 편의성을 강화하고 오후에는 여유롭고 편안하게 매장을 즐길 수 있는 형태로 매장을 개선하였다. 스타벅스는 앞으로도 계속 맞춤형 매장디자인을 진행할 예정이다.

자료원: 디지털데일리, "스타벅스 '디지털 혁신' 뒤엔 클라우드, AI, 블록체인," 2019.05.15;
한국경제, "스타벅스가 커피값 안 올린 비결 사이렌 오더," 2019.04.11.

고객들은 자신들이 들은 음악을 구분하지 못했다는 점이다. 그리고 백화점 쇼핑객의 경우 느린 음악이 나올 때 평소보다 천천히 걷고 충동구매를 하는 빈도가 늘어나며, 낯선 음악이 나올 때 점포에서 보내는 시간이 늘어나는 것으로 나타났다. 이러한 결과로서 음식점의 경우 두 가지의 대안을 고려할 수 있을 것이다. 고객의 회전율을 높여 이익을 극대화할 수 있는 빠른 템포의 음악을 들려주는 것이 그 하나이고, 다른 하나는 느린 음악을 제공하여 편안한 분위기를 조성함으로써 단골고객을 만드는 것이다. 따라서 패스트푸드 식당의 경우 템포가 빠른 배경음악을, 고급 레스토랑에서는 느린 음악을 이용할 수 있을 것이다.

배경음악은 고객의 만족도를 높이거나 또는 불량고객들의 행동을 자제시키기 위해서도 사용된다. 병원의 수술 대기실에서는 편안한 음악을 틀어줌으로써 환자들의 스트레스 수준을 낮춰주고 있으며, 점포 내에서 경쾌한 음악을 틀어서 직원들에 대한 고객의 인식과 태도를 증진시킴으로써 고객들의 만족도 상승을 꾀하고 있다. 반면 영국에서는 불량고객들로 인한 피해를 줄이기 위해서 그들이 선호하지 않는 클래식 음악을 틀어놓는다. 특히 런던 지하철 시스템(London Underground System)은 범죄를 방지하고 공공기물을 파손하는 행위를 감소시키기 위해서 역에서 모차르트와 하이든의 클래식 음악을 적극 활용하고 있다.

가상 물리적 환경(Virtual Servicescape)

웹페이지 및 가상적인 서비스 투어는 고객들이 인터넷을 통해 서비스를 이해하고 미리 체험할 수 있게 해주며, VR, AR 기술의 발달로 인해 과거에는 불가능했었던 수준의 체험을 제공해 주고 있다. 가상 물리적 환경(virtual servicescape)을 활용하고 있는 사례를 몇 가지 산업에 걸쳐 살펴보도록 하자.

여행 여행지를 정하거나 예약하기 전에, 목적지에 대한 사전 답사는 물론이거니와 호텔과 룸 컨디션, 여행지의 자연 환경을 미리 볼 수 있고, 현지의 이벤트를 '경험'해 보는 것까지도 가능해졌다. 여행자들은 호텔, B&B, 에어비앤비, 그리고 다양한 숙박시설들에 대한 정보를 웹사이트를 통해 볼 수 있으며, 그로부터 얻는 시설의 외관 및 룸에 대한 정보는 숙박시설을 고르는 데 있어 큰 도움이 될 수 있다. 또한 국립공원을 여행할 계획을 세우면서, 여행자는 공원에 대한 시청각 자료와 공원 내의 다양한 투어 프로그램에 대해서 사전에 볼 수 있다. 미국 옐로스톤 국립공원 사이트(www.yellowstone.net/onlinetours/)에서는 공원의 유명한 간헐천 소리를 들으며 공원을 미리 둘러보는 비디오 투어가 가능하다. 여행자들이 많은 관광지들 중에서 어디를 갈지 미리 선택하고 동선을 계획할 수 있도록 도와주는 상세 지도까지도 포함되어 있다.

스포츠와 레저 스포츠와 레저 산업에서도 가상 물리적 환경을 활용한 마케팅이 활발하다. 전 세계적으로 가장 충성스런 팬을 보유하고 있는 것으로 알려진 NASCAR가 대표적인 사례가 될 수 있겠다. NASCAR는 미국 내 대표적인 자동차 경주대회로 현재 7천 5백만 명이 넘는 팬을 보유하고 있으며, 이들은 흥분으로 가득 찬 분위기를 직접 경험하기 위해 경기장을 찾는다. 사람들은 눈앞에서 펼쳐지는 엄청난 속도의 레이스가 빚어내는 뿌연 영상과 굉음에 열광하며 우승자를 예측하는 데 열을 올린다. NASCAR는 현장에서의 이러한 생생한 경험이 부족하기라도 하다는 듯, 팬들이 가상의 서비스 환경에서 이러한 경험을 할 수 있도록 다양한 기회를 제공하고 있다. 라이브 비디오는 관중들로 하여금 운전자들 간의 라디오 채팅을 들을 수 있게 하고, 조종석에서 보는 것과 같은 시야를 제공하며, 사고까지도 관찰할 수 있도록 한다.

한국 야구 구단들은 '스마트 경기장' 조성 사업을 추진하고 있다. '스마트 경기장'은 정보통신기술 기반의 다시점 중계와 실시간 경기 기록 등 다양한 정보서비스를 제공해 관람 스포츠 환경을 첨단화하는 것을 말한다. 창원 NC파크마산구장은 대형 전광판에 타구의 비거리, 공의 추적 정보 등 분석 데이터를 서비스하고 각 선수별 통계치를 실시간으로 송출해 관람객에게 재미를 선사한다. 또한, AR 기술과 위치정보기술을 활용해 팬들의 메시지와 응원 영상을 전광판에 구현한다.

리테일 빌드어베어 워크숍(Build-A-Bear-Workshop) 매장은 아이들이 직접 인형을 만들어 이름을 짓고 출생증명서까지 받을 수 있도록 수십 가지 인형, 수백 가지

INSIGHT

메이요 클리닉 병원 (Mayo Clinic Hospital)의 환자 중심 힐링 환경

메이요 클리닉(Mayo Clinic)은 미국에서 가장 잘 알려진 헬스케어 브랜드로서, 100년의 역사를 이어오는 동안 미국 내 미네소타, 플로리다, 아리조나의 세 지역에 걸쳐 클리닉을 운영해 왔다. 그 중에서도 특히 1998년에 아리조나에 개원한 메이요 클리닉 병원은 210에이커 부지의 5층 건물에 178개의 입원실을 보유하였으며, 250명 이상의 의사와 950명 이상의 간호사 및 기술 지원 스태프들은 물론, 300여 명의 자원봉사자들까지 갖추고 있다. 이 병원은 65가지의 의료 및 수술에 대해 전문성을 가지고 입원 환자를 치료하며, 응급 환자 센터 또한 갖추고 있다.

가장 특이할 점은 바로 병원의 모든 시설이 환자, 의사, 스태프, 그리고 방문객들의 니즈를 최대한 고려하여 디자인되었다는 점에 있다. 병원은 이른바 환자의 니즈에 초점을 맞춘 '힐링 환경(healing environment)'을 제공하고 이 목표 달성을 극대화할 수 있는 방면으로 설계되었다. 이 병원이 어떠한 물리적 환경을 제공함으로써 고객의 이익과 만족을 극대화하였는지 살펴보도록 하자.

아트리움을 연상시키는 입구 환자와 여타 방문객들이 메이요 병원에 들어설 때, 그들은 마치 럭셔리한 호텔 로비를 연상케 하는 5층의 아트리움을 마주하게 된다. 로비에는 그랜드 피아노가 있고, 자원봉사자들은 아름답고 편안함을 주는 노래를 종일 연주한다. 풍성한 식물들은 자연의 느낌을 더하는 것은 물론 환영의 분위기를 선사한다. 방문객들은 들어서면서 아트리움을 가로지르자마자 있는 엘리베이터를 볼 수 있으므로, 어디로 가야 하는지 망설일 필요가 없다.

환자와 방문객 서비스가 하나로 환자와 그 가족들이 원하는 모든 서비스, 즉 안내 데스크, 식당, 채플, 환자 수속, 기프트샵 등이 아트리움 근처에 배치되어 있어 쉽게 눈에 띄고 접근성이 좋다. 로비는 조용하고 평온한 분위기로 가득하며, 모든 디자인적 요소들이 스트레스를 경감시키고 안정과 건강을 촉진하도록 설계되어 있다.

환자의 니즈와 기분을 고려하여 설계된 방 입원실로 가기 위해 엘리베이터를 내리면, 사람들은 마주치는 환경을 보고 다시금 안정과 평온을 느끼게 된다. 문을 열면, 환자와 손님은 사막과 산으로 둘러싸인 병원 근처의 경관이 바라보이는 5층 벽의 유리창을 마주하게 된다. 병원 복도에는 입원실로 가는 방향이 잘 표기되어 있고, 간호사들은 모든 입원실로부터 20걸음 이내에 대기하고 있다. 이 병원의

간호사와 간병인들은 다른 병원에서처럼 끊임없는 안내가 이어지는 페이징 시스템을 이용하는 것이 아니라 휴대전화로 소통한다.

입원실은 그 자체로도 흥미로운 특징들을 갖고 있는데, 어떤 것은 환자들에 의해 디자인된 것도 있다. 일례로 환자들이 카드, 꽃이나 다른 개인적인 소품을 놓아둘 수 있는 다층선반이 놓여 있는 구역도 있고, 방마다 접이식 쿠션 간이침대가 있어 가족들이 낮잠을 자거나 밤에 쉴 수 있는 공간 또한 마련되어 있다. 방문객들에게 어서 떠나도록 눈치 주는 일도 결코 없다. 입원실 내부는 환자들이 침대에서 무엇을 보게 되는가를 고려하여 배치되곤 하는데, 예를 들어 대부분의 시간을 누워 지내는 환자들이 가장 많이 보게 될 천장에 창문을 설치한다든지, 환자 발치의 벽에 중요한 정보를 적어놓은 화이트보드를 놓아둔다든지 하는 것들이다.

협업 부서의 인접성 이 병원의 또 다른 재미있는 특징은 협업하는 부서들끼리 원활한 소통이 가능하고 이동 시간을 줄일 수 있도록 서로 매우 가까운 곳에 위치하였다는 점이다. 이러한 중요한 특징은 환자를 돌보는 사람들로 하여금 피로도를 줄이고 환자와 더 많은 시간을 함께 보낼 수 있게 해준다.

환자 케어시간의 최대화 환자의 회복에 있어서 중요한 요소는 간호사의 케어이다. 메이요 클리닉의 디자인 특징은 간호사의 케어 수준을 극대화한다. 입원실 내에 있는 화이트보드는 원활한 커뮤니케이션을 가능하게 하며, 의약품 및 관련 부서와의 접근성은 간호사로 하여금 환자와 가능한 많은 시간을 보낼 수 있도록 도와준다.

결국 메이요 클리닉은 병원의 주요 목표인 '환자의 힐링'에 가장 효과적인 서비스케이프를 디자인했다. 내/외부고객의 소리를 반영하여, 환자와 방문객, 의사, 간호사, 그리고 다른 직원들의 웰빙까지 극대화할 수 있는 환경을 제공한 것이다.

롯데홈쇼핑 'AR View'

옷, 액세서리, 그리고 친절히 아이들을 맞이하는 베어빌더들이 있는 넓은 실내 공간이다. 이처럼 빌드어베어 워크숍에서 매장은 경험을 만들어내는 중요한 역할을 한다고 볼 수 있는데, 빌드어베어 워크숍의 웹사이트에서는 매장이 어떻게 생겼는지, 테디베어를 만드는 과정을 차례차례 보여주는 가상 방문(virtual visit) 서비스를 제공함으로써 서비스를 보다 구체적으로, 생생하게 파악할 수 있도록 하고 있다.

롯데홈쇼핑은 AR 기술을 활용해 가구 등 부피가 큰 상품을 가상으로 배치할 수 있는 서비스인 'AR View'를 도입했다. 이 서비스를 통해 고객들은 실제 원하는 위치에 구매하고자 하는 상품을 가상으로 배치해 보는 체험을 할 수 있다. 가구를 놓고자 하는 공간과 상품이 휴대폰 화면에 동시에 보이며, 고객들은 원하는 위치에 상품을 배치해 전체적인 조화를 파악하고 360도 회전으로 상세한 상품 확인도 할 수 있다.

Kimberly-Clark 킴벌리-클라크(Kimberly-Clark)는 소매업체 파트너들과 협력해 고객들에게 AR 게임 서비스를 제공하고 있다. 부모가 쇼핑하는 동안 아이들은 매장 통로에 위치한 안내 및 정보 신호판에 표시되는 캐릭터를 찾는 게임이다. 고객들은 쇼핑을 하기 전에 매장 직원의 안내를 받아 AR 게임을 즐길 수 있는 앱을 다운로드 받는다. 부모들에게는 마음 놓고 쇼핑을 할 수 있는, 아이들에게는 브랜드 이미지를 강화할 수 있는 기회다.

교육 오늘날 많은 대학들은 물리적 환경을 사전에 확인해볼 수 있도록 가상 캠퍼스 투어를 제공한다. 교육과정, 기숙, 학생 생활, 운동, 캠퍼스, 커뮤니티 등을 포함한 대학의 다양한 측면의 정보를 알아볼 수 있는 효과적인 가상 투어 프로그램을 학교 사이트를 통해 제공하는 것이다. 따라서 학생과 학부모들은 이 투어 프로그램의 안내를 따라가면서 사진과 영상, 각종 정보들을 탐색할 수 있고, 따라서 굳이 학교를 방문하지 않고서도 필요한 많은 정보를 얻을 수 있게 되었다.

FARMERS INSURANCE 파머스 보험(Farmers Insurance Group)은 VR 기술을 직원 교육에 활용한다. 직원들은 VR 헤드셋을 착용하고 피해 차량과 집의 가상 모형을 돌며 피해를 확인한다. 파머스 보험은 총 500가지가 넘는 피해 상황을 조합해 직원 교육에 활용하고 있으며, 직원들은 3주간 훈련을 하는 동안 단 한 번도 동일한 시나리오를 경험하지 않는다. 직원들은 이동할 필요 없이 실제 같은 상황을 경험하고 배울 수 있다. 이 가상 교육은 연간 30만 달러의 출장 경비를 절약할 수 있도록 도와준다.